D1410972

MONET

DU MÊME AUTEUR

ROMANS

Signes particuliers, Ramsay, 1980.
Hors-Texte, De Luca Editore, Rome, 1981.
Annonce classée, Denoël, 1985.
Collection particulière, Flammarion, 1995.

ESSAIS

Les Peintres et l'autoportrait, Skira, Genève, 1984.
   Primé par la Société des Gens de Lettres.
Rembrandt, autoportrait, Skira, Genève, 1985. Prix Elie Faure.
   Gutenberg du plus beau livre de l'année 1986. Prix Charles Blanc de l'Académie
   française.
Les Impressionnistes, portraits et confidences, Skira, Genève, 1986.
Van Gogh par Vincent, Denoël, 1986. Folio n° 112, 1988.
Van Gogh, le soleil en face, Gallimard/Découvertes, 1987.
Van Gogh, la lucidité et la lumière, Editions du Chêne, Profils de l'art, Paris, 1989.
Jean Verame, Tibesti, Skira, Genève, 1989.
Rembrandt, le clair et l'obscur, Gallimard/Découvertes, 1990.
Paul Jenkins. Conjonctions et annexes, Galilée, 1991.
Vermeer, Le Chêne, 1992.
Titien, Editions Flohic, 1993.
Cézanne, portrait, Hazan, 1995. Prix de l'Académie des Beaux-Arts.
L'Europe de l'art, Editions Assouline, 2001.
Moi je, par soi-même, autoportraits du XXe siècle, préface de Jorge Semprun, Diane de
   Selliers éditeur, Paris, 2004.
Moi ! autoportraits du XXe siècle, Skira, Milan, 2004.
Autoportraits du XXe siècle, Découvertes/Gallimard, 2004. Grand Prix du Jury de La
   Nuit du Livre 2004. Prix Cercle Montherlant – Académie des Beaux-Arts 2004.
La Collection Philipps, Découvertes/Gallimard, 2005.
Le Musée du Luxembourg, Skira, Milan, Paris, 2006.

DIVERS

Blessé grave, Denoël, 1987.
Lettre anonyme, avec des lithographies et gravures d'Aki Kuroda, Adrien Maeght
   éditeur, Paris, 1987.
ABCDaire de Rome, Flammarion, 2000.
Conversation avec Pierre Skira, Editions Tandem, Gerpinnes, Belgique, 2000.

PASCAL BONAFOUX

MONET

PERRIN

www.editions-perrin.fr

ISBN : 978-2-262-02398-0

Pour M., pour I. et pour B.

« On se demande comment la perspective d'avoir un biographe n'a jamais découragé personne d'avoir une vie. »

CIORAN

« Never trust the artist. Trust the tale. »
(« Méfiez-vous de l'auteur. Faites confiance à son œuvre. »)

D.H. LAWRENCE

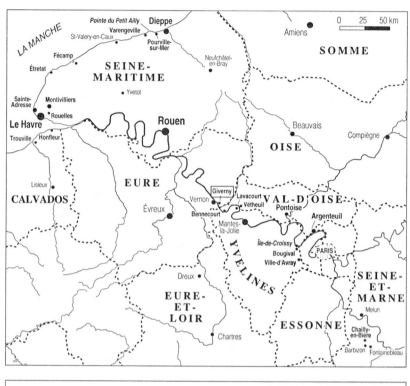

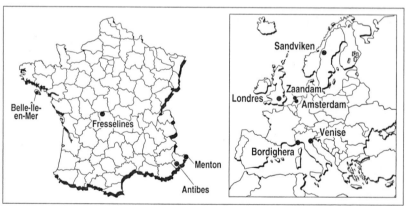

Sur les traces de Monet

(Les noms des villes où Monet a trouvé ses « motifs »
sont indiqués en gras.)

Paratonnerre*

Souvent, je revenais. Je ne savais pas trop bien pourquoi, mais il fallait que je revienne. Les salles étaient vides toujours. Ou presque. De temps à autre, à pas lents, le gardien entrait, s'inquiétait de ce que je pouvais bien faire encore là, toujours assis sur la banquette. Ses chaussures faisaient un bruit qui tenait du chuintement, du grincement et du grognement. Il ne me demandait rien. Son regard soupçonneux chaque fois me laissait entendre que rester aussi longtemps n'était pas normal. D'ordinaire, les gens entraient, faisaient le tour de la salle, parfois revenaient sur leurs pas ou s'asseyaient quelques minutes... Et ils repartaient, passaient dans la seconde salle. Et là, à nouveau, de la même manière, ils regardaient autour d'eux. Puis ils repartaient. Après quelques visites, le gardien, quand il était affecté à ces salles plutôt qu'à celles de la collection Walter-Guillaume, prit l'habitude de me saluer, vieille connaissance, en portant la main droite à sa visière. Enfin, un jour, il me demanda pourquoi je revenais sans cesse. Il accepta mes explications banales, incomplètes, foireuses. Cela se passait en mai. Il lui sembla nécessaire d'ajouter : « Parce que, tant qu'à faire, par ce temps-là, vous seriez mieux à Giverny... » Non, merci. J'y avais entendu un guide énumérer azalées et agapanthes, gyneriums et lupins, fougères de Kalmia et cognassiers du Japon, distinguer les saules pleureurs des saules têtards... Non, merci. Aucun doute à avoir, ce n'était pas au bord du bassin de Giverny, mais dans ces salles de l'Orangerie de Paris que le charme avait toute sa force.

Pourquoi revenais-je ? Mes réponses au gardien du musée, en raison de

---

* « Une préface pourrait être intitulée "paratonnerre" » (Lichtenberg, *Aphorismes*. Trad. Marthe Robert, Denoël, Paris, 1980, p. 39).

9

je ne sais quelle gêne ou de quelle pudeur peut-être, avaient délibérément malgré tout passé l'essentiel sous silence. Cerné par ces panneaux des Nymphéas, j'avais éprouvé, à chaque visite, une singulière sensation toujours différente, chaque fois inexprimable. Cela allait de la sérénité à l'inquiétude. Peut-être parce que, face à ces formes, à ces couleurs, j'avais le sentiment très intense d'être à la lisière de la représentation.

Quelques mois plus tôt, jour après jour, pendant plusieurs semaines, sur la terrasse de sa maison, entre Aix-en-Provence et Le Tholonet, j'avais écouté André Masson parler. Un jour, il avait affirmé que la peinture est, doit être, ne peut être que « spirituelle ». Quel que soit le sujet, parce que ce n'est pas le sujet qui fait la spiritualité, cette spiritualité qui n'est pas l'affaire d'une foi. Il m'en donnait pour preuves les œuvres qu'il énumérait. Parmi elles, les Nymphéas de Monet à l'Orangerie. Masson m'avait donné l'ordre d'aller « vérifier ». Il m'avait demandé de venir plus tard, à son retour à Paris, lui rendre compte de cette « vérification », chez lui, rue de Sévigné. Scrupuleusement, parce que sa mémoire et sa fougue, intactes en dépit de l'âge, de la fatigue, me fascinaient, parce que je le respectais, j'étais allé rue de Sévigné. Je lui avais dit mon émerveillement et mon désarroi. Il m'enjoignait parfois d'aller revoir ces troncs de saules dont on ne sait où ils sont plantés, d'aller regarder les feuilles de ces saules qui semblent n'être accrochées à aucune branche, d'aller scruter ces reflets dont il est impossible de déterminer s'ils sont ceux de nuages ou les éclats de lumière lors d'une éclaircie... Un jour, je lui avouai que j'avais le sentiment que je ne parviendrais jamais à comprendre ces Nymphéas. Il m'avait alors redit qu'il faudrait bien qu'un jour j'en finisse avec cette imbécile prétention à vouloir « comprendre » la peinture, que la peinture n'est pas faite pour être comprise mais regardée, et que c'est sa raison d'être de provoquer une émotion intraduisible par des arguments et des déductions mis en ordre de combat pour une démonstration, qu'il faudrait bien que je prenne enfin conscience de ce que « voir » et « regarder » veulent dire, et qu'il n'y avait peut-être, au bout du compte, qu'une seule chose à « comprendre » : c'est que, pour arriver à « ça », il avait fallu à Monet être d'une rigueur implacable.

Comprendre cette rigueur dont Monet avait dû faire preuve...

A vingt-quatre ans, je ne savais rien de la revue Verve. Et pour cause, j'ignorais qu'en 1952 Masson y avait publié un texte, « Monet le fondateur ». Il y disait son souhait que les jeunes peintres découvrent Monet et que de moins jeunes fassent une redécouverte tout aussi opportune :

« *Encouragement à repartir à neuf, afin de retrouver, forçant le destin, la divine sensation. Divine ? C'est-à-dire humaine à l'extrême[1].* »

Quelques années passèrent.

Et Monet devint le souci d'un tout autre ordre... Des amis communs nous avaient présentés l'un à l'autre. Régulièrement, depuis notre rencontre, il m'ouvrait les portes de l'hôtel particulier où il n'avait pas cessé depuis trente ans d'ajouter des œuvres à celles déjà rassemblées par son père qui avait commencé sa collection par l'achat d'un Picasso en 1913... Un soir, dans le salon aux murs couverts de toiles, il me montra le catalogue d'une vente prochaine aux enchères. Un Monet devait être mis en vente. Il me demanda si je ne voulais pas l'acheter. Comment aurais-je pu seulement m'imaginer une fois, rien qu'une fois, lever la main dans la salle des ventes, alors qu'il venait de m'en dire l'estimation ? Lui-même ne serait pas à Paris le jour de la vente. Il ne voulait par ailleurs pas donner un ordre de vente au commissaire-priseur. Pour une raison qu'il passa sous silence, il me dit s'être brouillé avec lui depuis quelques temps. Il voulait ce Monet. Il ne servait à rien de regretter de ne pas l'avoir acheté un siècle plus tôt, pour cinquante francs peut-être. Il se proposait donc de me faire un chèque... Je saurais jusqu'où je pourrais enchérir. Non, merci. Il insista. J'objectai que, avec la somme qu'il se proposait de me remettre – l'estimation augmentée de 20 %, au cas où... –, je pourrais m'exiler dans un paradis fiscal sous les tropiques. Il doutait que je prenne ce risque. Une semaine plus tard, parmi les premiers, je prenais place dans la salle des ventes. La vente commença. Les commissionnaires présentaient les toiles. L'enchère est à ma droite... une fois, deux fois... Oui, monsieur... L'enchère est au fond de la salle... Une fois, deux fois, trois fois... Adjugé ! Et ce fut le Monet. Paumes moites, sueur froide dans le dos. La mise à prix est... J'attendais. Et j'ai levé la main. Encore... encore... encore... Et le marteau d'ivoire du commissaire-priseur est tombé. Adjugé ! J'avais « mon » Monet. Inconnu du commissaire-priseur et de ses experts, je remplis le chèque de banque, le chèque certifié dont on m'avait conseillé de me munir. On me félicita de « mon » achat, on eut pour moi les égards et les formules de politesse réservés aux « grands » collectionneurs. Je ne revis « mon » Monet que dans ce salon où m'avait été remis le chèque. Il y avait pris la place d'une nature morte de Braque...

Et des années passèrent encore.

Des années à ne rien comprendre à la peinture. Savoir que l'on n'y comprendra jamais rien, n'interdit pas de chercher à déceler ce qui constitue la singularité d'une œuvre, ce silence incomparable qu'elle s'obstine à *garder. Le silence des autoportraits de peintres, silence qui me fascine depuis plus de trente ans, m'a conduit à Rembrandt, à Van Gogh, à Cézanne, à...*

Si ceux de Rembrandt, de Van Gogh et de Cézanne, parce qu'ils sont nombreux, m'avaient permis de faire des livres, comment en faire un avec ceux de Monet ? Il n'y en a guère que trois. Ou plutôt, il n'en reste que trois. Monet en a détruit deux, contemporains du dernier, qui furent photographiés dans l'atelier des Nymphéas. En aurait-il détruit d'autres, plus anciens, au cours de l'un de ces autodafés auxquels assistèrent dans les dernières années de la vie du peintre, désolés et impuissants, son fils Michel, sa belle-fille Blanche ? Il y a celui de 1884[2], celui de 1886[3], celui de 1917[4]. Ils ont en commun d'être tous trois inachevés.

Dans le premier, daté 1884, Monet est assis dans son atelier devant des toiles dont l'ébauche d'un Sentier au cap Martin *peint à deux reprises. Assis sur un tabouret, il y est coiffé d'un béret, une cigarette aux lèvres. Le corps n'est qu'ébauché. Des traits, des balafres de peinture grise... De la même manière, la blouse, la veste grise portée dans l'autoportrait à mi-buste de 1886, est ébauchée. Et, autour du béret dont l'ombre barre le front, le fond gris est un enchevêtrement de touches qui n'atteignent pas les bords de la toile. Le dernier autoportrait, peint en 1916 peut-être, ou dans les premiers mois de 1917, n'est plus qu'une tache au centre d'une toile de 70 centimètres de haut sur 55 de large. Comment alors, pour l'étude de cet autoportrait, aurais-je pu ne pas lire le livre que Clemenceau consacra à son ami Monet, quelques mois seulement après sa mort ? Cette toile lui avait été offerte par Monet lui-même. Dans ce livre, il affirmait que cet autoportrait devait « être tenu pour le dernier mot de Monet ». Il écrivait encore : « L'intérêt de cette toile, c'est qu'elle nous montre, dans un ouragan de passion heureuse, l'homme de l'achèvement rêvé. Tout l'éclat du labeur triomphant s'inscrit en ce visage, convulsé dans l'éblouissement de la vision intérieure d'où semble enfin bannie la terreur d'un succès qui ne serait pas à la mesure de ce qu'il a voulu[5]. » La pertinence des mots de Clemenceau, qui assure que l'œuvre montre « l'homme de l'achèvement rêvé », exprime exactement la métamorphose que veut, que doit être tout autoportrait. Monet est devenu* un Monet... Comment ? La vie de Monet *me donnerait peut-être la réponse... D'autant que ce passage du livre de Clemenceau : « Quel est l'enseignement de la vie de Monet ? Question d'art. Question d'humanité par excellence, puisque tout l'art ramène, comme notre connaissance elle-même, à des expressions de sensibilité[6] », résonnait comme un écho aux mots de Masson. Masson :*

12

« *Divine ? C'est-à-dire humaine à l'extrême.* » *Clemenceau :* « *Question d'humanité par excellence* »...

Le temps semblait venu d'examiner le parcours de Monet, de l'humiliation éprouvée lorsqu'il fut refusé au Salon à la promesse de l'État de mettre en place, selon son désir, ses Nymphéas dans un musée national. Des urgences en décidèrent autrement. Un jour, peut-être, je reviendrai à Monet...

Et des années passèrent.

Et, enfin, il y eut cette question : « *Vous n'écririez pas une biographie de Millet ?* » Je ne l'avais guère fréquenté que parce que Vincent Van Gogh l'admira, que parce qu'il peignit plusieurs toiles d'après ses gravures. Sinon... Par scrupule, j'allais revoir quelques toiles. Décidément, je n'ai pas grand-chose à faire de cette peinture qui sent le crottin, la paille et le foin. Je n'écrirai pas la biographie de Millet. « *Et si vous deviez en écrire une ? – De Monet bien sûr...* »

Paradoxe, lorsque je l'ai commencée, l'Orangerie fermait pour plusieurs années de restauration.

Depuis 1966, les Nymphéas étaient éclairés par une lumière artificielle. Cela en dépit de l'article 4 de l'acte officiel de donation daté du 12 avril 1922 qui stipule : « *L'aménagement des panneaux donnés ne pourra jamais être modifié sous aucun prétexte*[7]. » Il avait fallu, dans l'Orangerie, faire de la place à la collection Paul Guillaume, léguée par sa veuve Mme Jean Walter... L'article 3 du même acte de donation, qui précisait que les œuvres seraient remises à l'État à l'achèvement des travaux « *nécessaires à leur bonne exposition* », ne précisait pas noir sur blanc la volonté répétée de Monet que celles-ci soient éclairées par la seule lumière du jour... On ne saurait penser à tout.

Depuis la réouverture de l'Orangerie, en 2006, les Nymphéas sont exposés comme Monet le voulait, dans la seule lumière qui leur convienne, celle du jour. Enfin...

J'y retourne. J'y retournerai...

Paris, février 2007

Prologue

1840-1926

Qu'y a-t-il à dire de moi ?[1]*

« Je viens de recevoir un article paru dans un journal d'Angers, où il est dit que j'aurais fait une série de vues de la cathédrale d'Angers, et l'auteur dudit article me dit avoir appris cela par le *Journal* des Goncourt et me demande où sont ces toiles, et voilà comment s'écrit l'histoire[2]. » Ces lignes sont le post-scriptum dépité d'une lettre de Monet à Gustave Geffroy datée du 10 janvier 1922. Au moins, je sais à quoi m'en tenir... Monet ne laisse pas passer la moindre erreur. Un peu plus d'un an plus tôt, il écrit, le 4 décembre 1920, au même Geffroy : « Mon cher ami, je ne puis vous dire combien j'ai été heureux à la lecture de l'article que vous me consacrez dans *L'Art et les artistes*. Non que je croie mériter tant de louanges, quoique, venant de vous, elles me touchent profondément, et je vous remercie de tout cœur de ce que vous pensez de moi et de ce que j'ai pu faire comme peintre.

« Ceci dit, permettez-moi de vous signaler les quelques petites erreurs que contient votre étude :

« D'abord, je ne suis pas né au Havre, j'y ai été élevé, mais je suis né à Paris, rue Laffitte, la rue des marchands de tableaux.

« 2° Ce n'est point chez Glaize que j'ai connu Renoir, Bazille et Sisley, mais bien à l'atelier de Gleyre.

« 3° Quant aux jours pénibles et de grande misère avec Renoir, ce n'est pas à Vétheuil que nous les avons vécus si mal, mais moi à Saint-Michel et Renoir à Louveciennes, deux jolis endroits au-dessus de Bougival.

« Enfin, cher ami, dernière erreur et que, pour la mémoire de

---

* On trouvera les notes en fin d'ouvrage.

15

Mallarmé, vous devez réparer par un petit mot. Laissez-moi vous donner le libellé exact de l'adresse ci-contre :

> *Monsieur Monet, que l'hiver ni*
> *L'été en vision ne leurre*
> *Habite, en peignant, Giverny*
> *Sis auprès de Vernon, dans l'Eure[3]. »*

Quatre erreurs dans un article d une trentaine de pages. Monet n'en laisse pas passer une... Monet ne précise pas à Geffroy que la lettre envoyée par Mallarmé le 10 septembre 1890 ne concerne ni la poésie ni la peinture. Il s'agissait de recettes de cuisine... « Nous n'avons pu profiter encore des bonnes recettes, ayant toutes sortes d'ennuis[4]. » Ni ces recettes, ni la maladie alors d'un fils de Monet, ni les allers et retours entre Giverny et Le Havre que lui impose cette maladie, ni le départ d'une domestique, ne sont si importants. Si la vie à Giverny est alors « toute désorganisée et les travaux du peintre interrompus[5] », il ne s'agit que d'un bref trouble, que d'un suspens.

Quels faits dans la vie de Monet ont été autre chose ? Rien ne semble avoir de prise sur lui. L'histoire ? Le cortège des ambitions et des illusions politiques, des régimes qui s'écroulent et se corrompent, des guerres, des défaites et des victoires, le concerne à peine. Il peint. Confidence de Jean-Pierre Hoschedé, son beau-fils : « Il ne votait pas, sauf une fois, je crois, après la guerre de 1914-1918, mais je n'en suis pas sûr[6]. » La critique ? Elle ne le touche pas. Le 3 juin 1912, il écrit à Signac : « Si les injurieuses critiques de la première heure m'ont laissé froid, je reste aussi indifférent aux éloges des imbéciles, des snobs et des trafiquants[7]. » Il peint. Les amours ? Les deuils ? Sa première femme, Camille, meurt en 1879. La seconde, Alice, meurt en 1911. Il pleure sans doute. Et, pour conjurer la douleur comme la solitude peut-être, il peint. Le reste est sans importance.

En avril 1895, Monet est à Sandviken, en Norvège, depuis quelques mois. Un soir qu'il s'y repose, assis « dans un coin de son sofa » où il se tient « comme un campagnard fumant sa pipe après une journée de travail », la conversation s'engage sur les interviews, écrivains et reporters. Claude Monet parle (et Henri Bang note dans son journal) : « D'ailleurs, que voulez-vous ? Qu'y a-t-il à dire de moi ? Que peut-il y avoir à dire, je vous le demande, d'un homme que rien au monde n'intéresse que sa peinture – et aussi son jardin et ses fleurs – car les fleurs, les simples, sont si jolies et si calmes[8]. » Il doit se résigner à ce constat : « Il est à plaindre, pour un homme, de ne s'intéresser qu'à une chose. Mais je n'y puis rien faire. Je ne sens qu'un intérêt, le travail n'est presque toujours qu'une torture. Si je pouvais trouver quelque autre intérêt je serais bien plus heureux car je pourrais me reposer sur cet autre. Maintenant, je ne peux plus me reposer, les couleurs me poursuivent comme un souci. Elles me poursuivent jusque dans le sommeil. » Et de soupirer : « Non, c'est une grande souffrance et qu'est-ce que je veux ? Je poursuis un rêve, je veux l'impossible. Les autres peintres peignent un pont, une maison, un bateau. Ils peignent le pont, la maison, le bateau et ils ont fini... Je veux peindre l'air dans lequel se trouve le pont, la maison, le bateau. La beauté de l'air où ils sont et ce n'est rien autre que l'impossible[9]. »

Henri Bang de tirer cette conclusion : « Il n'y a rien d'autre à dire de lui que ce qui est contenu dans ses paroles ; sa vie est ce qu'il peint et ce qu'il peint est sa vie[10]. »

Que sa vie soit ce qu'il a peint, que ce qu'il a peint soit sa vie, implique que, dans sa vie, seul compte ce qui se rapporte à la peinture. Le reste ? Au mieux futile, vain, insignifiant. Ou presque.

Ce qui ne signifie pas qu'il faille attendre de Monet une théorie de la peinture. Affirmation sans appel du 26 juin 1895 : « [...] c'est déjà bien assez de livrer au public ce que l'on fait sans l'assommer de ce que l'on pense[11]. »

La « théorie » de Monet – si c'en est une – tient à ces quelques phrases notées par le peintre Jacques-Emile Blanche né vingt et un ans après Monet – si, il faut l'espérer, mais comment le vérifier ?, il les rapporte scrupuleusement : « Je peins comme l'oiseau chante... Je voudrais être toujours devant la mer, ou dessus – et quand je mourrai, qu'on m'ensevelisse dans une bouée... On ne fait pas de tableaux avec des doctrines... On n'est point un artiste si l'on ne porte son tableau dans sa tête avant de l'exécuter et si l'on n'est tout à fait sûr de son métier, de sa composition... Les techniques varient, l'Art reste identique ; il est la transposition, à la fois volontaire et due à la sensibilité, des aspects de la nature[12]. » Que faire si ce n'est se fier à ces propos volés ? Mais est-ce seulement possible ? Le 23 septembre 1920, le journaliste Thiébault-Sisson qui, peut-être, prépare dans sa chambre de l'hôtel Baudy, à Giverny, la rencontre de Monet le lendemain, y relit peut-être ses notes, reçoit ce billet : « Cher Monsieur, A mon grand regret, il ne me sera pas possible de vous recevoir demain, comme je l'avais pensé. Ce sera pour la semaine prochaine, le jour que je verrai possible. Maintenant, laissez-moi vous dire que je me refuse absolument à me prêter davantage à ces conversations qui ressemblent plutôt à des interviews. Je me laisse aller aux bavardages que vous savez provoquer, et, dès votre départ, je regrette d'en avoir tant dit ; et vous savez ce que je pense de cela et du peu d'intérêt que cela peut avoir quoi que vous en disiez. Bref, je crois que vous êtes à présent assez documenté sur ma personne et je vous demande de ne plus insister[13]. »

Quelques mois plus tard, le jour même de la parution dans *L'Excelsior* du 26 janvier 1921 de l'article de Marcel Pays, « Une visite à M. Cl. Monet dans son ermitage à Giverny », Monet fait part de son dépit au galeriste Bernheim-Jeune. Suit cette prière : « Si vous avez jamais le désir de m'envoyer un journaliste, prévenez-m'en d'abord, je vous en prie, ou mieux, ne le faites jamais ; ces messieurs ont une façon de me faire causer qui n'est guère de mon goût et d'autant plus qu'ils ont l'habitude de déformer totalement ce qu'on leur dit et puis, convenez combien cela est inutile[14]. » Cette inutilité qui grève son temps exaspère Monet depuis longtemps. Il n'a pas manqué de dire sa réticence à Arsène Alexandre en juillet 1920 : « A vous dire vrai, voilà bien longtemps que MM. Bernheim et Fénéon me tourmentent au sujet de cet ouvrage auquel j'ai toujours été rebelle, je l'avoue, non que je ne reconnaisse le droit d'écrire sur mon œuvre qui appartient en somme au public, mais jugeant qu'un artiste ne doit pas collaborer à un ouvrage public de son vivant.

« Bref, j'avais fini par me rendre à leur désir et ledit ouvrage avait été confié il y a déjà longtemps à mon ami Gustave Geffroy qui, faisant aussi attendre ces messieurs, dut renoncer à l'exécuter. Je ne puis qu'être flatté que vous acceptiez ce travail et ne doute pas un instant que vous le meniez à bien. Venez me voir quand vous le voudrez, le matin de préférence. Vous déjeunerez avec moi et nous causerons de cela et prendrons les décisions nécessaires[15]. » Pour convaincre Monet de le recevoir, sans doute les Bernheim lui ont-il donné à lire l'article "L'exposition Alfred Sisley" paru dans *Le Figaro* du 7 février 1897. Peut-être... Précaution superflue. Les souvenirs que Claude Monet garde de la préface écrite pour l'exposition de Renoir chez Durand-Ruel en 1892, l'éloge qu'il donna de ce marchand à la revue *Pan*, lorsque Paul Durand-Ruel passa le relais à ses fils, la critique qu'il publia de la première exposition de Cézanne chez Ambroise Vollard en 1895, la collection qu'il a dû vendre en 1919, collection qui comptait un Cézanne, des Boudin, des Pissarro, des Renoir..., tenaient lieu de caution.

Quelques mois plus tard, Monet, à la lecture de « L'épopée des *Nymphéas* » paru dans *Le Figaro* du 21 octobre 1920, est assuré que sa confiance n'est pas, ne sera pas trahie. « Votre article est très beau et je vous prie de croire à mes sincères remerciements, mais vous mettez ma modestie à une bien cruelle épreuve. J'ai été tellement déçu ces jours derniers par certains articles choquants par leurs racontars inutiles et déplacés que le vôtre, venu après, montre que chez vous, la question d'art prime tout et je vous en sais gré[16]. » Ecrire à propos de Monet ? Il *suffit* d'écarter les « racontars inutiles et déplacés ». Il *suffit* d'être conscient toujours que « la question d'art prime tout ». Mots essentiels de cette lettre du 22 octobre 1920.

Un an plus tard, jour pour jour, le 22 octobre 1921, Monet écrit à Arsène Alexandre : « Vous avez dû être assez étonné de ne point recevoir de moi le moindre mot de remerciement, mais c'est que votre livre ne m'est parvenu que huit jours après son envoi et que je ne voulais vous écrire qu'après lecture complète. Il me reste donc d'abord à m'excuser de ce trop long retard, de vous assurer sans aucune fausse modestie combien je suis touché par tout ce que vous voulez bien m'attribuer de mérite. Ce qu'il y a de parfait dans votre étude, c'est comme vous avez su si bien coordonner chronologiquement les phases de mes tentatives et de mes recherches, et cela sans une faute, et sans blesser personne et c'est, soyez-en assuré, du fond du cœur que je vous en remercie[17]. » La satisfaction qu'éprouve Monet ne l'a pas empêché d'être, de rester implacablement vigilant pendant le temps même où Arsène Alexandre écrivait. Le 15 mai 1921, Monet lui signifie qu'il lui serait « pénible » que le livre évoque les *Décorations*, don qu'il a proposé à l'Etat, lequel ne semble pas prêt à « faire la dépense nécessaire au local voulu[18] »... Si cette invitation à garder le silence est essentielle, elle n'est pas la seule raison de la lettre : « Je voulais aussi vous aviser de certaines erreurs qui se trouvent dans un article que vous avez publié dans *Le Cousin Pons*, "Claude Monet considéré comme peintre de figures". A ce moment, je voulais vous écrire déjà à ce sujet, car il me semblait utile que je vous voie afin de rétablir la vérité et de ne pas commettre d'inexactitudes, et voilà. Vous allez me trouver passablement difficile et exigeant[19]. »

A Gustave Geffroy qu'il a rencontré à Belle-Ile-en-Mer en 1886, qui lui a fait savoir en février 1921 qu'il est enfin prêt à lui consacrer un livre,

Monet n'a pas besoin de dire qu'il peut être « passablement difficile et exigeant ». Geffroy le sait. Et Monet sait que Geffroy le sait. Surtout depuis la lettre de Monet datée du 4 décembre 1920 qu'il a reçue... Dès le 21 février 1921, il lui écrit : « Je tiens avant tout à vous redire toute l'amitié que je n'ai cessé d'avoir pour vous ainsi que le regret de ne pas vous voir plus souvent, ce n'est de la faute ni de vous ni de moi. Je suis tout à votre disposition pour les questions que vous avez à me poser et auxquelles Mme Jean Monet vous répondra pour moi[20]. » Qu'Arsène Alexandre soit alors en train d'écrire son livre est sans importance. Monet ne cite pas même son nom. Parce qu'il n'a pas, ne peut pas avoir le moindre doute : « Pour celui que vous me consacrerez, il sera le meilleur et je me ferai un devoir de vous donner les renseignements nécessaires[21]. »

A la sortie du livre, Monet semble comblé. 25 juin 1922 : « Cher ami, je venais de vous écrire lorsque m'est parvenu votre livre avec la si amicale dédicace. Je n'ai pas besoin de vous dire combien je suis touché, toute modestie mise à part, du bien que vous dites de mes œuvres et de moi-même, mais je reste profondément touché. De tout ce que vous avez si bien exprimé de ma vie, de mon labeur, je laisse naturellement à part tout ce qui est documentation, malgré tout l'intérêt que cela peut avoir pour d'autres et je vous remercie du fond du cœur[22]. » Pas un reproche fait au texte. Pas la moindre erreur relevée. Malgré tout le livre n'est pas exactement ce qu'il aurait dû, ce qu'il aurait pu être. La reproduction – en couleurs – du *Bloc* de la Creuse est « plus que médiocre ». Exclamation agacée de Monet : « [...] à quoi bon chercher à faire de son mieux pour dénaturer ! » Suit cette formule de politesse : « A vous d'amitié et merci encore pour tout ce qui est beau dans ce livre[23] », dans lequel, sous-entendu, tout n'est pas beau... Reste à tenir le *Monet, sa vie, son œuvre* de Gustave Geffroy qui a pu, à Giverny, piocher lui-même « dans le tas », qui a pu, dans le jardin, la salle à manger, les ateliers de Giverny, compléter ses notations « par la causerie » avec Monet, comme une référence essentielle. Ce qui ne veut pas dire qu'elle soit la seule.

Lire. Lire encore. Et aller de frustration en frustration... Ne serait-ce qu'à cause des correspondances.

Exemples. Le 30 mai 1885, Paul Durand-Ruel envoie cette invitation à Camille Pissarro : « Vous devez venir probablement à Paris la semaine prochaine pour votre dîner du jeudi. Voulez-vous venir déjeuner ce même jeudi, rue de Rome à midi ? Vous vous y trouverez avec Renoir et Monet, et aussi avec Mirbeau qui désire vous voir[24]. » Que n'ai-je été rue de Rome, ce jour-là, maître d'hôtel chez Durand-Ruel ! Autre exemple : le 14 juin 1889, Monet écrit à Rodin : « Mon cher Rodin, j'arriverai demain matin pour commencer l'accrochage chez Petit. Je serai chez lui, rue Godot-de-Mauroy, demain samedi à 11 heures. Si vous pouviez vous y trouver, ce serait très bien, afin de nous entendre avant de rien commencer pour le placement. J'en préviens également Petit, faites donc en sorte de vous y trouver, ce sera l'affaire d'un moment. Si vous n'avez pas déjeuné, nous casserons une croûte ensemble et nous causerons. Le soir, demain, c'est le dîner des "De la banlieue". Mirbeau et Geffroy y seront ; tâchez d'en être. Le dîner a lieu chez Sapin, restaurant du Palais des Beaux-Arts à l'Exposition. Enfin, à demain 11 heures chez Petit[25]. » Que n'ai-je cassé une croûte le 15 juin du côté de la rue Godot-de-Mauroy, près de la Madeleine ! Et le dimanche 8 janvier 1888 pourquoi n'étais-je pas au café de la Paix, devant l'Opéra ? Le matin même Monet a envoyé à Mallarmé ce billet sur une feuille à l'en-tête de l'hôtel Garnier : « Je suis ici avec Whistler de passage à Paris qui serait très heureux de faire plus ample connaissance avec vous. Si cela vous est possible, voulez-vous venir déjeuner avec nous ce matin ? Rendez-vous 11 heures et demie, café de la Paix[26]. »

On peut m'objecter que le 30 mai 1885, à la table de Durand-Ruel, que le 8 janvier 1888 au café de la Paix, que le 14 juin 1889 encore chez Sapin, les uns les autres n'ont parlé peut-être que de la pluie et du beau temps... Et alors ? La pluie, le beau temps ont-ils jamais cessé d'obséder Monet ?

La preuve ? Le 15 juillet 1864, à Honfleur, il écrit à Bazille : « Je me demande ce que vous pouvez faire à Paris par un si beau temps, car je suppose qu'il doit faire aussi bien beau là-bas[27]. » Ou, le 29 juin 1921, près de soixante ans plus tard, il écrit à Clemenceau : « Je continue à travailler avec ardeur, mais le temps, très variable, me joue de vilains tours[28]. »

Raconter le peintre Monet ? C'est devoir, sans erreurs comme sans « racontars inutiles et déplacés », raconter la pluie et le beau temps... Parce que « la question d'art prime tout ». Parce que Monet a voulu « peindre l'air ».

Constat de Jacques-Emile Blanche fait quelques mois après la mort de Monet en 1926 : « Monet semble avoir été de ces individualistes illustres dont il n'y a pas beaucoup à raconter. Heureux sort ! On ne publiera pas ses Mémoires ; de lui, on ne répétera pas de fausses anecdotes[29]. »

I

DE LA RUE LAFFITTE
À CHAILLY-EN-BIÈRE

1840-1863

1840

Je suis un Parisien de Paris[1]

Le billet de Claude Monet est daté « Giverny, 20 décembre 1898 » :
« Cher Monsieur Durand, je compte venir à Paris demain et passerai
rue Laffitte après-demain pour vous demander ce que vous avez bien
voulu me promettre[2]. » La galerie Durand-Ruel est au numéro 16 de cette
rue Laffitte qui va du boulevard des Italiens à la rue de Châteaudun.
Depuis quelques années, elle est devenue la « rue des tableaux ».

Le marchand de tableaux Ambroise Vollard se souvient : « Si on
entendait quelqu'un dire : "Je vais faire un tour rue Laffitte", on était
sûr d'avoir affaire à un amateur de peinture. De même, quand Manet
disait : "Il est bon d'aller rue Laffitte", ou, au contraire, lorsque l'on
entendait Claude Monet dire : "Pourquoi aller rue Laffitte ?" cela signi-
fiait qu'il était nécessaire ou inutile, pour un peintre, de se tenir au courant de la production de ses confrères[3]. » Et d'énumérer les galeries :
« Près des grands boulevards, je vois encore le magasin de Gérard spé-
cialisé dans les Boudin, les Henner, les Ziem[4]. » Plus haut dans la même
rue, « il y avait Diot chez qui ont défilé tant de Corot, de Daumier, de
Jongkind[5] ». Précision de Vollard : « Dans le magasin de Diot, les
tableaux débordaient jusque dans une cour où, sous une espèce de hangar, on pouvait voir des esquisses de Daumier, dédaignées à une époque
où l'on s'attachait surtout au "fini"[6]. » Hors de question, dans la même
rue, de ne pas pousser la porte du « magasin de Tempelaere en qui
Fantin-Latour, qui mit longtemps à percer, avait trouvé un appui[7] ».
Enfin, il serait dommage de ne pas aller jusque chez « Clovis Sagot, dit
"Sagot le frère", ainsi qu'on l'appelait pour le différencier de son
aîné, le grand marchand de gravures ». Il « avait ouvert, à l'autre bout
de la rue Laffitte, près de l'église Notre-Dame-de-Lorette, un petit

magasin[8] ». On y découvre, dès les premières années du XXᵉ siècle, les tableaux d'un inconnu, un certain Georges Braque. Et les tableaux d'un autre jeune peintre dont on commence de distinguer dans son œuvre des périodes, l'une bleue, l'autre rose, un Espagnol qui s'est installé à Montmartre, au Bateau-Lavoir, en 1904, Pablo Picasso. Enfin, « à côté de Durand-Ruel on pouvait voir une boutique très bien achalandée : celle de Beugnet, que la production horticole de Mme Madeleine Lemaire faisait ressembler à un étalage de fleuriste[9] ». La « production horticole » de Mme Lemaire ne concerne pas Monet. Dans ce domaine, le souci du jardin de Giverny lui suffit. Monet qui se rend chez Durand-Ruel, au 16 de la rue Laffitte, remonte-t-il la rue jusqu'au numéro 45 ?

Il y est né le 14 novembre 1840.

Le 20 mai 1841, Oscar-Claude Monet est baptisé dans l'église Notre-Dame-de-Lorette. Les travaux, s'ils ont commencé en août 1823, ne se sont achevés que cinq ans plus tôt, en 1836. Peut-être, en avançant vers l'église, avant de monter les huit marches qui y conduisent, M. et Mme Adolphe Monet, les parents, M. Claude-Pascal Monet, le parrain, et son épouse Antoinette-Reine Fresson, la marraine d'Oscar-Claude, ont-ils levé les yeux vers le fronton, sculpté par Charles Lebœuf-Nanteuil, *Hommage à la Vierge* entourée d'anges ? Peut-être ont-ils regardé les trois vertus théologales qui dominent le fronton, au centre, *La Charité secourant deux enfants* de Charles Laitié, à gauche, *L'Espérance* de Philippe Lemaire, et, à droite, *La Foi*, de Jean Foyatier ? Peut-être... peut-être pas... Ont-ils pris le temps de seulement regarder les œuvres d'Adolphe Roger qui décorent la chapelle du baptême et les fonts baptismaux dessinés par l'architecte de l'église lui-même, M. Louis-Hippolyte Lebas ? Peut-être n'ont-ils pas pris le temps de lever les yeux sur aucune des peintures qui décorent l'église, qu'elles soient d'Auguste Vinchon, de Monvoisin, de Joseph Langlois, de Coutan, de Pierre Granger, d'Auguste Hesse... Peut-être que ni la *Présentation au temple* de Heim ni le *Jésus au milieu des docteurs* de Drolling qui décorent la coupole n'ont retenu leur attention... D'ailleurs pourquoi se soucier encore de peinture ? On parle beaucoup, depuis un peu plus d'un an, d'un nouveau procédé technique qui, paraît-il, reproduit parfaitement l'image de toute chose, le daguerréotype. Le XIXᵉ siècle est bien celui du progrès. La peinture ne va pas tarder à disparaître... Peut-être encore cette église aux plans inspirés de Sainte-Marie-Majeure, à Rome, cette église rectangulaire au portique de style corinthien, n'est-elle à leurs yeux qu'« un tas de pierres de taille au milieu de la Chaussée-d'Antin[10] »... Cette critique est, au bout du compte, sans doute moins grave que celle faite par Viollet-le-Duc. Notre-Dame-de-Lorette est, pour lui, la « paroisse du demi-monde[11] ».

Cela, plus sans doute qu'aucune autre considération, gêne les Monet.

M. Claude-Adolphe Monet est né lui-même le 3 février 1800 à Paris. Comme son épouse Louise-Justine, née Aubrée, le 31 juillet 1805, veuve depuis un peu plus d'un an de M. Emmanuel Cleriadus Despaux, rentier, lorsqu'ils se marient le 20 mai 1835. Un an plus tard, ils ont un premier fils, Léon-Pascal. Adolphe Monet est, quant à lui, qualifié dans tous les actes officiels par ce seul mot : « propriétaire ».

« Propriétaire » ? Vague qualificatif. Dans la France de la monarchie bourgeoise de Louis-Philippe Ier monté sur le trône en 1830, il tient lieu de titre. Parce que la propriété est « le principe de notre gouvernement et de nos institutions ». Personne ne remet en cause alors cette affirmation du philosophe Pierre-Paul Proudhon. En revanche, rares sont ceux qui admettent la réponse qu'il donne dès les premières lignes du premier chapitre de son livre publié en juin 1840, *Qu'est-ce que la propriété ?* : « Si j'avais à répondre à la question suivante : *Qu'est-ce que l'esclavage ?* et que d'un seul mot je répondisse : *C'est l'assassinat,* ma pensée serait d'abord comprise. Je n'aurais pas besoin d'un long discours pour montrer que le pouvoir d'ôter à l'homme la pensée, la volonté, la personnalité, est un pouvoir de vie et de mort, et que faire un homme esclave, c'est l'assassinat. Pourquoi donc à cette autre demande : *Qu'est-ce que la propriété ?* ne puis-je répondre de même : *C'est le vol,* sans avoir la certitude de n'être pas entendu, bien que cette seconde proposition ne soit que la première transformée[12] ? »

S'il lit – ce qui est improbable – ces lignes en 1840, M. Adolphe Monet hausse sans doute les épaules. Inutile de perdre son temps à répondre à une provocation qui va à l'encontre du bon sens. M. Adolphe Monet ne doute pas qu'être propriétaire, c'est avoir « le droit de jouir et disposer des choses de manière la plus absolue, pourvu qu'on ne fasse pas un usage prohibé par lois ou par les règlements » ainsi que le stipule l'article 544 du code civil de Napoléon, c'est aussi avoir un rang à tenir dans la société. Ce qui rend certaines compromissions intolérables. M. Adolphe Monet est propriétaire. Propriétaire, il est bourgeois de Paris. Dès 1831, Anaïs Bazin a défini *Le Bourgeois de Paris*. Neuf ans plus tard, il est le même : « L'immoralité le révolte. Il a des mœurs, et il se vante d'en avoir. Ce serait une raison pour en douter, si cette prétention ne tenait pas à son existence même, si ce n'était pas là un de ses titres, sa mise de fonds dans l'égalité sociale. C'est par là qu'il se compare aux conditions les plus brillantes, et qu'il se trouve une supériorité. Un bourgeois dit : "J'ai des mœurs" avec le même sentiment de préférence pour soi et de mépris pour les autres qui fait dire à un noble : "J'ai de la naissance", à un banquier : "J'ai des écus", à un homme d'esprit : "Je n'ai rien"[13]. »

Or, en cette même année 1841 qui est celle du baptême d'Oscar-Claude Monet, Nestor Roqueplan donne le nom de « lorettes » aux « jolies pécheresses » qui s'installent alors dans le quartier. Hippolyte de Villemessant, directeur du *Figaro*, précise dans ses *Mémoires d'un journaliste* que c'est dans ses *Nouvelles à la main* que Roqueplan « imprima pour la première fois la monographie de la lorette dont il avait inventé le nom, nom devenu à jamais célèbre[14] ».

C'est donc le 21 janvier 1841 que, dans une plaquette in-32, Roqueplan décrivait « ces jeunes personnes qui se livrent à la perdition des fils de famille » et qui sont domiciliées dans « une espèce de ville nouvelle, partant du bout de la rue Laffitte jusqu'à la rue Blanche, comprenant les rues Neuve-Saint-Georges, La Bruyère, Breda, Navarin, et prenant son nom de la rue principale Notre-Dame-de-Lorette[15] ».

Définition du mot par Balzac : « Lorette est un mot décent inventé pour exprimer l'état d'une fille ou la fille d'un état difficile à nommer, et que, dans sa pudeur, l'Académie française a négligé de définir, vu l'âge de ses quarante membres. Quand un nom nouveau répond à un cas social qu'on ne pouvait pas dire sans périphrases, la fortune de ce mot est faite. Aussi la *lorette* passa-t-elle dans toutes les classes de la société, même dans celles où ne passa jamais une lorette[16]. » Comment Adolphe Monet aurait-il pu l'ignorer ?

En 1846, Louis-Nicolas de Bescherelle ébauche une distinction : « L'usage a introduit ce mot dans la langue, depuis quelques années, pour désigner certaine classe de femmes de mœurs légères et faciles, et adonnées aux plaisirs. La lorette a beaucoup d'analogie avec la grisette, dont elle se distingue cependant par des habitudes de luxe, ordinairement ignorées de cette dernière[17]. » C'est enfin la rigueur de Littré qui mettra en évidence comment se compose la hiérarchie des jeunes femmes de mœurs légères. Il convient donc, selon lui, de distinguer la lorette, « nom que l'on donne à certaines femmes de plaisir, qui tiennent le milieu entre la grisette et la femme entretenue, n'ayant pas un état comme la grisette, et n'étant pas attachées à un homme comme la femme entretenue », de la « grisette, jeune fille de petite condition, coquette et galante, ainsi nommée parce que autrefois les filles de petite condition portaient de la grisette », « vêtement d'étoffe grise de peu de valeur »[18]. Peu de temps après son installation dans le quartier, Eugène Delacroix écrit le 21 novembre 1844 à son amie George Sand : « Ce nouveau quartier est fait pour étourdir un jeune homme aussi ardent que moi. Le premier objet qui a frappé les yeux de ma vertu en arrivant, ç'a été une magnifique lorette de la grande espèce, toute vêtue de satin, et de velours noir, qui en descendant de cabriolet et avec une insouciance de déesse, m'a laissé voir sa jambe jusqu'au nombril[19]. »

Est-il, lorsque, comme M. Adolphe Monet, l'on est propriétaire, père de famille, père de deux garçons, possible de continuer de vivre auprès de cette « race hybride, créatures impertinentes, beautés médiocres, demi-chair, demi-onguents, dont le boudoir est un comptoir où elles débitent des morceaux de leur cœur, comme on ferait des tranches de rosbif, elles n'ont point l'intelligence des bêtes dont elles portent les plumes sur leurs chapeaux[20] » ? Cette description qui est un réquisitoire est donnée par le romancier Henri Murger, l'auteur de *Scènes de la vie de bohème*. La définition donnée par Baudelaire ne vaut guère mieux : « La lorette est une personne libre. Elle va et elle vient. Elle tient maison ouverte. Elle n'a pas de maître ; elle fréquente les artistes et les journalistes. Elle fait ce qu'elle peut pour avoir de l'esprit[21]. »

En cette année 1840, M. Adolphe Monet se contrefiche sans le moindre doute de savoir ce qu'une lorette peut ou ne peut faire pour avoir de l'esprit. Sans doute est-il vaguement inquiet en cette année qui est la dixième du règne de Louis-Philippe Ier, roi des Français. Il n'est pas le seul à l'être à Paris... Bourgeois comme tant d'autres, bourgeois parisien, M. Adolphe Monet est sûr d'un certain nombre de valeurs. « D'abord, il aime l'ordre, il veut de l'ordre, il dérangerait tout pour avoir de l'ordre ; et l'ordre, pour lui, c'est la circulation régulière et facile des voitures ou des piétons dans les rues ; ce sont les boutiques étalant au-dehors leurs richesses, et répandant, le soir, sur le pavé, la lueur du gaz qui les éclaire. Donnez-lui cela ; qu'il ne soit pas arrêté dans son chemin par d'autres groupes que ceux qui entourent les chanteurs, ou qui contemplent les dernières tortures d'un chien écrasé ; que son oreille ne soit pas frappée par des cris inaccoutumés, par ces clameurs épaisses que jette la foule en se ruant ; qu'il ne craigne pas de voir tomber à ses pieds un réverbère ; qu'il n'entende pas le fracas des vitres brisées, le bruit sinistre des volets qui se ferment, le rappel à l'heure indue, le pas des chevaux qui se précipitent, il est content, il a tout ce qu'il lui faut[22]. »

Or l'année a commencé par le procès de ces émeutiers du 12 mai 1839 qui, entraînés par Armand Barbès, ont tenté de renverser la monarchie. Le 6 août, c'est le prince Louis-Napoléon Bonaparte qui a fait une tentative de coup d'Etat après avoir débarqué à Boulogne. Arrêté, jugé par la Chambre des pairs, condamné à la détention perpétuelle, il a commencé de purger sa peine au fort de Ham. Il n'assistera pas au retour des cendres de son oncle que la frégate *La Belle Poule* est partie chercher à Sainte-Hélène dès le début du mois de juillet. En septembre, il y a eu des grèves à Paris. Un mois encore avant la naissance d'Oscar-Claude, le 15 octobre, le communiste Marius Darmès a tenté d'assassiner le roi... Comment ne pas être inquiet ?

Ce n'est pas le début des travaux de construction de nouvelles fortifications de Paris ordonnées par M. Thiers qui change grand-chose à l'affaire. Peut-être, malgré tout, ces mots prononcés à la Chambre le 25 janvier 1841 par Guizot le rassureront-ils ? « Messieurs, je n'hésite pas à l'affirmer, les fortifications de Paris sont, pour la France et pour l'Europe, une garantie de paix. Il est évident que c'est là de la politique défensive[23]. » On ne se prive pas de dire qu'en réalité c'est ce même M. Guizot, ministre des Affaires étrangères, qui exerce la présidence du gouvernement. M. Thiers a dû démissionner de la présidence du Conseil dès le 20 octobre. Soult l'a remplacé.

Les Affaires étrangères... Mieux vaut n'en pas parler. Le 3 février, en Algérie, le capitaine Lelièvre a désespérément défendu Mazagran devant une armée de quelque 12 000 Arabes... Ah, l'Algérie... A la tribune de l'Assemblée, le 14 mai, Bugeaud a tancé le gouvernement : « Vous voulez rester en Afrique ? Eh bien, il faut rester pour y faire quelque chose ; jusqu'à présent, on n'y a rien fait, absolument rien. » Et, au-delà de l'Algérie, il y a la question d'Orient, l'Egypte, la Syrie, Méhémet Ali aux prises avec le sultan Mahmoud.

La seule chose qui prête à sourire en ce bas monde, c'est que, dans l'Angleterre où Sa Majesté la reine Victoria a épousé en février le prince Albert de Saxe-Cobourg-Gotha, on vient de mettre en vente à Londres un timbre-poste qu'il convient désormais de coller sur les lettres, le *black penny*. Il paraît que chaque pays va se doter de mêmes timbres-poste...

En ces années 1840, M. Adolphe Monet médite peut-être encore l'ordre lancé par le ministre François Guizot à ses électeurs lors d'une campagne électorale ou lors de comices agricoles dans le Calvados, à Saint-Pierre-sur-Dives : « Enrichissez-vous par le travail, par l'épargne et la probité. » Certains prétendent que jamais Guizot ne prononça ces mots... Ils veulent croire que cet ordre, ces deux mots, « Enrichissez-vous », n'ont été prononcés qu'à la Chambre, le 1er mars 1843, dans son discours : « Il y a eu un temps, temps glorieux parmi nous, où la conquête des droits sociaux et politiques a été la grande affaire de la nation... Cette affaire-là est faite, la conquête est accomplie, passons à d'autres. Vous voulez avancer à votre tour, vous voulez faire des choses que n'aient pas faites vos pères. Vous avez raison ; ne poursuivez donc plus, pour le moment, la conquête des droits politiques ; vous la tenez d'eux, c'est leur héritage. A présent, usez de ces droits ; fondez votre gouvernement, affermissez vos institutions, éclairez-vous, enrichissez-vous, améliorez la condition morale et matérielle de notre France : voilà les vraies innovations[24]. » M. Adolphe Monet ne verrait bien sûr aucun inconvénient à s'enrichir. Les affaires, semble-t-il, ne sont pas en ce qui le concerne ce qu'elles devraient être.

1845

Ma jeunesse s'est écoulée au Havre[1]

En 1822, Son Altesse royale la duchesse de Berry, Marie-Caroline, belle-fille de Charles X, a découvert Dieppe. Avec ses dames d'honneur, avec de nombreux membres de la Cour, elle s'y est adonnée à un nouveau plaisir, les bains de mer. La chute des Bourbons en 1830 et la montée sur le trône d'un Orléans n'ont rien changé à ce qui est devenu une mode. Celle-ci a d'autant moins de raisons de passer, comme tant de modes, que de nombreuses publications ne cessent, année après année, de vanter les bienfaits thérapeutiques de l'immersion dans l'eau de mer. Sur les côtes de la Manche, Dieppe n'est pas la seule ville qui connaisse un nouvel essor. Le Havre ne va pas tarder à enfin devenir le « port de Paris ». Napoléon, qui a rendu visite à la ville à l'embouchure de la Seine à deux reprises, a défini son ambition, son rôle. La loi du 25 octobre 1795 avait déjà rayé Le Havre des ports militaires. Depuis la fin de l'Empire, des années de paix et de commerce ont porté la prospérité du port à un degré qui a dépassé toutes les espérances. Et ce développement est loin d'être achevé. En 1843, le chemin de fer a atteint Rouen. La ligne Paris-Rouen-Le Havre/Sainte-Adresse doit devenir une réalité en 1847.

« Chaque génération de la bourgeoisie veut monter d'un degré ; c'est pour cela qu'il y a encombrement au haut de l'échelle[2]. » Cet encombrement ne saurait tenir lieu d'objection pour M. Adolphe Monet ; il ne se pardonnerait pas, en revanche, de ne pas disposer des moyens qui permettraient à ses fils de monter ce degré. Il n'est pas sûr, s'il reste à Paris, de les avoir.

Or sa demi-sœur aînée, Marie-Jeanne Gaillard, a épousé M. Jacques Lecadre, « épicier en gros, approvisionneur de navires » au Havre. Le développement de la ville ne peut être que celui de son propre commerce. Le siège de son entreprise est au 13 de la rue Fontenelle. A quelques pas de là, la maison dispose d'une annexe, au long du bassin du Commerce, au n° 71 du quai d'Orléans.

En 1845, M. Adolphe Monet, sa femme Louise-Justine et leurs fils Léon-Pascal et Oscar-Claude quittent Paris. Ils s'installent dans la grande maison des Lecadre, au 30, rue d'Epréménil, dans le quartier d'Ingouville. Les parents d'Adolphe Monet et de Marie-Jeanne Lecadre eux-mêmes quittent la capitale. Pascal Monet a quatre-vingt-quatre ans et sa femme, veuve d'Isidore Gaillard lorsqu'il l'épousa, en a soixante-treize. Il est hors de question de les laisser seuls à Paris. Toute la famille pourra passer les dimanches dans la propriété des Lecadre à Sainte-Adresse. La mère de Léon-Pascal et d'Oscar-Claude y pourra chanter. Elle est « douée d'une voix exceptionnelle »...

Au même moment, le poète, romancier et journaliste Alphonse Karr – il vient de créer en 1839 la revue satirique *Les Guêpes* – qui assure : « Le vrai Parisien n'aime pas Paris, mais il ne peut vivre ailleurs[3] » – est en passe de donner la preuve qu'il peut, exception qui confirme la règle, vivre à Sainte-Adresse. Il imagine faire de Sainte-Adresse, d'Etretat, « une succursale d'Asnières[4] ». Et il y parviendra.

En 1898, Constant de Tours précise dans *Le Voyage d'un petit Parisien à la mer*, album illustré par Jules Després, G. Fraipont, Montader, G. Nottetz, E. Solvel, E. Loewy, et d'autres encore :

« L'origine du nom de Sainte-Adresse est curieuse : un navire allait sombrer ; le pilote, ayant abandonné le gouvernail, recommandait son âme à saint Denis, vénéré dans le pays de Caux. "Ce n'est point saint Denis, mais sainte Adresse qu'il faut invoquer, dit l'avisé capitaine, il n'y a qu'elle qui puisse nous faire arriver au port." Le pilote reprit le gouvernail et le bateau arriva au Havre[5]. »

Claude entre le 1er avril 1851 au collège communal du Havre, rue de la Mailleraye ; il y est alors l'un des 197 élèves inscrits par le directeur, M. Félix Dantu, pour l'année 1851-1852. Sa rentrée en sixième, en octobre, lui vaut d'avoir pour professeur M. Blanchard et alors M. Ochard commence de lui enseigner le dessin.

En 1920 Geffroy passe sous silence ces précisions qui concernent l'enfance de Monet. Reste à se fier à la mémoire de Monet, à admettre ce qu'il a confié à Thiébault-Sisson en 1900 : « J'étais un indiscipliné de naissance ; on n'a jamais pu me plier, même dans ma petite enfance, a une règle. C'est chez moi que j'ai appris le peu que je sais. Le collège m'a toujours fait l'effet d'une prison, et je n'ai jamais pu me résoudre à y vivre, même quatre heures par jour, quand le soleil était invitant, la mer belle, et qu'il faisait si bon courir sur les falaises, au grand air, ou barboter dans l'eau. Jusqu'à quatorze ou quinze ans, j'ai vécu, au grand désespoir de mon père, cette vie assez irrégulière, mais très saine. Entre-temps, j'avais appris tant bien que mal mes quatre règles, avec un soupçon d'orthographe. Mes études se sont bornées là. Elles n'ont pas été trop pénibles, car elles s'entremêlaient pour moi de distractions[6]. »

1855

J'étais connu de tout Le Havre[1]

Oscar-Claude « se distrait »... Il dessine des guirlandes dans les marges de ses livres, il décore le papier bleu de ses cahiers d'« ornements ultra-fantaisistes[2] ». Et bientôt, il y représente « de la façon la plus irrévérencieuse, en les déformant le plus possible, la face ou le profil de [ses] maîtres[3] ».

« Son imagination enfantine et rieuse, une pensée grotesque qui le traversait, toutes sortes de riens pareils au chatouillement d'une mouche sur le front d'un homme occupé, une perpétuelle inspiration de drôlerie, l'enlevaient sans cesse à l'attention, à la concentration de l'étude[4]. » Cette description est celle d'Anatole Bazoche, personnage du roman *Manette Salomon* d'Edmond et Jules de Goncourt. A quinze, seize, dix-sept ans encore, Oscar-Claude Monet n'est pas différent d'Anatole Bazoche... et d'un autre personnage du même roman, Lestringant.

Peut-être que M. Jacques-François Ochard, son professeur de dessin au collège, qui a exposé à plusieurs reprises au Salon à Paris – en 1835, en 1837, en 1841 –, qui a peint deux toiles pour l'église Saint-François du Havre, qui enseigne à l'école municipale de dessin comme dans plusieurs institutions privées de la ville, peut-être que ce professeur, dont le talent est reconnu et estimé par la ville, qui en février 1851 a – en vain – demandé qu'une bourse de 1 200 francs par an attribuée par Le Havre soit mise au concours entre Boudin et Lhuillier, son protégé, peut-être cet « homme grand, chauve, rose, avec une belle barbe en éventail[5] » s'arrête-t-il pour regarder les cahiers d'Oscar-Claude, « étonné et souriant d'un détail exagéré ou forcé », pour faire ce commentaire : « C'est bien, vous voyez comme cela, c'est bien, mon ami, vous voyez comique[6]... »

Rue d'Epréménil ou dans la maison de Sainte-Adresse, les Lecadre, les Monet auraient-ils gardé d'anciens numéros de *La Caricature* – elle est parue entre 1830 et 1835 – ou de cet autre journal satirique créé par le même Charles Philipon en 1832, *Le Charivari* ? L'un et l'autre ont publié des caricatures, entre autres, de Traviès, de Gavarni et de Daumier. Depuis 1830, Henri Monnier y rapporte les propos fats et vides de M. Prudhomme, M. Joseph Prudhomme, selon Baudelaire « type monstrueusement vrai[7] », dont la panse est devenue un attribut de la bourgeoisie assise sur le trône de la Monarchie de Juillet.

Que la révolution de février 1848 ait renversé cette Monarchie de Juillet, que, par le coup d'Etat du 2 décembre 1851, le prince-président Charles-Louis-Napoléon Bonaparte ait mis fin à la IIe République et qu'il ait rétabli l'Empire, ne change pas grand-chose pour M. Prudhomme... Il est bonapartiste comme il a été orléaniste, comme il s'est résigné à être républicain. Un régime déterminé n'est pas pour lui déplaire. Qu'un tel régime n'admette pas que la caricature puisse être politique, M. Prudhomme peut le comprendre. Qu'en revanche le trait d'un caricaturiste accuse encore la courbe de son ventre, il est prêt à être le premier à en sourire. La caricature a de beaux jours devant elle...

Paul Lacroix n'en doute pas. Convaincu que la photographie peut lui donner de nouvelles formes, il écrit à Nadar en 1856 : « Pour obtenir les plus amusantes charges, il suffirait de modifier la forme des objectifs. Au lieu d'un disque de cristal parfaitement en forme de lentille, on placerait à l'orifice de la chambre noire un objectif dont la taille aurait pour élément non plus la sphère, mais le cylindre. Selon que la place courbe du cylindre de l'objectif serait maintenue dans le sens vertical ou horizontal, l'image d'une personne [...] serait projetée sur plaque très élargie ou très allongée[8]. » Comment douter du grotesque, du ridicule du résultat ? Et de conclure : « En France et aussi à l'étranger, la caricature a ses partisans. Vous le savez bien, vous qui avez caricaturé le monde entier. On vendrait assurément un grand nombre de ces caricatures photographiques, aussi faciles à obtenir qu'à varier, les objectifs une fois construits[9]. »

Si Oscar-Claude Monet, à seize ans, ne sait rien d'un tel projet dont l'auteur ne doute pas qu'il puisse être fructueux, en revanche, il commence à vérifier que ses caricatures peuvent rapporter. On ne cesse de le solliciter pour avoir des portraits-charge. « L'abondance des commandes, l'insuffisance aussi des subsides que me fournissait la générosité maternelle m'inspirèrent une résolution audacieuse et qui scandalisa, bien entendu, ma famille : je me fis payer mes portraits. Suivant la tête des gens, je les taxais à dix ou vingt francs pour leur charge, et le procédé me réussit à merveille. En un mois ma clientèle eut doublé. Je pus adopter le prix unique de vingt francs sans ralentir en rien les commandes[10]. »

Ces commandes se font d'autant plus pressantes que les portraits-charge d'Oscar-Claude Monet sont exposés dans la vitrine de la boutique de la papeterie Gravier, au 99 de la rue de Paris. M. Gravier vend du matériel pour les artistes peintres. Egalement encadreur, il est l'associé de Mme veuve Jean Acher, ancien contremaître de la maison Lemasle – Alphonse Lemasle, papetier rue des Drapiers – qui fonda sa propre maison 18, rue de la Communauté, en 1844. Il avait alors un associé, âgé de vingt ans, Eugène Boudin. « A la devanture du seul et unique encadreur qui fît ses frais au Havre, mes caricatures, insolemment, s'étalaient à cinq ou six de front, dans des baguettes d'or, sous un verre, comme des œuvres hautement artistiques, et quand je voyais, devant elles, les badauds en admiration s'attrouper, crier, en les montrant du doigt, – C'est un tel ! –, j'en crevais d'orgueil dans ma peau[11]. »

1858

Le hasard me mit en présence de Boudin, malgré moi[1]

Semaine après semaine, de nouvelles caricatures apparaissent dans la vitrine de Gravier. Dans ses cahiers, ses cartons, Oscar-Claude Monet en garde d'autres. Ce sont les copies de portraits-charge que publie *Le Gaulois*. Les unes sont d'après Etienne Carjat[2], les autres d'après Paul Hadol[3]. Inutile de montrer ces copies qui sont des exercices. Et, semaine après semaine, l'exaspération éprouvée par Oscar-Claude Monet est la même. « Dans la même vitrine, souvent, juste au-dessus de mes produits, je voyais accrochées des marines que je trouvais, comme la plupart des Havrais, dégoûtantes. Et j'étais, dans mon for intérieur, très vexé d'avoir à subir ce contact, et je ne tarissais pas en imprécations contre l'idiot qui, se croyant un artiste, avait eu le toupet de les signer, contre ce "salaud" de Boudin[4]. »

La raison essentielle de ce mépris est que les tableaux de ce Boudin ne peuvent supporter la comparaison avec les marines de Gudin[5] qui a été l'élève de Girodet-Trioson. Avec Crepin[6], il est le premier à avoir été inscrit par la Monarchie de Juillet comme peintre de la Marine à l'annuaire dès 1830. Quelques années plus tard, le roi Louis-Philippe a fait baron celui qui, dès 1824, s'était vu attribuer au Salon la Grande Médaille d'or. Eugène Boudin, quant à lui, n'a jamais exposé que grâce à la Société des amis des arts du Havre en 1850, en 1853 et en 1856... Les carrières de Gudin et de Boudin sont incomparables... Et il n'y a personne au Havre pour reprendre à son compte le jugement à l'emporte-pièce de Charles Baudelaire qui écrivit dans son *Salon de 1846* : « M. Gudin rentre pour moi dans la classe des gens qui bouchent leurs plaies avec une chair artificielle, des mauvais chanteurs dont on dit qu'ils sont de grands acteurs, et des peintres poétiques[7]. » Mais comment approuver un poète dont l'esprit est si pervers que ses *Fleurs du Mal*, publiées en juin 1857, ont été condamnées dès le 20 août pour immoralité ?

Aveu de Monet : « Pour mes yeux, habitués aux marines de Gudin, aux colorations arbitraires, aux notes fausses et aux arrangements fantaisistes des peintres à la mode, les petites compositions si sincères de

Boudin, ses petits personnages si justes, ses bateaux si bien gréés, son ciel et ses eaux si exacts, uniquement dessinés et peints d'après nature, n'avaient rien d'artistique, et la fidélité m'en paraissait plus que suspecte. Aussi sa peinture m'inspirait-elle une aversion effroyable, et, sans connaître l'homme, je l'avais pris en grippe. Souvent l'encadreur me disait : "Vous devriez faire la connaissance de Monsieur Boudin. Quoi qu'on dise de lui, voyez-vous, il connaît son métier. Il l'a étudié à Paris, dans les ateliers de l'Ecole des beaux-arts. Il pourrait vous donner de bons conseils"[8]. » L'invitation de M. Gravier reste sans effet.

Oscar-Claude Monet ne veut rien entendre. Sa prévention tient sans doute à ce que l'on murmure au Havre. Le conseil municipal a accordé le 6 février 1851 à Eugène Boudin – qui a vingt-sept ans déjà et en faveur duquel MM. Couture et Troyon sont intervenus – une bourse de 1 200 francs par an – à raison de 300 francs par trimestre – pour qu'il puisse étudier à Paris. Or il semblerait qu'il soit plus souvent à Caen, à Rouen ou au Havre même qu'à Paris. On l'a vu à plusieurs reprises pendant l'été 1854 à la ferme Saint-Siméon, non loin d'Honfleur, on l'a vu à Etretat. L'année suivante il était dans le Finistère. En 1857, il y a encore passé plusieurs mois. Que pourrait-il y avoir appris que l'on ne puisse apprendre dans les ateliers de l'Ecole des beaux-arts, que l'on ne puisse découvrir ou pressentir devant les chefs-d'œuvre du Louvre ? Quels conseils Boudin pourrait-il prétendre lui donner ?

Or un jour, pendant l'hiver 1858, en janvier, février peut-être, Monet entre dans la boutique de la rue de Paris. Boudin est là. « Il était dans le fond de la boutique ; je ne m'étais pas aperçu de sa présence, et j'entrai. L'encadreur prend la balle au bond et, sans me demander mon avis, me présente : "Voyez donc, monsieur Boudin, c'est ce jeune homme qui a tant de talent pour la charge !" Et Boudin, immédiatement, venait à moi, me complimentait gentiment de sa voix douce, me disait : "Je les regarde toujours avec plaisir, vos croquis ; c'est amusant, c'est leste, c'est enlevé. Vous êtes doué, ça se voit tout de suite. Mais vous n'allez pas, j'espère, en rester là. C'est très bien pour un début, mais vous ne tarderez pas à en avoir assez, de la charge. Etudiez, apprenez à voir et à peindre, dessinez, faites du paysage. C'est si beau, la mer et les ciels, les bêtes, les gens et les arbres tels que la nature les a faits, avec leur caractère, leur vraie manière d'être, dans la lumière, dans l'air, tels qu'ils sont"[9]. » Variation de ces propos écrite vingt ans plus tard dans une lettre à Geffroy du 8 mai 1920 : « Vous êtes doué ; laissez ce travail qui vous lassera. Vos croquis sont excellents, vous n'allez pas en rester là. Faites comme moi, apprenez à bien dessiner et admirez la mer, la lumière, le ciel bleu[10]. »

Si les compliments de Boudin flattent le caricaturiste de dix-sept ans qu'est Oscar-Claude Monet, en revanche ses prétendus conseils le laissent de marbre. Peut-être Boudin lui confie-t-il ce qu'il a noté dans son journal, « que les romantiques ont fait leur temps[11] », lui répète-t-il l'ordre qu'il s'est donné, « il faut désormais chercher les simples beautés de la nature[12] » ?... Peut-être, comme il se l'ordonne à lui-même, Boudin l'exhorte-t-il à « pousser ses études, pousser ! pousser sur nature ou sous impression[13] » ?...

Monet ne répond pas aux invitations de Boudin qui lui propose d'« aller dessiner avec lui en pleins champs ». Et Monet de trouver « toujours un prétexte pour refuser poliment[14] ».

Or, rencontre après rencontre, Monet se défait de ses préjugés. Le bonhomme au bout du compte lui plaît. Il est impossible de douter de sa conviction, de sa sincérité. Sa peinture, c'est autre chose. Monet continue de ne pas l'admettre.

« L'été vint ; j'étais libre, à peu près, de mon temps ; je n'avais pas de raison valable à donner ; je m'exécutai de guerre lasse. Et Boudin, avec une inépuisable bonté, entreprit mon éducation. Mes yeux, à la longue, s'ouvrirent, et je compris vraiment la nature ; j'appris en même temps à l'aimer. Je l'analysai au crayon dans ses formes, je l'étudiai dans ses colorations[15]. »

En mai 1920, Monet se souvient d'une anecdote qu'il raconte alors à Gustave Geffroy : « Un jour, nous nous trouvions ensemble à Sainte-Adresse et avions posé nos chevalets à l'ombre d'une tente pour nous abriter du soleil, lorsque nous vîmes arriver un monsieur respectable, apparemment de la haute société. Il nous félicita pour la hardiesse de nos procédés et nous déclara que la nature, le plein air et la peinture claire devaient apporter un renouveau dans l'art pictural. En partant, il nous serra la main en nous disant : "Je suis Théophile Gautier, le poète qui a failli être peintre." Vous devez juger de notre ébahissement à l'idée que nous avions conversé gentiment avec un aussi grand poète. Son livre *Emaux et camées* m'a toujours enchanté. »

A plusieurs reprises, avec Boudin, Monet qui vient de faire l'acquisition d'une boîte de peinture, prend la route en direction de Montivilliers. Ils s'arrêtent à Rouelles.

Et, au mois d'août 1858, dans le catalogue de l'exposition municipale de la ville du Havre, les numéros 51 et 52 mentionnent deux tableaux de Boudin, *Paysages (vallée de Rouelles)*. Paraît pour la première fois le nom de Monet. Sa *Vue prise à Rouelles* y porte le numéro 380. Elle est signée et datée *O. Monet 58*. Elle est le signe de l'expérience décisive que Monet vient de vivre auprès de Boudin : « [...] ce fut tout à coup comme un voile qui se déchire : j'avais saisi ce que pouvait être la peinture[16]. »

1859/1

Je déclarai tout net à mon père que je voulais me faire peintre[1]

A un jeune peintre, Boudin écrit en 1889 à propos de Paris : « Vous feriez bien d'y séjourner quelques mois, je vous assure que la province étiole les talents[2]. » Et d'ajouter : « Vous n'avez là ni émulation, ni comparaison... on s'y annihile complètement[3]. » Plus tard – trop tard ? –, il lui écrit encore : « Mais nous regrettons souvent [...] que vous n'ayez pas plutôt atterri à Paris, où vous auriez au moins l'occasion de voir et vous former le goût[4]. » Sans le moindre doute Boudin, trente ans plus tôt, parlait de Paris à Monet de la même manière.

Il est hors de question de rester au Havre. Que l'on y construise de nouveaux quartiers, que l'éclairage public ait atteint les quais et même Sainte-Adresse, que l'empereur Napoléon III et son épouse l'impératrice Eugénie y soient venus en visite en août 1857, n'en a pas fait une capitale. C'est à Paris que tout se passe. Encore faut-il avoir les moyens d'y vivre...

Les revenus d'un peintre sont plus qu'incertains. Peut-être Boudin montre-t-il ses carnets de comptes à Monet ? Si, en 1857, ses recettes se sont élevées à 3 450 francs, elles n'ont été en 1858 que de 1 590 francs[5]. Peut-être lui confie-t-il ce qu'il note dans son journal le 31 mars 1859 : « Je vais être obligé d'emprunter cent sous à ma pauvre mère pour acheter des couleurs[6]. »

Monet ne peut songer à emprunter cent sous à sa mère. Elle est décédée le 28 janvier 1857. L'on n'entend plus sa « voix exceptionnelle » chanter des mélodies, des airs d'opéra. Quelle douleur, quel chagrin, quelle peine, est la mort de sa mère ? Silence absolu de Monet. « S'il eut de bons souvenirs de famille, il n'en parlait jamais. Je crois donc pouvoir dire qu'il n'en eut guère. Sa tante, Mme Lecadre, était la seule personne de ce temps dont il parlait avec affection mais jamais je ne l'entendis faire allusion à un tendre souvenir d'enfance concernant ses parents[7]. »

Sa tante Lecadre est elle-même veuve de Jacques, mort en septembre 1858. Si elle a pu obtenir qu'Oscar-Claude continue d'étudier le dessin avec M. Ochard comme avec d'autres artistes du Havre, si elle-même pratique la peinture comme d'autres femmes brodent ou font de la tapisserie, si elle peut comprendre son neveu, elle ne peut être le soutien quotidien dont il aurait besoin. A la mort de son mari, elle a fait le choix de vivre de ses rentes, seule, dans un appartement au 5 de la place du Commerce. Désormais au 13 de la rue Fontenelle, Oscar-Claude est seul face à son père. Si celui-ci n'a aucune inquiétude pour son fils aîné, Léon-Pascal, il ne peut que s'interroger sur le sort de son cadet. Il s'est résigné à ce qu'il ne retourne pas au collège à la fin des vacances de l'été 1857. Depuis lors, s'il admet que son fils continue à caricaturer les Havrais, et parmi eux quelques-uns de ses clients, il l'oblige sans doute à travailler avec lui, à apprendre ce que suppose tenir une épicerie en gros. Qui sait ? Peut-être un jour sera-t-il en mesure de prendre sa succession... M. Adolphe Monet est sans illusions.

Il a dû accepter lors de l'exposition municipale d'août et septembre 1858, où Oscar-Claude a exposé sa *Vue prise à Rouelles*, de présenter une demande de bourse pour son fils. La requête est datée du 6 août. Elle est restée sans réponse. Les références que sont les noms de MM. Ochard et Wissart n'ont pas retenu l'attention du conseil municipal. La bourse est demandée une nouvelle fois le 21 mars 1859. L'attribution de cette bourse de 1200 francs inscrite au budget municipal est à l'ordre du jour du conseil qui se réunit le 18 mai. Maître Marcel, notaire, rapporteur par intérim, énumère les soutiens apportés à la candidature d'Oscar-Claude. Il cite le nom de Boudin. Et il conclut son rapport par cette question : « N'y a-t-il pas dans ses précoces succès, dans la direction jusqu'ici donnée à ce crayon si facile, un danger, celui de tenir le jeune artiste en dehors des études plus sérieuses mais plus ingrates qui seules ont droit aux libéralités municipales ? » La cause est entendue. Les « libéralités municipales » iront à d'autres.

Qu'importe à Oscar-Claude. L'exposition des caricatures des comédiens et des musiciens qui ont marqué la saison théâtrale du Havre en 1859 chez le photographe Lacour, sur la place même de l'Hôtel-de-Ville, le portrait-charge d'une notabilité de la ville, le notaire Léon Manchon, représenté debout devant des affiches dont l'une proclame : « Notaire à marier. Grande facilité de paiement. On pourrait rentrer en jouissance de suite », ne sont pas passés inaperçus, et ont sans doute provoqué quelques commandes. « J'avais depuis longtemps fait ma bourse. Mes caricatures l'avaient garnie largement. Il m'était souvent arrivé, en un jour, d'exécuter sept ou huit portraits-charge. A un louis la pièce, mes rentrées avaient été fructueuses, et j'avais pris l'habitude, dès le début, de les confier à une de mes tantes, ne me réservant pour mon argent de poche que des sommes insignifiantes[8]. »

Lorsque Oscar-Claude fait part à son père de sa détermination à partir pour Paris, celui-ci peut lui répondre : « Tu n'auras pas un sou[9] ! », c'est sans importance. Il a économisé 2 000 francs. Et avec ces 2 000 francs, en avril 1859, il peut se croire riche lorsqu'il quitte Le Havre.

Si un exemplaire de *La Revue des Deux Mondes* publié en 1844 est passé entre les mains d'Oscar-Claude, si « La Maison du berger » d'Alfred de Vigny a retenu son attention, s'il a appris ce poème, peut-être en route vers Paris, en songeant à l'invitation de Boudin à aller à la rencontre de la nature, récite-t-il paradoxalement ces deux strophes :

> *Pars courageusement, laisse toutes les villes ;*
> *Ne ternis plus tes pieds aux poudres du chemin,*
> *Du haut de nos pensers vois les cités serviles*
> *Comme les rocs fatals de l'esclavage humain.*
> *Les grands bois et les champs sont de vastes asiles,*
> *Libres comme la mer autour des sombres îles.*
> *Marche à travers des champs une fleur à la main.*
>
> *La Nature t'attend dans un silence austère ;*
> *L'herbe élève à tes pieds son nuage des soirs,*
> *Et le soupir d'adieu du soleil à la terre*
> *Balance les beaux lys comme des encensoirs.*
> *La forêt a voilé ses colonnes profondes,*
> *La montagne se cache, et sur les pâles ondes*
> *Le saule a suspendu ses chastes reposoirs.*

Et s'il ne lit ces vers que des années plus tard, qu'après leur publication en 1864 dans le recueil posthume *Les Destinées*, peut-être alors prend-il conscience qu'ils peuvent tenir lieu d'exergue à la vie dans laquelle il s'est engagé le jour même où il a quitté Le Havre pour Paris.

1859/2

Je mis quelque temps, tout d'abord, à me débrouiller[11]

Monet qui se veut un « Parisien de Paris » ne sait rien du Paris dans lequel il revient. On peut vite y vérifier, comme on le fait depuis des siècles, que « le Parisien du faubourg Saint-Antoine n'est pas plus le Parisien du faubourg Saint-Marceau que le Français de Perpignan n'est le Français d'Amiens[2] ». On peut en déduire qu'« il y a dans Paris des quartiers entiers que le Parisien lui-même connaît à peine[3] ». On peut en conclure que « Paris est comme une nouvelle Océanie dont toutes les terres ne sont pas découvertes ». Cela ne suffit pas.

Parce que, par la volonté de l'empereur, Paris est un chantier : « Le Paris que nous avons sous les yeux depuis quelques années est un Paris de transition[4]. » Le constat a été fait en 1857 : « Ce n'est plus l'ancien Paris, et ce n'est pas encore le nouveau Paris. Nous sommes placés entre le souvenir et la promesse. Au lieu des vieilles masures et en attendant les palais, nous avons des échafaudages, c'est-à-dire une ville en bois en attendant une ville de pierre[5]. »

Une trentaine d'années plus tard, lorsque la IIIe République aura parachevé ce que le Second Empire a mis en œuvre, l'étonnement cédera la place à la nostalgie. Elle est teintée de dépit chez Alphonse Karr : « J'ai été désagréablement frappé de ces nouveaux quartiers, de ces nouvelles rues toutes semblables, toutes de la même largeur, toutes bordées de maisons identiques. Autrefois, chaque quartier de la ville avait son aspect particulier, sa physionomie "personnelle". Aujourd'hui, transporté en voiture sur un point de la ville, rien ne vous indique si vous êtes près de la Madeleine ou près de Notre-Dame. Le Paris nouveau semble être fait à la mécanique sur un modèle unique, sur un poncif[6]. » Et la nostalgie est chargée de colère chez Nadar : « Et, vieux Parisiens nés, devant ces brise-tout, proxénètes de la spéculation éhontée, agents de ruine publique, dévastant à leur guise la grande Cité livrée, nous gardions pour nous le ressentiment de l'outrage et cette amère, infinie tristesse de nous chercher vainement aujourd'hui sur ce sol qui fut nôtre et où nous nous éveillions chaque matin, nouveaux comme le voyageur arrivé hier dans une ville étrangère[7]. »

A sa descente du train, gare Saint-Lazare, Monet s'installe dans l'un des hôtels voisins, place du Havre, hôtel du Nouveau-Monde. Il n'a guère que quelques pas à faire jusqu'à la rue d'Isly. Au 8 y habite Amand Gautier. Mme Lecadre qui correspond avec lui, lui a demandé de recevoir, de conseiller son neveu qui n'a guère que dix-neuf ans. Boursier de la Ville de Lille, sa ville natale, Amand Gautier est entré en 1852 dans l'atelier de Léon Cogniet à l'Ecole des beaux-arts. Son ami Paul Gachet, qui poursuit à Montpellier ses études de médecine commencées à Paris, lui a suggéré le sujet du tableau avec lequel il a fait son entrée au Salon en 1857 : *Les Folles de la Salpêtrière*. La toile n'est pas passée inaperçue. La preuve, le peintre peut la donner au jeune homme qui lui rend visite régulièrement. En juin et juillet 1859, la *Revue française* publie *Salon de 1859, Lettres à M. le directeur de la « Revue française »*, par Charles Baudelaire : « M. Amand Gautier est l'auteur d'un ouvrage qui avait déjà, il y a quelques années, frappé les yeux de la critique, ouvrage remarquable à bien des égards[8]. » Le critique ne s'en tient pas à cet hommage. « Cette année-ci, M. Amand Gautier a exposé un unique ouvrage qui porte simplement pour titre *Les Sœurs de charité*. Il faut une véritable puissance pour dégager la poésie sensible contenue dans ces longs vêtements uniformes, dans ces coiffures rigides et dans ces attitudes modestes et sérieuses comme la vie des personnes de religion. » Enfin, Baudelaire conclut par cet éloge : « J'ai éprouvé, en étudiant cette toile peinte avec une touche large et simple comme le sujet, ce je ne sais quoi que jettent dans l'âme certains Lesueur et les meilleurs Philippe de Champaigne, ceux qui expriment les habitudes monastiques[9]. » Aux yeux de Monet qui est allé le voir « au bout de la galerie, dans la partie gauche du bâtiment, au fond d'un vaste salon carré où l'on a interné une multitude de toiles innommables », « le tableau de M. Gautier est très joli ; il est calme et dans une gamme grise d'une tristesse profonde »[10].

Sans doute est-ce Gautier qui emmène Monet pour la première fois à la brasserie des Martyrs. Depuis que Courbet a abandonné la brasserie Andler, rive gauche, cette brasserie bavaroise est devenue le quartier général des réalistes. Ce qui ne veut pas dire qu'elle ne soit que cela... Au numéro 9 de la rue des Martyrs, sur la gauche de cette rue qui grimpe sur le flanc de la butte Montmartre, dans l'axe de l'église Notre-Dame-de-Lorette, elle occupe tout un immeuble de trois étages.

Au fond de la très grande salle du rez-de-chaussée, deux billards ont été installés dans une cour couverte. Il y en a quatre autres dans une salle du premier étage. On peut s'asseoir sur les divans, mis en place dans une galerie voisine, pour fumer, converser. Cinq autres billards sont à la disposition des joueurs au deuxième étage. A ce même étage, il y a plusieurs « pièces à feu », différentes, et pour cause, des mansardes du troisième étage dites « cabinets sans feu ». Ceux-ci sont censés être réservés au personnel. Un pourboire en ouvre les portes, semble-t-il, dans ce quartier des lorettes et des modèles qui arpentent la place Pigalle où elles attendent de poser pour une allégorie, une nymphe ou une déesse, et auxquelles il suffit de descendre la rue des Martyrs...

Ce n'est pas par hasard si celui qui entre dans la brasserie des Martyrs, même si l'établissement n'a pas été l'un de ses modèles, croit se retrouver dans l'une des *Scènes de la vie de bohème* d'Henry Murger. Le roman a été publié au tout début de l'année 1851 par l'éditeur Michel Levy. Et ce n'est pas par hasard que Firmin Maillard, qui consacre à la brasserie un livre publié par Sartorius en 1874, lui donne pour titre *Les Derniers Bohèmes*.

Des années plus tard, Monet raconte à Gustave Geffroy avoir « connu presque tous les gens dont parle Firmin Maillard[11] ». Et d'énumérer, après le nom de cet auteur, ceux d'« Albert Glatigny, Théodore Pelloquet, Alphonse Duchesne, Castagnary, Delvau, Daudet, et d'autres mauvais sujets comme moi à cette époque ». Il y voit Courbet comme il y croise et rencontre peut-être Henry Murger lui-même qui habite non loin, Eugène Gris, homme de lettres et pâtissier, dont le blason est marqué par la croix d'une plume et d'un couteau de cuisine, Noisette, qui danse à l'Elysée-Montmartre, Potrel qui, selon Jules Vallès, est « un garçon qui écrit un article tous les deux ans et qui reçoit une gifle tous les deux jours », Privat d'Anglemont, chroniqueur de la vie parisienne, Baudelaire qui porte parfois un habit bleu à boutons d'or, Mimi la Bretonne, Œufs-sur-le-plat, Guyot de Montpayroux, directeur du *Diable boiteux*, Titine qui danse le cancan...

Peut-être les heures passées à la brasserie des Martyrs permettent-elles à Monet de pressentir, de commencer à « comprendre que Paris est un individu ayant sa vie propre, obéissant à des lois particulières, qu'il ne partage avec personne[12] ». Cette certitude est celle de Théodore de Banville qui ajoute que Paris a donc « dû abroger tacitement tous les codes, et créer pour lui seul une législation qui n'est écrite nulle part ! D'après cette règle, d'autant plus invincible qu'elle ne revêt aucune figure matérielle, les individus sont considérés pour leur valeur propre, en dehors de toute distinction sociale, et selon la mesure dans laquelle ils peuvent être utiles à la gloire, à la grandeur et à l'apothéose de Paris. C'est à la fois une franc-maçonnerie et une école mutuelle, où tous les spécialistes s'étudient et se pénètrent les uns les autres, où, s'il le faut, Cicéron ne dédaigne pas de demander leçon d'esprit à Gavroche, où des gens que le monde sépare et qui n'échangeront jamais une parole, s'entendent, se consultent réciproquement et se conseillent sans même qu'il y ait besoin pour cela d'un froncement de sourcils ou d'un clin d'œil[13] ». Paris, et la brasserie des Martyrs y est et en est la preuve la plus flagrante, accepte tout, ne dédaigne ni ne méprise rien, « si ce n'est le manque de génie ». Mais à qui dans cette brasserie ne reconnaît-on pas du génie ?

L'installation de Monet au 35, rue Rodier, au début du mois de juin, son déménagement en février 1860 chez Mme Houssemène, loueuse de garni, au 18 de la rue Pigalle, ne changent pas ses habitudes. Rue Rodier, rue Pigalle... C'est toujours le même quartier. Quartier qui a été baptisé il y a quelques années « la Nouvelle Athènes, c'est le plus original des Paris excentriques ; c'est une grande petite maison, une petite maison à toutes sortes d'ailes à plusieurs étages. Le jour, c'est un boudoir ; la nuit, c'est une alcôve. Les rues de ce Paris ne demeurent jamais chez elles : la rue Breda couche rue de La Bruyère, et la rue Neuve-Saint-Georges offre l'hospitalité à la rue de Navarin. Toutes les romances, tous les feuilletons, tous les croquis, s'envolent de ce quartier-là. Sa population campe et décampe[14] ».

Monet écrit à Boudin le 20 février 1860 : « Je vois toujours ce brave Gustave Mathieu qui me charge de vous dire mille choses ainsi que M. Amand Gautier[15]. » Il les retrouve dans la fumée des cigares, la senteur acidulée de l'absinthe et de la bière déchirées de coups de gueule et d'éclats de rire de « la fameuse brasserie de la rue des Martyrs ». Et d'avouer à Geffroy : elle « me fit perdre beaucoup de temps et me fit le plus grand mal[16] ». Au bout du compte, sa mémoire s'accorde à ce que fut la répugnance éprouvée par les Goncourt le 18 mai 1857 : « Brasserie des Martyrs, une taverne et une caverne de tous les grands hommes, sans nom, de tous les bohèmes du petit journalisme. Atmosphère lourde, ennuyeuse, ignoble de nouvelles à la main[17]. »

1860/1

J'allais visiter les artistes près desquels j'étais introduit[1]

Amand Gautier, qui a trente-quatre ans et n'a été admis au Salon qu'à deux reprises, ne sera pas un maître pour Monet. La rencontre provoquée par sa tante ne peut prétendre être aussi décisive que les conseils donnés par Boudin et quelques personnalités du Havre – qui n'était déjà plus en mai 1859 qu'une « ville de coton » et qui est devenue irrévocablement en février 1860 « cette sale ville du Havre » – dont les avis ont été des cautions pour M. Adolphe Monet et Mme Lecadre. M. Ochard probablement...

Lhuillier, âgé d'un an de plus que Gautier, a été l'un de ses élèves. Dans la lettre qu'il envoie à Boudin dès le 19 mai, Monet précise que sa première visite a été celle du Salon. « Ensuite j'ai été chez M. Lhuillier. Il est chez M. Berq qui lui prête son atelier. Il est très content. Son tableau est vendu six cents francs. Il en fait un autre et a beaucoup de petits portraits à faire à cent francs[2]. » L'atelier où Lhuillier s'apprête à peindre ces « petits portraits » qui tiennent lieu de rente et qui vérifient l'adage « le portrait est le pot-au-feu du peintre », est rue Chaptal. La Nouvelle Athènes toujours... Lhuillier, pas plus que Gautier, ne peut prétendre être un maître. (Professeur, il le sera au Havre, vingt-cinq, trente ans plus tard.) Charles Monginot que Boudin a engagé Monet à rencontrer, pour lequel il lui a donné une lettre de recommandation, n'a lui aussi que trente-cinq ans. Peut-être, dès leur première conversation, Monginot évoque-t-il le nom de Manet, Edouard Manet, qu'il a rencontré dans l'atelier de Couture où lui-même l'a précédé. La peinture de Monginot n'a guère retenu Monet. Il l'a vue au Salon : « Monginot a mis un tableau, *Bertrand et Raton*. Il fait de l'effet, voilà tout[3]. »

Voilà tout...

C'est devant l'œuvre d'un autre peintre que Monet qui retourne au Salon à plusieurs reprises, s'arrête chaque fois. « Quand on voit les Troyon, il y en a un ou deux énormes, le *Retour à la ferme* est merveilleux, il y a un ciel magnifique, un ciel d'orage. Il y a beaucoup de mouvement, de vent dans les nuages : les vaches, les chiens sont de toute beauté. Il y a aussi le *Départ pour le marché* : c'est un effet de brouillard au lever du soleil. C'est superbe : c'est surtout très lumineux.

Une *Vue prise à Suresnes* : c'est d'une étendue étonnante. On se croirait en pleine campagne : il y a des animaux en masse : des vaches dans toutes les poses : mais ça a du mouvement et du désordre. Il y en a beaucoup de lui et c'est lui qui a remporté cette année le plus de succès. Il y en a de lui que je trouve un peu trop noirs dans les ombres. Quand vous serez là, vous me direz si j'ai raison. Un bien beau tableau de lui que j'oubliais, c'est un chien qui a à la gueule une perdrix. C'est magnifique : on sent le poil. La tête est surtout très soignée[4]. » Dès la première lettre envoyée à Boudin, le 19 mai, l'admiration était la même : « En qualité, les Troyon sont superbes[5]. »

La première visite faite au peintre pour lequel « on » lui a donné une lettre conforte le sentiment éprouvé au Salon. Monet rend compte à Boudin de cette visite à l'atelier de la rue de la Barrière-Rochechouart : « J'y suis allé. Vous dire les belles choses que j'y ai vues serait chose impossible à dire : des bœufs et des chiens admirables. Il m'a beaucoup parlé de vous et est tout étonné de ne pas vous voir arriver dans la capitale[6]. » En outre, ce qui ne gâte rien, « il a l'air d'un brave homme, sans façons ».

A la différence de Gautier, de Lhuillier ou de Monginot, qui est « un charmant garçon », ce « brave homme sans façons » a l'autorité d'un maître. Il en a l'âge. Il est né en 1810. Il en a la stature. Depuis son retour d'un voyage aux Pays-Bas et en Belgique en 1847, depuis que les peintres animaliers du XVIIe siècle comme Albert Cuyp (1620-1691) ou Paul Potter (1625-1654) sont devenus l'un de ses repères, depuis que ses vaches qui paissent, ses bœufs sous le joug et ses chevaux dans les champs ont été présentés au Salon, à l'Exposition universelle de 1855, il est comblé de commandes. Il est devenu un exemple pour les jeunes peintres.

Comment ses conseils ne seraient-ils pas les plus pertinents ? « Je lui ai montré deux de mes natures mortes : là-dessus il m'a dit : "Eh bien, mon cher ami, vous aurez de la couleur : c'est juste d'effet ; mais il faut que vous fassiez des études sérieuses car ceci c'est très gentil, mais vous faites ça très facilement : vous ne perdrez jamais ça. Si vous voulez écouter mes conseils et faire de l'art sérieux, commencez par entrer dans un atelier où l'on ne fait que de la figure, des académies : apprenez à dessiner : c'est ce qui vous manque à presque tous aujourd'hui. Ecoutez-moi et vous verrez que je n'ai pas tort : mais dessinez à force : on n'en sait jamais trop. Pourtant ne négligez pas la peinture : de temps en temps, allez copier au Louvre. Venez me voir souvent : montrez-moi ce que vous ferez, et, avec du courage, vous arriverez."

« De sorte que mes parents sont décidés à me laisser un mois ou deux d'après l'avis de Troyon, qui m'engage à rester ici un mois ou deux et à dessiner ferme.

"De cette manière, m'a-t-il dit, vous allez acquérir des facultés : vous irez au Havre, et vous serez capable de faire de bonnes études dans la campagne et l'hiver, vous reviendrez vous fixer ici définitivement."

« Ceci est adopté par mes parents.

« Alors il a fallu que je demande à Troyon où il m'engageait d'aller et il m'a dit : "Voulez-vous écouter mes conseils : si je recommençais ma carrière, j'irais chez Couture : je puis vous recommander particulièrement. Il y a encore Picot et Cogniet : mais, m'a-t-il dit, j'ai toujours détesté la manière de ces gens-là"[7]. »

Inutile d'aller chez Cogniet. Inutile d'aller chez Picot. Monet va donc chez Thomas Couture.

Il est moins un peintre encore qu'une institution, ou presque. Il en serait une, digne élève de ses maîtres Gros et Delaroche, s'il avait obtenu le Premier Grand Prix de Rome ; il n'a obtenu que le second en 1837... Il en serait une s'il avait été élu à l'Académie des Beaux-Arts ; on y murmure son nom mais son caractère revêche semble incompatible avec l'esprit de cette compagnie... Reste que personne ne conteste son importance. Lors du Salon de 1847, *Les Romains de la décadence*, que l'Etat lui a commandé le 25 juin 1846, lui ont valu une médaille de 1re classe. Depuis 1851, cette vaste toile de près de cinq mètres de haut sur près de huit est exposée au musée du Luxembourg[121].

Que pourrait bien apprendre Monet auprès de Couture ? Pour les compositions de ses grandes machines, parce qu'il peint comme on fait de la cuisine bourgeoise, convaincu que « dans un vieux pot, on fait de bonnes soupes[122] », il regarde du côté de l'Antique comme de Rubens, du côté de Véronèse comme de Tiepolo. L'éclectisme lui tient lieu d'originalité. Cette révérence consciencieuse vire à la stérilité. Monginot a sans doute prévenu Monet de ce que, depuis plusieurs années, Thomas Couture s'en tient à des ébauches, des études, qu'il renonce à terminer aucune commande reçue, comme celle pour *Le Baptême du prince impérial*. Aussi la rencontre est-elle sous le signe de l'aigreur, de l'amertume.

En février 1860, Monet sait à quoi s'en tenir. Le 20, il écrit à Boudin : « En fait de nouvelles, j'ai à vous dire que Couture, ce rageur, a totalement abandonné la peinture. Ce n'est pas dommage ; il a à cette exposition des tableaux qui sont bien mauvais[10]. » Delacroix visite cette même exposition chez Francis Petit, 26, boulevard des Italiens le 14 mars

1860. Il note le jour même dans son *Journal* : « J'ai été voir l'exposition du boulevard, j'en suis revenu mal disposé. Il y faisait froid. Les Dupré, les Rousseau m'ont ravi. Pas un Decamps ne m'a fait plaisir : c'est vieilli, c'est dur et mou, filandreux ; de l'imagination toujours, mais nul dessin. Il est jauni comme du vieil ivoire, et les ombres noires[11]. »

Pour Monet, cette exposition provoque une révélation qui dissipe un malentendu. Même lettre à Boudin du 20 février 1860 : « Vous ne sauriez croire l'intérêt que vous aurez en venant maintenant à Paris. Vous devez savoir qu'il y a une exposition de tableaux modernes qui renferme les œuvres de l'école de 1830 et qui prouve que nous ne sommes pas tant en décadence qu'on le dit. Il y a près de dix-huit Delacroix qui sont splendides, entre autres *La Barque de Don Juan* du Salon de 1855. Il y a autant de Decamps, une douzaine de Rousseau, des Dupré ; il y a aussi sept à huit Marilhat et tout cela des plus beaux. Enfin, c'est splendide, et je ne doute pas du plaisir que ça vous ferait.

« Je vous dirai qu'auprès de tout cela, les Troyon ne tiennent pas du tout et les Bonheur encore moins[12]. »

Quelques mois après avoir été jugée « superbe », la peinture de Troyon cesse d'être une référence pour Monet. Reste que, après Boudin, il lui a donné la preuve qu'il est possible de peindre « beaucoup de mouvement, de vent dans les nuages », « un effet de brouillard au lever du soleil » ou encore « une étendue étonnante » qui provoque à se croire « en pleine campagne »... La leçon n'est pas perdue. Elle ne l'empêche pas de prendre ses distances avec lui. Quarante ans plus tard, il confirme : « Je cessai peu à peu de le voir et ne me liai plus, tout compte fait, qu'avec des artistes qui cherchaient[13]. »

De l'espoir de M. Adolphe Monet de voir son fils apprendre son métier dans un atelier respectable, il ne reste rien. Monet à Paris y est sans maître. Il écrit à Boudin : « Je suis entouré d'une petite bande de jeunes peintres, paysagistes qui seront très heureux de vous connaître ; ce sont de vrais artistes[14]. »

Il a rencontré la plupart d'entre eux à l'Académie Suisse. Elle ne doit son nom à aucune Confédération helvétique. Elle le doit à Charles Suisse dont le titre de gloire est d'avoir posé pour David. C'est avant la chute de l'Empire qu'il a créé cette académie dans l'île de la Cité, au 4, quai des Orfèvres. Pour entrer dans cette académie, il suffit de monter au deuxième étage de l'immeuble, de pousser, à droite sur le palier, la porte de l'appartement de Suisse, de le traverser et de monter encore quelques marches. Il reste à trouver sa place sur l'un ou l'autre banc dans la salle qu'éclairent deux fenêtres, l'une qui donne sur la Seine, l'autre sur une cour. Et à dessiner. Ou à peindre. Et à payer bien évidemment son écot. Moyennant quoi, chaque mois, l'on est sûr de disposer de modèles. L'été dès 6 heures du matin et le soir encore lors de la séance qui commence à 7 heures et qui prend fin à 10. Des femmes posent une semaine par mois. Le reste du temps, ce sont des hommes. Personne dans cette académie pour dire à qui que ce soit comment il *faut* dessiner, pour imposer des règles. Peut-être s'y convainc-t-on que si Delacroix, si Bonington, si Daumier, pour ne citer que ceux-là, sont passés par cette académie, c'est avant tout pour y apprendre la liberté.

Parfois, irrégulièrement, Monet y croise un peintre qui a dix ans de plus que lui mais qui n'est arrivé à Paris, des Antilles où il est né et du Venezuela où il a commencé à peindre, qu'en 1855. Il se nomme Camille Pissarro.

1860/2

L'heure de la conscription allait sonner[1]

Monet est emporté par cet « étourdissant Paris[2] ». Que reste-t-il après quelques mois des 2 000 francs confiés à la tante Lecadre avec lesquels il a pu se croire riche ? Pas grand-chose. Les chiches sommes que lui alloue encore son père sont loin de suffire. Le 20 février, Monet écrit à Boudin : « Jaque, qui tient l'atelier dans lequel je travaille, voudrait aussi faire quelques affaires avec vous. Je crois qu'il peut vous être utile : il connaît énormément de monde[3]. » Si ce Jaque qui tient sans doute le rôle de massier à l'Académie Suisse parvient à vendre quelques Boudin, s'il fait « quelques affaires », Monet peut espérer n'être pas oublié...

Au début de l'année 1860, la tante Lecadre a offert à son neveu une petite toile de Daubigny, « un gaillard qui fait bien, qui comprend la nature[4] ! ». Monet accroche *Les Vendanges au crépuscule avec le croissant* dans sa chambre de la rue Pigalle. Le 21 avril, il annonce à Boudin que Gautier « vient de faire une eau-forte d'après mon Daubigny[5] ». Il n'y a bientôt plus sur le mur de la chambre de la rue Pigalle qu'un exemplaire de cette estampe. Un marchand de la rue du Bac a payé 400 francs la toile après qu'elle a été authentifiée.

La caricature qui a rapporté 2 000 francs au Havre est une autre ressource. Le coup de crayon de Monet n'est pas passé inaperçu à la brasserie des Martyrs. Le numéro du *Diogène* du 24 mars 1860 publie un portrait-charge de Laferrière en uniforme. C'est celui qu'il porte dans *Histoire d'un drapeau*. Derrière lui des affiches qui citent les titres des pièces qui ont fait sa gloire. A plus de soixante ans, il ne cesse pas de jouer les jeunes premiers. Quelques mois plus tard, en août, Monet est fier de pouvoir écrire à Gautier : « Je fais en ce moment la charge de Pierre Petit dans *Le Gaulois* et dans *Le Charivari* j'ai aussi plusieurs charges[6]. » Il n'en reste pas de trace. Parce que, illusions perdues, ces charges n'ont pas été publiées ? Parce qu'elles sont signées d'un pseudonyme ? Après tout, s'il est venu à Paris, c'est avec l'ambition d'y devenir peintre.

Peintre... Est-ce que l'on peut encore vouloir être peintre sans faire preuve d'une impardonnable inconséquence ? Il faut être lucide. Si Paris est un immense chantier, tout y est en chantier, tout y change. « La littérature s'est transformée en journaux. Les arts s'en sont allés aussi. La peinture, parce qu'on ne la paye pas ; la musique, parce qu'on lui préfère les cafés chantants[7]. »

Monet peut découvrir sur les boulevards « une exposition de tableaux modernes qui renferme les œuvres de l'école de 1830 », il peut croire qu'elle « prouve que nous ne sommes pas tant en décadence qu'on le dit », il passe sous silence une révolution. Celle-là n'a pas été politique. Depuis 1830, depuis l'éclosion de l'école de 1830, il y a eu, en 1839, l'invention de la photographie. Monet est né quelques mois après son apparition. Rares ont été ceux qui ont pu écrire, comme Delacroix : « Combien je regrette qu'une si admirable invention arrive si tard, je dis pour ce qui me regarde[8]. »

Depuis des siècles, depuis Aristote, on sait que l'imitation est la raison d'être du dessin, de la sculpture, de la peinture. On l'a dit, répété, rabâché sur tous les tons. « Nous devons donc regarder ces Arts d'imitation comme une faveur du Ciel, & comme une douceur que la Sagesse suprême a jugé nécessaire à la vie humaine[9]. » Donc... vanité de la démonstration. La photographie a emporté la séculaire certitude philosophique profane béatifiée par la foi chrétienne. Il ne reste rien de la conviction de dom Antoine-Joseph Pernety, religieux bénédictin de la congrégation de Saint-Maur. Il est l'auteur d'un *Dictionnaire portatif de peinture, sculpture et gravure ; avec un traité pratique des différentes manières de peindre, Dont la Théorie est développée dans les*

Articles qui en sont susceptibles. Ouvrage utile aux Elèves & aux Amateurs. Ce livre, qui ne peut plus être utile à personne, a été publié en 1757.

Deux siècles exactement plus tard, le 4 juin 1857, les Goncourt notent dans leur *Journal* : « Vu, hôtel Drouot, première vente de photographies. Tout devient noir en ce siècle : la photographie, c'est comme l'habit noir des choses[10]. » Porterait-elle le deuil de la peinture ?

Voilà vingt ans qu'à l'Académie Suisse comme à l'Ecole des beaux-arts, dans les ateliers comme les brasseries, les mêmes étonnements, les mêmes inquiétudes et les mêmes arguments sont repris par les uns et les autres.

Il y a les désespérés qui se refusent à entretenir la moindre illusion : « Voici maintenant qu'avec cet enduit étendu sur une planche de cuivre, M. Daguerre remplace le dessin et la gravure. » Pourquoi se priver de prophétiser : « Laissez-le faire, avant peu vous aurez des machines qui vous dicteront des comédies de Molière et feront des vers comme le grand Corneille : ainsi soit-il[11]. » Le progrès est en marche, inexorable : « M. Gaudin, en se servant de bromure d'iode, qui est encore plus sensible que le chlorure d'iode, a conduit à son dernier perfectionnement l'invention de M. Daguerre. M. Gaudin obtient des épreuves instantanées, c'est-à-dire des groupes de personnages en action, des vues du Pont-Neuf avec les voitures et les piétons en marche ; des portraits d'un délicieux aspect, où l'on ne retrouve plus la laideur, la sécheresse des premiers portraits au daguerréotype[12]. » Il n'y a pas l'ombre d'un doute à avoir : « On trouvera peut-être ma prédiction quelque peu aventurée ; mais dans un moment où la peinture de pure imitation est l'objet de l'engouement général, et où tout semble concourir fatalement à multiplier le nombre des artistes, il est bon, je crois, de faire savoir qu'il y a quelques branches de l'art, comme la gravure, la lithographie, le genre et le portrait, dont l'existence est déjà menacée[13]. » Et s'il n'y a plus de doute, il n'y a plus d'espoir : « La comparaison des œuvres débiles avec la reproduction pure et véridique de la nature régénérera le goût public et le rendra difficile. Une estampe photographiée sera préférée à une peinture vicieuse, car elle satisfera davantage. La classe aisée, qui ne s'élevait que jusqu'au portrait à bas prix, d'une fidélité douteuse, adoptera forcément la photographie si limpide, si précise, si animée dans ses produits ; et quand on pourra, pour un prix modique, se procurer l'image exquise du paysage que l'on aime, du site où l'on a rêvé, du coteau où s'élève le toit natal, du tableau que l'on a goûté, l'on délaissera les mauvais tableaux, les méchants dessins et les gravures médiocres. Combien d'honnêtes gens se verront contraints de renoncer à un métier sans profit et sans gloire, de chercher fortune ailleurs, de rendre libre, comme on eût dit autrefois, le chemin qui conduit au temple des arts ; de se faire justice enfin, en quittant la peinture, qui n'est pour eux qu'une séduction perfide, et n'aurait jamais dû devenir le gagne-pain de la médiocrité[14]. » Un choix définitif s'est déjà imposé à certains ; un tel ainsi « a laissé franchement de côté la peinture pour se livrer au charme de la photographie. Il a un grand talent et s'en croit bien davantage encore. Il est au premier rang et veut se mettre à la tête ; il fait d'admirables choses, il produit des merveilles, et proclame hautement que ce sont des épreuves manquées, ce qui lui fournit l'occasion, en les comparant aux travaux de ses confrères, de dire à qui veut l'entendre : "Vous voyez, ce qu'ils font de mieux est tout au plus égal à ce que je fais de moins bien !" ».

Il y a ceux, deuxième catégorie, qui croient, qui veulent croire, que la photographie peut être au service de l'art : « On a prétendu que la photographie nuisait à l'art et en abaisserait le niveau. Jamais allégation ne fut plus dénuée de fondement. La photographie est au contraire la très humble servante, l'esclave dévouée de l'art ; elle lui prend des notes, elle lui fait des études d'après nature ; pour lui, elle se charge de toutes les besognes ennuyeuses et pénibles[15]. » Dans cette même catégorie, il y a ceux qui se refusent à renoncer au prestige de la peinture et qui ne peuvent pas ne pas admettre les pouvoirs de cette découverte merveilleuse. Un exemple : « Celui-ci s'est fait un nom parmi les peintres ; il a une vaste intelligence, une instruction étendue ; mais il a également des bizarreries : et qui n'en a pas, surtout dans le monde privilégié des arts ? Il fait de la photographie avec passion ; mais le plus grand chagrin que vous puissiez lui faire, c'est de l'accuser de photographie. Il vous montre coquettement ses épreuves ; il vous parle de ses perfectionnements, de ses innovations ; il vous tiendra au courant des plus minutieuses observations qu'il a faites ; il s'émeut ; il s'enthousiasme ; mais n'allez pas lui dire le premier : "Eh bien ! et la photographie ?" Il vous tournera le dos en vous disant : "Je suis peintre et non photographe !" Si vous êtes initié vous-même, faites-lui des confidences, il les accueillera volontiers ; mais surtout, ne lui en demandez pas ! Pour lui, la photographie est comme une maîtresse qu'on chérit et qu'on cache ; dont on parle avec bonheur, mais dont on ne veut pas qu'on vous parle. Si vous pénétrez par hasard dans le sanctuaire où il l'adore et la séquestre, malheur à vous ! chaque regard est un coup de poignard pour son cœur jaloux ; chaque pas est une offense qu'il ne vous pardonnera jamais[16] ! »

Enfin, troisième et dernière catégorie, il y a ceux pour lesquels la photographie n'est une menace ni une aide. Simplement parce que la photographie et la peinture ne sont pas comparables. « Le photographe ne destituera jamais le peintre : l'un est un homme, l'autre est une machine. Ne comparons plus[17]. » Les choses sont désormais claires : « Précisons en quatre mots le résultat définitif : les artistes vraiment originaux, loin d'être atteints, devront à l'invention nouvelle des ressources imprévues, et prendront un plus large essor. Les gens de métier, les mécaniques, ainsi que l'on disait jadis, seront abattus[18]. » Parce que, l'argument est loin d'être indifférent, les yeux du public auront été dessillés : « Parmi les inventions de notre époque, la photographie est une de celles qui sont appelées à rendre le plus de service à l'art.

« Son influence sur la peinture sera d'une portée immense ; car en même temps qu'elle éclaire le peintre sur les difficultés de son art, elle épure le goût du public, en l'habituant à voir la nature reproduite dans toute sa fidélité, et souvent avec des effets d'un goût et d'un sentiment exquis.

« Déjà on a pu se convaincre de cette influence par les dernières expositions des tableaux. Les mauvais portraits y étaient plus rares et l'effet dans les compositions généralement mieux entendu.

« Les toiles qui attiraient le plus l'attention du public étaient justement celles qui approchaient le plus du rendu de sentiment d'une belle épreuve photographique[19]. » La photographie serait-elle une incitation à peindre « léché » ? Imposerait-elle le « fini » ? D'autres lui confèrent un autre rôle : « En rappelant l'artiste à la nature, elle le rapproche d'une source d'inspiration dont la fécondité est infinie[20]. »

Nadar est plus clair que quiconque : « La photographie est une découverte merveilleuse, une science qui occupe les intelligences les plus élevées, un art qui aiguise les esprits les plus sagaces – et dont l'application est à la portée du dernier des imbéciles[21]. » Précision complémentaire : « La théorique photographique s'apprend en une heure ; les premières notions de pratique, en une journée[22]. » Conclusion : « Ce qui ne s'apprend pas, je vais vous le dire : c'est le sentiment de la lumière, c'est l'application artistique des effets produits par les jours divers et combinés[23]. »

Ces « jours divers et combinés », ce sont ceux de Corot que Pissarro engage Monet à prendre pour modèles. Ces « jours divers et combinés », ce sont ceux de Boudin sur les conseils duquel Monet continue de se régler.

Et les jours, au cours des derniers mois de 1860, commencent d'être ceux d'un compte à rebours. Monet appartient à la classe 1860.

1861

J'amenai un mauvais numéro[1]

Le samedi 2 mars 1861, sur ordre de M. le préfet de la Seine-Inférieure, les hommes âgés de vingt ans domiciliés dans le canton sud du Havre se présentent au tirage au sort dont les opérations sont présidées par M. le sous-préfet. Tirer un « mauvais numéro », c'est devoir accomplir un service militaire de sept ans.

M. Adolphe Monet attend cette date avec confiance. La menace de ces sept années de vie militaire doit pouvoir convaincre son fils de rentrer dans le droit chemin, donc d'abandonner la lubie de la peinture, de rentrer au Havre, de s'y consacrer aux affaires, d'y apprendre à pouvoir un jour y prendre sa succession. Il n'a pas pardonné à Oscar-Claude sa fugue parisienne. Il a pu comprendre qu'il lui ait fallu, à dix-neuf, vingt ans, « jeter sa gourme ». M. Adolphe Monet serait d'autant plus malvenu de lui en faire reproche, de lui donner des leçons de morale que, le 3 janvier 1860, il a reconnu être le père de la petite Marie dont Armande-Célestine Vatine, domestique, a accouché ce même jour. Reste que la plaisanterie a assez duré.

Le marché proposé à Oscar-Claude est d'une extrême simplicité : soit donc il se plie enfin aux affaires, soit, s'il refuse et tire un mauvais numéro, on le laisse partir.

La loi du 26 avril 1855 stipule que les jeunes gens peuvent être exonérés de leur service militaire par un versement à une caisse spéciale destinée à assurer leur remplacement. Pour la classe 1860, le coût d'un remplaçant a été fixé à 2500 francs.

En avril 1861, la sous-répartition du contingent entre les cantons est publiée. Les 73 premiers hommes des 228 que compte la liste du canton sud sont appelés sous les drapeaux. Le chiffre tiré par Oscar-Claude est inférieur à 74. « Les sept années qui paraissaient si dures à tant d'autres me paraissaient à moi pleines de charmes. Un ami, qui était un "chass'd'Af" et qui adorait la vie militaire, m'avait communiqué son enthousiasme et insufflé son goût d'aventures. Rien ne me semblait attirant comme les chevauchées sans fin au grand soleil, les razzias, le crépitement de la poudre, les coups de sabre, les nuits dans le désert sous la tente et je répondis à la mise en demeure de mon père par un geste d'indifférence superbe[2]. »

Par dérogation ministérielle spéciale datée du 20 avril 1861, Oscar-Claude Monet est affecté au Ier régiment de chasseurs d'Afrique. Le 29 avril, au Havre même, il est incorporé. Taille 1,65 mètre, yeux bruns, sourcils et cheveux châtains, nez droit, menton rond, Oscar-Claude Monet est bon pour le service.

1862/1

Je passai en Algérie deux années[1]

« Arrivé au corps » le 10 juin 1861, le deuxième classe Oscar-Claude Monet est libéré le 21 novembre 1862. Or, lorsqu'en ce mois de novembre 1862 il est « rendu à la vie civile », il a été rapatrié depuis plusieurs mois à cause de la fièvre typhoïde dont il a été atteint. Sous les drapeaux dix-sept mois, Monet n'est resté en Algérie qu'à peine un an.

Vie réglée par les exigences militaires d'un régiment d'élite sous les ordres du colonel de Lascours. Le cinquième des six escadrons qu'il compte est parti sur un théâtre d'opérations, en Syrie, en septembre 1860.

A la suite de la convention de Londres signée entre l'Angleterre, l'Espagne et la France, qui assure que l'expédition militaire dans laquelle s'engagent ces pays au Mexique n'a pas d'autre raison que le règlement des questions financières et la protection de leurs ressortissants, un contingent de 3 000 soldats français est parti en janvier 1862. Le 6e escadron du Ier chass' d'Af' fait partie de ce premier corps expéditionnaire. Si la situation s'envenime, si la guerre exige de nouveaux moyens, le régiment au sein duquel sert Monet ne peut qu'être requis. Il l'est lorsque le général Forey arrive en septembre 1862 au Mexique où il prend le commandement en chef du corps expéditionnaire. Parmi les troupes sous ses ordres, il y a le 1er et le 2e escadron du Ier régiment des chasseurs d'Afrique. Oscar-Claude Monet, cavalier de deuxième classe, affecté au 2e escadron lors de son incorporation, est en convalescence au Havre depuis plusieurs semaines déjà.

Vie de caserne à Mustapha, aux portes d'Alger. Monet fait ses classes d'exercices en gardes, de gardes en séances de manège. Monet deuxième classe aux ordres... Est-ce à cette expérience qu'il songe lorsque, presque quarante ans plus tard, il confie à Geffroy : « Cela m'a fait le plus grand bien sous tous les rapports et m'a mis du plomb dans la tête[2] » ?

Monet peint-il ? Comment Monet pourrait-il ne pas peindre ? Un capitaine, après avoir posé pour son portrait, accorde sans doute avec plus de générosité des permissions. « Les officiers usaient largement de mes talents[3]. »

Monet de redire à Geffroy : « Je ne pensais plus qu'à peindre, grisé que j'étais par cet admirable pays[4]. » Il lui écrit encore le 6 mai 1920 : « En ce qui concerne mon séjour en Algérie, il fut pour moi un enchantement. J'y effectuais mon service militaire aux chasseurs d'Afrique à Oran et j'y ai connu un compatriote normand, Pierre-Benoît Delpech, de Granville, qui devait par la suite demeurer dans ce charmant pays. J'ai conservé de bonnes relations avec lui et nous nous revoyons presque tous les ans. Il a acheté d'ailleurs certaines de mes toiles et, en le recevant l'année dernière à Giverny, il m'a montré nombre de dessins et d'aquarelles de moi faits en Algérie et datant de 1862. Il vous les montrera si vous lui demandez puisque vous le connaissez. A l'époque, je considérais l'aquarelle comme un moyen excellent et rapide pour rendre cette instantanéité de la lumière. Clemenceau a emporté un jour une de mes aquarelles d'Algérie et j'ai pu voir dans sa maison vendéenne cette œuvre de jeunesse qui représentait la vieille porte espagnole de la casbah d'Oran. Je vais vous adresser deux dessins de paysages algériens de la même période[5]. » Monet de préciser encore : « J'aime bien cette technique de l'aquarelle et regrette de ne pas m'y être adonné plus souvent[6]. »

Vingt ans plus tôt, Monet a confié à Thiébault-Sisson : « Je voyais sans cesse du nouveau ; je m'essayais, dans mes moments de loisir, à le rendre. Vous n'imaginez pas à quel point j'y appris et combien ma vision y gagna. Je ne m'en rendis pas compte tout d'abord. Les impressions de lumière et de couleur que je reçus là-bas ne devaient que plus tard se classer : mais le germe de mes recherches futures y était[7]. »

Monet n'a pas voulu laisser une trace peinte de ce que fut ce germe.

Pour une centaine de francs, Paul Durand-Ruel achète « une scène algérienne avec des chameaux, très proche comme composition et comme faire des tableaux de Fromentin[8] ». La toile est signée Monet. Durand-Ruel qui la lui présente n'obtient que ce commentaire : « Ce n'est pas de moi, je n'ai jamais fait de chameau. » Lorsque le marchand se retire, Monet se ravise et lui annonce alors qu'il voudrait pouvoir garder cette toile, qu'il se propose de lui en donner une autre en échange. Et la toile reste chez Monet.

Le catalogue raisonné de l'œuvre peint de Monet mentionne un numéro 8 qui a pour titre *Scène algérienne*. Deux hypothèses tiennent lieu de commentaires. La première hésite quant à la date à laquelle cette toile aurait été peinte : « A dû être exécutée pendant le séjour de Monet en Algérie, de juin 1861 au début de l'été 1862. » La seconde suppose : « A pu être repris et détruit par Monet. »

« En sortant, les orangers noirs et jaunes à travers la porte de la petite cour. En nous en allant, la petite maison blanche dans l'ombre au milieu des orangers sombres[9]. » « Les figures éclairées de côté par le soleil levant. Montagnes nettes sur le fond blanc ; des étoffes et couleurs très vives[10]. » « [...] Un ciel légèrement nuageux et azuré à la Paul Véronèse[11]. » Les peintures de Monet exécutées en Algérie n'auraient-elles pas été au diapason de ces notations ? Ce sont celles écrites en 1832 par Delacroix au Maroc. Son *Journal* est publié pour la première fois en 1893, trente ans après sa mort. Monet qui détruit les toiles peintes en Afrique du Nord, aurait-il redouté une vaine comparaison ?

1862/2

Les six mois de convalescence s'écoulèrent à dessiner et à peindre[1]

Monet, atteint par la fièvre typhoïde, rentre donc en France à la fin du printemps 1862. Retour au Havre. Passage par Paris.

Peut-être est-ce alors que Charles Lhuillier peint le *Portrait de Claude*

Monet en uniforme de chasseur d'Afrique. Convalescent, il n'est encore, quand bien même il mène une vie de civil chez sa tante Lecadre, ni exempté ni libéré de ses obligations militaires. Il doit – le règlement militaire l'exige – continuer de porter l'uniforme. Uniforme tricolore : bleu de la tunique aux boutons et aux épaulettes dorés comme la fourragère, blanc du burnous jeté sur le bras gauche, rouge du képi, de la ceinture enroulée autour de la taille, du large pantalon. Sa tunique n'est guère fermée que par un seul bouton sous le col et son képi est basculé sur l'oreille droite. Sa tenue n'est pas exactement réglementaire. Pour, malgré tout, conférer un tant soit peu de dignité à ce portrait, Monet pose son poing droit sur sa hanche, geste rabâché depuis des siècles par lequel s'affiche une mâle assurance.

La seule chose dont Monet de retour au Havre soit sûr, c'est sa volonté de peindre. Si M. Adolphe Monet a pu espérer que l'armée lui rendrait un jour un fils maté assez docile pour se plier aux exigences des affaires, il doit perdre toute illusion. Monet retrouve la peinture « avec un redoublement de ferveur[2] ».

Il la retrouve seul. Lorsque commence l'été 1862, Boudin n'est pas au Havre. Il est à Honfleur. Il est à Trouville. Mais Monet n'a rien oublié de ses conseils. C'est dehors qu'il peint.

La scène se passe dans un pré. Monet s'y essaye à dessiner une vache qui change de place, de pose. Un homme à l'accent anglais, qui surveille le manège depuis un certain temps, se propose de maintenir la vache immobile par les cornes. La vache se rebiffe. L'homme renonce. Un dialogue s'engage. Monet le rapporte :

« – Alors vous faites du paysage, me dit-il.

« – Mon Dieu, oui.

« – Connaissez-vous Jongkind ?

« – Non, mais j'ai vu de sa peinture.

« – Qu'en dites-vous ?

« – C'est rudement fort.

« – Vous êtes dans le vrai. Savez-vous qu'il est ici ?

« – Ah bah ?

« – Il habite à Honfleur. Auriez-vous plaisir à le connaître ?

« – Fichtre oui. Mais vous êtes donc de ses amis ?

« – Je ne l'ai jamais vu, mais dès que j'ai su sa présence, je lui ai envoyé ma carte. C'est une entrée en matière. Je vais l'inviter à déjeuner avec vous.

« L'Anglais, à ma grande surprise, tint parole et, le dimanche suivant, nous déjeunions tous trois de compagnie. Jamais repas ne fut si gai. En plein air, dans un jardinet de campagne, sous les arbres, en face d'une bonne cuisine rustique, son verre plein, entre deux admirateurs dont la sincérité ne faisait pas de doute, Jongkind ne se sentait pas d'aise. L'imprévu de l'aventure l'amusait : il n'était pas habitué, d'ailleurs, à être recherché de la sorte. Sa peinture était trop nouvelle et d'une note bien trop artistique pour qu'on l'appréciât, en 1862, à son prix. Nul, aussi, ne savait moins se faire valoir. C'était un brave homme tout simple, écorchant abominablement le français, très timide. Il fut très expansif ce jour-là. Il se fit montrer mes esquisses, m'invita à venir travailler avec lui, m'expliqua le comment et le pourquoi de sa manière et compléta par là l'enseignement que j'avais déjà reçu de Boudin. Il fut, à partir de ce moment, mon vrai maître, et c'est à lui que je dus l'éducation définitive de mon œil[3]. »

Autre relation de la même rencontre. C'est une phrase d'une lettre de la tante Lecadre au peintre Amand Gautier, datée du 30 octobre 1862, qui rapporte que son neveu a rencontré Jongkind sur le bord de la mer et lui a donné quelques conseils.

Monet qui, dans un pré peut-être ou peut-être au bord de la mer, rencontre Jongkind se souvient sans doute alors de ce qu'il a écrit deux ans plus tôt, le 20 février 1860, à Boudin : « Vous savez aussi que le seul bon peintre de marines que nous ayons, Jongkind, est mort pour l'art ; il est complètement fou. Les artistes font une souscription pour pourvoir à ses besoins[4]. »

La protection fidèle que Jongkind a reçue d'Eugène Isabey dont il est devenu l'élève en 1847, la médaille de troisième catégorie qu'il a obtenue au Salon en 1852, l'année même où Gustave Courbet y présentait son *Enterrement à Ornans*, la considération qu'elle lui a valu, n'ont pas suffi à conjurer son désarroi. Il sait bien que si en 1852 le prince d'Orange, qui est monté sur le trône, ne lui a plus versé la pension qu'il lui avait accordée en 1845, c'est à cause des rapports fielleux d'espions qui ont fait état de ses colères, de ses cuites, de ses rixes, de ses dettes. En 1855, année qui ne lui a pas valu la moindre distinction au Salon, année qui est celle du décès de sa mère, tous les revers, toutes les épreuves qui l'accablent ne lui ont pas laissé d'autre choix que de se retirer à Rotterdam. S'il a pu revenir à Paris à la fin du mois d'avril 1860, c'est grâce à la solidarité des artistes. Quatre-vingt-huit d'entre eux, de Camille Corot à Théodore Rousseau, de Charles Daubigny à Narcisse Diaz, de Félix Ziem à Eugène Isabey toujours fidèle, ont donné chacun au comte Armand Doria une œuvre pour la vente aux enchères qu'il a organisée le 7 avril à Drouot au profit de Jongkind. C'est le peintre Adolphe-Félix Cals, son assistant dans la préparation de cette vente, qui est allé chercher Jongkind à la descente du train gare du Nord, c'est lui qui a réglé ses dernières dettes. Depuis 1861, Jongkind s'est installé rue de Chevreuse, une rue perpendiculaire au boulevard du Montparnasse. Il y vit avec Mme Borrhée-Fesser, elle-même peintre. Sans elle, il retournerait à ses errements, à ses inquiétudes. Mme Fesser est auprès de Jongkind en Normandie en cet été 1862.

Mme Lecadre, à laquelle son neveu dit jour après jour ce que la fréquentation de Jongkind lui apporte, ne peut refuser longtemps de le convier au Coteau, à Sainte-Adresse. La tante Lecadre qui, pendant le repas, invite son neveu à présenter un plat à Mme Jongkind, ne s'attend pas à entendre Jongkind éclater de rire et dire – dans le français singulier qui est toujours le sien en dépit des leçons qu'il a prises quinze ans plus tôt à son arrivée à Paris : « Elle n'était pas mon femme ! » Conscient de la gêne provoquée autour de la table, Jongkind précise : « Elle n'était pas mon femme, elle était un ange ! » Mme Lecadre conclut sa lettre à Gautier : « J'avoue à ma honte que j'ai été repoussée par son extérieur excentrique et sa réputation de viveur. » Elle en est d'autant plus désolée qu'elle le sait, le reconnaît, en dépit de ses préventions, Jongkind est « un très grand artiste et surtout un fort brave homme[5] ».

Comment ne serait-elle pas émue de ce qu'il a pu lui dire de son neveu ? Il n'est plus temps de tergiverser. Laisser Oscar-Claude repartir, c'est – le médecin ne l'a pas exclu malgré une convalescence dont l'issue semble devoir être heureuse – peut-être aller à une rechute qui serait fatale. Ou c'est peut-être le laisser partir non pour l'Algérie seulement, mais pour le Mexique, pour la guerre. Il n'y a plus à hésiter. Le ministère de la Guerre, pour permettre le « rachat » d'un soldat incorporé, exige 550 francs par année de service militaire qui reste à accomplir. Monet devrait rester encore cinq ans et demi sous les drapeaux. Mme Lecadre paye donc plus de 3 000 francs pour que son neveu soit définitivement rendu à la vie civile.

« En le libérant, j'ai moins songé à sa propre satisfaction qu'à des considérations qui me sont presque personnelles. Je n'ai pas voulu me reprocher d'avoir entravé sa carrière artistique et le laisser trop longtemps à une mauvaise école, là il eût achevé de se démoraliser. Car l'Afrique est un endroit où l'on amasse les plus mauvais garnements, les zouaves et les chasseurs sont là pour le prouver. Maintenant que va-t-il faire ? Peut-il rester ici – sa conduite est infiniment meilleure mais je le connais si faible que malgré toutes ses promesses je tremble de le rendre à la liberté. Il travaille, il emploie fort bien son temps et reste toujours près de nous avec plaisir et paraît heureux, mais ses études sont toujours des ébauches comme vous les avez vues. Mais lorsqu'il veut terminer, faire un tableau, cela devient d'affreuses croûtes devant lesquelles il se mire et trouve des imbéciles qui le félicitent. Il ne tient aucun compte de mes observations. Je ne suis pas à sa hauteur aussi. Je garde maintenant le plus profond silence. Cependant je voudrais à tout prix le tirer de là et mettre à profit les dispositions qu'il possède réellement et le forcer à travailler sérieusement. Il faut qu'il se fasse une position car je ne serai pas toujours là[6]... »

Le 21 novembre 1862, Oscar-Claude Monet qui reçoit un « certificat de bonne conduite » est exonéré par l'autorité militaire.

La générosité de la tante Lecadre se double d'une menace paternelle. Souvenir de Monet qui rapporte ce que furent les propos de son père : « "Mais il est bien entendu, me dit-il, que tu vas travailler, cette fois, sérieusement. Je veux te voir dans un atelier, sous la discipline d'un maître connu. Si tu reprends ton indépendance, je te coupe sans barguigner ta pension. Est-ce dit ?" La combinaison ne m'allait qu'à moitié, mais je sentis bien qu'il était nécessaire, pour une fois que mon père entrait dans mes vues, de ne pas le rebuter. J'acceptai[7]. »

1863/1

« C'est le maître rassis et sage qu'il vous faut »[1]

Si Amand Gautier, auquel, malgré tout, Mme Lecadre ne cesse pas de demander son avis, n'a pas su retenir Oscar-Claude dans le droit chemin lors de son premier séjour à Paris, Auguste Toulmouche[2] doit en revanche avoir ce pouvoir. Ce n'est pas l'âge qui le lui confère – né en 1829, il a quatre ans de moins que Gautier –, pas plus que les distinctions que lui ont valu ses participations au Salon, une médaille de troisième classe en 1852, une autre de deuxième classe en 1861 ; c'est sa place dans la famille. Le 3 décembre 1861, il a épousé Marie Lecadre. Fille d'un avoué de Nantes, elle est la nièce de Mme Lecadre et la cousine d'Oscar-Claude... Elle-même est pastelliste. Régulièrement Oscar-

Claude devra venir rendre visite – et rendre des comptes – dans l'atelier de Toulmouche au 70 *bis*, rue Notre-Dame-des-Champs[3]. La pension que s'est engagée à lui verser la tante Lecadre lui y sera transmise. Mme Lecadre ne doute pas enfin que Toulmouche saura désigner à son neveu l'atelier où l'on pourra « le forcer à travailler sérieusement ».

A la fin du mois de novembre 1862, Monet n'arrive pas les mains vides dans l'atelier de son cousin par alliance. Récit de Monet : « J'éprouvai le besoin de donner à Toulmouche un échantillon de mon savoir. Je pris une toile et j'exécutai une nature morte... Ah ! je la revois encore ! Il y avait un rognon et un petit plat avec du beurre... J'avais eu ces objets sous les yeux. Ils m'avaient séduit, je ne sais pourquoi, et je les avais peints avec ferveur[4]. » Au-delà des rognons et de la motte de beurre déposée dans une soucoupe, la nature morte rassemble encore une côtelette, deux œufs, un couteau de cuisine. La toile est signée *C. Monet*. Oscar disparaît...

Claude Monet ne présente pas que cette toile. « Je débarquai un beau matin chez Toulmouche avec un stock d'études dont il se déclara enchanté. » Toulmouche regarde les études, la toile. Il n'hésite pas : « Vous avez de l'avenir, me dit-il, mais il faut canaliser votre élan. Vous allez entrer chez M. Gleyre. C'est le maître rassis et sage qu'il vous faut[5]. » La surveillance que doit exercer Toulmouche sur Claude Monet sera d'autant plus aisée que l'atelier dans lequel Gleyre dispense son enseignement est l'un des sept qui ont été construits dans les cours et les jardins, derrière l'immeuble de rapport du 70 *bis*, rue Notre-Dame-des-Champs. Monet n'a pas le choix. Il ne peut qu'entrer dans l'atelier de Gleyre...

Singulier M. Gleyre. Baudelaire l'a rappelé dans son *Salon de 1845* : « Il avait volé le cœur du public sentimental avec le tableau du *Soir*. – Tant qu'il ne s'agissait que de peindre des femmes solfiant de la musique romantique dans un bateau, ça allait ; de même qu'un pauvre opéra triomphe de sa musique à l'aide des objets décolletés ou plutôt déculottés et agréables à voir ; mais cette année, M. Gleyre, voulant peindre des apôtres, des apôtres, M. Gleyre ! – n'a pas pu triompher de sa propre peinture[6]. » Ce cinglant jugement porté sur *Le Départ des apôtres* n'empêche pas *Les Illusions perdues* – c'est le titre par lequel la plupart des visiteurs nomment *Le Soir* – d'être, depuis 1844, l'une des toiles les plus importantes du musée du Luxembourg pour lequel les Musées royaux l'ont payée 3 000 francs dès le 14 mai 1843. Cet achat n'est sans doute pas parvenu à effacer l'humiliation que, quelques années plus tôt, « selon la chronique, lui aurait infligée M. Ingres, au château de Dampierre, où les deux artistes avaient à peindre des fresques dans la même salle. M. Ingres, arrivant pour se mettre à l'œuvre, aurait exigé qu'on badigeonnât deux fresques que M. Gleyre avait déjà exécutées, déclarant qu'il ne pouvait travailler en un tel voisinage[7] ».

M. Gleyre ne sort plus guère de son appartement du 94 de la rue du Bac. Depuis la mort d'Alfred de Musset, en 1857, il n'a plus de raison d'aller jusqu'à La Régence où il jouait chaque jour aux échecs avec lui. On le voit encore parfois au café La Modestie, à l'angle de la rue de la Modestie et de la rue de Lille. Peut-être y confirme-t-il à voix basse à ceux qu'il y rencontre son refus d'exposer encore au Salon depuis que Louis-Napoléon Bonaparte, par son coup d'Etat, a renversé la République, rétabli l'Empire. Républicain, il a refusé la Légion d'honneur que cet Empire s'est proposé de lui décerner. Enfin, pendant plusieurs années, de 1858 à 1861, il a éprouvé de graves troubles de la vue. Sans le moindre doute une lointaine conséquence de l'affection ophtalmique contractée en 1837 en Egypte, à Khartoum d'où il est rentré presque à l'agonie. Cette connaissance de l'Orient lui a valu d'être invité par Gustave Flaubert à la grande lecture de *Salammbô* que celui-ci a faite chez lui le lundi 6 mai 1861. Commencée à 4 heures de l'après-midi, elle s'est achevée après le dîner, à 2 heures du matin. Les Goncourt qui y ont assisté ont rencontré « un monsieur en bois, l'air d'un mauvais ouvrier, l'intelligence d'un peintre gris, l'esprit terne et ennuyeux[8] ».

En dépit de sa timidité, de ces difficultés, M. Gleyre continue de venir régulièrement corriger ses élèves qui, pour les premiers d'entre eux, ont été ceux de Delaroche. Il a posé ses conditions lorsqu'il a accepté de prendre sa succession : « Vous ne me donnerez pas un sou. Je me souviens du temps où j'étais bien souvent forcé de me passer de dîner pour économiser les 25 ou 30 francs que je devais donner chaque mois au massier de M. Hersent[9]. » D'où l'ordre donné à ses élèves : « Louez un atelier, [...] organisez-le à frais communs, et j'irai deux fois par semaine, suivant l'usage, examiner vos travaux et vous donner mes conseils[10]. »

Au-delà des premiers frais à l'entrée à l'atelier, 15 francs de « bienvenue », 30 francs pour la « masse », pouvoir jour après jour travailler d'après les modèles, lesquels doivent porter un cache-sexe imposé par M. Gleyre, et se soumettre « de temps en temps [à] un petit sujet de composition que chacun fait de son mieux[11] », coûte 10 francs par mois. Dans son roman *Trilby*, George Du Maurier décrit l'atelier d'un certain Carrel. Cette description est celle de l'atelier de Gleyre : il « était situé [...] à l'extrémité d'une large cour qu'entouraient de vieilles fenêtres délabrées, appartenant toutes à différents ateliers, dont le sien était le plus vaste et le plus sale. Trente ou quarante peintres académiques s'y réunissaient tous les jours (excepté le dimanche matin et le samedi, jours réservés à un nettoyage qui n'était pas du luxe !).

« Une semaine, l'étude était un homme, la suivante, une femme ; et ainsi de suite alternativement, d'un bout à l'autre de l'année.

« Cet atelier était meublé de la façon la plus sommaire : un poêle, une table à modèles, plusieurs tabourets et caisses, cinquante chaises basses et solides, chevalets et tableaux noirs, rien de plus.

« Les murs unis étaient couverts d'esquisses, caricatures au fusain et à la craie : bariolages multicolores d'un effet pittoresque et charmant[12] ».

Les questions que se pose Mme Lecadre ne sont sans doute pas différentes que celles que pose M. Gaston Bazille à son fils Frédéric : « Combien êtes-vous à l'atelier ? M. Gleyre y vient-il souvent ? t'a-t-il donné quelques conseils utiles[13] ? »

Dans la mémoire de Monet, les conseils reçus ont d'emblée été inacceptables. Il raconte : « J'installai en maugréant mon chevalet dans l'atelier d'élèves que tenait cet artiste célèbre. J'y travaillai, la première semaine, en conscience, et j'enlevai avec autant d'application que de fougue mon étude de nu d'après le modèle vivant que M. Gleyre corrigeait le lundi. Quand il passa, la semaine d'après, devant moi, il s'assit, et, solidement calé sur ma chaise, regarda attentivement le morceau. Je le vois ensuite se retourner, inclinant d'un air satisfait sa tête grave, et je l'entends me dire en souriant : "Pas mal ! pas mal du tout, cette affaire-là, mais c'est trop dans le caractère du modèle. Vous avez un bonhomme trapu : vous le peignez trapu. Il a des pieds énormes : vous les rendez tels quels. C'est très laid, tout ça. Rappelez-vous donc, jeune homme, que, quand on exécute une figure, on doit toujours penser à l'antique. La nature, mon ami, c'est très bien comme élément d'étude, mais ça n'offre pas d'intérêt. Le style, voyez-vous, il n'y a que ça."

« J'étais fixé. La vérité, la vie, la nature, tout ce qui provoquait en moi l'émotion, tout ce qui constituait à mes yeux l'essence même, la raison d'être unique de l'art, n'existait pas pour cet homme. Je ne resterais pas chez lui. Je ne me sentais pas né pour recommencer à sa suite les *Illusions perdues* et autres balançoires. Alors à quoi bon persister ?

« J'attendis toutefois quelques semaines. Pour ne pas exaspérer ma famille, je continuai à faire acte de présence, mais le temps d'exécuter d'après le modèle une pochade, d'assister à la correction..., et je filai[14]. »

Monet propose une autre variation de ce dialogue rapportée en janvier 1921 : « Comme nous dessinions d'après un modèle, d'ailleurs superbe, Gleyre critiqua mon travail :

« – Ce n'est pas mal, dit-il, mais le sein est lourd, l'épaule trop puissante, et le pied excessif.

« – Je ne peux dessiner que ce que je vois, répliquai-je timidement.

« – Praxitèle empruntait les meilleurs éléments de cent modèles imparfaits pour créer un chef-d'œuvre, riposta sèchement Gleyre. Quand on fait quelque chose, il faut penser à l'antique !

« Le soir même, je pris à part Sisley, Renoir et Bazille :

« – Filons d'ici, leur dis-je. L'endroit est malsain ; on y manque de sincérité[15]. »

« Je filai... », « Filons d'ici... » : Monet oublie qu'il lui fallut brider son impatience.

Au début de cette année 1863, sans doute assiste-t-il à cette correction racontée par Renoir : « J'ai suffoqué ce pauvre Gleyre autrefois à l'atelier. Il faisait sa visite hebdomadaire. Il arrive devant mon chevalet... C'était ma première semaine chez lui. Je m'étais appliqué de mon mieux à copier le modèle.

« Gleyre regarde ma toile, prend un air froid et me dit : "C'est sans doute pour vous amuser que vous faites de la peinture ? – Mais certainement, lui répondis-je, et si ça ne m'amusait pas, je vous prie de croire que je n'en ferais pas !"

« Je ne suis pas sûr qu'il ait bien compris[16]. » Monet, lui, a compris...

A la fin du mois de novembre 1863, il assiste peut-être encore à cette autre correction que rapporte Bazille : « La semaine dernière, M. Gleyre m'a fait des compliments tout haut à l'atelier, ce qui lui arrive rarement. J'avais eu l'idée de dessiner le modèle de grandeur naturelle sur un immense papier, et je l'avais réussi[17]. »

Dans les mois qui suivent son entrée dans l'atelier de Gleyre, il est essentiel pour Monet de rassurer sa famille. Et il s'y emploie. Le 20 mars 1863, Mme Lecadre, rassérénée, peut écrire à propos de son neveu à Amand Gautier : « Toutes les misères qu'il a subies l'ont transformé et préparé au travail, il me remercie de l'avoir racheté. Tout cela est dit avec simplicité et on sent qu'il me dit ce qu'il pense, et j'en suis très heureuse ainsi que son père. » Mais les lettres dociles de Claude se font bientôt plus rares. Et, quelques mois plus tard, on s'inquiète de nouveau. Mme Lecadre aurait-elle eu, par l'intermédiaire de Toulmouche et par celui de Gautier, vent des propos tenus par son incorrigible neveu ?

Monet raconte : « J'avais trouvé, d'ailleurs, à l'atelier, des compagnons qui me plaisaient, des natures qui n'avaient rien de banal. C'étaient Renoir et Sisley, que je ne devais plus désormais perdre de vue ; c'était Bazille, qui devint aussitôt mon intime, et qui aurait fait parler de lui, s'il avait vécu. Ni les uns ni les autres ne manifestaient plus que moi d'enthousiasme pour un enseignement qui contrariait à la fois leur logique et leur tempérament. Je leur prêchai immédiatement la révolte[18]. »

Cette révolte les entraîne à Chailly.

1863/2

Et puis dans le printemps c'est si beau[1]

Claude Monet doit se justifier. Il a quitté Paris sans prévenir. Au nom de quelle nouvelle lubie se permet-il de se dispenser des leçons de son maître ? C'est la même injonction qui lui est répétée de toutes parts et qu'il rapporte à Amand Gautier : « Il ne faut en aucune façon rester plus longtemps à la campagne, que c'est une faute grave surtout d'avoir si tôt abandonné l'atelier ; mais j'espère que vous me comprendrez : je n'ai pas du tout abandonné l'atelier, et puis j'ai trouvé ici mille charmes auxquels je n'ai pu résister. J'ai beaucoup travaillé et vous verrez, je crois, que j'ai plus cherché que d'habitude et puis maintenant je vais me remettre encore à dessiner. Je n'y renonce point du tout[1]. » Claude Monet se doit de plaider sa cause, de lui rendre des comptes. Gautier n'est pas pour Monet une caution aux seuls yeux de la tante Lecadre : lors de son inscription comme copiste au Louvre, Oscar Monet, âgé de vingt-deux ans et demi, qui a reçu la carte n° 922, a callligraphié « Gautier » dans la colonne « Nom de maître ». Si le nom de Gleyre paraît sur la même page, c'est en regard de celui d'un élève nommé Louis Piepersberg.

Lorsque Monet envoie sa lettre, le 23 mai, cela fait bientôt deux mois qu'il est à Chailly. Le mercredi 8 avril déjà, Frédéric Bazille écrivait à sa mère à Montpellier : « Je viens, ma chère mère, de passer une semaine bien agréable. Comme je vous l'avais annoncé, je suis allé passer 8 jours au petit village de Chailly près de la forêt de Fontainebleau. J'étais avec mon ami Monet, du Havre, qui est assez fort en paysages, il m'a donné des conseils qui m'ont beaucoup aidé. » Et de préciser encore : « Nous étions logés dans l'excellente auberge du Cheval-Blanc, où pour 3,75 francs par jour, on est parfaitement nourri et couché[3]. »

Monet y est toujours...

Ce n'est pas par hasard que Monet a fait le choix de la forêt de Fontainebleau. Depuis que Théodore Rousseau, que Camille Corot y sont venus peindre, depuis qu'à cause du choléra qui a infecté Paris en 1849, les Daubigny, Jacque, Dupré, Millet s'y sont réfugiés, qu'ils y ont pour certains élu domicile, Barbizon est devenue une capitale de la peinture où l'auberge Ganne tient lieu de Villa Médicis du paysage. Pour préparer leur nouveau roman *Manette Salomon*, les Goncourt vont se résigner à devoir y passer une nuit. Note exaspérée dans leur *Journal*, à la date du 20 octobre 1865 : « Il y a vraiment du courage à nous, maladifs, et du cœur à notre œuvre, pour être ici, dans cette mauvaise auberge, pleine de l'inconfortable subi par la nature ouvrière des peintres, dans ces chambres sans feu, à cette table où l'on dévore le gruyère à la fin des repas et sur lesquelles plane l'immense tristesse des fruits secs assis là, mêlée à la mélancolie sinistre de toutes les maladies qui s'y sont donné rendez-vous[4]. » Sisley qui a séjourné chez le père Ganne dès 1861 a sans doute conseillé à Monet d'éviter son auberge. S'installer à Chailly-en-Bière, c'est à la fois se tenir à distance de Barbizon et n'en être guère qu'à deux kilomètres, c'est pouvoir ne pas se cogner « dans des Millet à chaque coin de rue » et prendre part à la seule conversation qui vaille, sur le paysage, sur la nature. Et peut-être, à vingt-trois ans, une certaine morgue n'admet-elle pas d'être confondue avec ces rapins dont on chante : « Ils ont des barbes de bison/Les peintres de Barbizon. »

Peut-être l'un ou l'autre de ces peintres qui cherchent un motif dans les sous-bois, les clairières, les allées, a-t-il entendu Delacroix dire : « Devant la nature elle-même, c'est notre imagination qui fait le tableau[5]. » Il a noté cette remarque le 1er septembre 1859. Peut-être un autre a-t-il entendu Corot confier : « Pour moi, personne ne m'a rien enseigné. Quand on est livré à soi-même en face de la nature, on se tire d'affaire comme on peut et, naturellement, on se compose une manière à soi[6] » ; ou peut-être lui a-t-il répété ce qu'il a noté dans l'un de ses carnets : « Il faut être sévère d'après la nature et ne pas se contenter d'un croquis fait à la hâte[7] » ; peut-être a-t-on rapporté à l'un ou l'autre que le peintre anglais Joshua Reynolds affirma à la fin du siècle passé, vers 1780 : « Je vous recommanderais, plus que toute chose, de peindre d'après nature, au lieu de dessiner ; de transporter votre palette et vos crayons au bord de l'eau. Telle était la coutume de Vernet, que j'ai connu à Rome ; il m'a montré ses études colorées, qui m'ont grandement frappé par la vérité que seules possèdent ces œuvres réalisées tant que l'impression de la nature est encore chaude[8] » ; peut-être encore cite-t-on cette remarque de Denis Diderot : « Les esquisses ont communément un feu que le tableau n'a pas ; c'est le moment de chaleur de l'artiste, la verve pure, sans aucun mélange de l'apprêt que la réflexion met en tout, c'est l'âme du peintre qui se répand librement sur la toile[9] » ; enfin, on discute sans doute le conseil de Claude Joseph Vernet[10], donné dans un texte publié en 1817 : « Le moyen le plus court et le plus sûr est de peindre et de dessiner d'après nature. Il faut surtout peindre, parce qu'on a le dessin et la couleur en même temps. Après avoir bien choisi ce qu'on veut peindre, il faut copier le plus exactement possible, tant pour la forme que pour la couleur, et ne pas croire mieux faire en ajoutant ou retranchant ; on pourra le faire dans son atelier, lorsqu'on veut composer un tableau, et se servir des choses qu'on a faites d'après nature[11]. »

L'exemple que lui ont donné Boudin le premier, et après lui Jongkind, ne laisse pas de doute à Monet : l'atelier, c'est, ce doit être la nature même. Aurait-il appris qu'un secrétaire et historiographe de l'Académie de France à Rome osa, dès 1759, ces conseils à propos d'un jeune pensionnaire : « Surtout qu'en faisant d'après nature, il renonce à toute envie de prétendre la corriger ou l'embellir, elle est toujours assez belle par elle-même et n'est que trop difficile à imiter ; il faut commencer par la bien connoistre et, tant que l'on étudie, la suivre avec la plus parfaite obéissance. » Il ajoutait encore : « Il est bon de peindre la même vue à différentes heures du jour, pour observer les différences que produit la lumière sur les formes. Les changements sont sensibles et si étonnants, qu'on a peine à reconnoître les mêmes objets[12]. »

La nature... la lumière... ses changements heure après heure... comment ne pas vouloir qu'elles soient le seul « modèle » désormais ?

Si l'école, si le Salon, si l'Institut veulent croire que pour tenir tête à la photographie il faut continuer de peindre la Grèce et Rome – sans doute parce que ni les dieux, ni les héros, ni les nymphes ne poseront jamais devant un photographe... –, si la photographie est devenue l'« habit noir des choses », c'est par la couleur que la peinture peut, doit se sauver. Or, si pendant des siècles il a été impossible de peindre dans la nature même, depuis quelques années, le tube, le tube de peinture, le permet. Monet le sait comme le sait Renoir : « Ce sont les couleurs en tubes si facilement transportables qui nous ont permis de peindre complètement sur nature[13]. »

Digression pour une conjecture...

En 1863, le critique Castagnary que Monet a rencontré à la brasserie des Martyrs écrit : « On fait grand bruit autour de ce jeune homme[14]. » Le « jeune homme » dont il s'agit porte un nom qui semble une contre-façon, Manet. Comment Monet aurait-il pu ne pas rencontrer l'œuvre de Manet en 1863 ?

L'*Histoire des peintres impressionnistes* de Théodore Duret est publiée par les éditions H. Floury, à Paris, en 1906. Duret y écrit que Claude Monet « avait visité au printemps de 1863 une exposition de quatorze toiles que Manet faisait chez Martinet, sur le boulevard des Italiens. Il en avait ressenti une véritable commotion. Il avait trouvé là son chemin de Damas[15] ». Il n'y a pas trace d'une lettre qu'aurait provo-quée la lecture de ce livre, pas trace d'une lettre que Monet aurait adressée à Duret pour contester la force du mot « commotion », pour récuser la métaphore du « chemin de Damas ». Parti Saül vers le boule-vard des Italiens, Monet serait ressorti apôtre de chez Martinet... En 1863 même, Monet n'a écrit à quiconque pour rendre compte de ce qu'aurait été la découverte de la peinture de Manet. Il n'a rien dit du bouleversement éprouvé alors à Thiébault-Sisson qui a publié dans *Le Temps* du 26 novembre 1900 les propos recueillis qui composent sa pre-mière autobiographie, *Claude Monet, mon histoire*. Si Monet a évoqué avec Gustave Geffroy, son premier biographe, sa rencontre avec la pein-ture de Manet, il s'est interdit de parler de « commotion ». D'où cette phrase de Geffroy qui redistribue les mérites : « C'est dans ces œuvres que Claude Monet apprit de Manet la loyauté et l'unité des formes, mais il faut aussi lui rendre ce qui lui est dû et voir clairement ce qu'il a apporté de vraiment nouveau et hardi, de par son tempérament, son ins-tinct, sa réflexion[16]. » Or, parmi « ces œuvres », Geffroy cite le titre *Lola de Valence*. Cette toile est l'une des quatorze exposées chez Martinet...

Comment Monet n'aurait-il pas eu la curiosité de voir ces peintures qui, selon le critique Louis Leroy, « seraient capables de faire mourir de peur M. Winterhalter si on l'amenait sans préparation devant ces toiles cocasses[17] » ? Comment Monet aurait-il pu se priver d'aller vérifier ce qu'écrit M. de Saint-Victor à propos de Manet : « Ses tableaux de l'Exposition du boulevard des Italiens sont des charivaris de palette. Jamais on n'a fait plus effroyablement grimacer les lignes et hurler les tons[18] » ? Comment Monet ne se serait-il pas rendu, quelques semaines plus tard, au palais de l'Industrie où, le 15 mai 1863, s'est ouvert le Salon annexe ? Ce nom est le nom officiel de ce que tout Paris appelle aussitôt le « Salon des Refusés » – même si certains veulent que ce Salon soit celui des « parias », des « proscrits », des « réprouvés », des « vaincus », ou, simplement, des « croûtes »[19].

Le 15 janvier 1863, le règlement du prochain Salon impose que chaque artiste s'en tienne à trois envois. Premières rumeurs exaspérées. Le jury, présidé par Nieuwerkerke, directeur général des Musées impériaux, est implacable. Dans Paris, les ateliers grondent, la presse s'indigne. Le 20 avril, à l'improviste, Napoléon III visite le palais de l'Industrie. Il s'y fait montrer les œuvres acceptées. Et celles qui ont été écartées. Le 24 avril, *Le Moniteur* annonce : « De nombreuses réclamations sont parvenues à l'Empereur au sujet des œuvres d'art qui ont été refusées par le jury de l'Exposition. Sa Majesté, voulant laisser le public juge de la légitimité de ces réclamations, a décidé que les œuvres d'art refusées seraient exposées dans une partie du palais de l'Industrie. Cette exposition sera facultative, et les artistes qui ne voudront pas y prendre part n'auront qu'à en informer l'administration qui s'empressera de leur restituer leurs œuvres[20]. »

Quelques jours plus tard *Les Beaux-Arts* rendent compte de l'effet produit par la décision impériale : « L'article du *Moniteur* a fait explosion comme un coup de foudre[21]. » Dans *L'Artiste*, Castagnary rapporte : « Quand le public parisien en prit connaissance, ce fut dans les ateliers un délire universel. On riait, on pleurait, on s'embrassait[22]. » Conclusion : « Au plateau de l'Observatoire, au moulin de la Galette, toute la gent artistique était en ébullition. » Elle l'est de la même manière à Barbizon. Elle l'est à Chailly.

Parmi ces œuvres refusées par le jury, « trouant le mur dans la plus reculée des salles », est accroché *Le Bain* d'un certain Manet. Commentaire d'un critique : « M. Manet aura du talent le jour où il saura le dessin et la perspective ; il aura du goût le jour où il renoncera à des sujets choisis en vue du scandale[23]. » Remarque d'un autre : « Je ne dois pas omettre un tableau remarquable de l'école réaliste, une transposition d'une pensée de Giorgione en français moderne. Giorgione avait conçu l'heureuse idée d'une fête champêtre où, bien que les hommes fussent vêtus, les femmes ne l'étaient pas, mais on passe sur la moralité douteuse de cette toile en raison de ses magnifiques couleurs[24]. »

Comment supposer que Monet, de retour de Chailly, ne se soit pas précipité pour admirer ce *Bain* que le public a rebaptisé *Déjeuner sur l'herbe*, qu'il n'ait pas voulu voir ces « magnifiques couleurs » qui font accepter « la moralité douteuse de cette toile » ?

Pour être soi-même un jeune homme dont on fait grand bruit, ne faudrait-il pas peindre un *Déjeuner sur l'herbe* ?

II

DE LA FERME SAINT-SIMÉON
AU BOULEVARD DES CAPUCINES

1864-1874

1864

Je travaille beaucoup et plus je vais, plus j'en suis heureux[1]

Pendant l'été 1863 passé au Havre et à Sainte-Adresse, Claude Monet ne se prive pas de rassurer son père, sa tante, de leur donner des preuves des progrès qu'il a accomplis, de leur promettre que sa conduite à Paris sera exemplaire. Et peut-être l'est-elle...

Le 8 décembre, Frédéric Bazille écrit à sa mère : « Villa et Monet sont les seuls élèves de mon atelier que je fréquente assidûment, ils m'aiment beaucoup et je le leur rends, car ce sont de charmants garçons[2]. » Il ajoute : « Monet m'a déjà invité à aller passer quelques jours dans sa famille au Havre au printemps prochain[3]. » L'invitation atteste de la qualité de la relation. Et si l'invitation devient réalité, Bazille pourra découvrir la Normandie, ses côtes, ses falaises, ses plages et cette lumière qui éclaire les Boudin, les Jongkind, ce qu'une invitation de Villa ne lui révélerait pas ; Louis-Emile Villa est, comme lui, de Montpellier. Quant à l'adverbe « assidûment », il laisse entendre que Monet est fidèle à l'atelier de Gleyre. Dans cette même lettre Bazille donne une autre précision encore : « Nous sommes allés, avec mon ami Villa, revoir l'atelier que nous devons occuper au 15 janvier, il nous convient toujours beaucoup, le propriétaire nous a promis de le faire tout repeindre et nous a accordé un petit bout de jardin grand comme la salle à manger de la maison, qui contient un pêcher et quelques lilas, il nous sera bien agréable en été, pour peindre des figures au soleil[4]. » Monet aurait-il commencé de convaincre ses amis qu'il faut désormais peindre en plein air ? Leur aurait-il démontré que pour relever le défi noir de la photographie, il faut, peintre, aller sur le motif même, y retrouver la couleur, les couleurs de la nature ? Qu'il faut se défaire de la lumière atone, fade et étale de ces ateliers que l'on continue de construire dans Paris, et dont la verrière est immanquablement ouverte vers le nord ?

Le 20 janvier 1864, Bazille informe son père de cette nouvelle : « M. Gleyre est assez malade, il paraît que le pauvre homme est menacé de perdre la vue, tous ses élèves sont fort affligés, car il est aimé de ceux qui l'approchent[5]. » Monet en est sans doute moins « affligé » que d'autres...

Si, comme l'explique Bazille, l'atelier lui-même est malade parce qu'il manque de fonds, parce que les anciens qui préparent leur prochain envoi au Salon oublient de payer, si les nouveaux manquent, il peut tenir encore six mois. Bazille envisage une solution : « Si, à cette époque, il allait fermer boutique, j'irais dans une académie libre, on appelle ainsi les ateliers tenus ordinairement par d'anciens modèles, et l'on n'est sous la direction de personne[6]. » Six mois... Les beaux jours seront revenus. Monet ne songe sans doute pas à une telle solution et, s'il y pense, il n'ose pas alors en faire part ni à sa tante ni à son père. La réaction de M. Gaston Bazille ne s'est pas fait attendre : « Ce que tu me dis de M. Gleyre et de la marche de son atelier ne m'a pas fait plaisir ; un travail sans directeur, sans quelques bons conseils ne doit pas être bien fructueux, et je crains que tu profites mal de ton temps[7]. » Cette réaction est celle d'un père compréhensif. Celle de M. Adolphe Monet risque d'être plus implacable. Plus de professeur ? plus de pension... Monet, lorsqu'il écrit au Havre, s'en tient sans doute à de vagues indications qui rassurent, dans le genre de celle que Bazille livre à son père à la fin du mois de mars : « Je travaille toute la journée soit à l'atelier Gleyre, soit dans le mien[8]. »

Au début de ce même mois, parce que au Havre on a eu vent de l'état de Gleyre, parce que l'on s'est étonné de ce qu'Amand Gautier n'ait plus reçu de visite de Claude depuis des mois, parce qu'on a sans doute menacé de ne plus envoyer le moindre franc s'il n'acceptait pas de travailler avec Gautier en attendant que Gleyre ait retrouvé son rôle à l'atelier, Monet a repris le chemin de la rue d'Isly. Un retard brouille ces retrouvailles. Le 7 mars, Monet écrit une lettre d'allégeance. Respect, fidélité, soumission, Amand Gautier ne peut, ne pourra que témoigner des dispositions d'un neveu qui fait tout pour dissiper les malentendus. La lettre commence par de plates excuses : « Vous ne sauriez croire combien j'ai été peiné l'autre jour lorsque je suis allé chez vous pour travailler, car j'ai vu que vous n'étiez point content et que j'avais perdu dans votre estime en ne soyant [*sic*] pas plus exact que je ne l'ai été.

Pardon, ce jour-là j'arrivai dans de si bonnes dispositions. Je m'étais levé de bonne heure, j'avais fait en allant chez vous une promenade délicieuse par les quais et les Tuileries, c'était charmant et j'étais tout heureux ; j'allais travailler sous votre direction. » Elle s'achève par une invitation à venir voir ses études : « Ainsi si cela ne vous ennuie pas trop, quand vous aurez un instant de libre, venez donc chez moi rue Mazarine n° 20 partager un modeste déjeuner. Si toutefois vous avez besoin de moi, dites-le-moi, je vous promets que je ne vous manquerai pas. »

Quelques semaines plus tard, c'est une autre promesse que Monet se doit de tenir. L'invitation faite à Bazille devient une réalité. Bazille à sa mère, le 9 mai 1864 : « Je voudrais bien avoir l'occasion de faire un paysage pour vous l'envoyer, j'espère dans quinze jours aller à Honfleur avec mon ami Monet, juste le temps qu'il faut pour cela[9]. » Cette escapade n'est guère du goût du père de Frédéric qui lui rappelle que ses études de médecine sont la raison de son séjour à Paris. Ce rappel reste sans effet. Le 1er juin, Frédéric écrit à sa mère : « C'est vers le milieu de la semaine dernière que j'ai quitté Paris avec mon ami Monet. Notre voyage a été charmant, nous avons mis un jour pour arriver ici, en nous arrêtant à Rouen. Nous avons pu voir les merveilles gothiques de cette grande ville, et le musée qui contient un admirable tableau de Delacroix.

« Le bateau à vapeur nous a amenés à Honfleur par la Seine dont les bords sont fort beaux. Dès notre arrivée à Honfleur nous avons cherché nos motifs de paysage. Ils ont été faciles à trouver car le pays est le paradis. On ne peut voir de plus grasses prairies avec de plus beaux arbres. Il y a partout des vaches et des chevaux en liberté. [...] La mer, ou plutôt la Seine excessivement élargie, donne un horizon délicieux à ces flots de verdure. Nous logeons à Honfleur même chez un boulanger qui nous a loué deux petites chambres. Nous mangeons à la ferme de Saint-Siméon située sur la falaise un peu au-dessus d'Honfleur. C'est là que nous travaillons et passons nos journées[10]. »

Comment Monet pourrait-il justifier son séjour à Honfleur sans passer voir sa famille de l'autre côté de l'estuaire de la Seine ? Comment Bazille pourrait-il ne pas évoquer cette invitation dans la famille de Monet ? « Lundi nous sommes allés au Havre par le bateau à vapeur [...] j'ai déjeuné dans la famille de Monet ; ce sont de charmantes gens, ils possèdent à Sainte-Adresse près du Havre une charmante propriété où l'on vit tout à fait comme à Méric. J'ai refusé la gracieuse invitation qu'ils me faisaient d'y passer le mois d'août. Je me lève tous les matins à 5 heures

77

et je peins toute la journée jusqu'à 8 heures du soir. Il ne faut pourtant pas vous attendre à ce que je rapporte de bons paysages, je fais des progrès et voilà tout. C'est tout ce que je demande, j'espère être content de moi dans trois ou quatre ans de peinture. » La lettre de Bazille s'achève sur cette remarque amère, désabusée : « Il va falloir que je rentre à Paris et me mette à cette affreuse médecine[11]... »

A la ferme Saint-Siméon, Monet et Bazille savent qu'ils placent délibérément leurs pas dans les traces de ceux de Bonington, de Corot, de Jongkind, de Boudin... Peut-être, dans cette ferme, a-t-on gardé les numéros de la *Revue française* des 10 et 20 juin 1859, ceux des 1er et 20 juillet de cette même année dans lesquels ont été publiés les chapitres du *Salon de 1859* de Charles Baudelaire. Lui-même vient parfois dans cette ferme depuis que sa mère Mme Aupick s'est retirée à Honfleur après la mort de son mari le général, le 28 avril 1857. Mais, en ce printemps 1864, il est en Belgique, à Bruxelles. Il y a donné, il va y donner encore des conférences au Cercle littéraire et artistique. Peut-être, sur la terrasse, devant l'auberge, Monet et Bazille lisent-ils, relisent-ils ces pages de Baudelaire, ces pages consacrées au paysage ? « Peut-être les artistes qui cultivent ce genre se défient-ils beaucoup trop de leur mémoire et adoptent-ils une méthode de copie immédiate, qui s'accommode parfaitement à la paresse de leur esprit. S'ils avaient vu comme j'ai vu récemment, chez M. Boudin qui, soit dit en passant, a exposé un fort bon et fort sage tableau (le *Pardon de Sainte Anne Palud* [*sic*]), plusieurs centaines d'études au pastel improvisées en face de la mer et du ciel, ils comprendraient ce qu'ils n'ont pas l'air de comprendre, c'est-à-dire la différence qui sépare une étude d'un tableau. Mais M. Boudin, qui pourrait s'enorgueillir de son dévouement à son art, montre très modestement sa curieuse collection. Il sait bien qu'il faut que tout cela devienne tableau par le moyen de l'impression poétique rappelée à volonté, et il n'a pas la prétention de donner ses notes pour des tableaux. Plus tard, sans aucun doute, il nous étalera dans des peintures achevées les prodigieuses magies de l'air et de l'eau. Ces études si rapidement et si fidèlement croquées d'après ce qu'il y a de plus inconstant, de plus insaisissable dans sa forme et dans sa couleur, d'après des vagues et des nuages, portent toujours, écrits en marge, la date, l'heure et le vent ; ainsi par exemple : *8 octobre, midi, vent de nord-ouest*. Si vous avez eu quelquefois le loisir de faire connaissance avec ces beautés météorologiques, vous pourriez vérifier par mémoire l'exactitude des observations de M. Boudin. La légende cachée avec la main, vous devineriez la saison, l'heure et le vent. Je n'exagère rien. J'ai vu. A la fin tous ces nuages aux formes fantastiques et lumineuses, ces ténèbres chaotiques, ces immensités vertes et roses, suspendues et ajoutées les unes aux autres, ces fournaises béantes, ces firmaments de satin noir ou violet, fripé, roulé ou déchiré, ces horizons en deuil ou ruisselants de métal fondu, toutes ces profondeurs, toutes ces splendeurs, me montèrent au cerveau comme une boisson capiteuse ou comme l'éloquence de l'opium. Chose assez curieuse, il ne m'arriva pas une seule fois, devant des magies liquides ou aériennes, de me plaindre de l'absence de l'homme. Mais je me garde bien de tirer de la plénitude de ma jouissance un conseil pour qui que ce soit, non plus que pour M. Boudin. Le conseil serait trop dangereux[12]. »

Donc Monet reste seul à Honfleur. Comment ne pas concevoir qu'alors seul il lise, il relise encore ces pages ? Trente ans plus tard, le peintre expose ses *Cathédrales*. « La date, l'heure et le vent... » écrit Baudelaire. Certains titres de la série précisent : « ...effet de soleil, fin de journée », « ...brouillard matinal », « ...effet de matin », « ...plein soleil »... Autre remarque de Baudelaire : « Chose assez curieuse, il ne m'arriva pas une seule fois, devant des magies liquides ou aériennes, de me plaindre de l'absence de l'homme. » Dès 1881, les paysages de Monet commencent de se passer de présences... Et année après année ces dernières présences s'effacent. Après 1888, les paysages de Monet sont vides. Personne. Plus personne. « Le conseil serait trop dangereux. » Monet l'a suivi.

A Honfleur, Monet attend l'arrivée de Boudin, celle de Jongkind. Et il ne désespère pas que, malgré ses études de médecine, malgré sa famille qui l'attend à Montpellier ou à la campagne, à Méric, Bazille revienne. Le 15 juillet, il lui écrit : « Je me demande ce que vous pouvez faire à Paris par un si beau temps, car je suppose qu'il doit faire aussi bien beau là-bas. Ici, mon cher, c'est adorable et je découvre tous les jours des choses toujours plus belles. C'est à en devenir fou, tellement j'ai envie de tout faire, la tête m'en pète[13]. » Si ce constat n'est pas un argument qui puisse suffire à convaincre Bazille de revenir, sa détermination en est un autre : « D'aujourd'hui, j'ai encore un mois à rester à Honfleur ; du reste voilà mes études qui se terminent, j'en ai même remis d'autres en train. En somme, je suis assez content de mon séjour ici quoique mes études soient bien loin de ce que je voudrais. C'est décidément affreusement difficile de faire une chose complète sous tous les rapports, et je crois qu'il n'y a guère que des gens qui se contentent d'à-peu-près. Eh bien, mon cher, je veux lutter, gratter, recommencer, car on peut faire ce que l'on voit et que l'on comprend et il me semble quand je vois la nature' que je vais tout faire, tout écrire, et puis va te faire... quand on est à l'ouvrage...

« Tout cela prouve qu'il ne faut penser qu'à cela. C'est à force d'observation, de réflexion que l'on trouve. Ainsi piochons et piochons continuellement. Faites-vous des progrès ? Oui, j'en suis sûr, mais ce dont je suis sûr, c'est que vous ne travaillez pas assez et pas de la bonne manière. Ce n'est pas avec des gaillards comme votre Villa et autres que vous pourrez travailler. Il vaudrait mieux être tout seul et cependant, tout seul, il y a bien des choses que l'on ne peut deviner. Enfin tout cela est terrible et c'est une rude tâche[14]. » Dans la même lettre, Monet ne se prive pas de préciser que le « pauvre petit B. a pigé une bonne vérole ». Quant à lui, s'il avait eu l'argent nécessaire, il aurait bien fait un saut jusqu'à Paris d'où une « petite Eugénie » lui a envoyé une « lettre charmante »[15]... On n'est pas sérieux quand on a vingt-trois ans...

L'été passe. Et Monet peint. Lettre à Bazille, 26 août : « Quant à moi, je suis toujours à Saint-Siméon, on y est si heureux, j'y travaille beaucoup. Je suis assez content quoique ce que je fais soit loin d'être ce que je voudrais, et pourtant j'en reçois assez de compliments. Nous sommes en grand nombre en ce moment à Honfleur, plusieurs peintres que je ne connaissais pas, mais du reste de fort mauvais peintres. Rozias, Carpentier, un tas de farceurs, mais en revanche, nous avons un petit cercle bien agréable. Jongkind et Boudin sont là, nous nous entendons à merveille et ne nous quittons plus. » Et d'essayer de nouveaux arguments pour provoquer Bazille à revenir : « Je regrette que vous ne soyez pas là, car en pareille société il y a bien à apprendre et la nature commence à devenir belle, ça jaunit, ça devient plus varié, enfin c'est admirable et je crois que je suis encore pour longtemps à Honfleur. Je n'aurais plus le courage de m'en aller. Nous allons quelquefois à Trouville, c'est superbe, je me promets bien d'y venir l'année prochaine ainsi qu'à Etretat. » Suit un nouvel ordre : « Venez donc me rejoindre, voilà le pays vraiment dans son beau, il y a du vent, de beaux nuages, des tempêtes, enfin c'est le beau moment de voir le pays, il y a bien plus d'effets, aussi je vous prie de croire que je mets le temps à profit[16]. »

Pendant que Monet travaille auprès de Boudin, de Jongkind, à Saint-Siméon, à Honfleur, pendant qu'il y attend le retour de Bazille, au Havre on s'impatiente. Si la famille n'a plus le moindre espoir qu'il puisse revenir s'occuper de ses affaires, si elle a fait son deuil de cette ambition, au moins, puisque sa volonté d'être peintre est irrévocable, elle est en droit d'exiger qu'il se soumette aux apprentissages, aux exigences qui conduisent à une carrière honorable. Ce n'est pas en faisant fi des avis d'un maître comme Gleyre, en dédaignant, semble-t-il, les conseils d'un Gautier, en refusant de fréquenter un Toulmouche que l'on peut prétendre y parvenir. Ce n'est en tout cas pas en suivant les exemples d'un Boudin ou d'un Jongkind dont les partis pris artistiques sont pour le moins contestés par les plus hautes autorités et dont les carrières ne peuvent passer pour des réussites. Si de grands peintres comme M. Alexandre Cabanel pour par exemple ses portraits, ou encore M. Jules Breton pour ses scènes de genre paysannes, peuvent espérer vendre leurs toiles plusieurs dizaines de milliers de francs, combien un Boudin ou un Jongkind peuvent-ils attendre de leurs pochades ? Rien. Quelques centaines de francs au mieux, et encore. Si Claude préfère cette situation-là, libre à lui. Il lui reste à apprendre à ses dépens ce que cela implique. A Honfleur, le ciel s'assombrit de menaces.

Est-ce pour prouver à sa famille qu'il est bel et bien peintre et qu'il est admis par ses pairs qu'à la fin du mois d'août il se prépare à envoyer à une exposition organisée à Rouen un « tableau de fleurs » ? Qui sait, peut-être sa famille ira-t-elle voir ce tableau envoyé à une exposition normande dont lui-même n'attend rien. Le 14 octobre, il écrit à Bazille : « Je suis à Sainte-Adresse depuis quatre ou cinq jours, il fallait bien que je vienne ou sinon ça tournait mal : je retourne après-demain à Honfleur et pour calmer la famille là j'ai dû dire que j'avais une commande et que j'étais forcé de rester encore quelque temps. De cette façon je m'en irai directement de Honfleur pour Paris, mais pour cela il faut que je me tire de l'embarras où je me trouve. Cette Mme Toutain est si bonne que je ne voudrais pas lui faire perdre un sou. Depuis que je suis ici, j'ai fait un panneau chez un amateur et cela m'a fait un peu d'argent et j'ai pu envoyer 200 francs à la mère Toutain. Mais hélas, c'est un 7 à 800 francs que je dois et ça monte tous les jours. Vous trouvez idiote la façon dont je dépense mon argent, mais hier j'ai encore envoyé 150 francs pour mon terme et ce n'est pas le premier que je paye et tous les mois j'ai un billet de 40 francs, vous ne pensez pas à cela[17]. » Les ennuis d'argent commencent... Et Bazille n'a pas fini d'entendre parler des soucis de Monet... La lettre s'achève sur une prière : « Si vous venez bientôt à Paris, venez donc à Honfleur, c'est si beau à cette époque et nous reviendrons ensemble. Je serais bien enchanté de vous voir, et puis au moins vous me forcerez à repartir, car cet état de choses, je suis capable d'y rester un temps infini[18]. » Et Monet n'a pas fini de ne pas pouvoir quitter les lieux où le retiennent des motifs... Quelques semaines plus tard, il fait cet aveu à Boudin : « Je suis encore à Honfleur. J'ai décidément beaucoup de peine à quitter. Du reste, c'est si beau à présent qu'il faut en profiter. Aussi je me suis mis en rage afin de faire d'énormes progrès avant de rentrer à Paris. Je suis tout seul à présent, et franchement je n'en travaille que mieux. Ce bon Jongkind est parti il y a trois semaines[19]. » Depuis le départ de Jongkind, jour après jour les dettes s'accroissent, la mère Toutain de la ferme Saint-Siméon n'est pas payée et l'argent que Monet attend de la vente de toiles envoyées à Montpellier n'arrive pas. Au début du mois de novembre Monet s'inquiète. A Bazille : « Je ne puis pourtant pas rester éternellement ici[20]. » Silence de Bazille. Et quelque temps plus tard : « Je vous demande pardon de ne pas affranchir mais, moi non plus, je n'ai pas un sou[21]. »

1865

J'ai quelquefois peur de me mettre dedans[1]

Pour Mme Lecadre, pour M. Auguste Monet, l'attitude réfléchie et courtoise de Bazille a sans doute tenu de caution à Monet. S'ils doivent, ensemble, louer un atelier, s'ils doivent, ensemble, y travailler, on peut espérer que ce Frédéric Bazille saura empêcher les écarts d'un neveu, d'un fils aussi entêté qu'inflexible. Encore faut-il vérifier la réalité de ce projet d'atelier commun. Au début du mois de novembre 1864, Bazille a écrit à son père : « Je me suis mis au travail avec beaucoup de plaisir, en ce moment je travaille tous les jours chez Monet à des études de grandeur naturelle. Je vous prie de faire partir dès que vous pourrez mes deux tableaux et ceux de Monet. Monet surtout me recommande de faire partir ses études au plus tôt, les amateurs de Paris ont été plus généreux que ceux de Montpellier, on lui a commandé trois tableaux à 400 francs chacun, il espère en vendre encore d'après les études qui sont à Montpellier[2]. »

Depuis quelques semaines alors, Monet n'a plus reçu le moindre franc de sa famille. Claude en est réduit à devoir écrire à Bazille : « Il me faut absolument payer une dette à un ami, et il me manque dix francs. Pardonnez-moi si je vous demande si souvent, je vous suis bien reconnaissant[3]... » Vendre est une urgence et une nécessité.

Bazille ne travaille plus que chez Monet. Il s'est éloigné de Villa et des « gaillards » de son genre, comme Monet l'a enjoint de le faire en juillet. Si Villa, reçu au Salon dès 1861 avec *Une ménagère*, n'a pas la moindre raison de renoncer à ces scènes de genre qu'il expose depuis lors et qui lui valent une gentillette réputation, suffisante, semble-t-il, pour combler son ambition, peut-on espérer apprendre quoi que ce soit auprès de lui ? A la mi-décembre 1864, tout est rentré dans l'ordre. M. Monet père est venu vérifier à Paris les dispositions de son fils. Bazille à sa mère : « Par le plus grand des bonheurs, le père de Monet est venu à Paris il y a sept ou huit jours, et il a donné à son fils 250 francs qui nous ont permis de louer tout de suite, en y ajoutant ceux que papa m'a envoyés, ce dont je le remercie de tout cœur[4]. » Cette installation dans un atelier commun ne dispense pas de vendre... Bazille à sa mère : « J'espère enfin recevoir les tableaux eux-mêmes d'ici quelques jours ; s'ils ne sont pas encore partis, envoyez-les à ma nouvelle adresse, 6, rue Furstenberg[5]. »

Les fenêtres de leur nouvel atelier donnent sur la verrière de celui de Delacroix derrière un étroit jardin. Ni Bazille ni Monet ne peuvent savoir que, le 22 juin 1863, il notait au crayon dans son *Journal* cette phrase : « Le premier mérite d'un tableau est d'être une fête pour l'œil[6]. » Ils ne savent pas qu'il n'a pas rouvert ce cahier avant sa mort le 13 août suivant. Et peut-être un ancien locataire ou propriétaire de l'immeuble leur décrit-il le peintre, ses modèles qui semblent ne pas poser, qui vont et viennent...

Quelques semaines après leur installation, Bazille peint un coin de cet atelier. Aurait-il su que, près de trente-cinq ans plus tôt, Delacroix a de la même manière peint un coin de son atelier ? A-t-il pu voir cette toile ? Un poêle y est représenté sur la gauche. Comme Bazille peint le poêle de leur atelier sur la gauche de sa toile. Hommage à Delacroix ? Peu importe... Pour que nul ne doute que cet atelier est le leur, Bazille y a reproduit, accrochés sur les murs, des académies sans doute peintes dans l'atelier de Gleyre, des paysages de Monet. Il y a peint aussi un portrait de Monet, que vient d'achever Gilbert Alexandre de Séverac, assis à califourchon sur une chaise, les bras croisés appuyés sur son dossier.

En ce début d'année 1865, un poêle est une nécessité. « Le temps a été horriblement froid tous ces jours-ci, la Seine est tout à fait prise, on pourrait la traverser sur la place s'il n'avait pas un peu dégelé hier[7]. » En dépit de cette mention d'un froid intense, Bazille demande à son père, qui doit encore lui expédier des tableaux, de « mettre dans une des caisses mon parasol et mon tabouret de campagne[8] ». Deux mois plus tard, faute d'avoir reçu quoi que ce soit, il écrit cette fois à sa mère : « Envoyez-moi je vous prie au plus vite mon parasol de paysage avec le tabouret pliant et son cuir, je ne voudrais pas en acheter d'autres[9]. » Bazille annonce que quelques jours plus tard il doit se mettre « pour un mois au régime de Fontainebleau », avant un autre mois « en Normandie au bord de la mer ». C'est l'évidence, à Fontainebleau comme en Normandie, c'est auprès de Monet qu'il s'apprête à aller peindre – avec parasol et tabouret – en plein air.

De Monet à Bazille, de Chailly : « Venez donc vite me rejoindre, la forêt est délicieuse, il y a longtemps qu'il aurait fallu y être. [...] Nous reviendrons ensemble lundi voir l'Exposition[10]. » Bazille n'a pas rejoint Monet... De retour de Montpellier, il a préféré aller entendre *L'Africaine* de Meyerbeer. Monet, en revanche, est rentré à Paris. Comment aurait-il pu manquer l'ouverture du Salon le 1er mai ? Pour la première fois, il y expose deux paysages. Le 5 mai, Bazille écrit à sa mère : « J'ai aussi visité l'Exposition de peinture comme bien tu le penses. Il y a fort peu de belles choses, sauf un *Saint Sébastien* de Ribot, dont tu dois avoir des nouvelles par les journaux. Notre compatriote Cabanel a fait un fort mauvais portrait de l'Empereur, ce qui ne l'a pas empêché d'avoir la grande médaille d'honneur. Monet a eu un succès beaucoup plus grand qu'il ne l'espérait. Plusieurs peintres de beaucoup de talent qu'il ne connaît pas lui ont écrit des lettres de compliments. Il est en ce moment à Fontainebleau où je voudrais bien être aussi, malheureusement je suis dans une misère profonde depuis mon retour et je ne puis le rejoindre[11]. »

Plus que probablement, si Mme Bazille a « des nouvelles par les journaux », elle en a des toiles d'un autre peintre exposé dans la même salle où sont rassemblées les œuvres des artistes dont le nom commence par la lettre M. : Manet. Comme Monet, il expose deux toiles. L'une est un *Jésus insulté par les soldats*. La seconde, accrochée dessous, a pour titre *Olympia*. L'une est un sacrilège, l'autre un scandale. Le numéro du 11 mai du *Charivari* ne laisse pas le moindre doute. Louis Leroy constate : « Les pieds du Christ, rouges et gonflés, indiquent clairement que le modèle portait des bottes trop justes avant de poser pour sa séance[12]. » Quelques semaines plus tard, dans *Le Moniteur universel* du 24 juin, c'est au tour de Théophile Gautier de condamner ce Christ :

« On dirait un vagabond battu par le guet. » Quant à l'*Olympia*... Dans le même article, Théophile Gautier fait ce constat : « Le ton des chairs est sale, le modelé nul. Les ombres s'indiquent par des raies de cirage plus ou moins larges[13]. » Le sujet ne rachète pas la vulgarité de la facture. Si Mme Bazille a lu l'article de Claretie paru dans *L'Artiste* du 15 mai, elle sait à quoi s'en tenir : « Qu'est-ce que cette odalisque au ventre jaune, ignoble modèle ramassé je ne sais où, et qui a la prétention de représenter Olympia ? Olympia ? Quelle Olympia ? Une courtisane sans doute[14]. »

C. Postwer écrit dans *La Fraternité littéraire, artistique et industrielle* du 1er juin : « L'auteur a une consolation toute trouvée. Somme toute, c'est un *succès*. Tout le monde a voulu voir le tableau de M. Manet[15]. » Cette « consolation », si c'en est une, ne peut apaiser une cause d'aigreur. Récit de Monet. La scène se passe dans la cohue du palais de l'Industrie pendant la soirée de l'inauguration du Salon : « J'étais dans les salles avec Bazille quand il rencontra une famille de sa connaissance. Il me présenta. Nous causâmes. Tout à coup arrive un monsieur en chapeau haut de forme, vif, agité, qui se jette en travers de notre groupe, serre des mains et s'écrie : "C'est dégoûtant, on ne me fait compliment que de deux tableaux qui ne sont pas de moi ! Ils sont d'un nommé Monet. Si ce garçon a du succès, c'est parce que son nom ressemble au mien !" Et tout courant, le voilà parti. C'était Manet. Un instant plus tard on l'avisait qu'il avait parlé devant moi. Il en fut contrarié. Je ne l'étais pas moins[16]. »

L'ombre portée du scandale provoqué par Manet n'empêche pas Paul Mantz de faire cet éloge dans *La Gazette des Beaux-Arts* : « Il nous faut ici écrire un nom nouveau. Nous ne connaissions pas M. Claude Monet, l'auteur de *La Pointe de la Hève* et de *L'Embouchure de la Seine à Honfleur*. Ce sont là, croyons-nous, des œuvres de début, et il y manque cette finesse qu'on n'obtient qu'au prix d'une longue étude ; mais le goût des colorations harmonieuses dans le jeu des tons analogues, le sentiment des valeurs, l'aspect saisissant de l'ensemble, une manière hardie de voir les choses et de s'imposer à l'attention du spectateur, ce sont là des qualités que M. Monet possède déjà à un haut degré. Son *Embouchure de la Seine* nous a brusquement arrêté au passage, et nous ne l'oublierons plus. Nous voilà intéressé désormais à suivre dans ses futures tentatives ce mariniste sincère[17]. »

Dans l'*Autographe au Salon de 1865 et dans les ateliers* qui paraît le 24 juin, une notice lui rend cet hommage encore : « MONET. L'auteur de la marine la plus originale et la plus souple, la plus solidement et la plus harmonieusement peinte qu'on ait exposée depuis longtemps. Une tonalité un peu sourde, comme dans les Courbet ; mais quelle richesse et quelle simplicité d'aspect ! M. Monet, inconnu hier, s'est fait d'emblée une réputation par ce seul tableau[18]. » Ces deux critiques ne peuvent que rassurer la famille havraise... Cette fois, si Monet s'attarde à Chailly, elle ne pourra plus faire d'objection.

Il serait d'autant plus malvenu qu'elle en fasse que Monet compte y entreprendre une toile qui devrait définitivement mettre fin à la confusion Monet-Manet, Manet-Monet. Paradoxe à la clé, ce doit être un *Déjeuner sur l'herbe*.

Le 4 mai, Monet parti les mains vides au lendemain de l'inauguration du Salon, envoie sans la timbrer cette sommation à Bazille : « Tâchez de vous tripoter un peu : vous perdez votre temps à Paris. Ici tout est superbe : vous devriez profiter des beaux jours, il y en a bien assez de mauvais pendant lesquels vous travaillerez dans la chambre à vos panneaux. Soyez donc assez bon de m'apporter du papier et des crayons. J'en ai besoin absolument et de quoi j'ai encore plus besoin, c'est d'un peu d'argent, il faut que vous en trouviez à toute force[1]. » La présence de Bazille est d'autant plus nécessaire que Monet doute : « J'ai bien envie que vous soyez là ; je voudrais avoir votre avis sur le choix de mon paysage pour mes figures, j'ai quelquefois peur de me mettre dedans[2]. » Bazille apporte le papier, les crayons. Balades dans la forêt autour de Chailly. Est-ce cette clairière qui ?... Mais les arbres... Ou cette lisière... A la condition... Il faudrait... Et Monet trouve le lieu. C'est là. Là, il faudra étendre la nappe, ici qu'une femme...

Au cours de l'un de ces jours de recherche, Monet reçoit dans la jambe un disque lancé par un discobole ou la boule d'un joueur de quilles. Il doit alors s'aliter plusieurs jours. Malgré lui, alors qu'il vient de demander à Bazille de poser bientôt pour ce *Déjeuner sur l'herbe* qu'il met en place, il se retrouve modèle de Bazille qui peint *L'Ambulance improvisée*. Couché dans sa chambre du Lion d'or, chez M. Paillard, il doit y rester immobile, jambe tuméfiée tendue sur une couverture.

Et Bazille rentre à Paris. Il y entend de nouveau *L'Africaine*. Il va régulièrement à Bougival. Il y gagne même « un premier prix aux régates[21] ». A Chailly, Monet travaille. Et Bazille lui manque. Le 17 juillet, il écrit à son père impatient, lui, qu'il vienne à Montpellier : « Il faut encore une douzaine de jours pour terminer les peintures commencées, après quoi je dois passer encore quatre ou cinq jours à Chailly pour rendre service à Monet ; il fait un grand tableau dans lequel je dois figurer et il a besoin de ce temps pour me peindre[22]. »

Bazille ne part pas. Monet s'impatiente : « Mon cher Bazille, [...] Enfin je vous en veux de ne point m'écrire, vous avez l'air de m'avoir mis complètement de côté ; vous m'avez bien promis de m'aider pour mon tableau, vous devez venir me poser quelques figures et, sans cela, je manque mon tableau ; aussi j'espère que vous tiendrez votre promesse, et pourtant le temps se passe et je ne vous vois pas venir. Je vous en supplie, mon cher ami, il ne manque plus que les hommes. Venez donc de suite, vous ne devez rien avoir de sérieux qui vous retient à Paris. Ici, c'est toujours admirable, nous sommes un petit noyau d'artistes assez agréable. Enfin, venez et surtout écrivez-le-moi de suite, je suis inquiet, je vous sais si volage, mon cher, je ne pense plus qu'à mon tableau et si je savais le manquer je crois que j'en deviendrais fou. Tout le monde sait ce que je fais et m'y encourage beaucoup, il faut donc que cela se fasse, eh bien, je compte sur votre bonne amitié d'autrefois pour que vous veniez bien vite m'aider[23]. » Et les semaines passent. Bazille est à Paris. Monet n'en peut plus. Lettre à Bazille datée du 16 août : « Mon cher Bazille, Si vous ne me répondez pas par le retour du courrier dès que vous aurez reçu ma lettre, je croirai que vous refusez de m'écrire et de me rendre service. Je suis au désespoir, je crains que vous ne me fassiez manquer mon tableau et ce serait bien mal à vous après m'avoir promis de venir poser. Répondez-moi donc de suite ou venez vous-même[24]. » Enfin, deux jours plus tard, Bazille écrit à sa mère, le 18 août : « Dès que le dernier coup de brosse sera donné, c'est-à-dire demain, je pars pour Chailly où Monet m'attend comme le Messie ; je pense qu'il n'aura besoin de moi que pendant quatre ou cinq jours[25]. » Et, enfin, à la fin du mois d'août, c'est de Chailly où il est arrivé cinq jours plus tôt qu'il écrit à son père : « Je suis à Chailly depuis samedi dernier et uniquement pour rendre service à Monet, sans cela je serais parti pour Montpellier depuis longtemps et avec une grande joie. Malheureusement, depuis que je suis ici, le temps a été atroce, je n'ai pu poser pour lui que deux fois en comptant la journée d'aujourd'hui. Actuellement le temps est tout à fait beau et durera certainement. Monet, en se dépêchant autant que possible, aura besoin de moi pendant trois ou quatre jours[26]... »

Bazille pose donc pour plusieurs figures. Gilet ouvert, il est allongé dans l'herbe au pied d'un arbre sur la droite de la toile... Debout, affublé de binocles, il parle à une jeune femme qui, les mains dressées vers son chapeau, en rajuste ou en enlève l'épingle... A droite, il porte un chapeau melon au ruban rouge... Pour le personnage assis dans l'herbe de l'autre côté de la nappe, c'est un camarade de l'atelier Gleyre qui pose,

Albert Anatole Lambron de Piltières. Quant aux femmes, qui sont-elles ? La « petite Eugénie » pour laquelle Monet aurait quitté Honfleur l'été précédent... La « jeune Gabrielle » dont il a annoncé, argument décisif, l'arrivée à Bazille au début du mois de mai... Qu'importe à Monet que l'on sache qui est qui, que l'on puisse croire reconnaître qu'un même modèle aurait posé pour plusieurs figures, cette toile n'a pas à être un portrait de groupe et, si le sujet de la toile semble bel et bien être un déjeuner sur l'herbe, ce sujet même est au bout du compte sans importance. C'est de lumière qu'il s'agit. Et d'une lumière qu'il est impossible de retrouver dans un atelier.

Reste qu'à Chailly, Monet ne peint, ne peut peindre que des études. Comment, dans la forêt même, aurait-il pu peindre une toile de près de cinq mètres de haut sur plus de six de long ? C'est à une toile de ces dimensions qu'il fait face dans l'atelier de la rue Furstenberg à son retour à Paris à l'automne.

Ce retour n'a pas été facile. Une fois encore à cause de la négligence de Bazille qui a omis de payer ceci, de régler cela, qui a donné son congé de l'atelier sans même en prévenir Monet qui a dû parer au plus pressé. L'insouciance de Bazille n'est-elle pas une nouvelle preuve de ce que l'on ne peut le considérer que comme un enfant gâté qui n'a pas même conscience de son égoïsme ? A Bazille, le 14 octobre : « Enfin, moi, je m'en suis occupé, puisqu'il ne faut jamais compter sur vous, et l'affaire est arrangée. Envoyez-moi immédiatement les 125 francs du terme : moi, je suis en mesure mais je n'ai que ma part, car j'ai eu bien des ennuis pour partir de Chailly, je n'ai même pas encore toutes mes affaires. Cependant j'espère aller les chercher dans quelques jours et je vais me mettre à piocher à ma toile. Tout est prêt, surtout quand vous reviendrez, n'oubliez pas de me rapporter vos effets de cet été. Pensez-y, je vous en prie[27]. »

Quelques jours après son retour au début du mois de novembre, Bazille commence un tableau dont il pressent qu'il « attirera fort peu les regards s'il est reçu. Une jeune fille joue du piano et un jeune homme l'écoute[28] ». En revanche, en ce qui concerne le tableau de Monet, il n'y a pas le moindre doute : « Monet est au travail depuis longtemps : son tableau est fort avancé et fera j'en suis sûr beaucoup d'effet. Il a vendu pour un millier de francs de peinture ces derniers jours et il a une ou deux petites commandes[29]. » Ces précisions d'ordre financier sont loin d'être indifférentes. Le père Martin, ce courtier qui a tout fait pour que soient payées les dettes de Jongkind, ce Ferdinand Martin qui n'a pas cessé d'être fidèle à Boudin – lequel lui a sans doute parlé de Monet –, passe rue Furstenberg. A Boudin : « J'étais allé faire visite au jeune Monet ; je l'ai trouvé en train de brosser la grande toile avec laquelle il espère attirer les yeux du public[30]. » Quelques semaines plus tard, Boudin le vérifie lui-même : « J'ai vu Courbet et d'autres qui osent de grandes toiles. Le jeune Monet en a vingt pieds de long à couvrir[31]. » Et lorsque l'année est sur le point de s'achever, il constate : « Monet termine son énorme tartine qui lui coûte les yeux de la tête[32]. »

La légèreté et l'inconscience de Bazille ne changent guère – son père multiplie les remontrances et les menaces provoquées par des dépenses et des exigences renouvelées –, mais il présente Monet au commandant Lejosne. Sa femme est une cousine germaine de la mère de Frédéric. Polytechnicien, le commandant est attaché à l'état-major de la place militaire de Paris. Cette place ne l'empêche ni d'être républicain, ni de soutenir l'art le plus moderne. Elle ne l'empêche pas davantage, avec sa femme, de recevoir Manet dans leur appartement du 6, avenue Trudaine, de donner pour lui une réception à l'occasion de la présentation de son *Déjeuner sur l'herbe* qui a scandalisé au sein même du scandaleux Salon des Refusés. Une esquisse de l'inadmissible toile est accrochée dans leur propre salon. En 1924, Monet s'en souvient encore. Il écrit alors à la belle-fille du commandant : « J'ai connu M. Lejosne [...] et c'est par son entremise que j'ai, je crois bien, vendu ma première toile, *Nature morte* dont vous me parlez[33]... » La *Nature morte* – comme d'autres toiles sans doute vendues dans les mêmes conditions – finance le *Déjeuner*...

La toile doit être terminée pour la fin de l'année puisque l'atelier doit être libéré alors. Le père Martin et Boudin ne sont pas les seuls à vouloir se rendre compte de ce que peut bien être la grande machine composée par ce jeune homme dont on parle depuis le dernier Salon.

Bazille à son frère : « D'abord je travaille bien mon tableau du Salon, il m'a valu des compliments de maître Courbet qui est venu nous faire visite pour voir le tableau de Monet dont il a été enchanté. Du reste, plus de vingt peintres sont venus le voir et tous l'admirent beaucoup quoiqu'il soit loin d'être fini (bien entendu je ne parle pas de mon œuvre). Ce tableau fera énormément de bruit à l'Exposition[34]. »

Courbet, qui visite l'atelier de la rue Furstenberg, vient de passer plusieurs mois à Trouville. Il y a peint en plein air. Quelle remarque, quel commentaire fait-il devant la toile de Monet ? Il admire.

Et la toile est roulée. Il faut libérer l'atelier. Monet récupère un atelier d'une amie de Gautier, place Pigalle, au pied de la butte Montmartre.

Bazille s'installe près de la place de la Madeleine, rue Godot-de-Mauroy.

Doléances du père de Bazille : « Je regrette pour toi ta séparation d'avec Monet, c'était paraît-il un travailleur qui devait souvent te faire rougir de ta paresse et, quand tu seras seul, je crains bien que bon nombre de matinées et même de journées se passeront dans un dolce farniente qui avancera peu tes tableaux de l'Exposition[35]. »

1866

Les journaux portèrent mon nom jusqu'au Havre[1]

Comment déployer dans le nouvel atelier *Le Déjeuner sur l'herbe* ? Comment, pour terminer la toile, retrouver dans un atelier parisien et les jours blêmes de janvier ce qu'ont pu être dans la lumière de l'été, les tremblements des ombres sous les branches, l'éclat tout à coup des plis d'une robe, l'étincellement coloré d'un fruit sur la nappe ? Comment ? Comment faire sans reconstituer vaille que vaille, sans trahir avec des touches, des accents, des notations arbitraires, ce qu'a pu être la lumière de ce sous-bois à l'heure d'un déjeuner ? Impossible. Monet a voulu avec cette grande toile « attirer les yeux du public », il a espéré qu'elle ferait « énormément de bruit à l'Exposition »... Il le sait, elle ne peut faire cet effet que si elle est exactement ce qu'elle doit être. Et elle n'aurait pu l'être que si elle avait, jour après jour, aux mêmes heures, été peinte sous les arbres. Il n'en doute plus, représenter la nature, c'est devoir peindre dans la nature. Il doit renoncer à présenter ce *Déjeuner* au Salon.

Reste que, admis en 1865, remarqué, il ne peut être absent en 1866. Il doit y être vu. Il doit y être reconnu. D'autant que sa tante Lecadre semble, semaine après semaine, plus réticente à continuer à lui payer une pension. Au début du mois d'avril, elle s'y refuse. Monet demande une fois encore à Amand Gautier de plaider sa cause : « Je viens de recevoir une mauvaise nouvelle. Ma tante est enfin décidée à m'arrêter la pension qu'elle me fait ce mois-ci. J'en suis tout bouleversé. Il paraît décidément que certaine personne cherche à me nuire à ses yeux. Comme vous avez vu vous-même comment je vis et comment je travaille, je viens vous supplier de m'aider à faire céder encore un peu ma tante... Je ne sais pas trop comment je pourrais m'en sortir. » Et d'ajouter, parce que l'argument n'est pas indifférent : « Je suis reçu[2]. »

Quelques semaines passent. Gautier intervient. Et la tante Lecadre revient sur sa décision. Gautier est aussitôt informé : « Deux mots à la hâte pour vous faire part de la bonne nouvelle que je viens de recevoir. Je vous remercie beaucoup de votre lettre, car c'est à vous que je dois cela. Ma tante m'écrit pour me dire qu'elle consent à me faire une pension. Elle me parle de vous et paraît fort contente que je sois reçu au Salon[3]. »

Elle l'est plus encore lorsque, quelques semaines plus tard, elle lit les articles que suscite la peinture de Claude. Au catalogue, ordre alphabétique oblige, parmi les 1998 œuvres rassemblées, ses toiles portent les numéros 1386 et 1387.

L'une des premières critiques qui paraissent est celle de W. Bürger. Cette signature est le pseudonyme de Théophile Thoré, jadis avocat, républicain qui, depuis l'amnistie de 1859 lui permettant de rentrer en France, se dédie à sa passion de l'art. Il admire Rousseau, Courbet, Daumier... Et il s'arrête devant le numéro 1386, *Camille* : « Attendez ! voilà qu'un tout jeune homme, M. Claude Monet, plus heureux que son presque homonyme Manet, dont nous reparlerons bientôt, a eu la chance de faire recevoir *Camille*, grand portrait de femme debout et vue de dos, traînant une magnifique robe de soie verte, éclatante comme les étoffes de Paul Véronèse. Je veux bien révéler au jury que cette opulente peinture a été faite en quatre jours. On est jeune, on avait cueilli des lilas au lieu de rester enfermé dans l'atelier. L'heure du Salon arrivait. Camille était là, revenant de la cueillette des violettes, avec sa traîne couleur de gazon et son caraco de velours. Désormais, Camille est immortelle et se nomme la *Femme à la robe verte*. » Son enthousiasme ne lui fait pas oublier le numéro 1387 : « Le jeune auteur de la *Femme à la robe verte*, M. Claude Monet, a fait aussi son paysage, *L'Allée de Barbizon* (forêt de Fontainebleau), effet de soir avec le soleil illuminant les grands arbres. Quand on est vraiment peintre, on fait tout ce qu'on veut[4]. »

Pour savoir que *Camille* a été peinte en quatre jours, W. Bürger a dû recevoir des confidences... Si Mme Lecadre éprouve de la fierté pour avoir permis l'éclosion du talent de son neveu, en revanche elle s'inquiète peut-être de savoir qui est cette Camille dont le critique d'art assure qu'elle est devenue « immortelle » par la grâce de la peinture.

Qui est cette jeune femme, qui est Camille ? Appartient-elle à cette catégorie décrite un an plus tôt par Nestor Roqueplan dans *Parisien* : « Et pour porter de belles robes, sans les faire et sans les blanchir, il ne reste aux femmes laborieuses que les emplois plus ou moins artistiques. En attendant que l'économie politique se préoccupe d'elles, c'est l'art qui protège quelquefois les femmes contre les misères et les séductions. La peinture les accepte comme modèles quand elles n'ont que de belles formes, et le théâtre s'ouvre pour leurs talents. Il faut bien qu'on le sache, si improbable que la chose paraisse au premier abord : on peut rencontrer des modèles sages. Et quand elles le sont, toute entreprise échoue contre leur résistance ; elles demeurent pures sans bégueulerie. Plus d'un artiste s'est épris des jeunes filles qui posaient devant lui. » Remarque complémentaire : « Chose singulière ! l'amour de l'artiste pour son modèle est intermittent. Quand le modèle est nu devant lui, l'amant disparaît, l'artiste seul demeure. Le cœur ne se réveille que quand les vêtements ont repris leur place[5]. » C'est bien parce que Camille est habillée d'une robe verte, qu'elle porte un caraco de fourrure que Mme Lecadre a des raisons de se demander si le cœur de Claude ne s'est pas réveillé...

Ce n'est pas par Amand Gautier qu'elle peut l'apprendre. Monet lui écrit à la mi-avril pour lui donner sa nouvelle adresse, « chemin des Closeaux à Sèvres, près la station Ville-d'Avray, Seine-et-Oise[6] ». Ce déménagement qui l'a empêché d'assister au mariage de Gautier le 12 avril peut passer pour une convenable et salubre mesure d'économie. Ce n'est pas la seule qu'il annonce : « J'ai enfin déménagé, je suis venu me retirer dans une petite maison près de Ville-d'Avray. J'ai pris décidément un grand parti, celui de laisser de côté pour le moment toutes les grandes choses en train qui ne feraient que me manger de l'argent et me mettraient dans l'embarras. J'ai fait part de tout cela à ma tante qui en paraît très satisfaite, vous ne sauriez croire combien elle est reconnaissante de l'intérêt que vous me portez. Du reste, de mon côté, vous n'aurez jamais à me reprocher l'ingratitude ; sans vous, encore cette fois-ci, je pouvais me trouver dans un grand embarras ; vous avez écrit une lettre qui a de suite fait changer les intentions que l'on avait pour moi. Je vous en remercie de tout cœur, vous n'aurez pas à vous en repentir[7]. » Bonnes résolutions et remerciements sincères n'empêchent pas, même si la pension est de nouveau versée, d'être gêné : « J'ai bien besoin d'argent, je voudrais vendre quelque chose, car il me faut une certaine somme d'argent pour le 1er mai[8]. » Monet veut donc espérer que Gautier puisse le recommander à l'un de ses amis chez lequel il pourrait laisser quelques tableaux « afin que j'aie un endroit où je puisse envoyer des personnes voir ce que je désire vendre, car en ce moment j'ai plusieurs choses terminées et naturellement on ne viendra pas les chercher à Ville-d'Avray[9] ». On n'y viendra pas non plus vérifier qu'il s'y est installé avec Camille Doncieux. Qui est-elle ? Elle est née le 15 janvier 1847 à Lyon. Elle est arrivée à Paris un an, deux ans plus tôt avec sa jeune sœur et ses parents qui se sont installés dans le quartier des Batignolles... Quand a-t-elle rencontré Monet ? Où l'a-t-il, où l'a-t-elle rencontré ? A-t-elle déjà posé pour l'une ou l'autre des figures féminines du *Déjeuner sur l'herbe* ? Il n'y a pas de réponse à ces questions.

Dès l'ouverture du Salon, *Camille, la Femme à la robe verte* a été remarquée par les visiteurs. Bazille annonce à sa famille : « Monet a eu un succès fou. Ses tableaux et ceux de Courbet sont ce qu'il y a de mieux dans l'exposition[10]. » A la fin du siècle, Monet se souvient de ce malentendu avec Manet : « Au Salon de 1866, le jour du vernissage, il avait été accueilli dès l'entrée par des acclamations. "Excellent, mon cher, ton tableau !" Et des poignées de main, des bravos, des félicitations. Manet, comme vous pouvez le penser, exultait. Quelle ne fut pas sa surprise quand il s'aperçut que la toile dont on le félicitait était de moi. C'était la *Femme en vert*. Et le malheur avait voulu que, s'esquivant, il tombât sur un groupe dont Bazille et moi nous étions. "Comment va ? lui dit un des nôtres. – Ah ! mon cher, c'est dégoûtant, je suis furieux. On ne me fait compliment que d'un tableau qui n'est pas de moi. C'est à croire à une mystification." Quand Astruc, le lendemain, lui apprit que son mécontentement s'était exhalé devant l'auteur même du tableau et qu'il lui proposa de me présenter à lui, Manet, d'un grand geste, refusa. Il me gardait rancune du tour que je lui avais joué sans le savoir. Une seule fois on l'avait félicité d'un coup de maître et ce coup de maître avait été frappé par un autre. Quelle amertume pour une sensibilité à vif comme la sienne[11]. » Etrange... Si les toiles qui provoquent le dépit de Manet ne sont plus les mêmes, en revanche ce récit de la rencontre de Monet et de Manet est la répétition de ce qu'a été la première un an plus tôt...

Claude Monet ne raconte pas cette anecdote à sa tante, il l'invite sans doute à lire un article publié par *L'Evénement* le 11 mai 1866. C'est le cinquième que publie depuis le 27 avril un jeune auteur, un certain Emile Zola. Il a pour titre « Les réalistes au Salon ». Zola écrit donc : « J'avoue que la toile qui m'a le plus longtemps arrêté est *Camille*, de M. Monet. C'est là une peinture énergique et vivante. Je venais de parcourir ces salles si froides et si vides, las de ne rencontrer aucun talent nouveau, lorsque j'ai aperçu cette jeune femme, traînant sa longue robe en s'enfonçant dans le mur, comme s'il y avait eu un trou. Vous ne sauriez croire combien il est bon d'admirer un peu, lorsqu'on est fatigué de rire et de hausser les épaules. Je ne connais pas M. Monet, je crois même que jamais auparavant je n'avais vu une de ses toiles. Il me semble cependant que je suis un de ses vieux amis. Et cela parce que son tableau me conte une histoire d'énergie et de vérité. Eh oui ! voilà un tempérament, voilà un homme dans la foule de ces eunuques. Regardez les toiles voisines, et voyez quelle piteuse mine elles font à côté de cette fenêtre ouverte sur la nature. Ici, il y a plus qu'un réaliste, il y a un interprète délicat et fort qui a su rendre chaque détail sans tomber dans la sécheresse. Voyez la robe. Elle est souple et solide. Elle traîne mollement, elle vit, elle dit tout haut qui est cette femme. Ce n'est pas là une robe de poupée, un de ces chiffons de mousseline dont on habille les rêves ; c'est de la bonne soie, point usée du tout et qui serait trop lourde sur les crèmes fouettées de M. Dubuffe[12]. »

Ce M. Dubuffe, membre du jury du Salon pour la première fois en cette année 1866, fait donc partie de ces « juges » qui, selon Zola, « vont au palais de l'Industrie défendre parfois une idée mesquine et personnelle ». Cet Emile Zola qui a « commis l'énormité de ne pas admirer M. Dubuffe après avoir admiré Courbet », qui a eu « la naïveté coupable de ne pouvoir avaler sans écœurement les fadeurs de l'époque, et d'exiger de la puissance et de l'originalité dans une œuvre », et qui a « fait preuve de cruauté, de sottise, d'ignorance », qui enfin s'est « rendu coupable de sacrilège et d'hérésie, parce que las de mensonge et de médiocrité[13] », est contraint de donner son (dernier) article à *L'Evénement* le 20 mai. Peut-il donc, né la même année que Claude et déjà chassé d'un journal comme *L'Evénement*, tenir, aux yeux de Mme Lecadre, lieu de caution à son neveu ? Dans l'immédiat, elle « paraît enchantée[14] »... Elle l'est peut-être d'autant plus que, dans *La Lune* du 13 mai, paraît une caricature d'André Gill. C'est une charge de la *Femme à la robe verte*. La légende demande : « Monet ou Manet ? Monet. Mais c'est à Manet que nous devons ce Monet. Bravo ! Monet. Merci ! Manet[15]. » Se soucie-t-on de caricaturer quelqu'un qui n'aurait pas la moindre importance ?

Dans l'immédiat le succès de Monet au Salon lui permet de vendre quelques toiles pour 800 francs, parmi lesquelles une réplique à un format plus réduit de *Camille*. Assez d'argent pour pouvoir mettre en chantier une nouvelle « grande machine », une toile de plus de deux mètres cinquante de haut sur plus de deux mètres, des *Femmes au jardin*.

Il a prouvé savoir peindre des robes ? Il va en peindre. Il n'a pas pu peindre son *Déjeuner sur l'herbe* en plein air ? Il va peindre dans son jardin même, à Ville-d'Avray.

Une tranchée y est creusée au travers d'une allée, des plates-bandes. Un système de piquets, de grosses ficelles, de poulies permet de monter et de descendre la toile. Il reste à peindre jour après jour, aux mêmes heures, et, lorsque s'achève la séance de pose, à planter dans l'herbe les repères qui vont permettre de retrouver l'exacte place du modèle, de sa robe. Si le ciel est aussi bleu... Et si le ciel se charge de nuages, si une brume refuse de se dissiper, si la clarté du jour n'est pas pareille à celle de la veille, Monet ne peint pas.

Le temps n'est pas aux ordres de Monet. Vite les espoirs se fissurent. Monet à Courbet, le 19 juin : « Je me suis puni d'avoir voulu trop faire en débutant ma grande toile, cela ne m'a servi qu'à me couvrir de dettes, ma famille a vu là-dedans un four complet et me refuse son aide. Dans le pétrin où je suis aujourd'hui, je suis à la veille d'être saisi et vendu. Toutes mes études seraient prises. » Au début du mois de juillet, Courbet rend visite à Monet. Il lui apporte une aide financière comme il s'étonne de la rigueur que celui-ci s'impose. Pour qu'une journée de travail ne soit pas gâchée, perdue, lorsque manque le soleil, il ose suggérer : « Vous pourriez toujours faire le fond[16]... » Le propos semble sans doute très inconséquent à Monet comme d'autres du même Courbet. Monet doit se justifier auprès de Gautier : « Je viens de voir Courbet qui m'a moulu je ne sais quelle scie en me disant que vous étiez furieux contre moi et m'a raconté je ne sais quel cancan fait par moi sur vous dont vous devez bien penser que je suis incapable[17]. »

Si Monet perd le soutien de Gautier...

Au cours de l'été, Monet doit quitter Ville-d'Avray – et Camille – pour la côte normande. Pour y peindre à Honfleur où il descend à l'auberge du Cheval-Blanc comme pour y plaider sa cause auprès de sa famille au Havre. Il emporte la toile inachevée. Son exemple est assez convaincant pour que sa cousine Jeanne-Marguerite Lecadre accepte de poser dans le jardin fleuri du Coteau, la propriété familiale de Sainte-Adresse, et pour que M. Adolphe Monet lui-même y prenne la pose, coiffé d'un canotier, assis sur un talus, absorbé par la lecture d'un journal. Le séjour se prolonge. C'est à Bazille que Monet demande de faire ce qu'il peut pour que les choses ne s'enveniment pas à Ville-d'Avray. Il n'y a pas beaucoup de toiles, mais « ce serait terrible pour moi si on me les vendait[18] ». Malgré tout, à l'automne, il lui faut abandonner Ville-d'Avray.

En Normandie, les mois passent. Et les *Femmes au jardin* ne sont toujours pas terminées. Au début de février 1867, le peintre Alexandre Dubourg rend compte à son ami Boudin de ce qu'il vient de constater : « Monet est toujours ici travaillant à d'énormes toiles, où il y a des qualités remarquables, mais que je trouve cependant inférieures, ou moins heureuses que la fameuse *Robe* qui lui a valu un succès que je comprends et qui est mérité. Il a une toile de près de trois mètres de haut sur une largeur à proportion : les figures sont un peu plus petites que nature, ce sont des femmes en grande toilette cueillant des fleurs dans un jardin, mais l'effet me semble un peu effacé à cause sans doute du manque d'opposition, car la couleur en est vigoureuse[19]. »

A la fin du mois de février, Monet rentre enfin à Paris. Bazille écrit alors à sa mère : « Depuis ma dernière lettre il y a du nouveau rue Visconti. Monet m'est tombé du ciel avec une collection de toiles magnifiques qui vont avoir le plus grand succès à l'Exposition. Il couchera chez moi jusqu'à la fin du mois. Avec Renoir, voilà deux peintres besogneux que je loge. C'est une véritable infirmerie. J'en suis enchanté, j'ai assez de place, et ils sont tous les deux fort gais[20]. » Quelques semaines plus tard, enfin, les *Femmes au jardin* sont achevées. Elles peuvent être présentées au jury du Salon.

1867/1

Ce fut un tollé général[1]

Ni le corsage à basque que porte la jeune femme debout en robe rayée, ni l'ombrelle minuscule que tient une autre, assise au premier plan, ni l'un ni l'autre de ces accessoires à la mode de 1867 n'ont été un argument convaincant pour le jury. Ni l'un ni l'autre n'ont permis que le parti pris de Monet soit toléré. En 1900, il semble encore surpris de ce refus implacable : « C'était en 1867 : ma manière s'était accusée, mais elle n'avait rien de révolutionnaire, à tout prendre. J'étais loin d'avoir encore adopté le principe de la division des couleurs qui ameuta contre moi tant de gens, mais je commençais à m'y essayer partiellement et je m'exerçais à des effets de lumière et de couleur qui heurtaient les habitudes reçues. Le jury, qui m'avait si bien accueilli tout d'abord, se retourna contre moi, et je fus ignominieusement blackboulé quand je présentai cette peinture nouvelle au Salon[2].» Quelques années plus tard, Monet ne feint plus la moindre surprise. Il admet qu'alors, en 1867, c'est un combat qui s'est engagé. «Au début on croyait à un accident, à un péché de jeunesse. Mais quand on s'aperçut de la récidive, quand on constata qu'il s'agissait d'une manière nouvelle, d'une recherche opiniâtre, méthodique, les portes se fermèrent d'elles-mêmes devant notre petite phalange[3].»

Bazille, qui est lui aussi refusé, rend compte à sa mère de l'état d'esprit de cette «phalange» : «Mes tableaux sont refusés à l'Exposition. Ne vous affligez pas trop de cela, cela n'a rien de décourageant, au contraire. Je partage ce sort avec tout ce qu'il y a de bon au Salon cette année[4].» La situation lui impose cette décision : «Dans tous les cas, le désagrément qui m'arrive cette année ne se renouvellera plus, car je n'enverrai plus rien devant le jury. Il est trop ridicule, quand on sait n'être pas une bête, de s'exposer à ces caprices d'administration, surtout quand on ne tient aucunement aux médailles et aux distributions de prix. Ce que je vous dis là, une douzaine de jeunes peintres de talent le pensent comme moi. Nous avons donc résolu de louer chaque année un grand atelier où nous exposerons nos œuvres en aussi grand nombre que nous le voudrons. Nous inviterons les peintres qui nous plaisent à nous envoyer des tableaux. Courbet, Corot, Diaz, Daubigny et beaucoup d'autres que vous ne connaissez peut-être pas, nous ont promis d'envoyer des tableaux, et approuvent beaucoup notre idée. Avec ces gens-là et Monet, qui est plus fort qu'eux tous, nous sommes sûrs de réussir. Vous verrez qu'on parlera de nous[5].»

L'affirmation de Bazille, «Monet, qui est plus fort qu'eux tous», est sans ambiguïté. Monet est devenu, si ce n'est un «maître», une référence. Il est à la tête de ceux qui se dressent contre le Salon.

Le Salon pourtant est en mesure de présenter des quartiers de noblesse puisqu'il se veut l'héritier de l'exposition des œuvres des membres de l'Académie royale de peinture et de sculpture dont la première ouvrit le 23 avril 1667, puisqu'il tient son nom du Salon carré du Louvre où il fut longtemps présenté. Au lendemain de la création de l'Académie des Beaux-Arts au sein de l'Institut, un quatrain a assuré :

Mais grâce aux jurys nouveaux,
Apollon un peu plus sévère
Expose aujourd'hui des tableaux
Dignes d'orner son sanctuaire[6].

Cette promesse rimée n'a pas tardé à décevoir...

Si, au cours de l'année 1884, la création du Salon des Artistes français qui ouvre ses portes le 15 mai et celle du Salon des Indépendants qui débute le 10 décembre marquent le début de la fin de l'histoire d'une institution qui se veut vénérable, en cette année 1867 le Salon est encore entre les seules mains des membres de l'Académie des Beaux-Arts. Or, « pour être de l'Académie des Beaux-Arts (qui ne le sait ?), il suffit aujourd'hui de ne posséder aucun génie, aucune originalité, d'être un peu habile pasticheur, un peu pion, beaucoup n'importe qui, et, surtout, de n'avoir jamais rien inventé[7] ». Malgré une telle condamnation implacable, qui est loin d'être la seule du genre, le Salon continue d'être, année après année, le même « foiresque déballage[8] » ou le même déballage « des formidables étalages des marchands de toiles peintes ou cirées périodiquement parqués dans les bazars nationaux[9] ». Selon un autre, il est « une pétaudière, un fouillis, un tohu-bohu[10] ». Enfin, selon un troisième, chaque fois ce cher Salon peut faire « sourire de pitié le Papou le plus dénué de sens artistique[11] ».

En 1889, Octave Mirbeau enrage encore : « Non, mais est-ce qu'ils ne commencent pas à comprendre, les peintres, qu'ils sont prodigieusement ridicules, à vouloir être primés comme des animaux gras et médaillés comme des commissionnaires ? Et dire que s'ils n'avaient devant eux cette perspective des médailles, la plupart seraient de braves épiciers et d'honnêtes notaires ! Et quand je dis "honnêtes", vous m'entendez bien... c'est pour le rythme[12]. »

En 1867 – comme ce sera le cas en 1889 –, une Exposition universelle proposée par Paris réduit l'importance du Salon. Et Castagnary ne se prive pas de railler les « maîtres » qui y règnent : « L'ingéniosité de M. Gérôme, l'exéquité de M. Meissonier, l'élégance de M. Cabanel sont sans effet. Il n'y a personne devant leurs toiles parce qu'il n'y a personne dans les salles[13]. »

Ecartés de ce Salon, dédaignés par le pavillon des artistes français de l'Exposition universelle qui déploie ses fastes sur le Champ-de-Mars, Courbet et Manet font le choix d'ouvrir chacun leur propre pavillon. La

« phalange », qui a déposé une pétition pour demander une exposition des refusés, restée sans effet, et qui a imaginé pouvoir suivre les exemples de Courbet et de Manet, n'a pu réunir que 2 500 francs. Trop peu pour que le projet d'une « exposition à part[14] » – l'expression est de Bazille – devienne réalité... Bazille ne pourra pas y présenter le portrait de Monet qu'il a peint en avril.

Quant à Monet, puisque sa peinture est indigne du Salon, il fait en sorte que les amateurs soient son juge, son seul juge. « Touché par mes supplications, un marchand qui avait sa boutique rue Auber consentit à mettre en montre une marine refusée au palais de l'Industrie. Ce fut un tollé général. Un soir que je m'étais arrêté dans la rue, au milieu d'une troupe de badauds, pour entendre ce qu'on disait de moi, je vois arriver Manet avec deux ou trois de ses amis. Le groupe s'arrête, regarde, et Manet, haussant les épaules, s'écrie dédaigneusement : "Voyez-vous ce jeune homme qui veut faire du plein air ? Comme si les anciens y avaient jamais songé !"[15]. »

1867/2

Je suis dans d'affreux tourments[1]

En mai, Bazille quitte Paris. Il part pour Montpellier avec les *Femmes au jardin*. Il a acheté la toile 2 500 francs, payables 50 francs par mois. Cinquante mois de dettes... Cette rentrée régulière dans les années qui viennent est loin d'être indifférente à Monet. Camille est enceinte. Et Camille doit accoucher à la fin du mois de juillet, au mois d'août peut-être. Ce dont M. Monet père n'a que faire. Il ne verrait aucun inconvénient à ce que son fils, qui sait comme personne « ce qu'elle vaut et ce qu'elle mérite », abandonne sa « maîtresse »[2]. Ni la déférence avec laquelle Claude a annoncé la nouvelle ni une lettre de Bazille n'ont entamé la décision de M. Monet. Claude peut revenir au Havre, à Sainte-Adresse quand il veut. Il y sera accueilli, nourri, blanchi, un point c'est tout.

Monet reste à Paris aussi longtemps que possible. Au printemps, il obtient de l'administration du musée du Louvre l'autorisation d'avoir accès à la terrasse de la Colonnade. Singulière démarche... D'ordinaire, c'est pour copier les œuvres accrochées dans les galeries que les peintres demandent des autorisations, pour se confronter aux maîtres anciens, pour relever les défis qu'ils semblent leur lancer au-delà des siècles, pour, qui sait, forcer leurs secrets... Pas Monet. Le 27 avril 1867, il adresse au surintendant des Beaux-Arts, le comte de Nieuwerkerke, cette très officielle requête : « J'ai l'honneur de vous demander de vouloir bien me faire accorder une autorisation spéciale pour faire des vues de Paris des fenêtres du Louvre et notamment de la colonnade extérieure, ayant à faire une vue de Saint-Germain-l'Auxerrois[3]. » Avoir accès au Louvre pour y peindre en plein air, pour, dehors, peindre Saint-Germain-l'Auxerrois, le quai du Louvre, le jardin de l'Infante ! On aura tout vu... Le comte fait donner l'autorisation demandée. Il y a des artistes qu'il faut se garder de contrarier... Et Monet peint ses vues de Paris.

Le 20 mai, Monet écrit à Bazille pour l'informer de ce que Courbet serait prêt dès l'année suivante à louer à qui le voudrait la salle où il va lui-même exposer. Encore faut-il être prêt. « Travaillons donc ferme, et arrivons avec des choses sans reproches. Rien d'autre en ce moment. Renoir et moi travaillons toujours à nos vues de Paris[4]. » Renoir sur la terrasse de la Colonnade... « Je me suis toujours abandonné à ma destinée, je n'ai jamais eu un tempérament de lutteur et j'aurais plusieurs fois lâché la partie, si mon vieux Monet qui, lui, l'avait, le tempérament de lutteur, ne m'eût remonté d'un coup d'épaule[5]. » Renoir qui, lui aussi, vient d'être refusé au Salon, a sans doute besoin alors de ce « coup d'épaule » qui ne sera pas le dernier. Monet a besoin d'une autre aide. La même lettre continue par ces phrases : « J'ai vu Camille hier ; je ne sais que faire : elle est malade, au lit, et n'a plus ou très peu d'argent et comme je tiens à partir le 2 ou le 3 au plus tard, je viens vous rappeler votre promesse de m'envoyer au moins cinquante francs pour le premier[6]. »

Bazille n'a pas fini de devoir lire les requêtes, les prières, les suppliques de Monet. Qu'il doive quitter Paris pour la Normandie au début de juin ne change rien à la situation dans laquelle il se trouve avec Camille qui, elle, doit rester à Paris.

Avant de partir, Monet prend le temps d'aller visiter les expositions de Courbet et de Manet. L'une et l'autre l'ont déçu. La première ? « Dieu, que Courbet nous a sorti de mauvaises choses[7]. » La seconde, de Manet ? « Dieu, que c'est fâcheux de se laisser aller comme lui aux éloges, car il devrait faire des choses très bien[8]. »

Peu avant son départ, il parvient à vendre deux tableaux, une petite marine et l'une de ses vues de Paris. Confidence faite à Bazille quelques jours après son arrivée à Sainte-Adresse : « Cela m'a fait grand bien et grand plaisir que j'aie pu venir en aide à cette pauvre Camille. Ah, mon cher, quelle situation pénible tout de même, elle est très gentille, très bonne enfant et est devenue raisonnable et par cela même elle m'attriste davantage. A ce propos, je viens vous prier de m'envoyer ce que vous pourrez, le plus sera le mieux, envoyez-moi cela pour le 1er car ici, quoique fort bien avec mes parents, ils m'ont prévenu que j'y pouvais rester ce que je voulais, mais que si j'avais besoin d'argent je cherche à en gagner. Ne manquez donc pas, n'est-ce pas ? Mais j'ai une prière à vous faire. Le 25 juillet, Camille accouche. Je vais à Paris, j'y resterai dix ou quinze jours, il me faut de l'argent pour bien des choses. Tâchez de m'en envoyer un peu plus, ne serait-ce que 100 ou 150 francs. Pensez-y, car je serais dans une position très embêtante sans cela. Avant de quitter Paris, j'ai vu ce Gascon que vous avez vu quelquefois, Cabadé, qui doit soigner et accoucher Camille. Cela me laisse déjà plus tranquille, car cette pauvre femme est bien seule. Je ne sais pas, Bazille, mais cela me paraît bien mal d'enlever un enfant à cette mère. Cette idée me fait mal[9]. » Cette idée d'abandonner l'enfant à un orphelinat et de répudier et d'oublier au plus vite la mère est, à Sainte-Adresse, suggérée chaque jour à Claude par son père. Cette insistance inique et cynique l'inquiète moins que le silence de Bazille.

Plus les jours passent, plus Monet se fait pressant. Lettre à Bazille du 3 juillet : « J'espérais recevoir une lettre de vous ces jours-ci et rien n'est venu encore : c'est que je suis ennuyé de savoir Camille sans un sou [...]. Excusez-moi donc mon vieux si je vous relance ainsi, mais cette pauvre femme a besoin ; envoyez-moi donc de suite ce que vous pourrez[10]. » L'inquiétude se double d'un autre souci : « Je suis très désolé : figurez-vous que je perds la vue, j'y vois à peine au bout d'une demi-heure de travail ; le médecin dit qu'il faut renoncer à peindre dehors. Que deviendrais-je si cela n'allait pas se passer[11] ? » Monet attend la réponse de Bazille par retour du courrier. Pas de réponse. Nouvelle lettre impatiente le 9 juillet : « Vous n'êtes pas aimable de ne pas m'écrire, je suis dans la plus grande inquiétude à propos de Camille qui n'a pas un traître sou. Je n'ai rien non plus et je ne puis lui en envoyer. J'ai grand peur qu'elle n'accouche d'un jour à l'autre, dans quelle position se trouverait la malheureuse. Je vous en prie, mon cher ami, tirez-moi de là car mon inquiétude est visible à la maison. Il faut que je parte dans dix jours au plus tard. Je vais rapporter des études que je viens de faire, je passerai dix jours à Paris seulement. Ecrivez-moi donc de suite, je vous en supplie, ne fût-ce que pour me rassurer. Si vous n'êtes pas en fonds pour le moment, envoyez-moi seulement la moindre somme, que je puisse au moins montrer un peu de bonne volonté, ensuite occupez-vous de m'avoir davantage pour que j'aille à Paris dans dix jours. Faites cela, mon ami, vous savez que c'est un cas grave, je voudrais n'avoir rien à me reprocher dans cette affaire. Je serais horriblement malheureux si elle allait accoucher sans ce qu'il faut, sans soins, sans que ce petit soit couvert. A tout prix je veux être là pensez donc à moi et pardonnez-moi l'acharnement que je mets à m'adresser à vous toujours dans mes mauvais moments[12]. »

Enfin, le 15 juillet, arrive une réponse de Bazille. Dès le lendemain, la lettre de Monet est moins un accusé de réception ou des remerciements qu'une nouvelle prière : « J'ai reçu votre lettre hier, je ne savais plus que penser de votre silence. Vous ne me dites point si vous m'envoyez d'autre argent comme je vous ai demandé afin que je puisse partir pour Paris. J'ai de suite envoyé les 50 francs à Camille. Elle manquait de bien des choses indispensables. Il faut qu'elle se soigne et puis il faut acheter ce qu'il faut pour vêtir ce petit, une garde pour la mère. Ces 50 francs n'iront pas loin, et moi je n'ai rien pour partir[13]. » Parce qu'il redoute peut-être ne n'avoir pas été assez précis ou assez pressant, Monet écrit à Bazille le même jour une seconde lettre : « Envoyez-moi tout de suite 150 ou 200 francs le plus vite possible et surtout répondez-moi le plus vite possible, je vous en prie[14]. » L'impatience est martelée : « Songez donc à moi. C'est une prière que je vous fais. Il me faut absolument cet argent. Après cela, je vous laisserai vos aises pour le reste, mais au moins que cet enfant ne vienne pas dans la misère et qu'il ait ce qu'il faut, et je n'ai que vous[15]. »

Dans l'une et l'autre lettres, Monet évoque les conseils que Bazille lui donne quant à l'attitude qui doit être la sienne lors de la naissance de l'enfant. Sa reconnaissance semble encore conditionnelle puisque Monet précise : « suivant la conduite et l'air de la mère, je verrai ce que je ferai ».

Le 8 août, à 6 heures du soir, Camille accouche. Trois jours plus tard, au service de l'état civil de la mairie du XVIIe arrondissement de Paris, MM. Zacharie Astruc et Alfred Hatté signent en tant que témoins de la naissance de Jean-Armand-Claude Monet, « fils légitime de Claude-Oscar Monet et de Camille-Léonie Doncieux, son épouse ». Le charmant Astruc, qui est l'auteur du (piètre) quatrain auquel l'*Olympia* de

Manet doit son nom, est peintre comme il est compositeur, comme il est sculpteur, comme il est journaliste. Hatté est le propriétaire de la chambre où Camille vient d'accoucher. En dépit de l'espoir de M. Monet père, ni l'enfant ni la mère ne seront abandonnés...

Le jour de l'inscription officielle de son fils sur le registre de l'état civil, Monet est déjà rentré à Sainte-Adresse, d'où, le 12 août, il écrit à nouveau à Bazille : « Je ne sais vraiment pas quoi vous dire, vous avez mis tant d'entêtement à ne pas me répondre, je vous ai adressé lettres, dépêche, rien ne vous a fait, et pourtant mieux qu'aucun autre vous me connaissez et ma position aussi. Il m'a encore fallu m'adresser à des étrangers pour emprunter et recevoir des affronts, oh, je vous en veux beaucoup, je ne pensais pas que vous me laisseriez ainsi, c'est bien mal. Enfin, voilà près d'un mois que je vous demande cela : depuis ce temps à Paris comme ici, j'ai fait la faction pour attendre le facteur et chaque jour de même. Je viens une dernière fois vous demander ce service, je suis dans d'affreux tourments, il m'a fallu revenir ici pour ne pas contrarier la famille, et puis aussi parce que je n'avais pas assez d'argent pour le dépenser à Paris pendant que Camille souffrait. Elle est accouchée d'un gros et beau garçon que malgré tout et je ne sais comment je me sens aimer et je souffre de penser que la mère n'a pas de quoi manger. J'ai pu emprunter le strict nécessaire pour l'accouchement et mon retour ici, mais ni moi ni elle n'avons un sou vaillant. Oh, que je vous en veux, mon pauvre ami, réparez votre faute bien vite et envoyez-moi de l'argent de suite à Ste-Adresse ; dès le reçu de ma lettre répondez-moi par télégraphe, car je suis trop inquiet. Allons, Bazille, il y a des choses que l'on ne doit pas remettre au lendemain. C'en est une et j'attends. Dans cet espoir, je vous serre la main[16]. »

Et l'espoir est déçu. Et la réponse ne vient pas. Nouvelle lettre blessée, de dépit et de menace, datée du 20 août : « Naturellement, je ne mets plus votre silence sur le compte d'un oubli. Je connais votre négligence, il est vrai, mais, aux demandes, aux prières que je sous ai adressées coup sur coup et par toutes les voies, je croyais que vous vous seriez hâté de m'écrire. On pense aux peines de ses amis d'habitude ; aussi je n'ose plus croire à votre amitié. Au moins, si vous ne voulez pas m'envoyer d'argent, il serait poli de me répondre et de ne pas me laisser toujours dans l'attente. J'ai plus que jamais besoin, vous savez pourquoi, j'en suis malade. Si vous ne me répondez pas tout sera rompu, je ne vous écrirai plus jamais, soyez sûr. Quant au payement en question, quand il vous plaira de le faire, je le verrai bien. Une dernière fois, je vous dis que j'ai énormément besoin[17]. » Malgré ces troubles, malgré ces inquiétudes, malgré ces émotions, Monet travaille. Au début du mois de juillet, Guillemet et Sisley sont arrivés à Honfleur. Il les y a retrouvés. Il y a peint le port. Le trouble de la vue qu'il a éprouvé n'a été que passager. Dès la mi-juillet, « grâce au soleil qui s'est caché », il s'est dissipé. Monet n'a pas été indifférent au fait que Guillemet ait été « épaté » par ce qu'il avait fait depuis son arrivée en Normandie. Il y a peint sans cesse. Dans la tempête. En plein soleil.

Il continue de peindre sans cesse. Il peint le port du Havre comme il peint la plage de Sainte-Adresse, il peint les promeneurs sur la falaise comme les régates. Et il peint sa famille rassemblée sur une terrasse qui domine la mer. M. Monet père y est assis dans un fauteuil en rotin. Auprès de lui coiffé d'un panama, de dos, sous une ombrelle blanche, la tante Lecadre peut-être. Au fond de la terrasse plantée de glaïeuls, de capucines, de géraniums, entre des mâts où des drapeaux claquent dans le vent, devant la mer, les triangles de voiles sombres dressés sur les vagues et, au loin, des vapeurs, leurs fumées qui s'élèvent vers des nuées effilochées sur l'horizon, debout, une cousine et son mari...

Camille, elle, attend avec leur fils, dans une chambre au rez-de-chaussée du 8 de l'impasse Saint-Louis, aux Batignolles.

1868

Je suis décidément né sous une mauvaise étoile[1]

A l'automne, Monet peint encore les frondaisons roussies des arbres, le ciel gris sur lequel se dresse le clocher de l'ancienne église de Sainte-Adresse. Le séjour au Havre doit se prolonger. Si Monet peut faire quelques escapades à Paris pendant l'automne 1867, elles ne peuvent être que brèves, que rares. Au cours de ces séjours, il peint le portrait d'Ernest Cabadé. Comment, lorsque l'on est un peintre sans un sou, mieux remercier ce jeune médecin d'avoir accouché Camille, d'avoir veillé sur elle, sur Jean ? Et il peint Jean, les yeux ouverts, dans son berceau... Ce n'est que lorsque l'hiver commence qu'il peut revenir s'installer impasse Saint-Louis. Il y fait froid. Ce n'est pas avec la vente en décembre, grâce à l'intermédiaire de Bazille, d'une nature morte à

M. Lejosne que l'on peut acheter assez de charbon pour se chauffer longtemps...

Le 1er janvier, Monet désespéré écrit une nouvelle fois à Bazille : « Mon cher Bazille, je n'ai rien reçu de chez moi, je suis sans un sou, j'ai passé aujourd'hui la journée sans feu et l'enfant très enrhumé, ma position ici est très difficile, j'ai beaucoup à payer demain et après. Il faut donc que vous arriviez à me donner une somme d'argent. Je ne vous tourmente jamais, sachant bien que vous n'avez pas toujours beaucoup d'argent, mais enfin vous conviendrez que si vous me donnez par 20 sous et 10 sous, nous en aurons jusqu'à la fin du monde pourtant lorsque vous m'avez acheté mon tableau vous deviez me donner 1 000 francs chaque mois ; au mois de mai vous m'assuriez 500 francs et au moment de l'accouchement de Camille vous deviez aussi me venir en aide et tout cela s'est réduit à 50 francs chaque mois et les petites sommes que vous me donnez ne me profitent pas du tout. Je n'ose jamais rien vous dire, parce que vous semblez croire que vous m'avez pris ce tableau par charité quand vous me donnez quelque argent vous avez l'air de me le prêter, je ne vous dis jamais rien. Avant-hier encore, je voulais vous causer de cela, car depuis quelques jours nous manquons du plus nécessaire, et par les temps qui courent il ne fait pas bon sans feu avec un enfant et une femme. Je n'ai rien pu vous dire, étant venu au-devant de ma pensée en me parlant des 800 francs que vous avez à payer, me laissant entendre que vous ne pourriez rien me donner. Cependant si vous aviez 1 000 francs ou plus à payer, vous les trouveriez bien ; moi, il m'est plus que jamais impossible d'en avoir de chez moi et je ne pense plus aller ainsi. Voyez donc à m'en procurer, il me semble que vous le pouvez, et ma position est assez critique pour que vous vous en occupiez un peu[2]. » Et la lettre de s'achever sur cette formule de politesse désolée : « Croyez bien, mon cher ami, que la nécessité seule m'oblige à de telles discussions et vous assure de la peine qu'il m'en coûte[3]. »

La lettre arrive dès le lendemain au numéro 9 de la rue de la Paix, dans le même quartier des Batignolles. A la prière lasse de Monet répond la générosité blessée de Bazille : « Si je ne vous savais pas malheureux comme vous l'êtes, je ne prendrais certainement pas la peine de répondre à la lettre qui m'est parvenue ce matin. Vous cherchez à me démontrer que je ne tiens pas mes promesses, mais vous n'avez réussi qu'à me prouver votre ingratitude. Je n'ai jamais, que je sache, eu l'air de vous faire la charité. Je sais au contraire mieux que personne la valeur du tableau que je vous ai acheté et je regrette fort de n'être pas assez riche pour vous faire de meilleures conditions. Je suis le seul du moins, toutes mauvaises qu'elles soient pour vous, à vous les avoir proposées, et je vous prie d'en tenir compte. Vous savez fort bien que je vous ai acheté votre tableau 2 500 francs payables par 50 francs par mois et pas un sou de plus. Je vous ai dit, il est vrai, que je vous donnerai davantage quand je le pourrai. Je n'ai pu le faire qu'une fois en mai dernier et en vous faisant faire des cadres : je le regrette beaucoup, mais il n'a pas tenu à moi que j'aie pu le faire plus souvent. Or, vous avez reçu de moi depuis que je vous connais la somme de 980 francs à laquelle il faut ajouter le prix des cadres et 54 francs pour ce mois de janvier 68. Je n'ai pas manqué un seul mois à vous donner 50 francs. Additionnez et vous saurez quand doit finir le monde[4]. »

Avant que ne survienne la fin du monde, Monet va à Bougival. Et, pour la première fois, il y peint, entre les berges enneigées, la Seine qui charrie des glaçons. On s'impatiente au Havre. On tient à ce qu'il y expose régulièrement ses progrès, s'il en fait, qu'il y dise ses projets, si l'on peut en faire avec un pareil métier... Monet doit y repartir.

Il y peint sur le port comme il a peint au bord de la Seine. Souvenir d'un témoin : « Nous apercevons une chaufferette, puis un chevalet, puis un monsieur emmailloté dans trois paletots, les mains gantées, la figure à moitié gelée : c'était Monet étudiant un effet de neige. L'art a des soldats courageux[5]. »

Enfin, au début du mois de mars, Monet peut rentrer à Paris. Martin prévient Boudin : « Monet cargue ses hunières dans quelques jours et il espère jeudi se faire remorquer jusqu'à Paris où il doit terminer ses toiles dans leurs cadres[6]. » Ni sa tante ni son père ne peuvent lui interdire de parachever à Paris les toiles qui doivent être soumises au jury du Salon le 20 mars au plus tard.

A la mi-avril, le verdict tombe. Les deux toiles proposées par Bazille sont admises, mais il écrit à sa mère : « Presque tous mes amis sont refusés, Monet entre autres n'a qu'une toile sur deux admise[7]. » Daubigny a fait en sorte que les *Navires sortant des jetées du Havre* soient acceptés.

Deux journaux en publient des caricatures. L'une est accompagnée par ce quatrain :

Il était un... très gros navire
très bien peint par M. Monet
Qui file vite et semble dire :
Go ahead ! time is money !

L'autre, dans *Le Journal amusant*, livre ce commentaire : « Voilà enfin de l'art naïf et sincère. M. Monet avait quatre ans et demi lorsqu'il a fait ce tableau. De tels débuts sont du meilleur augure. L'horloge marche à ravir le dimanche, dit-on, et les jours de fêtes. La mer qui est d'un si beau vert remue et le bâtiment se balance sur les flots de parchemin. » Dernière précision : « Acheté par l'horloger du passage Vivienne[8]. »

Si ces caricatures froissent la tante Lecadre, elle peut se rassurer sur les jugements que l'on porte sur la peinture de son neveu à la lecture de *L'Etendard* du 27 juin où Zacharie Astruc dit la toile être d'une assez belle et fraîche couleur. Mais surtout elle doit lire et relire *L'Evénement Illustré* du 24 mai. L'article est signé Emile Zola. C'est le quatrième de son salon. Il porte le titre « Les actualistes ».

Si, dès les premières lignes de l'article, Zola cite les références que sont Manet et Courbet, si, à la fin de l'article, il écrit encore quelques mots à propos de toiles qui lui « paraissent dignes d'être nommées », *Portraits de famille* de Bazille et *Lise* de Renoir, c'est Monet qui retient toute son attention. Zola revient sur le tableau reçu comme sur celui qui a été refusé, comme sur ces toiles qu'il a vues chez Monet même ou dans l'atelier de Bazille. La raison de ce scrupule est un choix : « Je préfère analyser une personnalité, faire l'anatomie d'un tempérament, et c'est pourquoi je vais souvent chercher en dehors du Salon les œuvres qui n'y sont pas et dont l'ensemble seul peut expliquer l'artiste en entier. » C'est donc en toute connaissance de cause que Zola fait l'éloge de Monet sur plusieurs colonnes.

L'éloge commence par ce constat : « Celui-là a sucé le lait de notre âge, celui-là a grandi et grandira encore dans l'adoration de ce qui l'entoure. » L'article s'achève sur cette certitude : « Je ne suis pas en peine de lui. Il domptera la foule quand il le voudra. Ceux qui sourient devant les âpretés voulues de sa marine de cette année, devraient se souvenir de sa *Femme en robe verte* en 1866. Quand on peut peindre ainsi une étoffe, on possède à fond son métier, on s'est assimilé toutes les manières nouvelles, on fait ce que l'on veut. Je n'attends de lui rien que de bon, de juste et de vrai[9]. »

Les soutiens que Monet trouve chez les uns et les autres lui donnent la force d'assumer la situation qui est la sienne, de choisir de ne pas repartir pour Le Havre. Et parce que Paris est trop cher, il s'installe avec Camille et Jean, filleul de Bazille depuis son baptême en avril, à Bennecourt. Le hameau est non loin de Bonnières-sur-Seine. Zola lui a recommandé l'auberge de Gloton qu'y tient la mère Dumont. Lui-même y a séjourné avec Cézanne et Guillemet.

Mais, à la fin du mois de juin, le manque d'argent y est aussi crucial qu'il l'a été à Paris. Une fois de plus Bazille est le recours : « Je viens d'être mis à la porte de l'auberge où j'étais et cela nu comme un ver, j'ai casé Camille et mon pauvre petit Jean à l'abri pour quelques jours dans le pays. » C'est de Paris qu'il écrit cette lettre, à la veille de repartir pour Le Havre. Sans illusions. D'où cette précision complémentaire : « Ecrivez-moi au Havre, poste restante, car ma famille ne veut plus rien faire pour moi, je ne sais donc pas encore où je coucherai demain. » Et celui qui signe « Votre vrai ami bien tourmenté », d'ajouter ce post-scriptum : « J'étais si bouleversé hier que j'ai fait la boulette de me jeter à l'eau ; heureusement il n'en est rien résulté de mal[10]. » « Boulette »... Ce mot est-il le plus adéquat pour nommer ce qu'aurait été une tentative de suicide ? A peine tombé à l'eau, Monet a repris ses esprits...

C'est auprès de M. Gaudibert que Monet espère trouver un secours. Riche, il est un ami d'Amand Gautier auquel il a acheté quelques toiles ; il a de même fait l'acquisition de quelques Boudin... Et peut-être Monet retrouve-t-il Courbet qui lui vient en aide une nouvelle fois.

Ils peignent ensemble. Et Courbet, après avoir appris qu'Alexandre Dumas père est lui-même au Havre, entraîne Monet à sa rencontre. Il les voit se jeter dans les bras l'un de l'autre, s'embrasser. Dumas lance à Courbet : « Tu vas dîner avec moi, et le jeune homme aussi[11]. » La décision est prise de partir dès le lendemain pour Etretat chez la belle Ernestine. Monet arrive en avance au rendez-vous fixé. Arrive Dumas. Courbet tarde. Monet monte chez lui, le découvre endormi encore. Dumas qu'il informe à son retour, lance cette pique : « J'ai fréquenté des rois, ils ne m'ont jamais fait attendre[12]. » Cette attente n'empêche ni Dumas ni Courbet, arrivés à Saint-Jouin, à la sortie d'Etretat, d'y parler à table d'art, de politique, d'amour, de cuisine, de recettes franc-comtoises... Et Monet, silencieux, fasciné, les écoute.

Faute de pouvoir faire venir Camille et Jean au Havre, il les fait venir à Fécamp. Et, dès le 6 août, l'argent commence d'y manquer comme il a manqué à Bennecourt, comme il a manqué à Paris. Nouvelle lettre à Bazille : « Il est décidément dit que je ne peux être à peu près heureux deux jours de suite[13]. » Même l'argent attendu ne peut conjurer cette fatalité : « Je pensais ne rester ici qu'un jour ou deux à l'hôtel et en voilà déjà six que j'y suis, de sorte que vos 50 francs m'arriveraient que je n'en aurais pas assez pour payer l'hôtel[14]. » Et la lettre de s'achever sur une plainte que Bazille connaît ô combien : « [...] je commence à être las de toujours demander ainsi, mais pensez à ma position, un enfant malade et pas la moindre ressource. Faites cela, je vous en prie, et hâtez-vous[15]. » L'argent arrive...

Au début du mois suivant, l'argent attendu de Bazille arrive (enfin !) au jour dit. Et le même jour : « Je viens de recevoir à l'instant une dépêche télégraphique de mon amateur du Havre qui me demande pour lundi prochain pour faire le portrait de sa femme[16]. » La bonne nouvelle n'empêche pas Monet de prendre ses précautions : « Il faut que je laisse un peu d'argent à Camille en partant et que je ne sois pas tout à fait sans le sou chez ce monsieur. Je viens donc vous prier de m'envoyer ce que vous pourrez par retour du courrier. Je devais partir de très grand matin pour Le Havre, je retarde mon départ pour attendre la distribution des lettres du matin, espérant que vous pourrez m'envoyer pour ce jour-là[17]. »

Le lundi 7 septembre, Monet arrive chez les Gaudibert. Madame, qui n'est guère alors âgée que de vingt-deux ans, vient de se retirer, pour s'y reposer, dans la propriété de son père, au château des Ardennes-Saint-Louis, à Montivilliers, aux environs du Havre même. Puisque Mme Marguerite-Eugénie-Mathilde Gaudibert ne peut poser, c'est M. Louis-Joaquim Gaudibert qui prend la pose... Le modèle a deux ans de plus que le peintre, trente ans donc. Parce que Madame tarde à rentrer, M. Gaudibert emmène Monet au château des Ardennes. Les séances de pose y commencent.

Et, peu à peu, les roses dans un vase posé sur un guéridon derrière elle, le châle qu'elle retient sur ses bras, la robe dont la soie épaisse froisse le silence lorsqu'elle traverse le salon, le rideau bleu vers lequel elle se détourne prennent forme, prennent place dans la haute toile de plus de deux mètres, de près d'un mètre quarante de large.

Et Monet est accablé.

Lettre à Bazille de la fin du mois de septembre ou du début du mois d'octobre : « Je suis dans un château aux environs du Havre où je suis reçu à ravir dans un pays charmant. Mais tout cela ne suffit pas à me redonner cette ancienne ardeur. La peinture ne va pas, et décidément je ne compte plus sur la gloire. Je m'en vais dans le troisième dessous. En somme, je n'ai absolument rien fait depuis que je vous ai quitté. Je suis devenu tout à fait paresseux, tout m'ennuie dès que je veux travailler : je vois tout en noir. Avec cela, l'argent manque toujours. Déceptions, affronts, espérances, redéceptions, voilà, mon cher ami. A l'exposition du

Havre, je n'ai rien vendu. J'ai une médaille d'argent (valeur 15 francs), des articles superbes dans les feuilles locales, voilà, c'est peu nourrissant. Cependant, j'ai fait une vente sinon avantageuse du côté pécuniaire, avantageuse peut-être pour l'avenir, quoique je n'y croie plus guère. J'ai vendu la *Femme verte* à Arsène Houssaye qui est venu au Havre, qui est enthousiaste et veut me lancer, dit-il[18]. »

Ni l'enthousiasme ni les promesses d'Arsène Houssaye ne conjurent le désarroi de Monet, las, désabusé. Pourtant, comment ne pas faire confiance à celui qui, romancier, dramaturge, journaliste, a été administrateur de la Comédie-Française, a été et continue d'être proche de tous ceux qui ont marqué le siècle, de Hugo à Delacroix, de Musset à Dumas, et qui dirige *L'Artiste*, revue dont nul ne conteste l'influence ? Mais l'Exposition maritime du Havre ne lui a consenti qu'une médaille qui a des allures de lot de consolation... Quant aux 800 francs accordés par Arsène Houssaye pour la *Femme verte*, la somme ne permet guère que de parer au plus pressé... et si *Camille*, le portrait de Camille, doit entrer au musée du Luxembourg – Houssaye a promis d'en faire don à ce musée qui, depuis 1818, est le premier consacré aux artistes vivants –, Camille, elle, la mère de son fils Jean, demeure infréquentable. Lui est « reçu à ravir » ; elle, au mieux, est ignorée.

Il la rejoint à Etretat. Tout y change. Accablé en novembre, il est « enchanté » en décembre.

Il confie à Bazille : « Je suis comme un vrai coq en pâte, car je suis ici entouré de tout ce que j'aime. Je passe mon temps en plein air sur le galet quand il fait bien gros temps ou bien quand les bateaux s'en vont à la pêche, ou bien je vais dans la campagne qui est si belle ici que je trouve peut-être plus agréable encore l'hiver que l'été, et naturellement je travaille pendant tout ce temps et je crois que cette année je vais faire des choses sérieuses. Et puis le soir, mon cher ami, je trouve dans ma petite maisonnette un bon feu et une bonne petite famille. Si vous voyiez votre filleul comme il est gentil à présent. Mon cher, c'est ravissant de voir pousser ce petit être et, ma foi, je suis bien heureux de l'avoir[19]. » Monet envisage de le peindre entouré d'autres figures pour l'envoyer au Salon ainsi qu'un autre tableau de marins en plein air. Il ne doute pas de pouvoir peindre ces toiles « d'une façon épatante ».

Monet, parce qu'il continue de recevoir le soutien de Gaudibert qui achète ses toiles saisies lors de la clôture de l'Exposition maritime du Havre, recouvre des certitudes. « Débarrassé de tracas », il assure que son « désir serait de rester toujours ainsi dans un coin de nature bien tranquille comme ici ». Il n'a plus la moindre envie de rentrer à Paris.

Et s'il regrette le plaisir qu'il pourrait avoir à retrouver certains des habitués du café Guerbois, les réunions régulières qui y ont lieu ne lui manquent guère. Depuis 1866, dans ce café de l'avenue de Clichy, Manet fait réserver le vendredi en fin d'après-midi deux tables dans la première salle. On y est moins gêné que dans l'arrière-salle où les commentaires des parties qui se jouent autour de cinq billards sont souvent des applaudissements, des cris et des exclamations. Monet n'est pas certain que les conversations passionnées qui ont lieu autour de ces tables soient bien utiles. D'où la question posée à Bazille : « Ne croyez-vous pas qu'à même la nature seul on fasse mieux ? Moi, j'en suis sûr. Du reste, j'ai toujours pensé ainsi et ce que j'ai fini dans ces conditions a toujours été mieux[20]. »

Ce constat ébauche ce qui pourrait devenir une règle de vie : « On est trop préoccupé de ce que l'on voit et de ce que l'on entend à Paris si fort que l'on soit et ce que je ferai ici a au moins le mérite de ne ressembler à personne, du moins je le crois, parce que ce sera simplement l'expression de ce que j'aurais ressenti, moi personnellement. Plus je vais, plus je regrette le peu que je sais, c'est cela qui me gêne le plus, c'est certain. Plus je vais, plus je m'aperçois que jamais on n'ose exprimer franchement ce que l'on éprouve. C'est drôle. Voilà pourquoi je suis doublement heureux d'être ici et je crois bien que je ne viendrai de longtemps à Paris maintenant, un mois au plus chaque année[21]. »

L'ardeur de Monet n'est qu'à peine entravée par quelques soucis matériels. Il lui faut des toiles... il en reste encore dans l'atelier de Bazille des blanches et quelques-unes sur lesquelles il n'y a guère que des choses abandonnées. S'il pouvait les lui envoyer à Etretat... D'autant que chez son marchand de couleurs, un certain Carpentier, on ne lui fait plus crédit.

Le manque d'argent, les dettes ne tardent pas à brouiller la sérénité de Monet. Et les lettres à Bazille se font bientôt plus pressantes. Au début du mois de janvier 1869, il s'agit de couleurs : « Je me trouve dans l'impossibilité de travailler en ce moment malgré tout mon entrain. Je n'ai plus de crédit chez Deforge et, d'un autre côté, je suis loin d'être assez en fonds pour acheter ce que j'use de couleurs et en ce moment, vu le Salon qui approche, je ne voudrais pas arrêter ce que j'ai commencé. Donc, si cela se pouvait, vous seriez bien aimable de prendre à votre compte une certaine quantité de couleurs chez Hardy et vous déduirez cela de votre compte.

« Je vous le répète, vous me rendriez un vrai service ; faites au plus vite afin que je ne perde que le moins de temps possible, et de toutes les façons écrivez-moi un petit mot ; donc répondez afin que je sache à quoi m'en tenir. Voici les couleurs qu'il me faut :

blanc d'argent
noir d'ivoire
bleu de cobalt
laque fine
ocre jaune
brun rouge
jaune brillant
jaune de Naples
terre de Sienne brûlée.

« Les autres couleurs j'en ai une quantité suffisante. Forcez surtout la quantité des quatre premières couleurs, ce sont celles dont j'ai le plus besoin[22]. » En regard de la mention des couleurs de blanc d'argent, de noir d'ivoire et de bleu de cobalt, Monet, pour ne pas laisser place au moindre doute quant au besoin qui est le sien, écrit à trois reprises « beaucoup ».

Un mois après avoir demandé des couleurs, ce sont des toiles qu'il exige : « Je vous prie de m'envoyer mes toiles parce que je suis au Havre pour quelques jours et qu'une occasion unique peut m'en faire placer deux ou trois. J'attends chaque jour et me voilà obligé de repartir dans deux jours. Si donc vous ne m'expédiez pas ce que je vous ai demandé par retour du courrier, je manque cette affaire[23]. »

Ni ces rares ventes ni le soutien de Gaudibert ne permettent à Monet et à sa « bonne petite famille » de tenir. Il faut rentrer à Paris.

1869

Moi seul cette année n'aurai rien fait[1]

En février, encore à Etretat, Monet a une nouvelle fois demandé à Bazille de lui envoyer ces toiles restées dans son atelier parisien et qu'il a l'espoir de peut-être pouvoir vendre. Il lui a rappelé que sans ces ventes il n'aurait « même plus la possibilité de rien faire pour le Salon », il lui a répété : « c'est ma seule ressource, je suis dans une inquiétude affreuse[2] ». Deux mois plus tard, hébergé à Paris chez le fidèle Bazille, il sait à quoi s'en tenir. Explication donnée par Bazille à son père le 9 avril : « Le jury a fait un grand carnage parmi les toiles des quatre ou cinq jeunes peintres avec lesquels nous nous entendons bien. J'ai une seule toile reçue : la femme. A part Manet qu'on n'ose plus refuser, je suis des moins maltraités. Monet est entièrement refusé. Ce qui me fait plaisir, c'est qu'il y a contre nous une vraie animosité. C'est M. Gérôme qui a fait tout le mal, il nous a traités de bande de fous, et déclaré qu'il croyait de son devoir de tout faire pour empêcher nos peintures de paraître[3]. »

Les peintures de Monet qui ont été empêchées de paraître sont une marine et un paysage. Ni les trapèzes et les triangles sombres des voiles de *Bateaux de pêche, temps calme* qui se découpent sur des nuées déchirées de clartés, ni les variations blanches de *La Pie*, tache sombre posée sur une barrière, n'ont pu être tolérés par le jury. M. Gleyre en faisait partie. Mais pourquoi tenterait-il de faire admettre un jeune malotru qui n'a pas même eu la décence de se présenter comme l'un de ses élèves, ce qu'il a, ne serait-ce que brièvement, été ?

Monet réagit immédiatement. Il porte l'une de ses toiles au seul marchand de Paris qui accepte d'exposer sa peinture dans sa vitrine. En janvier, Boudin a écrit à son ami Martin : « Il y a ici, chez un marchand de la rue La Fayette, une *Vue de Paris* que vous avez peut-être vue et qui serait un chef-d'œuvre digne des maîtres si les détails répondaient à l'ensemble. Il y a de l'étoffe chez ce garçon[4]. » Et Boudin reprend la plume pour informer le même Martin de l'initiative de Monet : « Il a pris sa revanche en exposant chez un de nos marchands, Latouche, une étude de Sainte-Adresse qui a fait courir toute la gent artiste. Il y a eu foule devant les vitrines tout le temps de l'exposition, et pour les jeunes, l'imprévu de cette peinture violente a fait fanatisme[5]. » Provoquer un tel effet ne déplaît pas à Monet. Mais provoquer cet effet ne résout rien. Il lui est impossible de repartir pour la Normandie y retrouver Camille et Jean. Il lui est impossible de demeurer plus longtemps chez Bazille. Une nouvelle aide accordée par Gaudibert permet à Monet de faire revenir Camille et Jean, de s'installer à Saint-Michel, sur les hauteurs de Bougival. Encore faut-il y avoir les moyens de peindre... Avoir été refusé au Salon est, dans l'immédiat, fatal sur lui.

Le 2 juin, il ne peut que rendre compte à Arsène Houssaye de la situation désespérée qui est la sienne : « L'installation est faite et je suis dans de très bonnes conditions et plein de courage pour travailler mais, hélas, ce fatal refus me retire presque le pain de la bouche et, malgré mes prix bien peu élevés, marchands et amateurs me tournent le dos. Cela surtout est attristant, le peu d'intérêt que l'on porte à un objet qui n'a pas de cote ; j'ai pensé, et j'espère que vous m'excuserez, que puisque vous aviez trouvé de moi une toile de votre goût, vous voudriez bien peut-être voir les quelques toiles que j'ai pu sauver des saisies et de tout, car j'ai pensé que vous seriez assez bon pour me venir en aide, car mon état est presque désespéré, et le pire est que je ne peux même plus travailler. Inutile de vous dire que je ferai n'importe quoi à n'importe quel prix pour sortir d'une pareille situation et pour pouvoir travailler dès maintenant à mon Salon prochain, pour que pareille chose ne se renouvelle plus[6]. » Monet n'est pas contraint par Arsène Houssaye à faire n'importe quoi à n'importe quel prix. Parce que, semble-t-il, il ne lui répond pas. Et comme ce monsieur n'est pas de ceux que l'on peut se permettre de relancer, il reste à compter sur la solidarité des amis.

Il y a celle de Renoir. Confidence de Renoir à un ami : « Je suis chez mes parents, et presque toujours chez Monet, ousqu'on se fait par parenthèses assez vieux. On ne bouffe pas tous les jours. Seulement, je suis tout de même content, parce que, pour la peinture, Monet est une bonne compagnie[7]. » Renoir oublie par pudeur de préciser que, lorsqu'il n'est pas à Saint-Michel, il habite à Voisins, un hameau de Louveciennes. Et régulièrement, avec le pain que ses parents ont laissé sur la table à la fin d'un repas, il part à pied pour Bougival porter ces quignons à Claude, à Camille.

Et il devrait y avoir le soutien de Bazille. Le 9 août, Monet lui écrit : « Voulez-vous savoir dans quelle situation je suis et comment je vis depuis huit jours que j'attends votre lettre ! Eh bien, demandez-le à Renoir qui nous a apporté du pain de chez lui pour que nous ne crevions pas. Depuis huit jours pas de pain, pas de vin, pas de feu pour la cuisine, pas de lumière. C'est atroce[8]. » Enfin, une semaine plus tard, l'argent attendu de Bazille arrive. C'est par des remerciements amers que répond Monet : « Vous conviendrez, mon cher, que j'ai lieu de ne point être satisfait de vous. D'après le peu d'empressement que vous mettez à m'envoyer ces malheureux 50 francs qui, venus à temps, m'auraient évité beaucoup d'ennuis et de privations, car nous mourons de faim et c'est à la lettre. Il faut croire que ce que je puis vous dire de ma situation ne vous touche guère, puisque je vous dis que nous crevons de faim. Puissiez-vous ne jamais connaître ces moments de misère !

Alors vous comprendriez seulement ce que vous faites de tort par votre extrême insouciance de la misère des autres. J'espère même que, comprenant ma position, vous trouverez un moyen quelconque pour vous faire pardonner votre conduite peu aimable à mon égard. Votre très fidèle et très dévoué ami[9]. » Et, une semaine plus tard encore, Monet n'a une fois de plus d'autre recours que le très fidèle et très dévoué Bazille : « Vous devez penser si votre lettre a été bien accueillie ; je parle du mandat, car vous êtes bien laconique. Enfin, nous avons pu manger un peu, mais déjà il n'y a plus un sou et sans doute cela va-t-il recommencer. Je compte absolument sur votre envoi pour le 1er ou le 2 ; outre cela qui est convenu, je me risque à vous demander du secours en me prêtant ou avançant cinquante francs. Il est évident que, n'eussions-nous jamais fait de marché ensemble, nous n'en serions pas moins amis, peut-être plus, au contraire, et que, dans la position où je me trouve, je me serais adressé à vous en premier. Beaucoup vous tournent le dos ; je le sais maintenant par expérience. Si je n'ai aucun secours, nous mourrons de faim. Je ne puis peindre n'ayant ombre de couleurs ; sans cela, je travaillerais. Voyez donc un peu ce que je dois souffrir, et tâchez de me venir en aide[10]. »

Peut-être, en cet été 1869, est-ce le cabaretier François Seurin qui vient en aide aux rapins que sont Renoir et Monet ? En 1852, Seurin a obtenu une concession sur l'île de la Grenouillère. Depuis l'ouverture des ponts de Bougival et de Croissy en 1858, les Parisiens se pressent en masse dans son île surnommée « le Madagascar des bords de Seine », dans son café pour déjeuner, dîner, danser, embarquer à bord d'une yole, d'une périssoire ou d'une barque pour des promenades sur la Seine. « L'immense radeau, couvert d'un toit goudronné que supportent des colonnes de bois, est relié à l'île charmante de Croissy par deux passerelles dont l'une pénètre au milieu de cet établissement aquatique, tandis que l'autre en fait communiquer l'extrémité avec un îlot minuscule planté d'un arbre et surnommé le "Pot-à-fleurs", et, de là, gagne la terre auprès du bureau des bains. » Cette description de Guy de Maupassant précise encore : « Ce lieu sue la bêtise, pue la canaillerie et la galanterie de bazar[11]. »

Ni la bêtise ni la canaillerie ni la galanterie ne gênent Renoir et Monet. Ce que sue et pue la Grenouillère est le cadet de leurs soucis. Il en ont fait leur modèle. Qui le leur reprocherait puisque, au cours de ce même été 1869, Sa Majesté l'empereur lui-même, accompagné de l'impératrice, est venu, à l'improviste, visiter cette Babylone du bord de l'eau.

François Seurin est peut-être surpris de voir ces deux peintres revenir jour après jour planter leurs chevalets sur la berge, sortir leur matériel et peindre... Et, peut-être, parce qu'ils tiennent lieu de nouvelle attraction, leur offre-t-il une petite friture de poissons pêchés dans la Seine, arrosée d'un blanc d'Argenteuil ou de Nogent ?

Lorsque l'été s'achève, Monet a peint trois toiles de la Grenouillère. Ce n'est pas pour autant que la situation s'est améliorée. Le 25 septembre, il doit se résigner à écrire à Bazille : « Mais, comme toujours, me voilà arrêté, faute de couleurs. » Dans la même réponse blessée à une lettre exaspérée de Bazille, Monet l'informe qu'il n'a pas suivi son « inexcusable » conseil d'aller au Havre à pied, qu'il n'a pas davantage, pour se tirer d'affaire, fendu du bois. « Non, voyez-vous, les conseils sont très difficiles à donner, et, je crois, ne servent à rien, ceci dit sans offense. » Le plus grave est l'arrivée prochaine de l'hiver, « saison peu agréable aux malheureux ». Et il y a pis encore : « Ensuite va venir le Salon. Hélas ! je n'y figurerai encore pas, puisque je n'aurai rien fait. J'ai bien un rêve, un tableau, les bains de la Grenouillère, pour lequel j'ai fait quelques mauvaises pochades, mais c'est un rêve. Renoir, qui vient de passer deux mois ici, veut faire aussi ce tableau[12]. »

Il lui reste, résigné, à peindre des natures mortes, des fleurs et des fruits, un faisan jeté sur une nappe, deux rougets sur un torchon... Il lui reste à peindre un portrait de Jean coiffé d'un bonnet à pompon...

Et la neige tombe.

Il lui reste à quitter la maison mal chauffée de Saint-Michel, à peindre les quais enneigés de Bougival, les routes et les allées de Louveciennes ou de Marly. Et à déjeuner, parfois, chez Pissarro...

1870/1

On en sortait toujours mieux trempé[1]

« C'est au musée qu'on apprend à peindre. J'avais de fréquentes discussions sur ce sujet avec certains de mes amis qui m'opposaient l'étude absolue sur nature[2]. » Renoir fait part de cette certitude et rappelle ce souvenir en 1919. Dans le même entretien, il affirme encore : « On doit faire la peinture de son temps. Mais c'est là, au musée, qu'on prend le goût de la peinture que la nature ne peut pas, seule, vous donner. On ne se dit pas "Je serai peintre" devant un beau site, mais devant un tableau. » Il ajoute : « Voilà, je pense, pas mal de vérités de La Palisse. Mais ça fait du bien de temps en temps de dire ces choses[3]. » Ces « choses », cette affirmation à propos de la nature qui ne peut, seule, déterminer quiconque à devenir peintre, cette certitude qu'une ambition de peintre n'est pas provoquée par un « beau site » mais devant un tableau, Renoir en a sans doute fait part à Monet sur les berges de la Seine, devant la Grenouillère. Et le débat sur le rôle de la nature a dû reprendre encore dans la première salle du café Guerbois à l'automne de 1869, au début de l'année 1870.

En dépit de ce que ses lettres laissent entendre, Monet pendant cet automne et cet hiver n'est pas abandonné, oublié, solitaire à Saint-Michel. Le 8 décembre 1869, il envoie un bref billet à Bazille avec lequel, malgré les déceptions, les plaintes, les reproches, il n'est pas brouillé, pour lui dire : « Je n'ai pu venir dimanche, comme je vous l'avais dit, à cause de la neige dont j'ai voulu profiter pour faire quelques études. Je vais venir demain ou après[4]... » Combien de billets du même ordre ont été perdus ? Monet revient régulièrement, souvent, à Paris. Et s'il a pu écrire à Bazille un an plus tôt que les réunions du café Guerbois ne lui manquaient pas, s'il a pu sembler les mépriser, pouvoir s'en passer, une rencontre avec Manet, qui n'est cette fois pas brouillée par un malentendu, change la donne.

En 1900, Monet se souvient : « Ce fut en 1869 seulement que je le revis, mais pour entrer dans son intimité aussitôt. Dès la première rencontre, il m'invita à venir le retrouver tous les soirs dans un café des Batignolles où ses amis et lui se réunissaient, au sortir de l'atelier, pour causer. J'y rencontrai Fantin-Latour et Cézanne, Degas, qui arriva peu après d'Italie, le critique d'art Duranty, Emile Zola qui débutait alors dans les lettres, et quelques autres encore. J'y amenai moi-même Sisley, Bazille et Renoir. Rien de plus intéressant que ces causeries, avec leur choc d'opinions perpétuel. On s'y tenait l'esprit en haleine, on s'y encourageait à la recherche désintéressée et sincère, on y faisait des provisions d'enthousiasme qui, pendant des semaines et des semaines, vous soutenaient jusqu'à la mise en forme définitive de l'idée. On en sortait toujours mieux trempé, la volonté plus ferme, la pensée plus nette et plus claire[5]. »

Comment, inquiet de la situation difficile à laquelle il doit faire face, comment, incertain des moyens d'y mettre fin, pourrait-il se priver de la complicité, du soutien des uns et des autres ? Même si, parfois, les conversations tournent à l'affrontement. Un jour, dans les premiers mois de 1870, Manet somme Duranty de se justifier : pourquoi a-t-il jugé utile de rapporter qu'un « amateur » s'était exclamé devant sa *Leçon de musique* « Quel gâchis ! » ? Duranty garde le silence. Manet le gifle. Duranty se retire avant que la situation ne s'aggrave. Mais, le soir même, Zola se présente chez lui comme témoin de Manet qui demande réparation par un duel. Duranty fait le choix de l'épée. Le lendemain, les duellistes engagent le combat. Bref, brutal corps à corps. Duranty tombe à la renverse. Le cuir chevelu de Manet, éraflé, tache de sang le col de sa chemise. Ce premier sang suffit pour que l'honneur soit sauf. Duranty, indemne, part sans serrer la main de Manet. Le soir même, il accepte de venir le retrouver pour un dîner de réconciliation. Lorsque le dîner s'achève, les convives entonnent ensemble :

Manet-Duranty sont deux gars
qui font une admirable paire ;
aux poncifs, ils font des dégâts,
Manet-Duranty sont deux gars.
L'Institut qui les vitupère,
Les méprise autant que Degas,
Parce qu'ils font des becs de gaz.
Manet-Duranty sont deux gars
Qui font une admirable paire[6].

Monet a besoin de la solidarité du groupe qui entoure Manet. Même si, parfois, celle-ci est entamée par Cézanne qui, lorsqu'il arrive dans la salle, lance à Manet : « Il vaut mieux que je ne vous serre pas la main, monsieur Manet, je ne me lave que tous les quinze jours... » Même si le même Cézanne enrage à propos de ceux qui discutent ensemble : « Tous des salauds, vêtus comme des notaires[7]. »

C'est une autre réunion de ces « notaires » que Bazille peint dans son atelier. Le 1er janvier 1870, il écrit à son père : « Je viens d'interrompre ma lettre parce que deux peintres viennent d'arriver pour voir mon tableau qui est enfin arrivé de rentoilage. Ils me font en ce moment même de grands compliments. Je me suis amusé jusqu'ici à peindre l'intérieur de mon atelier avec mes amis. Manet m'y a fait moi-même[8]. »

Manet a peint Bazille debout devant une toile que commente Manet – peint par Bazille – devant Monet. Derrière Bazille, assis devant un piano droit dans l'angle de l'atelier, Edmond Maire déchiffre une partition, joue. Et Zola, debout dans l'escalier qui, sur la gauche de la toile, conduit à la mezzanine, se penche par-dessus la rampe pour converser avec Renoir assis sur une table poussée sous ce même escalier.

L'un des deux peintres qui a interrompu l'écriture de la lettre de Bazille à son père ce 1er janvier 1870, serait-il Henri Fantin-Latour ? Lui-même songe à une composition du même ordre depuis plusieurs semaines. Le 14 octobre 1869, il écrivait à l'un de ses amis : « Je pense beaucoup à un grand tableau [...] représentant au centre Manet peignant à son chevalet, devant lui son modèle posant, à côté de lui et autour, des amis, des connaissances, du monde dans l'atelier. Cela me paraît un joli motif de tableau pittoresque – un intérieur d'atelier, j'aurais des complaisants pour poser[9]... » Monet, peint sur l'extrême droite de la toile, derrière la haute silhouette de Bazille qui se tourne vers le tableau auquel travaille Manet, est l'un de ces « complaisants ». Les seuls d'entre eux qui figurent dans *Un atelier aux Batignolles* et qui sont absents de *L'Atelier de la rue de la Condamine* de Bazille, sont Scholderer et Astruc. Otto Scholderer est venu en 1868 s'installer à Paris avec son ami Hans Thoma. Admirateur de Courbet qu'il a rencontré à Francfort-sur-le-Main quelques années plus tôt, il a été considéré par Duranty comme l'un des membres de l'« école des Batignolles » au même titre que Manet, Renoir, Bazille, Pissarro et Guillemet. Quant à Zacharie Astruc, qualifié par Fantin-Latour de « poète fantaisiste », il est l'auteur du piteux quatrain auquel l'*Olympia* de Manet doit son titre...

Reste à espérer que ce tableau, parce que y figurent, au-delà de celui de Manet même, les portraits de peintres qui ont provoqué les réticences et les refus du jury, ne soit pas lui-même refusé... Mais pourquoi s'inquiéter ? Monet lui-même croit pouvoir être admis en cette année 1870. Si Arsène Houssaye, en sa qualité d'inspecteur général des Beaux-Arts, fait partie du jury, tout comme Daubigny, tout comme Corot, il n'est pas inconcevable d'imaginer que le jury puisse être plus conciliant...

Le jury est implacable. Monet n'est pas admis. Ulcéré par ce refus, Daubigny démissionne. Ce qui ne change rien au sort de Monet. Boudin s'étonne dans une lettre à l'un de ses amis : « Vous savez qu'ils ont refusé Monet impitoyablement ; on se demande de quel droit[10]. »

De quel droit ? Nul n'en sait rien. Et Monet n'est présent au Salon que grâce à la toile de Fantin-Latour... Si la critique ne l'éreinte pas, si la toile est gratifiée d'une médaille de troisième classe, une caricature publiée par

Le Journal amusant a pour titre : « La divine école de Manet, tableau religieux par Fantin-Latour ». La représentation de Manet-Jésus entouré de ses apôtres est accompagnée de ce commentaire : « En ce temps-là, J. Manet dit à ses disciples : En vérité, en vérité, je vous le dis, Celui qui a ce truc pour peindre est un grand peintre. Allez et peignez, et vous éclairerez le monde, et vos vessies seront des lanternes[11]. »

Faut-il en rire ? Pourquoi s'en priver, il y a si peu de raisons de rire en ce début d'année 1870...

Le 10 janvier, le journaliste républicain Victor Noir a été abattu par le prince Pierre Bonaparte, fils de Lucien, cousin de l'empereur. A l'appel d'Henri Rochefort, son enterrement est devenu une formidable manifestation pour la République. Phrase inquiète d'une lettre de Bazille à sa mère : « Tu verras que tout cela finira mal, ce n'est plus de la farce, il y a une irritation générale qui fera partir les coups de fusil, à une occasion quelconque qui ne manquera pas[12]. » Le 7 février, Rochefort a été arrêté alors qu'il s'apprêtait à présider une réunion politique. Emile Ollivier maintient l'ordre d'une main de fer. Combien de temps encore ? Et il y a cette complexe affaire de succession au trône d'Espagne qui revient à l'ordre du jour au printemps... On parle d'une candidature Hohenzollern suscitée par Bismarck. Une pareille solution ne pourrait être admise par Napoléon III... Au cours du printemps, l'inquiétude qui a été celle de Bazille au début de l'année serait-elle devenue celle de Monet ?

Le 28 juin, dans la salle des mariages de la mairie du XVIIe arrondissement de Paris, M. Claude Monet épouse Mlle Camille Doncieux. Elle est domiciliée chez ses parents, 17, boulevard des Batignolles. Le 21, maître Aumont-Thiéville, notaire, a établi un contrat de mariage qui met à l'abri l'épouse des dettes que pourrait contracter le peintre Claude Monet. En outre, le contrat précise que les parents de Camille lui font une donation de 12 000 francs. Ceux-ci seront exigibles trois mois seulement après le décès de M. Doncieux. Dans l'immédiat, Camille reçoit 1 200 francs, soit deux ans d'intérêts à 5 % de la somme promise. Les témoins qui signent le registre d'état civil de la mairie sont M. Paul Dubois, médecin, M. Antoine Lafont, journaliste, M. Gustave Monet dont on ignore s'il a un lien de parenté avec Claude, et M. Gustave Courbet, peintre. Ni M. Adolphe Monet ni la tante Lecadre ne sont venus à Paris pour le mariage.

1870/2

La guerre vint[1]

Le 7 juillet 1870, la tante Lecadre s'éteint. Ce ne sont pas ses petits-neveux, frustrés de la pension trop longtemps versée à leur cousin Claude Monet, qui va d'échec en échec depuis plus de deux ans, qui lui viendront désormais en aide. Il convient donc de prendre quelques précautions. A la veille de quitter Saint-Michel, à Bougival, Monet confie à Pissarro ses toiles. A Louveciennes, sous sa garde, elles ne seront pas saisies...

A Trouville, où Monet s'installe avec Camille et Jean à l'hôtel Tivoli, la saison a commencé. La dépêche d'Ems, expédiée par le roi de Prusse Guillaume Ier à Bismarck à Berlin le 13 juillet, dont la seconde phrase, « Sa Majesté le roi a refusé de recevoir encore l'ambassadeur français et lui a fait dire par l'adjudant de service que Sa Majesté n'avait plus rien d'autre à communiquer à l'ambassadeur », est reçue comme un camouflet à Paris deux jours plus tard, ne bouleverse pas les habitudes de Trouville. Ni la déclaration de guerre par la France à la Prusse le 19 juillet. Est-ce de la guerre qui s'engage que parlent les hommes qui se saluent près de l'hôtel des Roches-Noires devant lequel flotte le drapeau tricolore, et les femmes en toilettes claires, ombrelles déployées, qui marchent sur la plage ? Ni l'hôtel ni la plage peints alors par Monet ne portent le moindre signe de la moindre inquiétude. Et pour quelle raison s'inquiéterait-on ? Le maréchal Lebœuf n'a-t-il pas assuré qu'il « ne manque pas un bouton de guêtre » ?

Le 12 août, Eugène Boudin et sa femme arrivent à Trouville. L'armée impériale vient de subir quelques revers, mais pourquoi croire au pire puisque l'empereur vient de confier le commandement en chef à Bazaine ? Boudin dessine Monet assis sur la plage avec son fils : « Le petit Jean joue dans le sable et son papa est assis par terre, un carton à la main[2]. » Les défaites s'enchaînent. C'est le désastre de Saint-Privat, c'est le blocus de Metz, c'est Sedan. Le 2 septembre, l'empereur capitule. L'empereur est prisonnier. Le 4, l'empereur est déchu. Le gouvernement de défense nationale veut que l'intégrité du territoire soit maintenue... La guerre n'est pas finie.

Monet quitte Trouville, y laisse Camille et Jean. Le 9 septembre, il écrit à Boudin. Il l'informe de la position de sa famille à Trouville, de son incapacité à régler la note de l'hôtel Tivoli, de ce qu'il lui est « impossible d'avoir de l'argent avant quelques jours[3] ». Boudin, chargé de remettre l'argent en main propre à Camille – il faut se méfier de l'indélicatesse indiscrète de l'hôtelier –, l'informe que, même si l'on veut croire au Havre que la paix est proche, la peur provoque une panique et « la fuite en Angleterre est complète ». Il ajoute : « Les transatlantiques font le service pour Londres. Deux cents passagers sont restés ce soir sur le quai[4]. »

Quelques jours plus tard, malgré tout, Claude Monet débarque à Londres. Seul. Il trouve à se loger au 11, Arundel Street, Piccadilly Circus. Et sur les quais de la Tamise, il commence à peindre.

Bientôt, par hasard, il y rencontre Daubigny. Quelques mois plus tôt, celui-ci a démissionné du jury du Salon, qui est parvenu une fois de plus à « décourager la jeunesse et désespérer l'âge mûr », pour protester contre les refus des envois de Monet et de ses amis. Le 14 janvier 1925, dans une lettre à Moreau-Nélaton, Monet lui rend encore cet hommage : « Tout ce qui vous a été dit de Daubigny à propos de moi est exact et j'ai des raisons pour lui conserver ma grande reconnaissance. C'est grâce à lui que, me rencontrant à Londres pendant la Commune et me voyant très gêné pour ne pas dire plus et s'enthousiasmant de certaines de mes études de la Tamise, il me mit en rapport avec M. Durand-Ruel grâce auquel plusieurs de mes amis et moi ne sommes pas morts de faim[5]. » (Qu'importe qu'en 1925, dans la mémoire de Monet, le temps de la guerre et celui de la Commune se soient confondus...) En 1910, dans un entretien que publie *L'Excelsior* le 28 novembre, Durand-Ruel lui-même raconte : « Daubigny me présenta Claude Monet en 1870, à Londres ; et, sur sa recommandation, je me suis tout de suite intéressé à ce peintre, qui avait déjà un grand talent. Un homme solide et résistant, et qui me parut devoir peindre sans fatigue pendant plus d'années que je m'en donnais moi-même à vivre[6]... » Dix ans plus tard, il précise : « En 70, à Londres, Daubigny me présenta Claude Monet : "Voilà un jeune homme qui sera plus fort que nous tous." Et comme, devant ces toiles inhabituelles, j'étais un peu désorienté et hésitais, Daubigny de me dire : "Achetez. Je m'engage à vous reprendre celles dont vous ne vous déferez pas et à vous donner de ma peinture en échange puisque vous la préférez"[7]. »

La première rencontre de Claude Monet et de Paul Durand-Ruel a sans doute lieu dans sa galerie, au 168, New Bond Street. Ils ne savent que peu de chose l'un de l'autre... Durand-Ruel sait que les rares toiles de Monet admises au Salon y ont retenu l'attention de la critique. Il sait qu'il a été refusé au Salon, il sait que certaines de ses toiles refusées ont provoqué, exposées dans la vitrine de l'un de ses confrères marchands, la stupeur des uns, l'enthousiasme des autres. Et Monet, quant à lui, ne sait sans doute pas grand-chose de cet homme qui a près de dix ans de plus que lui. Il possède une galerie à Paris, rue Laffitte. Comme d'autres... Il sait – peut-être – que son père a soutenu et fini par imposer l'école de 1830, les Delacroix, les Descamps et les Corot. Il sait – peut-être – qu'il a voulu, et donc financé, la création de la *Revue internationale de l'art et de la curiosité* dont le premier numéro est paru le 15 janvier 1869. Et – peut-être – en a-t-il lu le premier éditorial signé par Ernest Feydeau ? Il y affirmait que la revue serait « une machine de guerre et de polémique ». Il y proclamait encore : « Nous soutiendrons et nous protégerons tout essai, si timide, si juvénile qu'il soit, qui tiendra à faire rentrer l'Ecole française dans la voie saine et naturelle tracée et laborieusement suivie par les maîtres[8]. » Et cette phrase lui a peut-être alors semblé trop ambiguë pour être la promesse d'un engagement...

Mais Durand-Ruel achète. Il expose Monet. Et il lui permet de retrouver Pissarro. Celui-ci a déposé des toiles à la galerie de New Bond Street. Aussitôt Durand-Ruel lui a envoyé ce billet : « Mon cher Monsieur, vous m'avez apporté un charmant tableau et je regrette de n'avoir pas été à ma galerie pour vous faire mes compliments de vive voix. Dites-moi donc, je vous prie, le prix que vous en voulez et soyez assez aimable pour m'en envoyer d'autres dès que vous le pourrez. Il faut que je vous en vende beaucoup ici. Votre ami Monet m'a demandé votre adresse. Il ne savait pas que vous étiez en Angleterre[9]. »

Grâce à Durand-Ruel, Monet a les moyens de faire venir Camille, chargée de toiles, et Jean à Londres. Grâce à Durand-Ruel, et malgré la guerre, Monet peut-il enfin espérer se consacrer à la peinture sans plus avoir à redouter les refus, les privations et les saisies ?

Et comment, en cette fin d'année, apprend-il qu'à Beaune-la-Rolande, le 28 novembre 1870, a été tué le sous-lieutenant du 3ᵉ zouaves Frédéric Bazille ? Quelques jours plus tôt, le jeune peintre avait confié à l'un de ses amis officiers : « Pour moi, je suis bien sûr de ne pas être tué, j'ai trop de choses à faire dans la vie[10]... »

1871

Je commence à être dans le feu du travail[1]

En janvier, Monet s'installe dans le West End au 1, Bath Place. Il y apprend la mort de son père le 17 à Sainte-Adresse. Et il apprend sans doute en même temps que, son père ayant épousé Armande-Célestine Vatine quelques semaines plus tôt, leur fille Marie est devenue une officielle demi-sœur avec laquelle il faut se résigner à partager l'héritage.

Pissarro habite à Lower Norwood. En 1902, plus de trente ans plus tard, il racontera à un journaliste anglais : « Monet et moi étions très enthousiasmés des paysages de Londres. Monet travaillait dans les parcs, j'habitais Lower Norwood, d'où je rayonnais dans les environs, qui à cette époque étaient charmants, étudiant les effets de brume, de neige, de printemps. Nous avons travaillé uniquement sur nature. » Il précise encore : « Bien entendu, nous visitions les musées. Les aquarelles et les peintures de Turner, les Constable, les Old Chrome, ont eu certainement de l'influence sur nous. Nous admirions Gainsborough, Lawrence, Reynolds, etc., mais nous étions plus frappés par les paysagistes, qui rentraient plus dans nos recherches du plein air, de la lumière et des effets fugitifs[2]. »

Tandis qu'ils scrutent les œuvres des uns et des autres, leur regard, s'il est séduit, demeure critique. A son fils Lucien, Pissarro confie dans une lettre du 8 mai 1903 : « Turner et Constable, tout en nous servant, nous ont confirmé que ces peintres n'avaient pas compris l'analyse des ombres qui chez Turner est toujours un parti pris d'effet, un trou. Quant à la division des tons, Turner nous a confirmé sa valeur comme procédé, non comme justesse[3]. » Ce regard porté sur les œuvres vues par Pissarro et Monet dans les musées de Londres (si ce que Pissarro rapporte au début du XXᵉ siècle rend scrupuleusement compte de ce que furent leurs conversations dans les salles de ces musées trente ans plus tôt) est pour Monet un nouvel exercice. Il s'est refusé à s'y livrer à Paris, au Louvre qu'il a dédaigné. Serait-ce enfin à Londres, en compagnie de Pissarro, qu'il prend définitivement conscience que peindre, c'est relever le défi lancé par la peinture même ?

L'annonce de l'armistice conclu le 28 janvier 1871, le soulèvement de Paris le 18 mars, le début de la Commune semblent ne pas concerner

Monet. Comme Pissarro alors, il fait le choix des toiles qu'ils vont proposer à l'exposition de la Royal Academy. Pourquoi les écarterait-on ? On a vu une toile de Monet, *La Plage de Trouville*, en décembre 1870, lors de l'Exhibition for the Benefit of the Distressed Peasantry of France, organisée par Daubigny. On a vu deux autres toiles de lui à l'Exposition internationale de South Kensington en mai. Sans qu'il y ait eu scandale... Le jury de la Royal Academy écarte leurs toiles ? Qu'importe, Durand-Ruel achète à Monet deux vues de la plage de Trouville.

Le 21 mai, les Versaillais entrent dans Paris par la poterne du Point-du-Jour. Commence la Semaine sanglante. Depuis quelques jours Monet envisage de quitter Londres. Tout est remis en cause. Billet à Pissarro daté du 27 mai : « Mon cher Pissarro, Après l'état de choses actuel, découragement complet, et ma foi, nous ne partons pas aujourd'hui[4]. » Suit la première note (révoltée) d'ordre politique écrite par Monet depuis le début de la guerre : « Quelle ignoble conduite que celle de Versailles, tout cela est affreux et rend malade. Je n'ai de cœur à rien. Tout cela est navrant[5]. »

Dans les jours qui suivent, Monet, avec Camille et Jean, part pour la Hollande. A cause du souvenir d'une indication donnée par Jongkind ? A cause d'un conseil de Daubigny ? Questions sans réponse... Le 2 juin, Monet écrit à Pissarro encore à Londres : « Nous sommes enfin arrivés au terme de notre voyage après une assez mauvaise traversée. Nous avons traversé presque toute la Hollande, et certes ce que j'en ai vu m'a paru beaucoup plus beau que ce que l'on dit. Zaandam est particulièrement remarquable et il y a à peindre pour la vie : nous allons être, je crois, très bien installés. Les Hollandais ont l'air très aimables et hospitaliers[6]. »

Ce qui ne les empêche pas d'être fort vigilants... Ce même 2 juin, le commissaire de police de Zaandam transmet à sa hiérarchie cette note consciencieuse : « Avis est donné de l'arrivée en ville d'un étranger, un certain Claude Monet, âgé de 31 ans, peintre, né à Paris. Il loge actuellement à l'hôtel Beurs, propriétaire M. Kellij. Le passeport de M. Monet a été délivré sous l'Empire à la date du 5 septembre 1870. Il est accompagné de sa femme et de son enfant et a l'intention de résider ici quelque temps pour exercer son art. Il est en provenance de Londres. Bien que je n'aie rien observé concernant ledit étranger qui éveille le soupçon, il me paraît du devoir de ma charge de signaler ce fait à Votre Honneur[7]. » On ne saurait être assez prudent... Surtout qu'avec les communards en fuite on peut craindre qu'un peu partout en Europe l'Internationale socialiste ne veuille en profiter pour y disperser le venin d'idées pernicieuses. Si la Suisse veut bien considérer ces parias comme des réfugiés politiques, en revanche les nations civilisées que sont l'Angleterre, la Belgique et les Pays-Bas ne voient aucun inconvénient à renvoyer en France ces révoltés indésirables.

Quinze jours plus tard, la surveillance exercée sur les activités de Monet a des résultats qui ont sans doute déconcerté. Monet peint, ne cesse pas de peindre... Le 17 juin, à Pissarro toujours à Londres : « Je vous demande pardon de ne pas encore avoir répondu à votre première lettre, mais je commence à être dans le feu du travail et n'ai guère de temps[8]. » Si la police de Zaandam lit cette lettre, elle sait à quoi s'en tenir : « Quant à nous, nous sommes ici très bien installés et nous resterons là l'été ; après peut-être viendrai-je à Paris, pour le quart d'heure il faut travailler et je suis ici à merveille pour peindre, c'est tout ce qu'on peut trouver de plus amusant. Des maisons de toutes les couleurs, des moulins par centaines et des bateaux ravissants, les Hollandais assez aimables et parlant presque tous français. Avec tout cela un très beau temps, aussi ai-je déjà mis pas mal de toiles en train[9]. » Monet précise encore à Pissarro : « Je n'ai pas eu le temps d'aller visiter les musées, je veux avant toute chose travailler et je m'offrirai cela après[10]. »

La police ne cesse pas pour autant d'être vigilante. Un nouveau rapport précise : « Les mouvements de l'étranger Claude Monet qui est arrivé ici sont soumis à une étroite surveillance. » Le 19 juin, le commissaire de police doit se résigner à faire ce constat : « A ce jour, Claude Monet n'a rien fait qui le rende suspect[11]. »

Un jour, Monet ouvre un paquet que Camille vient d'acheter. Ce qui le surprend, ce n'est pas le contenu, c'est le papier d'emballage : une estampe japonaise. Récit d'Octave Mirbeau – rédigé cinquante ans plus tard : « Il courut à la boutique d'épicerie, où les gros doigts d'un gros homme enveloppaient – sans en être paralysés – deux sous de poivre, dix sous de café, dans de glorieuses images rapportées de l'Extrême-Orient, au fond de quelque cale de navire, avec des épices !... Bien qu'il ne fût pas riche, en ce temps-là, Monet était bien résolu à acheter tout ce que l'épicerie contenait de ces chefs-d'œuvre... Il en vit une pile, sur le comptoir. Son cœur bondit... Et puis, il vit l'épicier qui servait une vieille femme, détacher une feuille de la pile... Il se précipita : – Non... non... cria-t-il... je vous achète tout ça... tout ça... L'épicier était brave homme. Il crut avoir affaire à un original... Et puis, ces papiers coloriés ne lui coûtaient rien : il les avait par-dessus le marché... Comme on donne à un enfant qui pleure, pour l'apaiser, une image, il donna la pile à Monet en riant, et se moquant un peu : – Prenez... prenez... dit-il... Ah ! vous pouvez bien les prendre... Ça ne vaut rien... Ça n'est pas solide... J'aime mieux ce papier-là, moi[12]... » Reste à tenir compte du commentaire fait par Monet lui-même quelques années plus tard : « Mirbeau arrange souvent les choses pour corser le récit... Ma collection était en train depuis longtemps. Mais il est vrai que j'eus la bonne fortune de découvrir un lot d'estampes chez un marchand hollandais. C'était à Amsterdam dans une boutique de porcelaine de Delft[13]. »

Monet peint. Il peint la Zaan, les canaux, les moulins. Il peint la Voorzaan, des façades bariolées, des voiles levées.

Le 8 octobre, le commissaire de police de Zaandam peut pousser un soupir de soulagement. Ce n'est pas sur son territoire que Monet se sera livré à des activités répréhensibles. Il est parti pour Amsterdam. Il a l'intention de rentrer en France. Sur cette route du retour, il prend le temps de visiter les musées. A Haarlem, à Amsterdam. Et, des années plus tard, en 1924, l'absurdité de certains commentaires « autorisés » provoque encore cette exclamation exaspérée : « Les Rembrandt dorés, quelle niaiserie ! Croyez-vous que les collerettes des Syndics n'étaient pas éclatantes de blancheur quand il les peignit[14]... »

1872-1873

Décidément tout le monde trouve cela bien[1]

A son retour à Paris, à l'automne 1871, Monet s'installe à l'hôtel de Londres et New York, place du Havre. Au quatrième étage du 8 de la rue d'Isly, il dispose de l'atelier qui a été celui d'Amand Gautier. Elu à la Fédération des artistes aux séances de laquelle il a intensément participé, Gautier a été arrêté en juin, après la chute de la Commune. Incarcéré à la prison de Mazas, il y a peint les portraits de Rochefort et de Courbet, eux-mêmes emprisonnés.

Boudin qui habite à deux pas, au 31 de la rue Saint-Lazare, ne tarde pas à venir voir les toiles rapportées de Hollande. L'une d'entre elles est bientôt achetée par le marchand Latouche qui n'avait pas hésité à exposer dans la vitrine de sa galerie des toiles de ce Monet refusé au Salon. Et Monet lui-même veut ne plus penser à ce Salon... Il laisse entendre à ceux qu'il retrouve dans Paris, où les bâtiments, les monuments et les palais brûlés pendant les combats de la Semaine sanglante se dressent comme des carcasses calcinées qui semblent fumer encore, qu'il n'a pas l'intention de rester là. Il doit se tenir à distance ; il lui faudrait retrouver une maison comme celle qu'il a occupée chemin des Closeaux, à Sèvres, près de la gare de Ville-d'Avray. Manet l'invite à entrer en relation avec Mme Aubry, veuve d'un notaire qui fut maire d'Argenteuil où elle est propriétaire de plusieurs maisons. L'une d'elles, près de l'hospice, porte Saint-Denis, en contrebas de la gare, dispose d'un appentis qui pourrait tenir lieu d'atelier, d'autant plus que de vastes vitrages donnent sur la Seine, à quarante ou cinquante pas. Le loyer s'élève à 1 000 francs par an payables en quatre termes. La somme est raisonnable si Paul Durand-Ruel, rentré à Paris depuis plusieurs mois, malgré le deuil qui le frappe – sa femme est décédée le 27 novembre –, continue d'avoir les mêmes intentions d'achats...

Le 21 décembre, Monet s'excuse auprès de Pissarro de n'avoir pas eu le temps de lui rendre visite à Louveciennes : « Nous sommes en plein feu d'emménagement[2]. » A son retour à Louveciennes, Pissarro avait retrouvé sa maison pillée. Les voisins lui ont expliqué que « les Allemands avaient passé par là[3]... ». Il n'est pas resté une seule de ses toiles. En revanche, sans doute parce qu'elles avaient été cachées dans une armoire, sous l'escalier au premier étage, les toiles que Monet lui avait confiées avant son départ pour Londres n'ont pas été trouvées. D'où cette demande : « Si vous pouviez pousser l'amabilité jusqu'à faire un paquet des quelques toiles que vous avez à moi, cela me ferait grand plaisir ; mais cela, je ne vous le demande que si cela ne vous dérange pas trop[4]. »

Dès le début de l'année 1872, Monet est installé à Argenteuil. La description faite par Touchard-Lafosse dans son *Histoire de Paris et de ses environs* une vingtaine d'années plus tôt, en 1850, n'a guère besoin d'être amendée : « C'est une ville sise sur une colline, entourée de vignobles, parsemée de jardins et de vergers, offrant au voyageur un aspect bigarré et pittoresque. Ici et là, à travers les vignes et les buissons de la colline, on découvre les vestiges grisâtres de l'ancienne abbaye. Une église paroissiale de taille imposante couronne ce mélange de verdure et d'habitations. Argenteuil est un village joyeux, animé, à la physionomie intéressante[5]. »

Depuis l'ouverture en 1851 d'une ligne de chemin de fer, Argenteuil est à un quart d'heure de Paris. Et depuis cette date, grâce à l'exploitation intense du gypse des collines du nord de la ville, lequel est l'origine du « plâtre de Paris » ô combien nécessaire aux travaux provoqués par Haussmann et les quelque quarante kilomètres de rues et de boulevards percés dans la capitale, la population d'Argenteuil a doublé. Les industries s'y sont multipliées. Argenteuil peut aussi s'enorgueillir d'avoir produit à la forge Joly les éléments qui ont permis la construction des Halles de l'architecte Baltard. La même forge est appelée à fournir des pièces pour la reconstruction des deux ponts, celui de chemin de fer comme le pont routier. Lorsque Claude Monet, Camille et Jean arrivent à Argenteuil, à cause des destructions provoquées par la Commune, le train s'arrête dans la plaine de Gennevilliers et c'est grâce à une diligence, mise en service par la compagnie de chemin de fer, que l'on atteint la gare, elle-même en ruine.

Mais ces désagréments n'empêchent pas Boudin et quelques autres amis de venir pendre la crémaillère le 2 janvier. Peut-être l'un d'entre eux chante-t-il cette chanson qui va bientôt avoir vingt ans :

> *Allons, ô ma locomotive !*
> *Tes rails nous mènent au progrès.*
> *La génération hâtive*
> *Appelle des ombrages frais[6].*

Et peut-être un autre encore, à cause de l'évocation de ces « ombrages frais », réveille-t-il un souvenir pareil à celui de l'un des personnages de Guy de Maupassant : « Nous étions cinq, une bande, aujourd'hui des hommes graves ; et comme nous étions tous pauvres, nous avions fondé, dans une affreuse gargote d'Argenteuil, une colonie inexprimable qui ne possédait qu'une chambre dortoir où j'ai passé les plus folles soirées, certes, de mon existence. Nous n'avions souci de rien que de nous amuser et de ramer, car l'aviron pour nous, sauf pour un, était un culte. Je me rappelle de si singulières aventures, de si invraisemblables farces, inventées par ces cinq chenapans, que personne aujourd'hui ne pourrait croire. On ne vit plus ainsi, même sur la Seine, car la fantaisie enragée qui nous tenait en haleine est morte dans les âmes actuelles[7]. » Si cette raison d'être nostalgique pouvait être la seule... Il y en a une autre que M. le maire se doit d'exposer à M. le préfet par une lettre du 23 juillet 1872 : « Entre le pont de la route nationale n° 48 et les bateaux à lessive qui sont au long des promenades, des boues ont été relevées le long du talus. Au-dessus même de ces bateaux, les terres ont été consolidées, un jardin même a été créé et ce jardin bouche complètement l'espace du fleuve régnant entre la berge et les bateaux, d'où il suit que dans un assez long parcours l'eau ne circule plus ; il y a un amas d'immondices, des chats, des chiens en putréfaction ; la circulation sur les promenades devient désagréable[8]. »

On ne sait pas trop encore à Paris que les collecteurs d'Asnières et de Saint-Denis déversent chaque année 4 500 tonnes dans la Seine à Argenteuil même. « L'infection du fleuve est complète[9]. » Comme donc l'on ne sait pas trop encore que la Seine y est devenue cette pourriture, Argenteuil est encore une destination dominicale du Parisien. Souvenir d'Emile Zola : « Outre les chemins de fer, il y a les bateaux à vapeur de la Seine, les omnibus, les tramways, sans compter les fiacres. Le dimanche, c'est un écrasement ; par certains dimanches de soleil, on a calculé que près d'un quart de la population, cinq cent mille personnes, prenaient d'assaut les voitures et les wagons et se répandaient dans la campagne[10]. » Et à Argenteuil en particulier lors de la Pentecôte. Une procession, après les psaumes, les cantiques, les prières, passe par toute la ville. La relique qui est alors présentée à tous est l'une des plus rares qui soient. Charlemagne l'offrit à sa fille Théodrate et c'est elle-même qui en confia la garde au couvent qui portait le nom d'Argentoïalium. Depuis la Révolution, cette relique est la propriété de la mairie. La foule pieuse qui se presse à Argenteuil importune Monet plus qu'autre chose... Surtout en cette période de la Pentecôte où, on peut l'espérer, d'ordinaire il fait beau. Reste à peindre dans le verger, dans le jardin de la maison. Ou, pourquoi pas après tout, peindre la fête elle-même...

Le 6 janvier 1872, Courbet écrit à Boudin. Il vient de passer sept mois en prison. Depuis quelques jours prisonnier sur parole à Neuilly, chez le docteur Duval, il répond à la charmante lettre de Boudin et se dit « d'autant plus content » de l'avoir reçue « qu'il y a bien des lâcheurs dans le temps qui court ». Il se garde d'écrire à quiconque et de citer dans sa réponse des noms qui seraient aussitôt reportés « à la Préfecture de police sur leurs livres et cela fait des dossiers, ce dont il faut se méfier »... Il cite cependant celui d'Amand Gautier qui « a été courageux » et, pour répondre à la proposition de visite que lui fait Boudin, il écrit : « Venez avec Gautier, Monet et même les dames si le cœur leur en dit[11]. » Quelques jours plus tard, Monet rend visite à Courbet. Il ne sera pas dit que l'on aurait pu le compter parmi les « lâcheurs ».

Installé à Argenteuil, Monet commence à peindre. A ne pas cesser de peindre. Tout y est motif. Il peint le pont routier dont le tablier a été détruit, les étais, les échafaudages. Quelques mois plus tard, lorsque les travaux sont achevés, il en peint l'une des arches métalliques remises en place, comme il peint alors le pont de chemin de fer, son tablier rectiligne, barre claire posée sur les quatre couples de piles jumelles, larges colonnes circulaires. Entre-temps, il peint plusieurs dizaines de toiles. Il peint le petit bras de la Seine qui longe l'île Marante, la Seine même, la promenade au long du fleuve, le port qu'on appelle soit le « port des voiliers » soit le « garage de la flottille ». Il peint le bassin de la Seine. Si le fleuve, ses régates, ses bateaux, ses péniches et ses remorqueurs, ses voiliers et ses barques ne cessent d'être des motifs, il peint aussi la plaine, les vignes, les champs.

Et, dans Argenteuil même, il plante son chevalet devant le boulevard Héloïse, devant l'ancienne rue de la Chaussée, devant une rue en pente, devant une maison du mail, devant l'hospice, devant la gare... Et, saison après saison, il peint le brouillard dans les champs comme la neige au moulin d'Orgemont comme les inondations, les peupliers plantés dans leur reflet.

Et, saison après saison, il peint Camille. Au printemps, elle est dans le jardin parmi les arbres en fleurs. Elle est assise dans l'ombre des lilas et, peut-être, celle avec laquelle elle converse est-elle la femme de Sisley. En été, elle est *La Liseuse* assise dans l'herbe, dans la corolle d'une robe blanche mouchetée de taches de lumière. En hiver, elle passe derrière les rideaux écartés d'une fenêtre fermée sur un jardin enneigé, la tête et les épaules couvertes d'un châle rouge. Et Jean, coiffé d'un canotier enrubanné, pédale sur son cheval mécanique dans les allées du jardin.

En 1873, Monet peint des pommiers en fleur dans les vergers, des coquelicots dans les champs, des dahlias dans son jardin.

Ni un bref séjour à Rouen en mars 1872 – il y montre à la 23ᵉ exposition municipale *Méditation*, Camille en robe sombre étendue sur un sofa, un livre relié de rouge fermé entre les mains, peint à Trouville et déjà exposé à Londres, et une vue d'un canal de Zaandam que lui a achetée son frère Léon –, ni quelques jours passés en Normandie encore, à Etretat, au Havre, n'interrompent le rythme de son travail. De Rouen, il rapporte une douzaine de toiles, d'Etretat et du Havre une dizaine. L'une d'elles n'a pas de titre encore. C'est une vue du port du Havre dans le petit matin. A l'aplomb de ses reflets sur l'eau du bassin qui, trouble, tremble, vibre, le soleil n'est encore qu'une tache rousse. Quel titre pourrait convenir à une telle impression ?...

Pourquoi ne pas peindre, pourquoi ne pas peindre à l'extérieur toujours ? Pendant cette période, Monet ne peint que trois natures mortes. L'une rassemble un melon découpé, des grappes de raisin, des pêches, l'autre les dépouilles d'une perdrix et d'une bécasse pendues par les pattes à un clou ; la troisième représente un service à thé sur un plateau. Peut-être est-ce à cette nature morte que travaille Monet lorsque Renoir le représente en train de peindre à l'intérieur, devant une fenêtre, devant un rideau que retient une embrasse. Monet en train de peindre à l'intérieur ! La situation est assez rare pour que Renoir veuille qu'il en demeure une trace...

Après tout, pour la première fois, ces toiles peintes dans une lumière qui n'est pas une convention, dans une lumière qui est vraie, se vendent. En 1872 – il a trente et un ans – trente-huit peintures sont vendues. Pour un total de 12 100 francs. A lui seul, Paul Durand-Ruel, qui se révèle fidèle, en a acheté vingt-neuf pour lesquelles il a payé 9 800 francs. Sauf exception, une toile de Monet vaut alors en moyenne 300 francs. Le 9 novembre Théodore Duret a enfin remis à Pissarro 2 000 francs pour le solde de tout compte de l'achat fait en mai d'un tableau de Monet. Pissarro a dû s'entremettre entre le peintre et le critique parce que le premier assure avoir vendu sa toile 1 200 francs et parce que le second prétend que le premier a accepté de la lui laisser pour 1 000 francs. Pour défendre la peinture de son ami que Duret soupçonne de friser le dilettantisme, Pissarro lui a écrit : « C'est un art très étudié, basé sur l'observation, et d'un sentiment tout nouveau, c'est la poésie par l'harmonie des couleurs vraies, Monet est un adorateur de la nature vraie[12]. » En 1873, une toile comme l'une des *Grenouillère* est vendue plus cher encore, 2 000 francs. En décembre, les dernières neuf toiles vendues cette année-là le sont pour 7 000 francs. Ce qui porte le chiffre des ventes de l'année à 24 800 francs. En cette même année, le père de Camille décède le 22 décembre. Le 24 novembre, Camille reçoit 4 000 francs de sa mère Mme Doncieux, légataire universelle de M. Doncieux. Ce qui reste dû à Camille devrait ne pas tarder, en dépit de difficultés, à lui être versé. Le temps de la gêne, le temps des dettes, le temps des menaces de créanciers et d'huissiers serait-il enfin terminé ?

Le 12 décembre 1872, Boudin a écrit à son ami Martin : « Nous avons quelquefois la visite de Monet, qui paraît satisfait de son art malgré la résistance qu'il éprouve à faire admettre sa peinture. » Un an plus tard, c'est cette résistance qu'il est temps d'emporter.

1874/1

Mettez *Impression*[1]

On en parle dans les ateliers depuis bientôt sept ans... Depuis sept ans tant de choses ont changé : l'Empire s'est effondré, les Tuileries ont brûlé, Mac-Mahon a succédé à Thiers à la présidence de la République, et le Salon est resté le Salon. Le Salon est immuable. « Ce qui frappe, tout d'abord, dès l'entrée en un Salon quelconque, c'est, avec la dépense vraiment extraordinaire d'habileté et de science technique, la prodigieuse *ressemblance* de toutes les toiles entre elles qui va jusqu'à ce point que, sans certaines singularisations superficielles destinées à servir d'enseignes et préméditées indépendamment du reste de l'œuvre, ainsi que des marques de fabrique, on pourrait le plus souvent déplacer, d'un tableau à l'autre, les signatures, sans que nulle grande incohérence en résultât[2] ! » C'est en 1891 que le critique Albert Aurier a écrit ces lignes. Les mêmes auraient pu l'être, année après année, depuis plus de vingt ans, sans qu'il eût été besoin de changer le moindre mot. Pour cette raison un projet de rupture a déjà été envisagé en 1867 : « Nous avons donc résolu de louer chaque année un grand atelier où nous exposerons nos œuvres en aussi grand nombre que nous le voudrons. Nous inviterons les peintres qui nous plaisent à nous envoyer des tableaux. Courbet, Corot, Diaz, Daubigny et beaucoup d'autres que vous ne connaissez peut-être pas, nous ont promis d'envoyer des tableaux, et approuvent beaucoup notre idée. Avec ces gens-là et Monet, qui est plus fort qu'eux tous, nous sommes sûrs de réussir. Vous verrez qu'on parlera de nous[3]. » La mort de Bazille, tombé sur un champ de bataille pendant la guerre, qui faisait part de ses convictions à sa mère, ne change rien à l'affaire. Au contraire. Parce que le temps est passé, il est devenu urgent de faire quelque chose. Encore faut-il s'en donner les moyens.

En mai 1873, un article de *L'Avenir national* publié par Paul Alexis, proche de Zola, semble avoir irrévocablement tout mis en branle. Le 7 mai, deux jours après la parution de ce papier sur six colonnes, Monet lui écrit : « Un groupe de peintres réunis chez moi a lu avec plaisir l'article publié par vous dans *L'Avenir national*. Nous sommes tous heureux de vous voir défendre des idées qui sont les nôtres et nous espérons ainsi que vous le dites que *L'Avenir national* voudra bien nous prêter son appui quand la Société que nous sommes en train de former sera entièrement fondée[4]. » Ce qui est (enfin !) fait à la fin de l'année, non sans complications de tous ordres, des réticences des uns aux atermoiements des autres, en passant par les difficultés, pour la plupart, à régler leur souscription...

Lorsque la Société devient une réalité, dans la maison d'Argenteuil où s'est tenue sept mois plus tôt une réunion décisive – chez qui aurait-elle pu avoir lieu si ce n'est chez celui dont l'ardeur est la plus déterminée ? –, Monet est au Havre. Il y peint des marines. Pas sans mal. Aveu fait à Pissarro le 27 janvier 1874 : « Je travaille, mais quand on a cessé de faire de la marine, c'est diable après très difficile : cela change à tout instant et ici le temps varie plusieurs fois dans la même journée[5]. » Dans la même lettre, Monet, qui est l'un des sept administrateurs provisoires de cette société, voudrait ne pas passer pour un « lâcheur ». Il assure : « A mon retour, je serai exact à mon poste[6]. » Il l'est.

Avec cinq toiles. Un *Déjeuner*, un *Boulevard des Capucines*, des *Coquelicots*, des *Bateaux sortant du port du Havre*. Au dernier moment, pour la cinquième toile qui doit porter le numéro 98, il manque un titre à Edmond Renoir, frère cadet d'Auguste, chargé de l'établissement du catalogue qui doit être imprimé chez Alban-Lévy, 61, rue La Fayette. « Ça ne pouvait vraiment pas passer pour une vue du Havre, je répondis : "Mettez *Impression*"[7]. »

Et, le 15 avril, au 35, boulevard des Capucines, s'ouvre l'exposition proposée par la Société anonyme coopérative d'artistes peintres, sculpteurs, etc., à Paris dont les statuts ont été publiés par *La Chronique des arts et de la curiosité* le 17 janvier. Les salons aux murs tendus de laine brun-rouge ont été, jusqu'à l'année précédente où il s'est installé au 51 de la rue d'Anjou, ceux de Nadar. Généreux, amusé par le probable tapage que devrait provoquer l'événement, le photographe a prêté ses salles vidées de leurs vitrines, leurs bibelots, leurs chaises. L'exposition rassemble trente artistes. Le catalogue compte 165 numéros. Un tirage au sort a déterminé la place à laquelle les œuvres de chacun sont accrochées. Enfin, l'exposition est ouverte au public de 10 heures à 18 heures et, singulière innovation, de 20 heures à 22 heures.

Ce qui dérange la presse, ce n'est pas tant de savoir ce que sont ou ne sont pas ces 165 œuvres présentées, c'est l'exposition elle-même, l'événement que représente une pareille exposition. Si MM. Courbet et Manet ont eu l'impudence d'exposer leurs propres œuvres dans leurs propres pavillons quelques années plus tôt, jamais encore des artistes n'ont eu l'audace d'organiser eux-mêmes un salon indépendant et, si une soi-disant Société nationale des beaux-arts a prétendu s'émanciper une quinzaine d'années plus tôt, on est vite venu à bout de cette odieuse ambition. La presse conservatrice se méfie de ce qui ne peut que porter atteinte à l'ordre moral. Si l'on commence à pouvoir montrer ce que l'on veut sans devoir se soumettre à une autorité compétente, où s'arrêtera-t-on ? Il serait inconvenant de faire de la réclame à une telle manifestation. Mais comment garder le silence sur un événement qui n'a pas de précédent, et qui, par provocation, ose ouvrir ses portes quinze jours avant le Salon lui-même !

Dès le lendemain de l'inauguration, Philippe Burty veut, dans *La République française*, lever une ambiguïté : « Cette exposition est prête le 15 avril, pour marquer qu'elle n'est en rien une maison de refuge pour les refusés par le jury officiel. Elle n'entend en rien entrer en lutte avec l'administration. Ses statuts rejettent le principe du jury, comme attentatoire à la libre manifestation des données personnelles[8]. »

Aux yeux de Burty, l'initiative est singulière et louable. Pour Ernest d'Hervilly, dès le lendemain dans *Le Rappel*, il est hors de question de faire une réserve : « On ne saurait trop encourager cette entreprise hardie, depuis longtemps conseillée par tous les critiques et par tous les amateurs. » *Le Gaulois*, le 18 avril, sous la plume de Léon de Lora, assure que l'exposition est une « très louable tentative[9] ». *Le Rappel* récidive le 20 avril lorsque Jean Prouvaire y écrit : « Il y a là une entreprise audacieuse, et qui, à ce seul titre, aurait droit à nos sympathies[10]. » *Aurait...* Le conditionnel annoncerait-il une curée ? « Pour mon compte, j'y obtins autant de succès que je pouvais en désirer, c'est-à-dire que je fus énergiquement conspué par tous les critiques de l'époque[11]. » La mémoire de Monet triche. Ou ne cherche qu'à conforter une légende. « Tous » les critiques ne l'ont pas hué. Loin de là. Quant à ceux qui l'ont éreinté avec le plus d'acharnement, ce sont ceux qui, au bout du compte, l'auront sacré.

Qui conspue Monet ? Pas Ernest d'Hervilly. Dans *Le Rappel* du 17 avril, il cite, « parmi les noms inscrits au bas d'ouvrages réellement remarquables », celui de « Claude Monet, qui a une vue du boulevard ensoleillé où la trépidation et la kaléidoscopie de la vie parisienne sont rendues avec infiniment de grâce et d'esprit[12] ». Pas Léon de Lora. Dans *Le Gaulois* du 18 avril, il énumère un « *Déjeuner* entièrement peint d'après nature, mais où le réalisme n'a rien que de fort attrayant » et « une esquisse brillante du boulevard des Capucines[13] ». Pas Jean Prouvaire. Dans *Le Rappel*, le 20 avril, s'il a des doutes à l'égard du *Déjeuner*, il n'hésite pas à écrire que d'autres tableaux lui « plaisent singulièrement. *La Promenade dans les blés* mêle heureusement les chapeaux fleuris des femmes aux coquelicots rouges des blés, et quant au *Boulevard des Italiens*, il est si tumultueux, si multicolore, que le boulevard des Italiens lui-même, en le considérant, serait étonné de son propre éclat et de son propre tumulte[14] ». Pas Jules Castagnary. Dans *Le Siècle* du 29 avril, il écrit : « M. Monet a des emportements de main qui font merveille[15]. » Ce n'est pas l'avis d'Ernest Chesneau. Dans le *Paris-Journal* du 7 mai, il confond son nom avec celui de Manet. Ce qui l'empêche pas de lui rendre cet hommage enthousiaste : « Jamais, par exemple, la lumière du jour du Nord dans nos appartements n'a été rendue avec la puissance d'illusion que contient la toile de M. Manet intitulée *Le Déjeuner*. Jamais l'animation prodigieuse de la voie publique, le fourmillement de la foule sur l'asphalte et des voitures sur la chaussée, l'agitation des arbres du boulevard dans la poussière et la lumière, jamais l'insaisissable, le fugitif, l'instantané du mouvement n'a été saisi et fixé dans sa prodigieuse fluidité, comme il l'est dans cette extraordinaire, dans cette merveilleuse ébauche que M. Manet a cataloguée sous le titre de *Boulevard des Capucines*[16]. »

Seuls deux critiques éreintent Monet, Louis Leroy et Emile Cardon. Le premier rapporte dans *Le Charivari* du 25 avril sa visite de l'exposition en compagnie de M. Joseph Vincent, paysagiste, « médaillé et décoré sous plusieurs gouvernements ». Comment douter de la valeur de son jugement ? La visite a pu commencer sans que cet éminent visiteur soit trop éprouvé. « Il supporta même sans avarie majeure la vue des *Bateaux de pêche sortant du port* de M. Claude Monet ; peut-être parce que je l'arrachai à cette contemplation dangereuse avant que les petites figures délétères du premier plan eussent produit leur effet. Malheureusement j'eus l'imprudence de le laisser trop longtemps devant le *Boulevard des Capucines* du même peintre.

« – Ah ! ah ! ricana-t-il à la Méphisto, est-il assez réussi, celui-là !... En voilà de l'impression ou je ne m'y connais pas... Seulement veuillez me dire ce que représentent ces innombrables lichettes noires dans le bas du tableau ?

« – Mais, répondis-je, ce sont des promeneurs.

« – Alors je ressemble à ça lorsque je me promène sur le boulevard des Capucines ?... Sang et tonnerre ! Vous moquez-vous de moi à la fin ?

« – Je vous assure, monsieur Vincent...

« – Mais ces taches ont été obtenues par le procédé qu'on emploie pour le badigeonnage des granits de fontaine : Pif ! paf ! v'li !v'lan ! Va comme je te pousse ! C'est inouï, effroyable ! J'en aurai un coup de sang bien sûr ! » Quelques toiles plus loin, l'irrémédiable se produit : « Il était réservé à M. Monet de lui donner le dernier coup.

« – Ah ! le voilà ! le voilà ! s'écria-t-il devant le n° 98. Je le reconnais le favori de papa Vincent ! Que représente cette toile ? Voyez au livret.

« – *Impression, soleil levant.*

« – *Impression*, j'en étais sûr. Je me disais aussi, puisque je suis impressionné, il doit y avoir de l'impression là-dedans... Et quelle liberté, quelle aisance dans la facture ! Le papier peint à l'état embryonnaire est encore plus fait que cette marine-là ! » Il reste au paysagiste « médaillé et décoré sous plusieurs gouvernements », devenu fou, à danser la danse du scalp devant le gardien et à crier d'une voix étranglée : « Hugh !... Je suis l'impression qui marche, le couteau à palette vengeur[17]... », Pour rendre parfaitement compte de la puissance des impressions, l'article de Louis Leroy pourrait-il avoir un autre titre que « L'Exposition des Impressionnistes » ? L'événement mérite un néologisme !

Quatre jours plus tard, le 29 avril, Jules-Antoine Castagnary l'entérine : « La qualification de *Japonais*, qu'on leur a donnée d'abord, n'avait aucun sens. Si l'on tient à les caractériser d'un mot qui les explique, il faudra forger un mot qui les explique, il faudra forger le terme nouveau d'*impressionnistes*. Ils sont impressionnistes en ce sens qu'ils rendent non le paysage, mais la sensation produite par le paysage. Le mot même est passé dans leur langue : ce n'est pas *paysage*, c'est *Impression* que s'appelle au catalogue le *Soleil levant* de M. Monet[18]. »

Le même jour paraît dans *La Presse* l'article d'Emile Cardon. A l'inverse de Castagnary qui plaide, Cardon attaque. La force goguenarde du mot forgé par son confrère Louis Leroy a fait mouche. Il n'y a pas de doute à avoir, il faut frapper là où cela fait mal, il faut s'acharner sur l'« impression ». Il lui faut donc consacrer l'essentiel de son propos à « MM. Degas, Cézanne, Monnet [*sic*], Sisley, Pissarro, Mlle Berthe Morisot, etc., etc. les représentants les plus convaincus et les plus autorisés de l'*Ecole de l'Impression*. Cette école supprime deux choses : la ligne sans laquelle il est impossible de reproduire la forme d'un être animé ou d'une chose, et la couleur qui donne à la forme l'apparence de la réalité. Salissez de blanc et de noir les trois quarts d'une toile, frottez le reste de jaune, piquez au hasard des taches rouges et bleues, vous aurez une *impression* du printemps devant laquelle les adeptes tomberont en extase. Barbouillez de gris un panneau, flanquez au hasard et de travers quelques barres noires ou jaunes, et les illuminés, les voyants vous diront : – Hein ! comme cela donne bien l'*impression* du bois de Meudon. Quand il s'agit d'une figue humaine, c'est bien autre chose ; le but n'est plus d'en rendre la forme, le modelé, l'expression, il suffit d'en rendre l'*impression* sans ligne arrêtée, sans couleur, sans ombre ni lumière ; pour réaliser une théorie aussi extravagante on tombe dans un gâchis insensé, fou, grotesque, sans précédents heureusement dans l'art, car c'est tout simplement la négation des règles les plus élémentaires du dessin et de la peinture. Les charbonnages d'un enfant ont une naïveté, une sincérité qui font sourire, les débauches de cette école écœurent ou révoltent[19] ».

Scandaleuse, l'exposition ? Peut-être... Lorsque, le 15 mai, les portes se ferment, elle a été visitée par trois mille cinq cents personnes. Chacune a acquitté 1 franc pour entrer. Et certains ont déboursé encore 50 centimes pour faire l'acquisition du catalogue. Enfin, elle a permis la vente d'une bonne dizaine de toiles... Qui pourrait, qui peut désormais douter que Claude Monet soit le chef de cette « Ecole de l'impression », le premier des impressionnistes ?

III

D'ARGENTEUIL À GIVERNY

1874-1883

1874/2

Excusez-moi de n'être pas venu
vous rendre le billet de cent francs[1]

Et ce chef d'école recommence d'avoir des dettes. Il lui faut renoncer à l'atelier de la rue d'Isly dont il est locataire depuis son retour en France après la guerre et la Commune. Quant au loyer dû à Mme Aubry, il commence d'être payé avec retard. Le 1er avril, à 7 heures et demie du matin, une quittance lui est présentée. Monet, qui n'a plus en tout et pour tout que 200 francs, demande que l'on revienne à midi. Il attend Manet. Avec l'espoir que Manet aura sur lui ce qui lui manque pour acquitter les 250 francs dus. Si Manet n'arrive pas... « Je ferai prier Mme Aubry d'attendre jusqu'à demain ou après[2]. » Manet prête. Mme Aubry est payée. C'est à Manet d'attendre. Après avoir prêté encore. Après avoir prêté tout au long de l'année. A la fin du mois de janvier 1875, Manet recevra encore ce billet de Monet : « Je vous demande pardon de m'adresser si souvent à vous, mais ce que vous m'avez apporté est épuisé. Me voilà de nouveau sans un sou. Si vous pouviez, sans que cela vous gêne, m'avancer 50 francs au moins, cela me rendrait un singulier service[3]. »

Au tout début de l'année, pendant l'hiver encore, il a passé quelques semaines à Amsterdam. Il y a peint le Geldersekade sous la neige, l'Onbekende Gracht au bord duquel s'élève un ancien moulin, la Schreijerstoren.

De retour sur les bords de la Seine à Argenteuil, il lit et relit sans doute les articles des uns et des autres...

Après tout, dès son premier article, Philippe Burty a reconnu que « le rendu de la large lumière du plein air[4] » était leur ambition. Et, dix jours plus tard, il affirmait à nouveau, dans la même *République française* : « Cette exhibition nous intéresse tout d'abord par la clarté de la couleur, la franchise des masses, la qualité des impressions[5]. » Quant à Castagnary, il suffit de relire son article du 29 avril paru dans *Le Siècle* pour y retrouver ces lignes : « Cette jeunesse a une façon de comprendre la nature qui n'a rien d'ennuyeux ni de banal. C'est vif, c'est preste, c'est léger ; c'est ravissant. Quelle intelligence rapide de l'objet et quelle facture amusante ! C'est sommaire, il est vrai, mais combien les indications sont justes[6] ! » Enfin, parue le jeudi 7 mai dans *Paris-Journal*, cette affirmation d'Ernest Chesneau n'est pas faite pour désespérer : « Mais quel coup de clairon pour ceux qui ont l'oreille subtile et comme il porte loin dans l'avenir[7]. » Si certains ont pu reconnaître la force de leur peinture, si certains ont pu y reconnaître une promesse, pourquoi douter ?

Il faut donc peindre. Et il faut peindre non seulement devant le motif, mais au sein du motif. Il faut se fondre dans le motif même.

Pour recommencer de peindre la Seine comme il a peint l'Amstel au tout début de l'année, il lui faut un bateau, un bateau-atelier. Daubigny a eu un tel bateau déjà. Et avec ce *Botin*, il a peint sur l'Oise, la Seine, la Marne. Monet n'a pas l'intention de naviguer de la même manière. Il lui importe peu que sa barque soit plus courte. Au moins est-elle plus ouverte. La cabine s'ouvre à la proue comme à la poupe. Et, de part et d'autre, à bâbord comme à tribord, il y a trois fenêtres. Pour pouvoir peindre à l'extérieur comme à l'intérieur. Et c'est à bord de son bateau-atelier qu'il peint des arches du pont routier d'Argenteuil, qu'il peint Argenteuil même au-delà de la Seine. C'est de son bateau encore qu'il peint des voiliers au Petit-Gennevilliers, des régates à Argenteuil.

Le 7 juin, il est sans doute sur la berge pour l'une des courses de bateaux à vapeur organisées par le Cercle de voile des régates parisiennes, sous le patronage du Yacht Club de France, dont Eugène Chapus rend compte dans *Le Sport* du 19 août 1874 : « Il faut remonter aux grandes courses de l'Exposition universelle de 1867 pour se représenter l'aspect que le bassin d'Argenteuil offrait dimanche dernier. En dehors de tous les yacht's men [*sic*] parisiens qui se pressaient autour du mât du pavillon d'arrivée, un public nombreux couvrait toutes les berges sur une longue étendue[8]. » Peut-être Zola est-il là... Il songe : « Les eaux passent largement, quelques nuages, d'une blancheur de duvet, volent dans un ciel pâle, tandis qu'un silence frissonnant descend des arbres. Et je n'ai plus qu'un désir, celui de m'anéantir là, de m'abandonner à ces eaux, à ces nuages, de me perdre au fond de ce silence. Cela est si bon, de cesser les querelles de son doute et s'en remettre à cette sérénité de la campagne, qui, elle, fait sa besogne sans un arrêt et sans une discussion ! Demain, nous reprendrons nos vaines disputes. Aujourd'hui, soyons forts et inconscients comme ces chevaux qu'on lâche dans des îles, avec de l'herbe jusqu'au ventre[9].» En dépit de la gêne, en dépit des injures, les uns et les autres autour de Monet ont le sentiment de vivre un temps où ils peuvent espérer « tout conquérir, sans avoir encore rien à garder » !

Monet lui-même pose avec Camille à bord de ce bateau-atelier pour Manet qui en finit à Argenteuil avec les réticences qui ont pu être les siennes à l'égard du plein air. Monet pose encore pour lui dans son jardin. Dans le jardin d'une nouvelle maison dont on vient d'achever la construction sur le boulevard Saint-Denis et pour laquelle il signe un bail le 18 juin. Le loyer y est de 1 400 francs par an. Il était de 1 000 francs chez Mme Aubry. Monet manque d'argent. Ce qui n'est pas une raison pour ne pas changer de maison. En 1874, il ne vend que pour 10 554 francs. Ce qui ne l'empêche pas d'avoir désormais deux bonnes et un jardinier à son service. Ce qui ne l'empêche pas de recevoir pendant l'été.

Régulièrement, Manet vient de Gennevilliers. Il y est reçu par un cousin. Et parfois Renoir vient pour quelques jours. Souvenir de Monet : « Manet voulut un jour peindre ma femme et mes enfants. Renoir était présent. Il prit, lui aussi, une toile et traita le même sujet. Le tableau de Renoir terminé, Manet, me prenant à part : "Monet, vous qui êtes très lié avec Renoir, vous devriez lui conseiller de prendre un autre métier. Vous voyez bien que la peinture, ce n'est pas son affaire !"[10].»

1875-1876

Je suis dans une gêne extrême[1]

S'il a fallu organiser une exposition indépendante pour aller à la rencontre du public en dépit du Salon, si, malgré les difficultés qui interdisent à Durand-Ruel de continuer à acheter, quelques amateurs sont venus vers eux, peut-être faut-il prendre une nouvelle initiative encore et organiser une vente aux enchères à l'hôtel Drouot ? Les habitués ne l'appellent que Drouot. C'est un lieu singulier de Paris. Le critique Champfleury en donne la preuve : « Les expositions de deux à trois mille objets chaque jour demandent une puissance de regard semblable à celle du sauvage étudiant sur le gazon la piste d'un ennemi. Le principal théâtre des diverses comédies qui se jouent pendant les ventes est au premier étage de l'hôtel, qui ne contient pas moins de sept salles différentes, réservées presque exclusivement à l'adjudication d'œuvres d'art. Pendant que pullule au rez-de-chaussée, qu'on a appelé du nom significatif de Mazas, une foule en blouse qui s'échauffe à mettre des adjudications sur les meubles, étoffes, fonds de magasin, objets vendus par suite de saisie ou de faillite, le large escalier qui conduit au premier étage est l'endroit où se coudoient les amateurs riches et les amateurs pauvres, les gros bonnets de la curiosité et les petits marchands, les banquiers et les princes, les étrangers et les indigènes, les artistes et les bourgeois, les coulissiers et les lorettes, les avides et les curieux, les flâneurs et les badauds, toute une population de gens se connaissant au moins de vue, qui, quoique en hostilité à chaque enchère, sont reliés par la franc-maçonnerie du bric-à-brac[2]. »

Malgré tout, ne faut-il pas organiser là une vente ? Renoir en est convaincu. Monet est prêt à prendre le risque. Il n'a rien à perdre. Et, qui sait ? peut-être un négociant comme Ernest Hoschedé qui a fait l'acquisition d'*Impression*, même si le bruit commence à courir que sa fortune ne serait plus aussi solide, pourrait-il entraîner derrière lui d'autres amateurs... Tout comme Jean-Baptiste Faure. Baryton admiré, il a chanté et chante Mozart, *Don Juan*, Donizetti – il est, dit-on, l'un des plus étonnants Alphonse XI qui soient dans *La Favorite* –, Gounod, extraordinaire Méphisto de son *Faust*, Ambroise Thomas. Il n'est pas pour rien dans le triomphe qu'a été la création de son *Hamlet* le 9 octobre 1868 à l'Opéra où il tenait le rôle titre. Or, lors de l'exposition chez Nadar, il a été jusqu'à acheter Cézanne. D'où ce commentaire railleur d'Emile Cardon dans *La Presse* du 29 avril 1874 : « Il est vrai que M. Faure a toujours aimé à se singulariser. Acheter des Cézanne, c'est un moyen comme un autre de se singulariser et de se faire faire une réclame unique[3]. » Le baryton figure pour 4 200 francs dans les carnets de comptes de Monet pour l'année 1874... Pourquoi hésiter ?

Il y a d'autant moins de raisons de tergiverser qu'ils ne sont que trois à prendre le risque avec lui, Renoir, Sisley et Berthe Morisot. Philippe Burty s'engage à donner une préface pour le catalogue de la vente confiée au ministère de maître Charles Pillet auprès duquel Durand-Ruel est expert.

La préface de Burty est sans ambiguïté : « Nous n'aurions pas accepté de les présenter, si ces œuvres ne nous inspiraient un vif intérêt par le but qu'elles poursuivent et un vif plaisir par les sensations de nature qu'elles nous rappellent. » Il affirme : « Les paysages et les tableaux de mœurs du groupe dont nous parlons – on les a appelés ici les impressionnistes, là les intransigeants – seraient, au Salon, aussi gênants que gênés. Certaines gens n'ont pas de l'esprit dans toutes les sociétés, et les tableaux ne font pas bien dans toutes les galeries. Ceux-ci ont des allures dont la franchise s'allie mal avec les précautions et les sous-entendus des œuvres qui visent à la médaille et, lointainement, à l'Institut. » Il assure enfin à propos des peintres proposés à la vente : « L'originalité et la bonne foi de ceux qui le tentent ne sauraient être sérieusement mises en doute. Il y a bien d'autres exemples d'évolutions dont le temps a démontré les avantages, quelques critiques qu'elles aient commencé par soulever[4]. » L'argument est clair et si l'on ne comprend pas que c'est le moment d'acheter, c'est à désespérer...

C'est à désespérer. La veille de la vente fixée au 24 mars 1875, *Le Charivari*, par la plume de M. P. Girard, informe ses lecteurs que « quatre de ces audacieux (dont une dame) » qui exposèrent quelques mois plus tôt chez Nadar « ont organisé une vente à l'hôtel Drouot. On appelle cette école nouvelle les impressionnistes. Et pourtant jusqu'ici elle n'a fait aucune impression sur le public. Cette peinture à la fois vague et brutale nous paraît être l'affirmation de l'ignorance et la néga-tion du beau comme du vrai[5] ». *Le Figaro* quant à lui fait annoncer la vente par le Masque de fer. Impossible, comme il se doit, de savoir qui se cache derrière ce pseudonyme. Sa conclusion est sans appel : « L'impression que procurent les impressionnistes est celle d'un chat qui se promènerait sur le clavier d'un piano, ou d'un singe qui se serait emparé d'une boîte à couleurs. Cependant, il y a peut-être là une bonne affaire pour ceux qui spéculent sur l'art de l'avenir[6]. »

Et la vente commence. Souvenir de Renoir : « Un nommé Chocquet nous fit beaucoup de bien. C'était un vieil habitué des ventes publiques, un quotidien, un de ceux qui aiment à respirer cette poussière dont l'odeur n'est à nulle autre pareille. Il entre dans notre salle, aperçoit un ami qui passe dans le couloir, l'appelle : "Viens voir les horreurs que l'on expose ici." L'effet est contraire à celui que Chocquet en attend. Son ami admire nos tableaux. Chocquet s'indigne : "Ce sont des cochonneries." Il interpelle les gens. Alors deux camps se forment qui en viennent aux mains. Des agents sont appelés. On accourt de la rue. L'hôtel Drouot est envahi. C'est la bagarre. Le passage à tabac com-mence. On est obligé de fermer les portes jusqu'au moment où le calme se rétablit[7]. » Près de trente ans après les faits, Renoir précisait encore : « Les étudiants des Beaux-Arts vinrent même en monôme pour manifester contre notre peinture et l'intervention des sergents de ville fut nécessaire[8]. »

Si dans le souvenir qu'en garde Renoir la vente fut un « désastre », en revanche elle a eu une vertu : « A partir de ce jour-là nous avions nos défenseurs et, ce qui valut mieux, nos amateurs[9]. » Le critique Claretie est l'un d'eux : « Les peintres de la lumière et les peintres du plein air sont peut-être les artistes de l'avenir... Les impressionnistes forment [...] un clan spécial, qui ressemble assez à un camp de révoltés [...]. Les impressionnistes procèdent de Baudelaire. Il n'y a que les impressionnistes pour habiller ainsi la vérité. Et quand on pense que M. E. Manet est timide, dans ses effets, à côté de M. Claude Monet, on se demande où s'arrêtera la peinture en plein air et ce qu'oseront les artistes qui entendent chasser l'ombre et le noir de la nature entière. Ne protestons pas trop. Peut-être sortira-t-il de là un absolu progrès. La science de ces intransigeants est nulle, mais leurs procédés, je le répète, sont curieux, et qui sait s'il ne seront pas appliqués un jour, par quelque maître savant qui unira du moins la solidité de l'étude à la curiosité de ces essais d'artistes, dont l'excentricité a pour excuse et pour mérite qu'ils tentent du moins quelque chose de nouveau et qu'ils combattent à l'avant-garde[10] ? »

Au lendemain de la vente, le Masque de fer souligne dans *Le Figaro* que « quelques toiles adjugées étaient à ce point révoltantes qu'elles ont soulevé de nombreuses marques d'improbation[11] », et *L'Echo* constate : « Aux plus beaux jours des grandes luttes du romantisme contre l'Académie, on n'a certainement pas entendu plus de malédictions et aussi plus d'expressions enthousiastes que cette après-midi, devant les tableaux de Mlle Morisot et de MM. Claude Monet, A. Renoir et Sisley[12]. » Enfin, *La République française* publie ce compte rendu : « La vente des tableaux, des aquarelles et des pastels de Mlle Berthe Morisot et de MM. Monet, Renoir et Sisley a eu à triompher de mauvaises volontés qui se sont traduites par un tumulte ridicule. Des amateurs quinteux et des désœuvrés qui avaient pris le mot d'ordre d'ateliers bien connus ont essayé d'interrompre des enchères, qu'un groupe d'acheteurs sérieux soutenaient très bravement[13]. »

Malgré leur bravoure, les prix n'ont pas monté. Plusieurs tableaux de Monet n'ont pas même atteint 200 francs. L'adjudication la plus élevée a été de 480 francs. Pour un Morisot. Dans le carnet de comptes de Monet, le produit net de la vente ne s'élève qu'à 2 825 francs. Mieux que rien... Surtout lorsque, à la fin de l'année 1875, le total des ventes n'est que de 9 765 francs. Reste à espérer que les nouveaux acheteurs comme Ernest May, Henri Rouart ou encore Meixmoron de Dombasles seront fidèles...

Puisque l'on en est venu aux mains pendant la vente, puisque donc il s'agit d'un combat, il est hors de question de battre en retraite. Combattre c'est peindre.

C'est peindre des effets de neige dans Argenteuil, au bord d'une mare, à l'entrée de la grande rue comme à la gare où la fumée d'une locomotive se confond avec un ciel d'ouate grise, ou sur le boulevard Saint-Denis. C'est peindre Camille encore et encore. Elle est assise devant un métier, elle marche dans les champs sous une ombrelle, elle coud, assise dans le jardin devant un massif de fleurs. Et, devant un mur couvert d'éventails japonais, elle pose en Japonaise, étrange Japonaise à perruque blonde...

Et combattre, c'est exposer à nouveau. Peut-être, lorsqu'en février 1876 Cézanne rend visite à Monet, parlent-ils d'un tel projet. Tout serait à reprendre. La Société anonyme et coopérative qui a permis l'organisation de l'exposition chez Nadar, parce qu'elle a encore coûté 284,50 francs à chacun après l'exposition, a été liquidée lors d'une assemblée générale qui s'est tenue chez Renoir en décembre 1874. Mais peut-être, au cours de cette visite de Cézanne accompagné de Victor Chocquet, Monet ne prend-il que le temps de montrer ses toiles. Depuis la vente à Drouot quelques mois plus tôt, Chocquet, qui a un peu plus de cinquante-cinq ans et qui est rédacteur général à la Direction des douanes, est l'un des plus acharnés et des plus indéfectibles soutien des impressionnistes. Au lendemain même de la vente, il a commandé le portrait de sa femme à Renoir. « Ce bon père Chocquet, quel délicieux toqué[14]... » soupire Renoir à la fin de sa vie. Le « délicieux toqué » quitte Argenteuil en cette fin d'après-midi du samedi 5 février avec une toile et un pastel de Monet. Il a payé la première 100 francs, le second 20 francs. Sans doute, avant de partir, a-t-il invité Monet à venir chez lui, au 198 de la rue de Rivoli. Les fenêtres de son appartement donnent sur les jardins des Tuileries. Si Monet voulait les peindre comme il a peint le boulevard des Capucines... Son ami Renoir les a peints... Mais ce n'est pas la première fois qu'un motif leur serait commun.

Au début du mois d'avril 1876, l'exposition impressionniste ouvre chez Durand-Ruel. Nulle part n'apparaît l'adjectif rédhibitoire « impression-niste ». Et quinze des artistes qui ont été présents lors de la première

147

exposition en 1874 ont déclaré forfait. Les Astruc, Attendu, Debras, Latouche, Meyer, Mulot-Durivage, Lépine et autres Robert estiment avoir déjà été assez compromis et que cela leur suffit. La location des salles de la galerie de la rue Le Peletier, où l'Opéra a brûlé le 30 octobre 1873, coûte 3 000 francs. Deux cent cinquante-deux œuvres sont rassemblées. Celles d'un même artiste sont cette fois rassemblées, quand sur les murs tendus de laine brun-rouge de chez Nadar elles étaient dispersées, mêlées les unes aux autres.

Cette fois, le très éminent, le très influent critique qu'est M. Albert Wolff, pour lequel MM. Gérôme ou Meissonier, pour ne citer qu'eux, sont des références si ce n'est des génies, ne peut rester silencieux. D'autant que Victor Chocquet ne s'est pas privé de chercher à le convaincre de la pertinence des œuvres qu'il allait découvrir rue Le Peletier... Lorsqu'il a commencé sa carrière de critique, M. Albert Wolff avait juré qu'il reviendrait « de chaque promenade à travers les expositions de peinture et de sculpture avec deux ou trois ennemis nouveaux[15] ». L'article qu'il publie le 3 avril dans *Le Figaro* devrait lui permettre de prouver qu'il tient ses promesses : « La rue Le Peletier a du malheur. Après l'incendie de l'Opéra voici un nouveau désastre qui s'abat sur le quartier. On vient d'ouvrir chez Durand-Ruel une exposition qu'on dit être de peinture. Le passant inoffensif, attiré par les drapeaux qui décorent la façade, entre, et à ses yeux épouvantés s'offre un spectacle cruel : cinq ou six aliénés, dont une femme, un groupe de malheureux atteints de la folie de l'ambition, s'y sont donné rendez-vous pour exposer leurs œuvres. Il y a des gens qui pouffent devant ces choses. Moi, j'en ai le cœur serré. Ces soi-disant artistes s'intitulent les intransigeants, les impressionnistes ; ils prennent des toiles, de la couleur et des brosses, jettent au hasard quelques tons et signent le tout. C'est ainsi qu'à La Ville-Evrard des esprits égarés ramassent des cailloux sur leur chemin et se figurent qu'ils ont trouvé des diamants. Effroyable spectacle de la vanité s'égarant jusqu'à la démence. » Puisque folie il y a, pourquoi se priver de conclure par une anecdote qui ne peut manquer de faire sourire le lecteur qui saura définitivement à quelle aberration il a affaire : « Ce spectacle est affligeant comme la vue de ce pauvre fou que j'ai contemplé à Bicêtre : il tenait de la main gauche une pelle à feu appuyée sous le menton comme un violon et, avec une baguette qu'il prenait pour un archet, il exécutait, disait-il, le *Carnaval de Venise*, qu'il se vantait d'avoir joué avec succès devant toutes les têtes couronnées. Si

148

on pouvait placer ce virtuose à l'entrée de l'exposition, le guignol artistique de la rue Le Peletier serait complet[16]. »

M. Albert Wolff a sonné l'hallali. La curée commence. Et, pour la première fois, la France n'est pas la seule à apprendre ce qu'il en est des égarements proposés chez Durand-Ruel. C'est aussi le cas des lecteurs du *New York Tribune* du 13 mai 1876, grâce à Henry James qui se charge de leur révéler : « Les jeunes participants à l'exposition dont je parle sont partisans de la réalité sans ornement, ennemis absolus de l'arrangement, l'embellissement, la sélection, de l'intervention de l'artiste ainsi qu'il le faisait jusqu'ici, depuis que l'art existe, et y trouvait le meilleur compte, préoccupé qu'il était par l'idée de beauté. Pour eux la beauté est ce que le surnaturel est pour les positivistes : une notion métaphysique qui ne peut que nous attirer dans la confusion et qu'on doit laisser de côté. Ne vous occupez pas d'elle, disent-ils, et elle viendra à son gré ; le travail spécifique du peintre se situe dans le réel et l'essence de sa mission consiste à rendre une impression vivante de l'apparence d'une chose à un moment particulier. » La conclusion s'impose, aussi logique qu'implacable : « Aucun de ses membres ne montre les signes d'un talent de premier ordre et, assurément, les doctrines "impressionnistes" me frappent comme étant incompatibles, d'un point de vue artistique, avec l'existence même d'un talent de premier ordre. Il vous faut avoir une totale absence d'imagination pour les saisir[17]. »

Il est de plus en plus évident que le premier à être privé d'un tel talent est Monet. Si l'on en doute, la lecture du *Soir* du 15 avril remet les choses en place : « M. Monet sait bien que les arbres ne sont jamais d'un jaune de chaume aigu comme ceux qui figurent dans son *Petit bras d'Argenteuil* n° 118. Il est persuadé que le *Chemin d'Epinay effet de neige*, n° 150, n'a jamais paru sous l'aspect d'une tapisserie de laine blanche, bleue et verte. La *Berge d'Argenteuil*, n° 157, il en est sûr, n'a jamais été tricotée laine et coton de cinq couleurs. Cela ne l'a pas empêché de rendre ainsi sa prétendue impression. » Qu'en conclure ? « Le public, lui, a regardé, il a ri, il a demandé le nom. Il sait maintenant que le monsieur qui a eu l'étonnante idée de faire les paysages en tricot s'appelle Monet, et M. Monet est en passe de devenir aussi célèbre que M. Manet[18]. »

Que pèse alors, en face du *Figaro*, en face du *Soir*, le plaidoyer de Zola qui paraît en juin dans *Le Messager de l'Europe* ? Il peut assurer : « Claude Monet est incontestablement le chef du groupe. Son pinceau se distingue par un éclat extraordinaire. » Il peut encore affirmer : « Son grand tableau, appelé *Japonerie*, montre une femme drapée dans un long kimono rouge : c'est frappant de coloration et d'étrangeté. » Il peut s'exclamer : « Ses paysages sont inondés de soleil. » Il peut tout promettre : « C'est plein d'une simplicité et d'un charme inexprimables[19]. » Et qui, à Paris en cet automne 1876, est abonné à *The Art Monthly Review,* parue à Londres à la fin de septembre, où Stéphane Mallarmé dit son émerveillement ? « Claude Monet aime l'eau, c'est son don spécial d'en représenter la mobilité et la transparence, eau de mer ou de rivière, grise et monotone, ou de la couleur du ciel. Je n'ai jamais vu de bateau plus légèrement suspendu sur l'eau que dans ses tableaux, ou gaze plus mobile et plus légère que son atmosphère en mouvement[20]. »

Les visiteurs, les amateurs qui visitent la galerie Durand-Ruel peuvent y faire l'acquisition d'une brochure de trente-huit pages signée d'Edmond Duranty, *La Nouvelle Peinture*. Editée par E. Dentu, libraire, elle est tirée à sept cent cinquante exemplaires. Edmond Duranty qui a été l'un des premiers, vingt ans plus tôt, à affirmer la raison d'être du réalisme en littérature, assure que « l'idée qui s'expose dans les galeries Durand-Ruel n'a d'adversaires qu'à l'Ecole et à l'Institut ». Duranty réplique, démontre, plaide. Et tous les arguments sont bons pour défendre ses amis peintres : « On les a traités de fous ; eh bien ! j'admets qu'ils le soient, mais le petit doigt d'un extravagant vaut mieux certes que toute la tête d'un homme banal[21] ! » Si la brochure de Duranty a convaincu... les convaincus, a-t-elle provoqué la moindre vente ? Or c'est de vendre que ces « fous » ont besoin.

A la fin de l'année 1876, le carnet de comptes de Claude Monet assure que les ventes ont rapporté 12 313 francs. Mieux que l'année précédente... Mais que de toiles ont été cédées à moins de 200 francs ! Combien il a fallu être pressant auprès de certains amateurs avant qu'enfin... Il a fallu abandonner quinze toiles en caution à Gustave Manet en échange d'un prêt de 1 500 francs, ce qui met le tableau à 100 francs... Dérisoire...

Heureusement il y a eu Hoschedé ! Monet a passé chez lui plusieurs semaines pendant l'été, dans son château à Montgeron, le château de Rottembourg. Il lui a commandé plusieurs grandes toiles pour le décorer. Mais Hoschedé a semblé éprouver parfois des difficultés à payer. Il a fallu accepter des payements en « marchandise ».

En juillet, Monet a écrit à l'un de ses amateurs, Georges de Bellio : « Je ne puis me tirer d'affaire. Les créanciers se montrent intraitables et, à moins d'une apparition subite de riches amateurs, nous allons être

expulsés de cette gentille petite maison où je pouvais vivre modestement et où je pouvais si bien travailler[22]. » Gustave Caillebotte, sans
doute alors rencontré chez Hoschedé, pourrait-il être l'un de ces « riches
amateurs » ? Il est d'abord le peintre qui a envoyé deux vues de son
Jardin d'Yerres chez Durand-Ruel.

A l'automne, rien ne s'est arrangé. Claude Monet est à Montgeron
encore, toujours au château. Et Camille est seule à Argenteuil, seule et
sans le sou. La situation ne saurait durer. Il faut rentrer à Paris.

1877

Il ne me restera plus qu'une chose à faire : accepter un emploi quel qu'il soit[1]

Toute l'année, c'est la même chose. Monet est aux abois. Au début de
l'été 1877, il termine une lettre à Emile Zola par une prière. Il lui
demande de ne pas ébruiter la situation financière désastreuse qui est la
sienne, « car c'est toujours un défaut d'être dans le besoin[2] ». A la fin de
l'année, il doit encore confesser à de Bellio : « Ma vie est tellement
semée d'ennuis et de difficultés de toutes sortes que je ne puis toujours
faire ce que je veux[3]. » Et, semaine après semaine, rien ne change. Rien.
Sans le soutien de De Bellio, sans celui de Caillebotte, sans celui de
Manet... il faut vendre.

Parce que Monet ne conçoit pas de vivre à Argenteuil sans une
femme de chambre et un domestique, Marie et Sylvain, sans un jardinier, Lelièvre, sans un piano loué à Pleyel & Wolff, sans ce vin
commandé à Narbonne et à Bordeaux pour recevoir décemment les
amis, sans la possibilité de confier son linge à Virginie Levasseur, blanchisseuse... Il faut vendre.

Cela serait plus facile s'il pouvait montrer ses toiles à Paris.
Caillebotte, pour lui simplifier la vie, lui propose de louer en son nom
un petit appartement au rez-de-chaussée de la rue Moncey. Au moins
pourra-t-il y faire venir ses amateurs, même si le logement ne peut tenir
lieu d'atelier. Dans l'immédiat, cela a peu d'importance, la gare Saint-
Lazare est son atelier. Ou presque. Après un premier refus, de nouvelles
démarches ont enfin permis qu'il ait l'autorisation d'y peindre. Des res-

trictions lui ont été imposées. Les toiles ne peuvent être intégralement peintes sur place, que ce soit sous la vaste halle de la gare même ou sur le ballast, au long des voies. Monet doit se remettre au dessin.

Hoschedé est l'un des premiers à acheter des gares. Mais Hoschedé est lui-même traqué par des créanciers. Le docteur de Bellio achète une gare. Mais à quel prix minime...

Donc il faut montrer. Le mercredi 4 avril, au 6, rue Le Peletier, à deux pas de chez Durand-Ruel, ouvre une nouvelle « Exposition des Impressionnistes ». Le titre de la brochure de Duranty publiée pour l'exposition chez Durand-Ruel s'en tenait à *La Nouvelle Peinture*, prudence qui n'est plus de mise. Renoir rappelle à Ambroise Vollard : « C'est moi qui ai insisté pour qu'on gardât à notre groupe ce qualificatif que lui avait donné, par dérision, le public devant une toile de Monet intitulée *Impression*. Par là, je voulais simplement dire aux passants : "Vous trouverez ici le genre de peinture que vous n'aimez pas. Si vous venez, ce sera tant pis pour vous, on ne vous remboursera pas vos dix sous d'entrée"[4]. »

On ne leur remboursera pas davantage le numéro de *L'Impressionniste, journal d'art* dont ils pourraient faire l'achat. Il n'en paraît, au cours de l'exposition qui ferme ses portes le 30 avril, que quatre numéros. Georges Rivière en est le rédacteur quasi exclusif. Ces quatre numéros lui suffisent pour défendre les dix-huit peintres présents dont les œuvres ont été mises en place par un comité d'accrochage qui réunit Pissarro, Renoir, Caillebotte et Monet. Dans une première salle sont présentés les gares de Monet, dans la pièce suivante *Les Dindons blancs* destinés à décorer le château de Rottembourg, plus loin dans l'appartement d'autres œuvres encore. Rivière, dans le n° 2 du 14 avril de *L'Impressionniste, journal d'art*, revient sur le motif des gares de Monet : « Toutes ces toiles sont variées et amusantes, malgré l'aridité et la monotonie du sujet. Là éclatent, comme toujours, l'ingéniosité et la puissance de ce peintre qui donne aux choses inanimées l'importance, la vie que d'autres donnent aux personnages. Les chemins de fer sont l'équivalent de ces fameux clippers d'Argenteuil qui, l'année dernière, eurent un succès retentissant[5]. »

Emile Zola assure quant à lui dans *Le Sémaphore de Marseille* du jeudi 19 avril : « M. Claude Monet est la personnalité la plus accentuée du groupe. Il a exposé cette année des intérieurs de gare superbes. On y entend le grondement des trains qui s'engouffrent sous les vastes hangars. Là est aujourd'hui la peinture, dans ces cadres modernes d'une si belle largeur. Nos artistes doivent trouver la poésie des gares, comme leurs pères ont trouvé celle des forêts et des fleuves[6]. »

Ces éloges n'empêchent bien évidemment pas l'invective, l'injure et la raillerie d'être au rendez-vous. *Le Charivari* auquel les impressionnistes doivent leur nom publie une caricature de Cham. Une femme enceinte s'approche d'une porte au-dessus de laquelle est affiché un calicot : EXPOSITION DES PEINTRES IMPRESSIONNISTES. Un gardien de la paix fait barrage devant elle, mains tendues : « Madame ! cela ne serait pas prudent. Retirez-vous ! » M. Roger Ballu, inspecteur des Beaux-Arts, ne se prive pas d'écrire avec l'autorité que lui confère son rôle : « MM. Claude Monet et Cézanne, heureux de se produire, ont exposé, le premier trente toiles, le second quatorze. Il faut les avoir vues pour s'imaginer ce qu'elles sont. Elles provoquent le rire et sont lamentables. Elles dénotent la plus profonde ignorance du dessin, de la composition, du coloris. Quand les enfants s'amusent avec du papier et des couleurs, ils font mieux. » *Le Moniteur universel* ne peut s'empêcher de soupirer devant les *Dindons* à propos desquels le catalogue précise qu'ils sont une « décoration non terminée » : « Que sera-t-elle, mon Dieu, après le dernier coup de pinceau[7] ? »

La critique est implacable. Reste qu'il faut, malgré tout, vendre...

Monet n'a pas fini d'écrire : « Je serai heureux de vous faire voir ce que j'ai et si vous trouvez quelque chose à votre goût, vous me trouverez très accommodant, et d'autant plus qu'il me surgit un embarras d'argent dont il faut que je me tire demain même sous peine des plus graves conséquences[8]. » C'est à Murer qu'il écrit cette lettre le 18 décembre. Dans sa pâtisserie-restaurant du 95, boulevard Voltaire, à Paris, certains de ses commis laissent entendre que ce sont eux qui font la pâte et lui qui achète des croûtes... Chaque premier mercredi du mois, il a table ouverte pour ces impressionnistes pour lesquels il s'est pris de passion dès le premier jour.

Cela fait des mois que Monet écrit peu ou prou la même lettre à chacun. Et il n'a pas fini d'en écrire des variations. Même si, en cette année 1877, il a vendu pour 15 197,50 francs. Les dettes en ont dévoré la plus grande part. Avec ce qui reste il faut continuer de vivre. Et il faut quitter la rue Moncey. Les pièces sont encombrées de toiles. Et Camille est enceinte...

1878

Vous avez peut-être su que j'avais planté ma tente aux bords de la Seine à Vétheuil[1]

En janvier 1878, il n'est plus question de tergiverser. Un nouveau déménagement est inévitable. Et ce nouveau déménagement ne peut qu'être une nouvelle épreuve pour Camille enceinte. Depuis plusieurs semaines, elle est accablée de malaises. Le médecin d'Argenteuil a fait appel à l'un de ses confrères tant l'état de la jeune femme lui semble sérieux, tant le diagnostic est incertain. On a parlé d'« ulcérations de la matrice ». On a envisagé une opération. Mais on a renoncé à l'intervention. Et les troubles ne cessent pas. Confidence inquiète, si ce n'est désespérée, faite à Murer le 8 janvier 1878 : « Depuis huit jours je suis sur des charbons ardents. Ma femme est très souffrante. Le petit garçon aussi. Par là-dessus, devant déménager le 15 sans savoir encore où nous irons et sans savoir davantage si je pourrais me tirer d'affaire à Argenteuil[2]. » Une semaine plus tard, Monet ose demander « encore 200 francs[3] » au même Murer. Il faut pouvoir payer les dettes les plus criantes aux créanciers les plus déterminés. Ne serait-ce que cela. Murer donne sans doute les deux cents francs. Et, cinq jours plus tard, le 20 janvier, il reçoit encore ce billet : « Me voilà dans une cruelle situation, notre mobilier chargé sur une voiture, mais pas de quoi payer le déménageur, pas un sou. Pouvez-vous me rendre le plus grand service et m'avancer cent francs, sans quoi je ne sais que faire[4]. » Et Murer sans doute avance les cent francs...

Fini le charme des jardins d'Argenteuil... A la mi-janvier, Monet, dans l'urgence, faute de mieux, s'installe avec Camille et Jean dans le petit appartement du 17 de la rue Moncey – elle va de la rue de Clichy à la rue Blanche, derrière l'église de la Trinité –, deux pièces au rez-de-chaussée, dont l'une sans cheminée, et un cabinet. C'est Gustave Caillebotte qui a signé le bail un an plus tôt. C'est lui qui donne à Monet les 175 francs de chaque terme de ce pied-à-terre.

En février, enfin, il est possible d'emménager au 26 de la rue d'Edimbourg, dans le quartier de l'Europe voisin de la gare Saint-Lazare. Le loyer de l'appartement qui donne sur une cour s'élève à 1 360 francs par an. Mais dans cet appartement qui compte un vestibule, une salle à manger, un salon, trois chambres encore, tout manque. Murer, comme il se doit, en est le premier informé. Monet lui confie : « Je suis sans un sou et j'en ai besoin, ma femme pouvant accoucher d'un instant à l'autre[5]. » Le 9 février, c'est vers le docteur Gachet qu'il se tourne pour lui faire part de son « embarras » : « Le docteur qui est venu aujourd'hui même voir ma femme, nous annonce l'événement pour demain ou après-demain, j'en suis tout affolé car je n'ai pas le sou et il nous manque bien des choses de première nécessité[6]. »

Monet a besoin de cent francs. Gachet n'en envoie que cinquante. Et, pour ces cinquante francs, dans l'atelier de la rue de Moncey ou dans l'appartement de la rue d'Edimbourg, il entend pouvoir passer prendre une toile... On a les générosités que l'on peut. Celle de Manet est une élégance. Le 10 mars, il cède à Monet « un effet de mille francs ». Ces mille francs sont destinés à rembourser une « pareille somme à l'échéance du 31 courant[7] ». Au moins y aura-t-il un créancier de moins. Manet n'attend pas la moindre toile de Monet. Ni ne lui en demande en gage.

Lorsque le 17 mars, à 11 heures, dans l'appartement de la rue d'Edimbourg, naît Michel Monet, son père Claude n'a toujours pas le moindre sou devant lui. Il ne dispose, un mois plus tard, que des trois cents francs dus à la vente de trois toiles à Emmanuel Chabrier qui a été, à l'état civil de la mairie du VIIIe arrondissement, le témoin de cette naissance. Ce n'est ni à son salaire de fonctionnaire du ministère de l'Intérieur qu'il espère bien pouvoir quitter un jour pour se consacrer uniquement à la composition musicale, ni à l'argent que lui rapportent ses mélodies ou son opéra-bouffe *L'Etoile*, donné l'année précédente, qu'il doit de pouvoir faire un tel achat, c'est à un héritage de sa femme Marie-Alice. Ami de Manet qui a peint son portrait parmi ceux des personnalités rassemblées pour *Le Bal masqué à l'Opéra*, Chabrier se fie à son regard, accepte ses conseils pour commencer une collection. Les trois cents francs reçus de Chabrier, grâce à l'amitié de Manet, ne permettent guère que de parer au plus pressé. Et qui plus est pas bien longtemps.

Le 7 avril, Monet doit se résigner à écrire à Zola : « Voulez-vous me rendre un service ? Nous n'avons pas un sou à la maison, pas même de quoi faire bouillir la marmite aujourd'hui. Avec cela, ma femme mal portante et demandant bien des soins, car vous savez peut-être qu'elle est heureusement accouchée d'un superbe garçon. Voulez-vous bien me prêter 2 ou 3 louis ou même un seul si cela ne vous gêne[8] ? »

« Deux ou trois louis ou même un seul »... A la mi-mai, c'est à de Bellio qui a « toujours un louis[9] » à sa disposition qu'il lui faut encore tendre la main.

Il n'y a pas même l'espoir, en ce début de l'année 1878, de pouvoir attirer l'attention des collectionneurs, des amateurs par une nouvelle exposition impressionniste. Qui irait la visiter quand s'ouvre à Paris, inaugurée en grande pompe par le président de la République, le général Mac-Mahon, une Exposition universelle, la troisième qui se tienne dans la capitale, du 15 au 26 mai ? L'événement est si considérable que même le très officiel Salon a repoussé la date de son ouverture.

Pour rappeler l'existence des impressionnistes, en ce printemps 1878, il n'y a guère que la brochure de Théodore Duret publiée par la Librairie parisienne H. Heymann & J. Perois, 38, avenue de l'Opéra, *Les Peintres impressionnistes, Claude Monet, Sisley, C. Pissarro, Renoir, Berthe Morisot*. Dès les premières lignes de sa préface, il rappelle que des mauvaises langues ne se sont pas privées d'affirmer qu'« avant tout ils cherchaient le tapage pour ameuter la foule. En somme les Impressionnistes acquièrent à leur exposition la réputation des gens dévoyés, et les plaisanteries que la critique, la caricature, le théâtre continuent de déverser sur eux prouvent que cette opinion persiste[10] ». L'opinion en sera pour ses frais en cette année 1878 puisqu'il n'y aura pas d'exposition.

Dès le premier chapitre, Duret, pour que les choses soient claires, précise les attendus, les « dettes » des impressionnistes. Ils « descendent des peintres naturalistes, ils ont pour pères Corot, Courbet et Manet[11] », maîtres auxquels on doit « la peinture claire, définitivement débarrassée de la litharge, du bitume, du chocolat, du jus de chique, du graillon et du gratin[12] ». A cette influence décisive, rapporte Duret, s'est ajoutée celle de l'art japonais. Et Duret de brosser le portrait de l'impressionniste : « L'Impressionniste s'assied sur le bord d'une rivière, selon l'état du ciel, l'angle de vision, l'heure du jour, le calme ou l'agitation de l'atmosphère, l'eau prend tous les tons, il peint sans hésitation sur sa toile de l'eau qui a tous les tons. Le ciel est couvert, le temps pluvieux, il peint de l'eau glauque, lourde, opaque ; le ciel est découvert, le soleil brillant, il peint de l'eau scintillante, argentée, azurée ; il fait du vent, il peint les reflets que laisse voir le clapotis ; le soleil se couche et darde ses rayons dans l'eau, l'Impressionniste, pour fixer ces effets, plaque sur sa toile du jaune et du rouge[13]. » Si ce portrait de l'impressionniste, si cet exposé de sa méthode ne concernent pas Monet...

Monet, de nouveau parisien, peint. Il continue de peindre la Seine.

Et il la peint depuis l'île de la Grande-Jatte. De la rue d'Edimbourg dans le VIIIe arrondissement, en traversant Neuilly ou Levallois-Perret, cette île n'est pas si loin... Et Monet n'est plus attiré par le motif qu'est Paris même. Comme si Paris dont il a peint l'église Saint-Germain-l'Auxerrois, les jardins de l'Infante et les quais depuis le Louvre, dont il a peint le boulevard des Capucines, dont il a peint les voies et les verrières de la gare Saint-Lazare, comme si ce Paris du quartier de l'Europe au cœur duquel il vit, ce Paris d'Haussmann peint par Manet, peint par Caillebotte, ne pouvait au bout du compte être *son* motif... Comme si même le parc Monceau où il retourne peindre alors ne pouvait être qu'une manière de pis-aller, qu'une contrefaçon de campagne... Paris n'est enfin pour lui un motif que par inadvertance presque.

La République, enfin sûre d'elle-même, a décrété que le 30 juin serait fête nationale. Et les Parisiens de déployer à leurs fenêtres, à leurs balcons le drapeau tricolore. Et Paris de flamboyer. Est-ce parce que *Le Figaro* a recommandé aux badauds que sont ses lecteurs la remarquable exaltation patriotique dont ont fait preuve les habitants des quartiers de la porte Saint-Martin et de la porte Saint-Denis que Monet traverse la Seine ? Il peint coup sur coup *La Rue Saint-Denis, fête du 30 juin 1878* et *La Rue Montorgueil, fête du 30 juin 1878*.

Des années plus tard, il raconte : « A la première fête nationale du 30 juin, je me promenais avec mes instruments de travail rue Montorgueil, la rue était très pavoisée et un monde fou ; j'avise un balcon, je monte, je demande la permission de peindre, elle m'est accordée. Puis je redescends incognito ! Ah ! c'était le bon temps, le beau temps[14]. »

La mémoire de Monet le trahit. Parce qu'il n'a pas eu besoin de repartir « incognito ». Il n'y a en réalité personne dans les rues de Paris en effervescence pour reconnaître l'inconnu qu'est encore Claude Monet en 1878. Et le « bon », le « beau » temps d'alors n'a pas cessé d'être celui de la gêne, de l'inquiétude.

Ou des malentendus, comme celui avec Murer qui traîne près de dix mois, qui aigrit leur relation. Monet doit des toiles à Murer. Murer s'impatiente. Monet se dérobe. Murer s'irrite. Monet s'offense. Murer menace. Est-il bien nécessaire de se mettre à dos l'un de ses – rares – amateurs ?

Duret affirme dans sa brochure : « [...] cette peinture s'achète. Il est vrai qu'elle n'enrichit point ses auteurs suffisamment pour leur permettre de se construire des hôtels, mais enfin elle s'achète[15]. » Monet ne songe pas à se faire construire un hôtel particulier... Il songe à fuir Paris, à fuir un loyer de 1 360 francs.

Et pendant l'été, il s'installe à Vétheuil. Nouveau déménagement qui tient lieu d'excuse à l'égard de Murer. Lettre du 1er septembre : « Excusez-moi de rester aussi longtemps sans vous donner signe de vie, vous devez trouver ma façon d'agir bien sans gêne et je ne sais vraiment que vous dire pour m'excuser. Je ne vois qu'un seul moyen de me faire pardonner, c'est de vous apporter de bonnes toiles. C'est ce que je ferai prochainement car vous avez peut-être su que j'avais planté ma tente aux bords de la Seine à Vétheuil, dans un endroit ravissant d'où je pourrais rapporter pas mal de bonnes choses si le temps était meilleur[16]. »

Paradoxe ou inconséquence, c'est avec un homme ruiné et sa famille que Monet s'installe à Vétheuil. Le 6 avril précédent, la cour d'appel a entériné la faillite de M. Ernest Hoschedé. Cent cinquante et un créanciers veulent espérer depuis lors que la vente de la totalité de ses biens puisse permettre de rassembler les deux millions de francs et quelque qu'il leur doit. Son épouse elle-même, née Alice Raingo le 19 février 1844, parce qu'elle est « séparée de biens », espère récupérer très précisément 90 349 francs au titre de « reprises matrimoniales ». Si cette somme lui revient, au moins pourra-t-elle tenter d'épargner à leurs cinq enfants l'humiliation de la gêne. Quoi qu'il en soit, le temps des robes sorties des ateliers du couturier Worth est révolu.

Les 5 et 6 juin, la collection Hoschedé a été dispersée à l'hôtel Drouot lors d'une vente aux enchères dont le ministère était assuré par maître Dubourg. Ses experts étaient MM. Ch. George et G. Petit. Sur la centaine d'œuvres adjugées, seize étaient de Monet. Seules douze d'entre elles étaient mentionnées au catalogue. La toile la moins chère a été adjugée pour 35 francs. Il n'y a guère eu que *Saint-Germain-l'Auxerrois* qui ait été vendue pour 505 francs. Les seize tableaux de Monet seront partis pour un total de 2 415 francs. C'est de Bellio qui a fait l'acquisition d'*Impression* pour 210 francs. Ernest Hoschedé l'avait achetée à Monet dès 1874. En juillet, failli, ruiné, dépouillé, Hoschedé a encore fait l'acquisition de *La Rue Saint-Denis, fête du 30 juin 1878*. Pour cent francs. Dès le 1er août, il l'a revendue le double à Chabrier. Comment Monet pourrait-il le lui reprocher ? Lui-même n'aurait vu aucun inconvénient à la vendre à ce prix directement. Les deux cents francs obtenus rehaussent sa cote. Après tout, lors de la vente Hoschedé, ses tableaux ne se seront en moyenne vendus que 184 francs... Comment Monet pourrait-il douter de la sincérité d'Hoschedé et de sa fidélité ?

En août donc, les Hoschedé et les Monet, après quelques jours passés à l'hôtel du Cheval-Blanc, se sont installés dans une même maison. Celle-ci, sur la route de Mantes, est petite et il n'est pas aisé d'y vivre parce qu'il ne saurait y avoir assez de place pour une femme lasse comme Camille qui continue de donner le sein à Michel, pour y organiser une classe pour les enfants plus grands autour d'une institutrice embauchée que l'on n'est pas certain de pouvoir payer – et qui part bientôt sans avoir reçu ses gages –, pour y loger des domestiques – ce n'est pas parce que l'on est failli que l'on devrait s'en passer. Et il ne cesse de pleuvoir. Le hangar voisin de la maison ne saurait être longtemps un recours.

Dès que Monet dispose des premières toiles peintes à Vétheuil, il retourne à Paris pour les proposer aux plus fidèles de ses amateurs. Tôt le matin, il lui faut prendre la voiture publique du père Papavoine qui le conduit, après une douzaine de kilomètres, à la gare de Mantes. A 8 heures, un train en part pour la gare Saint-Lazare. Les amateurs que Monet sollicite semblent convaincus par ce qu'il rapporte. En octobre, les ventes s'élèvent à près de 1 900 francs. Il n'est donc pas question de quitter Vétheuil.

A l'autre bout du village, sur la route qui conduit jusqu'à La Roche-Guyon, Monet a trouvé une maison assez vaste pour les familles Monet et Hoschedé que Mme veuve Elliott accepte de lui louer pour 600 francs par an. Le bail est signé chez un notaire de La Roche-Guyon, maître Delaplane, le 18 décembre. Le premier terme doit être payé le 1er janvier 1879. Monet veut sans doute croire que le confort de cette maison, qui dispose de « lieux à l'anglaise », peut permettre à Camille de recouvrer la santé. En septembre, dans la maison partagée avec les Hoschedé, pour se réchauffer elle a « voulu employer l'eau-de-vie, un plein grand verre, ce qui l'a complètement grisée et rendue malade pendant deux jours avec le délire[17] ». Quelque temps plus tard, Monet, inquiet, a dû envoyer encore une lettre au même docteur de Bellio : « Deux mots à la hâte pour vous dire que ma femme est de moins en moins bien, d'une faiblesse extrême, se trouvant mal à chaque instant. Les 24 paquets ont été pris selon vos instructions et nous voilà de nouveau en présence du mal et sans remède à donner. Je regrette bien que nous soyons si loin, peut-être qu'en voyant ma femme, vous eussiez même pu trouver le remède à donner. Ne serait-il pas utile de sevrer l'enfant, qui prend du mauvais lait et épuise la mère ? Il se porte heureusement à merveille et mange facilement de petits potages. Si cela ne vous ennuie pas trop de m'écrire à ce sujet, vous m'obligerez bien car je ne sais plus où donner de la tête[18]. »

La maison où ils emménagent permet de disposer, sous les combles du second étage, d'un grenier, d'un cabinet et d'une chambre de bonne. Au premier, deux des trois chambres sont « à feu ». Un cabinet de toilette donne sur le palier. Au rez-de-chaussée, comme il se doit, salon et salle à manger. Des « boves », caves creusées dans la colline à laquelle la maison est adossée, prolongent la cuisine. N'est-ce pas ce qu'il faut pour que Camille puisse conjurer sa faiblesse ? N'est-ce pas ce qu'il faut à Monet pour travailler ?

1879

Ma pauvre femme a succombé ce matin à 10 heures[1]

« Je commence à ne plus être un débutant et il est triste d'être à mon âge dans une telle situation, toujours obligé de solliciter une affaire. Je revis doublement mon infortune en ce moment de l'année, et 79 va commencer comme cette année a fini, bien tristement pour les miens surtout auxquels je ne puis faire le plus modeste présent[2]. »

Le constat désabusé que Monet fait en ce 30 décembre 1878 ne peut être ni conjuré ni exorcisé par le moindre espoir. L'hiver même est implacable. Il fait froid. Très froid.

Monet, en ce début d'année 1879, vient chaque fois qu'il le peut à Paris avec quelques toiles. Quand il ne parvient pas à les vendre directement à ces amateurs vers lesquels il revient sans cesse, il leur demande, comme à Duret, de l'aider à « placer une ou deux toiles à l'une ou l'autre de [leurs] connaissances[3] ». Qui sait ? peut-être que M. Deudon... ou que M. Jourde... Au même Duret, Monet demande « un petit fût de 20 à 30 litres de bon cognac », lequel serait « un appoint sur nos futures affaires »[4]. Le cognac n'est pas le pire des moyens pour tenter de se remonter. Monet, accablé, en a singulièrement besoin. Le 10 mars, il écrit à de Bellio : « Je suis absolument écœuré et démoralisé de cette existence que je mène depuis si longtemps. Quand on en est là à mon âge, il n'y a plus rien à espérer. Malheureux nous sommes, malheureux nous resterons. Chaque jour amène ses peines et chaque jour des difficultés dont nous ne sortirons jamais. Aussi je renonce tout à fait à la lutte et à tout espoir d'arriver et je ne me sens plus la force de travailler dans de telles conditions. J'apprends que mes amis font une nouvelle exposition cette année. Je dois renoncer à y prendre part, n'ayant rien fait qui vaille la peine d'être exposé[5]. »

La possible défection de Monet est vite connue de tous. Et à tous elle paraît inconcevable. Camille Pissarro fait part à Caillebotte de son inquiétude : « C'en est fait de notre union. J'aurais bien voulu voir Monet à ce sujet, je le regrette, je crains pour plus tard une débandade complète. Vous avez entendu Monet lui-même qui craint d'exposer. Si les meilleurs se dérobent, que deviendra notre union artistique ? Monet croit que cela nous empêche de vendre, j'entends tous les artistes se plaindre, donc ce n'est pas là la cause[6]. » Monet se laisse convaincre par les uns et les autres.

L'intervention de Caillebotte est décisive. Elle ne change rien au sentiment qu'éprouve Monet : « J'aurais dû refuser de prendre part à notre dernière exposition, n'ayant rien à y montrer ; ce n'est qu'à contrecœur et pour ne pas passer pour un lâcheur que j'ai dû me laisser fléchir[7]. » Son ami Renoir, lui, ne s'est pas laissé fléchir.

L'année précédente, il a déjà été admis au Salon. Il a d'autant moins de raisons de ne pas s'y présenter qu'il va y proposer le portrait de Mme Charpentier. Ce qui lui vaudra, pour une fois, d'être accroché à une place où il est certain que sa toile sera vue. « Mme Charpentier voulait être en bonne situation et Mme Charpentier connaissait des membres du jury qu'elle secoua vigoureusement[8]. » Tant mieux pour Renoir...

L'exposition présentée au 28 avenue de l'Opéra n'y est même pas qualifiée d'« impressionniste ». Degas ne l'a pas voulu. Il avait proposé pour l'affiche la formule : « 4e Exposition faite par un groupe d'artistes indépendants, réalistes et impressionnistes. » On s'en est tenu à « un groupe d'artistes indépendants[9] ». Monet laisse faire Caillebotte qui achemine les vingt-neuf toiles à Paris au fur et à mesure. Elles y arrivent parfois après l'ouverture de l'exposition le 10 avril. Caillebotte à Monet le 1er mai : « Je viens de recevoir vos deux toiles – crevées toutes les deux, est-ce par vous ? Enfin je les ai données à arranger. Demain elles seront à l'exposition. J'ai presque vendu l'une, la plus grande, à miss Cassatt. Elle me charge de mander le prix. Je lui ai dit que je supposais que vous lâcheriez dans les 350 francs. Ces deux toiles sont très bien, surtout celle du temps gris, je crois que vous n'avez rien de mieux avenue de l'Opéra. La recette marche toujours, nous sommes aujourd'hui à 10 500 francs environ. Quant au public, toujours gai. On s'amuse beaucoup chez nous. C'est toujours cela. La presse, je ne vous en parle pas, je suppose que vous recevez exactement tous mes journaux. Vous devez en avoir une trentaine[10]. »

Monet ne met pas les pieds avenue de l'Opéra. L'exposition qui ferme le 11 mai ne le concerne pas. Mais il n'a pas participé en vain. A la fermeture, Caillebotte fait le bilan : « Notre bénéfice s'élève à 439 fr. 50 par tête. Je vous fais envoyer vos toiles – de plus ci-joint 400 francs. Je ne sais encore à combien monte notre commande, mais ça ne fait rien. Nous avons fait 15 400 entrées. En somme, c'est un progrès. Je regrette que vous n'ayez pu suivre cela de près. Mais pour les peintres, pour le public, malgré la malveillance de la presse nous avons beaucoup fait[11]. »

Ce qui a été fait est indifférent à Monet accablé. Il remet tout en cause. Il ne peut, lui-même qui est « toujours et de plus en plus aigri » avec sa femme « presque toujours malade », d'un côté, être considéré à Vétheuil auprès de la famille Hoschedé comme « une société agréable », et, d'un autre côté, comme un « empêchement » à tous les projets d'Ernest auquel il écrit au 64, rue de Lisbonne – appartement que Mme Hoschedé mère a loué pour son fils. Monet n'en peut plus de passer aux yeux des fournisseurs, comme à ceux des domestiques, pour une charge. La conclusion s'impose, il lui faut quitter Vétheuil. Le pire concerne son œuvre même : « Je suis navré et il me faut absolument vous faire part de mes désillusions : depuis près de deux mois, je me donne beaucoup de mal sans résultat. Vous ne vous en doutez peut-être pas, mais cela est : je n'ai pas perdu une heure et me serais reproché de prendre une journée seulement pour venir voir notre exposition dans la seule crainte de perdre une bonne séance, une heure de soleil. Moi seul peux savoir les inquiétudes et le mal que je me donne pour finir des toiles qui ne me satisfont pas moi-même et qui plaisent à si peu de monde. En un mot, je suis absolument découragé, ne voyant, n'espérant aucun avenir[12]. »

Ce n'est pas la critique d'un Wolff qui l'a soupçonné d'avoir envoyé une trentaine de « paysages qu'on dirait faits en une après-midi[13] » – on sait à quoi s'attendre de lui –, ce sont d'autres indices qui sont devenus des avertissements.

Mois après mois, la même remarque qui l'accuse est faite encore et encore. Et par les plus fidèles. Caillebotte qui l'a convaincu d'exposer lui aurait-il fait part de l'exigence de Pissarro qui lui écrivit : « Faisons de bons tableaux, n'exposons pas d'esquisses, soyons très sévères pour nos tableaux, cela vaut mieux, qu'en pensez-vous ? Car le public se rebute aux esquisses les plus belles, c'est un prétexte[14]. » En août, de Bellio est allé voir des toiles rue de Vintimille où Monet a transporté les œuvres qui étaient rue de Moncey, où il entrepose les plus récentes. La déception de De Bellio est implacable : « Sur votre autorisation, j'ai été rue Vintimille voir vos toiles avant d'y amener quelques amis auxquels j'en avais parlé, et je dois vous dire, avec toute la franchise que vous me connaissez, qu'il est vraiment impossible de songer à faire de l'argent avec ces toiles si peu avancées. Vous êtes, mon cher ami, enterré dans un cercle terrible dont je ne sais comment vous en sortirez[15]. » La phrase résonne comme un écho de celle de Wolff : « Le voici à jamais dans un gâchis dont il ne sortira plus[16]. » Monet propose à Faure *Vétheuil dans le brouillard*. Le chanteur décline l'offre : « Mais, mon pauvre Monet, je ne vous en donnerai pas 50 francs... Voyons... ce n'est pas sérieux[17]. »

Ce qui est sérieux, c'est l'état de Camille. Il empire sans cesse. Dès la mi-mai, il paraît désespéré. « L'état de Mme Monet est ce qui nous préoccupe le plus en ce moment, car je ne crois pas qu'elle ait plus de quelques jours à vivre et son agonie lente est bien triste[18]. » Tandis qu'Ernest Hoschedé rapporte ainsi à sa mère les progrès de la maladie, sa femme Alice se consacre à la malade autant qu'elle le peut, entre les leçons de piano qu'elle donne et les attentions qu'il lui faut avoir pour les enfants. Caillebotte confie à Pissarro au début de l'été : « J'ai vu Monet il y a quelque temps, sa femme est extrêmement malade. Je crains bien qu'elle ne passe pas l'été[19]. »

En août, les choses se précipitent. « Il faut être continuellement à son chevet à épier ses moindres désirs dans l'espoir de calmer ses souffrances, et le plus triste est que nous ne pouvons pas toujours satisfaire ses désirs d'un moment faute d'argent. Depuis un mois, je ne puis plus peindre faute de couleurs ; mais cela n'est rien ; pour le moment ce qui m'effraie, c'est de voir la vie de ma femme si compromise et ce qui est bien pénible, c'est de la voir tant souffrir sans pouvoir la soulager. Elle ne perd plus de sang mais de l'eau en abondance : l'ulcération paraît guérie, mais elle a toujours de la métrite et de la dyspepsie, le ventre et les jambes enflés et souvent aussi le visage : avec cela des vomissements constants avec des étouffements ; il y a de quoi souffrir, surtout quand on n'a plus l'ombre de force[20]. » Monet qui décrit l'épreuve au docteur de Bellio n'en attend pas d'aide. Il est trop tard. Monet le sait. Le cancer l'emporte. Le 26 août, Alice note dans son journal : « Je crains un bien fatal dénouement aux souffrances de la pauvre femme. C'est terrible de voir endurer pareille torture et que la mort est donc désirable[21]. » Alice Hoschedé fait en sorte que cette mort « désirable » soit chrétienne. Elle fait venir le curé de Vétheuil, l'abbé Amaury, pour que dans le registre de la paroisse soit mentionnée « la réhabilitation *in extremis* du mariage de Claude Monet et de Camille-Léonie Doncieux », pour qu'elle reçoive l'extrême-onction. L'agonie terrible, douloureuse, dure encore plusieurs jours. Camille est lucide jusqu'au dernier moment. « C'était déchirant de voir les tristes adieux qu'elle adressait à ses enfants[22]. » Le 5 septembre, à 10 heures et demie, Camille s'éteint.

Propos de Monet rapportés des années plus tard par Clemenceau : « Un jour, me trouvant au chevet d'une morte qui m'avait été et m'était très chère, je me suis surpris, les yeux fixés sur la tempe tragique, dans l'acte de chercher machinalement la succession, l'appropriation des dégradations de coloris que la mort venait d'imposer à l'immobile visage. Des tons de bleu, de jaune, de gris, que sais-je ? Voilà où j'en étais venu. Bien naturel le désir de reproduire la dernière image de celle qui allait nous quitter pour toujours. Mais avant même que s'offrît l'idée de fixer des traits auxquels j'étais si profondément attaché, voilà que l'automatisme organique frémit d'abord aux chocs de la couleur, et que les réflexes m'engagent, en dépit de moi-même, dans une opération d'inconscience où se reprend le cours quotidien de ma vie. Ainsi de la bête qui tourne la meule. Plaignez-moi, mon ami[23]. »

Le 5 septembre 1879, à 4 heures de l'après-midi, M. Louis-François Finet, maire et officier d'état civil, reçoit MM. Paillet, Aimé, maçon, et Havard, Louis-Gustave, qui témoignent du décès de Mme Monet née Doncieux. Le lendemain de Bellio reçoit une lettre de Monet qui lui demande de retirer au mont-de-piété le médaillon dont il lui envoie la reconnaissance. « C'est le seul souvenir que ma femme avait pu conserver et je voudrais le lui mettre au cou avant de partir[24]. »

Le dimanche 7 septembre, à 2 heures de l'après-midi, les confrères de la Charité procèdent à la mise en bière, aux obsèques. La dépouille est descendue dans une fosse en pleine terre. C'est fini.

« Je suis accablé, ne sachant comment me retourner, ni comment je vais pouvoir organiser ma vie avec mes deux enfants[25]. » Quel conseil pourrait lui donner Pissarro, que Monet remercie de lui avoir adressé ses condoléances ? Travailler... Peindre...

Les deux filles de la propriétaire, Mme veuve Elliott, décédée elle-même en juin, ne tardent pas à procurer à Monet un sujet d'inquiétude qui le distrait de son deuil. Mmes Chauvel et Origet, elles-mêmes veuves, ont pris la décision de vendre. Maître Delaplane est chargé de donner son congé à Monet, signataire du bail. Deux termes n'ont pas été payés. Ce manquement justifie la mesure prise. Inutile de demander de l'argent à Hoschedé. Où en trouverait-il ? A la mi-octobre, Monet arrive à Paris avec 17 toiles. Si... Des aides, des achats de Charpentier, de De Bellio, de Caillebotte, permettent à Monet d'acquitter sa dette. Il peut rester à Vétheuil.

Et il y reste seul avec Alice Hoschedé et les enfants. Ernest repart pour Paris. Les créanciers et les huissiers qui recommencent de le chercher ne le trouveront pas à Vétheuil. Il suggère à Alice qu'elle le rejoigne à Paris. Elle lui répond par une question : « Si nous dépensons ici une somme relativement élevée, que serait-ce à Paris[26] ? » Et Alice reste seule à Vétheuil avec Claude Monet.

Et l'hiver commence. Un hiver implacable. Des congères interdisent à la voiture publique du père Papavoine d'aller jusqu'à Mantes. La température descend. La Seine charrie des glaçons. La température descend encore. La Seine est prise. On y patine. On la traverse à pied. Il fait froid dans la maison de Vétheuil. Les prix du bois, des pommes de terre, des légumes atteignent des hauteurs insensées.

Monet peint cet hiver incomparable. Et il essaye de vendre. En novembre, il n'obtient pour ses toiles que 575 francs. Pas assez pour faire vivre les Monet et les Hoschedé...

Il n'y a plus à Vétheuil assez d'argent pour payer le blanchisseur qui retient le linge en gage. Il n'y a pas assez d'argent pour habiller les enfants comme il le faudrait. Les vêtements envoyés par la grand-mère Hoschedé n'arrivent qu'au lendemain de Noël. Trop tard pour son petit-fils Jacques qui n'a pu aller à la messe de minuit faute de vêtements décents. Le 28 décembre, Alice Hoschedé dispose de cinq francs. Cinq francs... Il est inutile de se demander combien de temps on peut nourrir, chauffer et blanchir deux adultes et huit enfants avec cinq francs. Monet part le lendemain pour Paris. Pour y vendre des effets de neige. Duret en achète un cent cinquante francs.

De retour à Vétheuil avec Ernest Hoschedé pour la fin de l'année, Monet peut laisser entendre qu'au bout du compte les choses devraient pouvoir aller mieux en 1880. Après tout, et en dépit de tout, il aura reçu 1 625 francs en décembre pour sa peinture...

1880/1

Il faut que je vous annonce
que je vais tenter cette épreuve[1]

Le dimanche 4 janvier, Ernest Hoschedé quitte Vétheuil. Et, tout à coup, dans la nuit... « Lundi, à cinq heures du matin, j'étais éveillée par un bruit effroyable semblable au grondement du tonnerre ; quelques minutes après, j'entendais Madeleine frapper aux fenêtres de M. Monet et lui dire de se lever[2]. » La débâcle vient de commencer. Formidable. Les glaçons charriés se fracassent, roulent les uns sur les autres, débordent les berges, emportent les haies, les clôtures, arrachent les arbres.

Dans les jours qui suivent, Monet arpente la campagne dévastée. Des peupliers sont coupés, des champs couverts de glaçons, d'épaves de barques broyées, des petites îles disparaissent sous les flots sombres. Le 8 janvier, Monet ne manque pas d'informer de Bellio de ce qu'il y a eu une débâcle terrible et qu'il a « naturellement essayé d'en faire quelque chose[3] ». Ce « quelque chose » est une douzaine de toiles...

La même lettre avertit très courtoisement le médecin que, désormais, en raison d'une exigence du marchand de tableaux M. Petit qui « a trouvé [ses] toiles très à son goût » et qui se dit prêt à faire de « nouvelles affaires » avec lui, la règle du jeu des achats change. « Il me coûte d'être obligé de vous dire cela à vous qui avez toujours été si obligeant pour moi, mais vous comprendrez vous-même qu'au prix où je vous vends mes toiles, il me faudrait quatre mains pour arriver à gagner ma vie et à payer mes toiles et mes couleurs. Vous avez une assez jolie collection de mes toiles pour que dans l'avenir vous m'en achetiez un peu moins mais me les payiez un peu plus ; vous serez du reste toujours le premier à qui je montrerai mes toiles, car je n'oublie pas toutes les fois où vous m'avez tiré d'embarras[4]. » A bon entendeur, salut. Beau joueur, de Bellio souhaite à Monet un « très grand et très légitime succès ».

En ce début d'année, les marques d'intérêt du marchand Georges Petit, l'exemple de Renoir qui a exposé l'année précédente avec succès au Salon et qui semble tiré d'affaire, l'indifférence qu'il a peut-être été lui-même surpris d'éprouver à l'égard de la 4e exposition d'artistes « indépendants » qui n'ont pas eu le courage de se dire « impressionnistes », invitent Monet à songer qu'il est peut-être temps de changer de stratégie... Le laisserait-il entendre au cours d'une conversation ici ou là ? C'est fort probable.

Le 24 janvier 1880, *Le Gaulois* publie, dans sa rubrique « La journée parisienne », un article qui a pour titre « Impression d'un impressionniste », signé par un très anonyme « Tout-Paris ». Le papier est l'annonce d'un prochain faire-part : « Dans quelques jours, les admirateurs de la "nouvelle Ecole" picturale recevront par la poste ou autrement une lettre ainsi conçue :

« L'école impressionniste a l'honneur de vous faire part de la perte douloureuse qu'elle vient de faire en la personne de M. Claude MONET, l'un de ses maîtres vénérés.

« Les obsèques de M. Claude MONET seront célébrées le 1er mai prochain à 10 heures du matin, le lendemain du vernissage – en l'église du palais de l'Industrie –, salon de M. Cabanel.

« Prière de n'y pas assister.

De Profundis

« De la part de M. Degas, chef de l'Ecole ; M. Raffaelli, successeur du défunt. Miss Cassatt. M. Caillebotte ; M. Pissarro ; M. Louis Forain ; M. Bracquemond. M. Rouard [*sic*], etc. Ses ex-amis, ex-élèves et ex-partisans[5]. »

L'échotier est loin de s'en tenir à cette révélation. Il se risque à quelques insinuations. Rumeurs et ragots suffisent à les fonder. Il affirme que le déserteur qui abandonne la cause des impressionnistes, le traître qui passe au Salon comme on passe à l'ennemi et « qui partage son temps entre son art et sa famille », vit avec une « charmante jeune femme et deux jolis bébés de sept et huit ans »[6]. Monet peut, peut-être, admettre que les mots « bébés de sept et huit ans », informations fausses puisque ces âges ne sont ceux ni de Jean ni de Michel, veulent être un effet de style ; en revanche, il ne peut admettre la mention d'une « charmante jeune femme » qui ne peut que désigner Alice Hoschedé. Comment cet échotier qui assure que M. Hoschedé, ruiné pour avoir « acheté à des prix très élevés les toiles impressionnistes de tous les rapins en rupture d'atelier », en est réduit à n'être plus qu'un « amateur platonique », qui n'a plus d'autre choix que de passer « sa vie dans l'atelier de Monet qui l'habille, le couche, le nourrit et... le supporte »[7], comment ne saurait-il pas que Camille est décédée, comment ne saurait-il pas que Monet n'a pas les moyens d'entretenir qui que ce soit ?

Monet envoie aussitôt une lettre de protestation. *Le Gaulois*, le

29 janvier, ne publie que ces quelques lignes narquoises : « M. Claude Monet s'est ému d'une des dernières *Journées parisiennes* de "Tout-Paris" dans laquelle notre collaborateur représentait M. Hoschedé comme vivant aux frais du peintre impressionniste et il nous écrit pour nous prier de démentir cette assertion. C'est fait[8] ! » C'est court. A peine un rectificatif. Et encore... Pas la moindre excuse. Ni pour Monet ni pour Hoschedé.

Qui est à l'origine de cet article ? Qui est « Tout-Paris » ? Monet le demande à de Bellio comme à Caillebotte, à Pissarro... Et personne ne peut le découvrir. « Tout-Paris » reste anonyme.

Le 2 février, Pissarro reçoit une lettre de Monet qui ironise : « Je m'étonne que, si bien renseigné, l'auteur de l'article n'ait pas annoncé, pendant qu'il y était, quels tableaux je devais exposer au prochain Salon, il aurait été plus avancé que moi[9]. » Cette phrase suffit à rassurer Pissarro qui s'empresse d'assurer Caillebotte que Duranty l'a sûrement mal informé et que Monet ne saurait se présenter au Salon.

Lettre de Monet à Duret : « Puisque vous êtes de ceux qui m'avez souvent conseillé de m'exposer de nouveau au jugement du jury officiel, il faut que je vous annonce que je vais tenter cette épreuve. Je travaille à force à trois grandes toiles dont deux seulement pour le Salon car l'une des trois est trop de mon goût à moi pour l'envoyer et elle serait refusée, et j'ai dû en place faire une chose plus sage, plus bourgeoise. C'est une grosse partie que je vais jouer sans compter que me voilà du coup traité de lâcheur par toute la bande, mais je crois qu'il était de mon intérêt de prendre ce parti, étant à peu près sûr de faire certaines affaires, notamment avec Petit, une fois que j'aurai forcé la porte du Salon ; mais ce n'est pas par goût que je fais cela et il est bien malheureux que la presse et le public aient pris si peu au sérieux nos petites expositions bien préférables à ce bazar officiel. Enfin, puisqu'il faut en passer par là, allons-y[10]. »

Les réactions de colère, de dépit et de mépris ne tardent pas. Monet serre les dents.

Le 24 mars, les membres du jury sont élus. Il reste à espérer que les quinze membres de ce jury, que la réglementation qui impose désormais que la section peinture compte cinq membres peintres de paysage et de nature morte, que le fait d'avoir, malgré tout, été admis à trois reprises, en 1865, en 1866 et en 1868, soient considérés comme autant d'arguments qui lui ouvrent les portes... Il reste à espérer...

En temps et en heure, Monet dépose les deux toiles qu'il soumet au jugement du jury, *Les Glaçons* et *Lavacourt*. La première est une toile de

97 centimètres sur 150,7. La Seine charrie des glaçons entre les berges hérissées d'arbres bas, touffus comme des buissons, de peupliers dressés à l'horizon sur un ciel ponctué de nuages qu'éclaire le début d'un crépuscule du soir. La seconde mesure 1 mètre sur 1,50. C'est le village de Lavacourt, les façades claires des maisons sous des toits d'ardoise ou de tuiles, leurs reflets qui vibrent à la surface de la Seine avec ceux plus obscurs des peupliers, c'est l'été, ce sont des nuages qui s'effilochent comme une ouate effleurée par la lumière... Il reste à espérer...

A Duret, le 1er avril : « Enfin, le sort en est jeté et je n'ai plus qu'à attendre la décision du jury ; mais je parie bien que je serai conspué[11]. » Pari perdu. Pari à demi perdu. Les Glaçons ont été écartés. Lavacourt est accepté. Cette toile serait-elle cette « chose plus sage, plus bourgeoise » annoncée à Duret le 8 mars ? Serait-elle une concession ?

Le 29 avril, les critiques d'art sont admis à découvrir l'exposition. Certains doivent donner leur article le soir même de telle sorte que le lendemain, lors de l'inauguration, leur journal puisse tenir lieu de guide. Et de soutien pour celles et ceux qui, sans les commentaires qu'ils auront lus, seraient contraints d'en rester à un silence gêné ou à quelques conventions qui ne permettent guère de briller dans une conversation. Quoi qu'il en soit, il n'y aura personne pour contredire le jugement porté par Huysmans sur l'ensemble de l'exposition : « Le Salon de 1880, c'est une pétaudière, un fouillis, un tohu-bohu, aggravés encore par les incomparables maladresses du nouveau classement. Sous prétexte de démocratie, on a assommé les inconnus et les pauvres[12]. »

La toile de Monet, n° 2681 au catalogue, est accrochée dans la salle 15 du palais de l'Industrie. Elle est au dernier rang, à six mètres de hauteur. Et, malgré cette situation, dans La Gazette des Beaux-Arts, le marquis de Chennevières-Pointel, ancien directeur des Beaux-Arts qui n'aime guère les « affinités délirantes et malsaines » des impressionnistes parce qu'elles lui rappellent « certains groupes de nos parnassiens », doit reconnaître que son « atmosphère lumineuse et claire fait paraître noirs tous les paysages voisins dans la même galerie[13] ».

Le 19 juin, dans Le Voltaire, paraît enfin l'article que Monet attend sans doute plus qu'aucun autre. C'est celui de Zola. Pour lui le « cas » Monet n'est comparable à aucun autre : « Voilà un peintre de l'originalité la plus vive qui, depuis dix ans, s'agite dans le vide, parce qu'il s'est jeté dans des sentiers de traverse, au lieu d'aller tout bourgeoisement devant lui. Il avait exposé au Salon des premières toiles fort remarquées ; puis le jury s'avisa de le refuser, et le peintre irrité décida qu'il ferait bande à part. Ce fut une faute de conduite, un manque d'habileté dans l'entêtement ; car s'il avait continué la lutte sur le terrain des salons officiels, nul doute qu'il aurait aujourd'hui la grande situation à laquelle il a droit. Cette année, il est revenu au Salon avec une toile dont je parlerai plus loin, mais qu'on paraît avoir reçue par charité et qu'on a fort mal placée. C'est toute une série d'efforts à recommencer pour lui. Les expositions libres des impressionnistes n'ont mis fin qu'au tapage autour de son nom ; il s'est lui-même relâché, il a cessé de donner tout ce qu'il pouvait, en ne se battant plus contre les mauvaises intentions du jury et contre l'indifférence du public. Le grand courage est de rester sur la brèche, quelles que soient les fâcheuses conditions où l'on s'y trouve. Donc, M. Claude Monet, que l'on regarde avec raison comme le chef des impressionnistes, n'est plus aujourd'hui qu'un renégat comme Renoir[14]. »

« Renégat »... Monet a sans doute entendu pire. Le « renégat » donc a envoyé deux toiles au Salon : « Une de ces toiles seulement a été reçue, et avec peine, ce qui l'a fait placer tout en haut d'un mur, à une élévation qui ne permet pas de la voir. [...] Cependant, on a eu beau le mal placer, il met là-haut une note exquise de lumière et de plein air ; d'autant plus que le hasard l'a entouré de toiles bitumineuses, d'une médiocrité morne, qui lui font comme un cadre de ténèbres, dans lequel il prend une gaieté de soleil levant. M. Monet lui aussi est un maître. » Le titre élogieux de « maître » annonce une réserve : Zola regrette que Monet n'ait pas la « note distinguée » de Manet, ce qui n'est pas si grave. Ce reproche n'est pas le dernier : « Il y a surtout en lui un peintre de marines merveilleux ; l'eau dort, coule, chante dans ses tableaux, avec une réalité de reflets et de transparence que je n'ai vue nulle part. Ajoutez qu'il est fort habile, maître de son métier, sans tâtonnement, fait pour plaire au public, s'il s'en donnait la moindre peine. Aussi est-ce un grand étonnement pour nous tous que ce peintre si bien doué lutte encore obscurément, après avoir débuté au Salon par des toiles très regardées et très discutées, telles que sa *Femme à la robe verte*, dont on parle encore. J'ai expliqué que la campagne faite par M. Monet avec les impressionnistes n'avait pas été heureuse pour lui. Il faudrait maintenant, si je voulais étudier complètement son cas, entrer dans des considérations d'un ordre personnel que j'hésite à aborder. Ce que je puis dire, c'est que Monet a trop cédé à sa facilité de production. Bien des ébauches sont sorties de son atelier, dans des heures difficiles, et cela ne vaut rien, cela pousse un peintre sur la pente de la pacotille. Quand on se satisfait trop aisément, quand on livre une esquisse à peine sèche, on perd le goût des morceaux longuement étudiés ; c'est l'étude qui fait les œuvres solides. M. Monet porte aujourd'hui la peine de sa hâte, de son besoin de vendre. S'il veut conquérir la haute place qu'il mérite, s'il veut être un des maîtres que nous attendons, il lui faut résolument se donner à des toiles importantes, étudiées pendant des saisons, sans autre préoccupation que de s'y mettre tout entier, avec son tempérament. Qu'il ne s'occupe plus de la question des expositions, qu'il fasse avec entêtement de la grande et belle peinture, et avant dix ans il sera reçu, placé sur la cimaise, récompensé, il vendra ses tableaux très cher et marchera à la tête du mouvement actuel[15]. »

Monet n'a pas fini de lire et de relire l'accusation d'avoir « trop cédé à sa facilité de production ». Ce n'est pas la première fois qu'il doit la lire, l'entendre.

En ce mois de juin 1880, ce souci n'est pas le plus pressant.

1880/2

Je vous verrai à *La Vie moderne*[1]

Les renégats sont solidaires. Dès qu'il a su que Monet, comme lui, se présenterait au Salon de MM. Gérôme, Cabanel et autres Bouguereau, Renoir l'a aussitôt entraîné chez les Charpentier. Non pour le présenter, ils se connaissent depuis plusieurs années déjà, mais sans doute parce qu'il est devenu leur intime, leur « peintre ordinaire » – titre que Renoir s'est attribué non sans préciser qu'il se voulait « le plus dévoué des peintres ordinaires[2] » –, pour avoir peint non seulement le *Portrait de Madame G. C. et ses enfants* présenté au Salon de 1879, mais ceux de chacun des enfants, Paul, Georgette, et celui de la mère de Marguerite Charpentier, Mme Lemonnier. Il sait que l'enthousiasme de l'influente Marguerite Charpentier peut être généreux et efficace. Il sait que cet enthousiasme dispose de moyens incomparables. Elle a convaincu son mari de créer la revue *La Vie moderne*. Et, sur le boulevard des Italiens, à l'entrée du passage des Princes, *La Vie moderne* dispose d'une galerie. Faut-il seulement préciser que le salon de Marguerite Charpentier est l'un des plus brillants de Paris ? Que l'on y croise des écrivains, des

Goncourt à Hector Malot, d'Octave Mirbeau à Daudet, à... des hommes politiques, de Gambetta à Jules Ferry, des femmes du monde, de la duchesse de Rohan à la duchesse d'Uzès, et les relations que l'on y peut nouer, peuvent, si besoin est, être utiles.

Dès le mois d'avril, Emile Bergerat, directeur de la revue, a proposé à Monet de recevoir à Vétheuil Emile Taboureux pour un entretien à paraître dans un numéro de *La Vie moderne* au moment même où la galerie présentera sa première exposition personnelle.

Le vernissage a lieu le dimanche 6 juin. Le lendemain, elle ouvre au public. Non sans difficultés, dix-huit tableaux ont été rassemblés. Il a fallu emprunter la presque totalité d'entre eux à des amateurs. Le 19 mai, Monet écrivait encore à Duret pour lui faire part de son « complet découragement ». Et d'ajouter que « si ce n'était l'engagement pris par vous et Hoschedé, je renoncerais à cette exposition dont je ne vois ni l'intérêt ni l'utilité. Je ne pourrais rien y mettre de nouveau quoique depuis votre visite à Vétheuil je me sois donné beaucoup de mal ; je ne sais ce que j'ai, mais je ne fais rien qui vaille, je ne sais même plus si j'ai jamais rien fait de fameux. Vous le voyez, je suis bien dégoûté et bien découragé[3] ».

Parmi les œuvres exposées, il n'y en a guère que deux qui sortent de chez Monet même. L'exposition tient donc de la rétrospective. La toile la plus ancienne, *Cabane à Sainte-Adresse*, date de 1867, et la plus récente vient d'être refusée par le Salon : *Les Glaçons*. Les Charpentier ont tout fait pour que l'exposition marque. Le 12, l'article de Taboureux est publié dans la revue. Et, dans le catalogue, le texte de Duret est accompagné d'un portrait de Monet par Manet.

Dès les premières lignes de sa préface, Duret ne laisse place à aucun doute : « Claude Monet est l'artiste qui, depuis Corot, a apporté dans la peinture de paysage le plus d'invention et d'originalité. Si l'on classe les peintres d'après le degré de nouveauté et d'imprévu de leurs œuvres, il faut le mettre sans hésiter au rang des maîtres. » Et d'inviter, pour souligner sa singularité, à observer « Claude Monet le pinceau à la main. Pour cela il faut courir avec lui les champs, braver le hâle, le plein soleil, ou rester les pieds dans la neige, puisque, sorti du logis, il travaille en toute saison directement sous la voûte du ciel. Sur son chevalet il pose une toile blanche, et il commence brusquement à la couvrir de plaques de couleur qui correspondent aux taches colorées que lui donne la scène naturelle entrevue. Souvent, pendant la première séance, il n'a pu obtenir qu'une ébauche. Le lendemain, revenu sur les lieux, il ajoute à la première esquisse, et les détails s'accentuent, les contours se précisent. Il procède ainsi plus ou moins longtemps jusqu'à ce que le tableau le satisfasse.

« Par ce système de peinture directe en face de la scène vue, Claude Monet a été tout naturellement amené à tenir compte d'effets négligés de ses devanciers. Les impressions fugitives autrefois ressenties par le paysagiste faisant un croquis en plein air, mais perdues et oubliées dans la transformation du croquis en un tableau à l'atelier, sont au contraire devenues saisissables pour l'artiste qui, peignant sa toile en plein air, peut fixer rapidement l'effet le plus éphémère et le plus délicat, au moment même où il se produit devant lui. Aussi Monet est-il parvenu à rendre tous les jeux de lumière et les moindres reflets de l'air ambiant, il a reproduit les ardeurs des couchers de soleil et ces tons variés que l'aurore donne aux bées qui se lèvent des eaux ou couvrent la campagne, il a peint dans toute leur crudité les effets de la pleine lumière tombant à pic sur les objets et leur supprimant l'ombre, il a su parcourir toute la gamme de tons gris des temps couverts, pluvieux ou estompés de brouillard. En un mot, son pinceau a fixé ces mille impressions passagères que la mobilité du ciel et les changements de l'atmosphère communiquent à l'œil du spectateur. Aussi est-ce pour la lui appliquer qu'avec raison on a d'abord créé l'épithète d'"impressionniste"[4] ».

Si l'épithète est reprise, c'est parce que, il faut qu'on le sache, pour avoir renoncé à exposer avec les « indépendants », pour avoir accepté de se soumettre au jugement du Salon, Monet n'a pas renié l'essentiel. Taboureux rapporte sa déclaration sans ambiguïté : « Je suis toujours et je veux toujours être impressionniste[5]. » L'impressionnisme est-il encore seulement du côté de ces « indépendants » qui ont exposé 10, rue des Pyramides en avril dernier ? Aux yeux de Monet, « la petite église est devenue une école banale qui ouvre ses portes au premier barbouilleur venu[6] ». Propos qui ne peut que combler de joie Vignon, Vidal et Raffaëlli qui ont exposé pour la première fois avec ces « indépendants »...

A la fin du mois de juin, Monet reçoit à Vétheuil cette lettre de Mme Charpentier : « Monsieur, je sais que mon mari désire beaucoup votre grand tableau de la *Débâcle*. Je voudrais lui en faire cadeau sur mes économies et, quoique je déteste marchander surtout un homme de votre talent, il n'entre pas dans mes moyens de le payer 2 000 francs. Comme vous ne l'avez pas encore vendu, peut-être voudrez-vous bien accepter mes conditions : 1 500 francs payables en trois fois – 500 francs au 14 octobre – 500 francs au 14 janvier – 500 francs au 14 avril 1881[7]. »

Deux mille francs demandés ?... Quelques mois seulement plus tôt, Monet implorait l'un de ses collectionneurs de lui acheter une toile pour deux cents francs et se résignait, s'il le fallait, à la lui abandonner pour cent cinquante... Ces nouvelles exigences ne signifient pas que les soucis d'argent soient terminés. Loin de là. A la fin du mois de juin, parce qu'un « méchant créancier » a formé opposition sur ses tableaux de *La Vie moderne*, il n'a pas même en poche de quoi reprendre le train pour Vétheuil... A la fin de l'année, il redoute le pire : « Les affaires sont rares et, en ce moment, je tremble un peu, car voici la fin de l'année et personne n'a d'argent à cette époque jusqu'à fin janvier ; j'ai peur de ne rien faire[8]. »

Au même Théodore Duret, à l'avant-veille de la clôture de l'exposition à *La Vie moderne*, Monet écrit de Vétheuil : « Je travaille beaucoup et suis dans une bonne veine de travail et, un de ces jours, je vous enverrai quelque chose en souvenir de mon exposition à laquelle vous avez si vaillamment collaboré[9]. » Se souvient-il alors de ce que, en mai encore, il pensait que cette exposition n'avait « ni l'intérêt ni l'utilité » ?

Dans les mois qui suivent, si l'argent manque, manque encore, manque toujours, l'inquiétude et le découragement qui ont été les siens se dissipent. L'assurance revient : « Je suis allé quelques jours au bord de la mer et j'en ai rapporté quelques études. En ce moment je termine deux natures mortes qui seront curieuses[10]. »

1881

Je ne puis du reste vendre à personne meilleur marché qu'à M. Durand-Ruel[1]

Le 13 février Monet envoie à Paul Durand-Ruel un bref billet pour l'informer de son arrivée le lendemain à Paris. Depuis deux mois, en raison d'un « mal au doigt[2] » qui lui a interdit de travailler, il n'a pas quitté Vétheuil. Mais le jeudi 15, « de 9 à 11 heures du matin[3] », il sera rue de Vintimille. Il l'y attendra. Il y aura des choses à lui montrer. Et si Durand-Ruel lui a acheté en octobre 1880 deux toiles pour 500 francs, peut-être pourrait-il vouloir faire de nouvelles acquisitions...

Le 15 février, Durand-Ruel est ponctuel au rendez-vous qui lui a été donné rue de Vintimille. Aux murs, des vues de Vétheuil, de la Seine, des berges, des coteaux. Et les toutes dernières toiles. Depuis plusieurs jours la Seine est en crue. Monet présente au marchand des peintures, de prairies inondées. Durand-Ruel admire. Sans réserve. Il fait le choix d'une quinzaine de tableaux. Et remet immédiatement 4 000 francs à Monet ; 500 francs lui seront versés encore. Un an plus tôt, sa recette du mois de février, 1880 donc, a été de 1 150 francs.

Durand-Ruel peut se permettre cette dépense. L'amitié qu'il a nouée avec le banquier Jules Feder, amateur d'art et catholique – qualité décisive pour Paul Durand-Ruel –, lui permet une relation privilégiée avec la banque de l'Union générale, qui lui accorde des facilités de trésorerie.

Fort du soutien de Durand-Ruel, Monet peut partir pour Fécamp. A Vétheuil, ni Alice ni les enfants ne manqueront de rien. Et Alice prendra soin de Jean et de Michel comme de ses propres enfants, comme elle n'a pas cessé de le faire depuis la mort de Camille. A Paris, Monet n'aura pas à attendre le jugement du jury du Salon et le jury n'aura pas à se déjuger en se résignant à accepter ne serait-ce qu'une seule de ses toiles. Les « indépendants » sauront qu'il est, qu'il ne peut être qu'un « lâcheur ». Le jugement des uns et des autres lui est indifférent.

Le 9 mars, à Fécamp, il s'installe chez M. Lemarrois, sur le Grand Quai. Pour trois semaines. Il reste un mois. Parce que les falaises sont admirables, parce que les lumières sont incomparables sur le cap d'Yport, parce que les bateaux échoués à marée basse dans le port y sont de formidables masses sombres, parce que les vagues par gros temps éclatent sur la jetée, parce que, du côté de Grainval, la mer, les falaises et les cieux proposent jour après jour les variations de lumière les plus subtiles...

Il rentre à Vétheuil avec plus de vingt toiles.

Le 18 avril la maison est en fête pour l'anniversaire de Marthe, l'aînée des enfants Hoschedé. Elle a dix-sept ans. Ernest Hoschedé, son père, n'est pas venu. Que *Le Gaulois* l'ait accusé de vivre aux crochets de Monet, passe encore. On sait de quoi la médisance est capable. On a pu expliquer que « Tout-Paris », mal informé en dépit des apparences, n'avait rien su de la mort de Camille, la « charmante jeune femme » citée dans l'article. Mais l'explication ne parvient pas à cacher le fait que sa femme, Alice, vive désormais auprès de Monet... Les séjours de plus en plus longs d'Ernest Hoschedé à Paris où, depuis février, il est rédacteur en chef de *L'Art de la mode*, les réponses dilatoires d'Alice à laquelle il a proposé à plusieurs reprises de quitter Vétheuil, les allusions, les sous-entendus qui doivent, mois après mois, être très poliment démentis, la question posée avec tant de tact depuis le décès de Mme Raingo, la mère d'Alice, le 10 décembre dernier : « Et Mme Hoschedé, elle est à Vétheuil, n'est-ce pas ? Avec M. Monet... Comment va-t-elle ? », à laquelle il devient de plus en plus difficile de répondre si ce n'est par une réplique de comédie où madame, son amant et monsieur claquent les portes, tout cela devient intolérable. Hoschedé ne saurait venir lorsque Monet est à Vétheuil. Et lorsque Hoschedé vient à Vétheuil, Monet se retire. Lors du baptême de Michel Monet qu'Alice a convaincu son père, étranger à toute foi, d'admettre, Hoschedé reste à Paris.

Le 30 avril, Monet est de nouveau rue de Vintimille. Deux jours plus tôt, il a, de Vétheuil, envoyé cette question à Durand-Ruel : « Pourrez-vous disposer d'un moment après-demain samedi dans l'après-midi pour voir ce que je rapporte. Cela m'obligerait bien, désirant rester le moins possible à Paris. Je serai chez moi de 4 heures et demie à 5 heures[4]. » Dans la demi-heure qui lui est accordée, le marchand achète quatre toiles. Il revient quelques jours plus tard. Et il achète encore une vingtaine de toiles. Monet reçoit 1 000 francs le 5 mai, 1 000 francs le 6. Le 19, il demande à son marchand de remettre 500 francs à MM. Vieille et Troisgros, marchands de couleurs. Il leur doit, avoue-t-il, cette somme « depuis quelque temps déjà[5] ». Ils font partie de ces créanciers auxquels Monet aura appris la patience. Ils ne sont pas les seuls. La propriétaire de la maison de Vétheuil s'impatiente quant à elle de ce que, depuis un dernier règlement du 12 janvier 1880, Monet a « oublié » de payer le moindre terme. En juillet, elle somme Monet de régler 986 francs dans un délai de vingt-quatre heures. Et sans doute avertit-elle que le bail de trois ans ne saurait être reconduit.

A son retour à Vétheuil au début du mois de mai, Monet a été tout à coup « mal à l'aise[6] ». Il a dû garder le lit plusieurs jours. Ce temps d'arrêt lui a permis d'écrire à Zola pour lui demander conseil : « Je viens vous demander un renseignement : je dois quitter prochainement Vétheuil et je suis à la recherche d'un joli endroit aux bords de la Seine. Cela n'est pas difficile à trouver, mais ce qui l'est plus, c'est un joli endroit où je puisse trouver un collège, une bonne pension pour mon fils Jean. J'ai pensé à Poissy[7]. » Zola est à deux pas, à Médan. Une demande du même ordre a été adressée à Sisley. Si, à Moret-sur-Loing, un collège peut-être trouvé...

Remis, il recommence à peindre Vétheuil, la plaine de Lavacourt, l'île

Saint-Martin. Et il reprend un motif qu'il n'a peint jusqu'alors qu'une seule fois, la maison où il habite depuis bientôt trois ans, les terrasses qui dominent la Seine, l'escalier qui descend jusqu'au jardin, à quelques pas des berges du fleuve. Durand-Ruel a acheté la première toile en avril. Monet peint Alice assise à l'ombre sur l'une des terrasses. Il peint les enfants dans l'escalier flanqué de massifs de tournesols, debout dans l'allée bordée de pots décorés de motifs bleus pareils à ceux peints à Argenteuil.

Pendant l'été, la venue d'Hoschedé pour la communion solennelle de Jacques l'oblige à repartir pour la côte normande. Il retourne à Trouville puis à Sainte-Adresse. La nostalgie s'inviterait-elle alors qu'il va lui falloir quitter Vétheuil ? Le mauvais temps l'a peut-être entretenue ? Il ne rentre à Vétheuil qu'en septembre avec quatre toiles : « Aussi suis-je bien découragé, et pour vous auquel je voudrais donner de très bonnes choses, et pour moi qui comptais si bien sur ce séjour à la mer pour me remettre de mon découragement. Cela me navre d'autant plus qu'il me faut quitter Vétheuil d'ici un mois, qu'il me faut chercher ailleurs, que je vais être dérangé à cause de cela, qu'il me faudra pas mal d'argent au moment de mon déménagement et que je n'oserai pas vous en demander si je ne puis vous donner les chefs-d'œuvre que vous attendez de moi[8]. »

Le temps presse. La date d'échéance du bail est le 1er octobre. Et Hoschedé somme Alice de rentrer à Paris. Encore faudrait-il qu'il accepte de payer les 1 505 francs que la famille Hoschedé doit à Monet depuis le 1er septembre. Et la somme a toutes les chances d'augmenter encore et d'augmenter vite. Pendant quelques semaines, semble-t-il, le peintre Ennemond Collignon laisse sa maison rue du Marché-au-Blé à la disposition de Monet.

Le 18 décembre, Paul Durand-Ruel reçoit de Monet une lettre datée de la veille : « Je suis enfin installé et j'ai pu reprendre mes pinceaux hier[9]. » La lettre a été écrite à Poissy, villa Saint-Louis.

177

1882/1

Il est de toute nécessité que nous soyons entre nous[1]

Paul Durand-Ruel doit s'y résigner. Le krach de l'Union générale, les arrestations de MM. Eugène Bontoux et Jules Feder qui étaient à sa tête, le fait qu'en conséquence son marchand ne dispose plus des facilités de trésorerie accordées un an plus tôt, ne concernent pas Monet. Monet a besoin d'argent. Monet lui demande de l'argent. Si Mme Hoschedé a fait le choix de suivre Monet à Poissy et non de retourner auprès de son mari à Paris, si cela a mis fin aux ambiguïtés – sans faire cesser les ragots pour autant –, cela lui impose de nouvelles charges, de nouveaux devoirs. Ce n'est pas avec la petite rente annuelle de 680 francs dont elle dispose que Mme Hoschedé peut faire vivre ses enfants. En outre, il est hors de question d'attendre d'Ernest Hoschedé qu'il rembourse la dette de sa famille à Monet, qui s'élevait à 2 962 francs le 1er décembre 1881 et qui n'a pas cessé de gonfler depuis, et si, en février, il envoie enfin 1 000 francs, il faut redouter que cette largesse soit la dernière... Monet a donc besoin d'argent. Il ne peut donc qu'en demander à son marchand.

Il en a d'autant plus besoin qu'il envisage d'aller travailler à Dieppe dès les premiers jours de février. Poissy n'a rien de commun ni avec Argenteuil ni avec Vétheuil. Sans doute la villa Saint-Louis est-elle plus grande que la maison de Vétheuil, sans doute a-t-elle une vue sur les tilleuls du boulevard de la Seine, sur un petit bras du fleuve et le vieux pont, sur des îles, mais comment peindre dans une ville où M. Jean-Louis-Ernest Meissonier vit depuis quarante ans, lui qui, peintre, a eu toutes les médailles possibles au Salon, de 3e, de 2e et de 1re classes, qui est entré à l'Académie des Beaux-Arts en 1861, comment peindre dans une ville qui a fait de ce membre de l'Institut son maire ?

Le 6 février, malgré un train raté à Mantes, Monet arrive à Dieppe. Si la Manche y est pareille à elle-même, les falaises doivent y être sans doute différentes... Il s'installe à l'hôtel Victoria. Ce qu'il découvre lors d'une première promenade le rassure : « Il y a de jolies choses à faire. La mer est superbe, mais les falaises par leur disposition sont moins belles qu'à Fécamp. Ici, je ferai certainement plus de bateaux[2]. »

Deux jours plus tard, il ne reste plus rien de ces projets : « Hélas ! Je m'ennuie à mourir et j'aurai bien du mal à me mettre à la besogne.

Je marche, je tourne, je regarde tout et rien ne m'empoigne[3]. » Il en est à imaginer qu'il pourrait « revenir à cet horrible Poissy ». Un singulier désarroi l'étreint : « Je ne sais pas ce que j'ai, mais je suis malheureux, je m'ennuie et j'ai peur[4]. »

Peur de ne pas trouver les motifs dont il a besoin, peur de lui-même et peur de se retrouver entraîné dans un nouveau projet d'exposition de groupe qui n'est pas de son goût. Que Camille Pissarro qui l'a informé se le tienne pour dit : « Ce n'est pas parce que Degas ne sera pas d'une nouvelle combinaison que je me déciderai ; mais c'est parce qu'il y a encore des éléments qui empêchent de faire une exposition parfaite que je refuse absolument d'en être. Dans une exposition comme celle-ci il n'y a pas de sacrifice à faire, il faut faire une très bonne exposition ou n'en pas faire, ne comptez donc pas sur moi et ne m'en voulez pas : je sais du reste que vous êtes de mon avis[5]. » La position de Renoir n'est guère différente de la sienne. Il accepte cependant, quand bien même on ne l'a averti du projet d'une telle exposition que fort tard, comme si on avait voulu le mettre face à un fait accompli, quand bien même on n'a pas jugé nécessaire de l'inviter pour les trois précédentes expositions, que Durand-Ruel prenne la décision qu'il croit nécessaire. A la condition que, s'il décide de sa participation à une telle exposition, le catalogue précise noir sur blanc que les toiles présentées auront été présentées par Paul Durand-Ruel et non par lui, Renoir. Le marchand avertit Monet. La réponse est réservée : « Au point où nous en sommes il faut qu'une exposition soit très bien faite ou n'en pas faire, et il est de toute nécessité que nous soyons entre nous et il ne faut pas qu'une seule tache vienne compromettre notre succès. Est-il possible de faire une telle exposition cette année ? Je sais que non, puisque l'on s'est engagé avec certaines personnes, donc, à mon grand regret je refuse absolument d'en faire partie dans ces conditions[6]. » Les choses sont claires : « J'ai déjà écrit hier à Caillebotte dans ce même sens, j'espère que ces messieurs me comprendront et ne m'en voudront pas[7]. »

Econduit, Durand-Ruel s'acharne à convaincre les uns et les autres. Avec autant de patience que de délicatesse. Et, peu à peu, enfin, il finit par emporter les accords des uns et des autres. Renoir lui écrit le 24 février : « A nous cinq ou six, y compris l'insaisissable Degas, nous pourrions faire une exposition qui fût une manifestation artistique intéressante. Mais je vous parie bien que Monet tout le premier ne fera pas le jeu de ces messieurs[8]. » Durand-Ruel peut le rassurer immédiatement. Il a entre les mains une lettre de Monet : « Je voudrais avant tout vous être agréable, d'autant mieux que vous avez trop fait pour nous pour que nous ne vous facilitions les moyens d'arriver à vendre de nos tableaux. Je suis comme vous convaincu qu'en ce moment une exposition très bien faite nous ferait beaucoup de bien, mais la composition des exposants est le point le plus délicat[9]. » Le sacrifice qu'on lui demande ne serait supportable qu'à une condition : « Si l'on m'oblige à me séparer de Caillebotte qui est mon ami, que Pissarro se sépare de l'un des siens. Dans ce cas j'accepte. Si toutefois Renoir en fait partie et même dans ce cas, je vous demanderais de m'aider un peu à me tirer de là avec Caillebotte, en lui demandant de me prêter une toile qu'il a de moi qui est très bien (des chrysanthèmes rouges)[10]. » Durand-Ruel n'a pas la moindre démarche à faire auprès de Caillebotte. Pissarro lui-même rassure définitivement Monet : « Je vous avoue que je n'y comprends plus rien. Voilà deux ou trois semaines que je fais de grands efforts pour tâcher d'arriver d'accord avec notre ami Caillebotte, à une entente pour reconstituer notre groupe aussi homogène que possible. Une erreur s'est évidemment glissée dans la lettre que vous a écrite M. Durand, car jamais, vous le pensez bien, nous n'avons séparé Caillebotte de notre groupe. J'attendais avec anxiété votre réponse depuis hier, pour courir chez lui et nous mettre en œuvre. C'est du reste convenu depuis longtemps avec Caillebotte qu'il est avec nous ; il n'y mettait qu'une condition : c'est de vous avoir. – Nous n'avons que juste le temps ; répondez-moi donc, courrier par courrier, si vous êtes avec nous. Voici du reste la liste des exposants : 1) Monet ; 2) Renoir ; 3) Sisley ; 4) Pissarro ; 5) Caillebotte ; 6) Mme Morisot (si c'était possible) ; 7) Guillaumin ; 8) Gauguin ; 9) Vignon ; 10) Cézanne (si c'était possible).

« Nous sommes donc 8 cette année. Caillebotte était de mon avis pour cette liste qui présente un ensemble défendant les mêmes idées en art, avec plus ou moins de talent. Nous ne pouvons exiger des talents égaux ; c'est déjà un grand point de ne pas faire tache[11]. »

Le 1er mars 1882, au 251, rue Saint-Honoré ouvre l'exposition. Elle est sans « tache ». Elle rassemble, parmi ceux qui étaient présents dès 1874, Guillaumin, Berthe Morisot, Pissarro, Renoir, Sisley et Monet, auxquels se sont joints Caillebotte – présent en 1876, 1877, 1879 et 1880 –, Gauguin – présent depuis 1879 –, et Vignon qui a rejoint les « indépendants » en 1880. Au soir même du 1er mars, Eugène Manet écrit : « J'ai trouvé tout le brillant essaim des impressionnistes travaillant dans une immense salle à accrocher des quantités de tableaux[12]. » Parmi eux, trente sont de Monet.

Comme il se doit, le critique d'art Albert Wolff accuse, dénigre et ricane dans *Le Figaro, Le Siècle* condamne, *Le National* éructe... Mais ici et là, à propos de Monet, si *Gil Blas* assure que les rochers et la mer de Monet sont encore « de couleur groseille », si *Le Petit Parisien* découvre dans certaines toiles une « teinte vaguement bleue », *La Patrie* reconnaît des « effets de perspective absolument remarquables ».

Monet n'a pas grand-chose à faire de ces articles. Dès le 3, il est de nouveau à Pourville. Ce n'est que le 14 mars qu'il y reçoit l'article d'Ernest Chesneau paru dans le *Paris-Journal* du mardi 7 : « Dans les trente toiles de M. Monet, toutes si remarquables, les *Saules* frémissants ou les *Glaçons* filant d'un irrésistible mouvement parmi les îles de la Seine ; l'*Eglise de Vétheuil*, la *Neige à Vétheuil* ou le *Soleil couchant* sur la Seine ? non. Je m'arrête à ces admirables marines où, pour la première fois, je vois rendus avec une telle puissance d'illusion les gonflements et les longs soupirs de la mer, et les ruissellements du flot qui se retire, et les colorations glauques des eaux profondes, et les colorations violettes des eaux basses sur leur lit de sable. »

Commentaire de Monet aussitôt fait dans une lettre à Durand-Ruel : « C'est bien ce que j'aime, mais la vente marche-t-elle[13] ? » Ce souci des ventes n'est pas le seul. Un autre le taraude depuis des semaines : ses nouvelles toiles.

1882/2

Vous insistez sur nos projets d'avenir[1]...

Chacune des lettres qu'il envoie à Alice Hoschedé commence par la même très courtoise et très protocolaire formule « Chère madame ». Il est veuf depuis le 5 septembre 1879. Elle a fait le choix de ne pas rentrer à Paris auprès de son mari à la fin de l'année précédente, de s'installer avec Monet à Poissy. Il semblerait donc que... Or rien n'est arrêté encore. Monet, à son arrivée à Dieppe, a écrit à « Madame » Hoschedé – puisque « Chère madame » il y a : « Vous insistez sur nos projets d'avenir et sur des décisions nécessaires à prendre. Qu'est-ce que cela veut dire ? Dites-le-moi si c'est raisonnable, sinon ne m'en dites rien si vous voulez que je continue à avoir du courage et surtout ne me jugez pas mal comme vous le faites quelquefois[2]. » Dans la même lettre datée du 13 février, il lui a avoué le rôle essentiel qu'elle a commencé de tenir dans sa vie : « Je vous promets que, pensant à vous, j'ai bien travaillé tout le jour[3]. »

Monet a d'autant plus besoin du courage et de l'assurance qu'Alice lui donne que, pendant ces semaines passées où Durand-Ruel a préparé l'exposition qui s'est tenue rue Saint-Honoré malgré les réticences des uns et la mauvaise volonté des autres, il est allé de déconvenues en difficultés. Il a eu le sentiment d'avoir perdu son temps en retournant à Dieppe où, qui plus est, le Grand Hôtel du Nord & Victoria lui a coûté vingt francs par jour. Il a quitté Dieppe pour Pourville. Pour six francs par jour, il a trouvé à se loger A la Renommée des Galettes, hôtel-restaurant tenu par Paul et Eugénie Groff qui ont quitté l'Alsace annexée par Bismarck et Guillaume Ier. Si ces « braves gens » ont été « très heureux d'avoir un pensionnaire[4] », s'ils ont été « aux petits soins »[5] pour lui, rien n'a jamais été exactement ce que cela devait être...

Et cela dès le premier jour : « J'ai eu une journée épouvantable. J'ai voulu aller travailler quand même et je viens de rentrer mouillé jusqu'aux os, obligé de me changer des pieds à la tête[6]. » Deux jours plus tard, autre plainte : « Hélas aujourd'hui, il fait un temps atroce et, ici, je ne puis comme à Fécamp travailler par tous les temps. Il n'y a pas d'abris, ni de cavités dans la falaise où je puisse me mettre en temps de pluie, mais j'enrage de ne pouvoir rien faire, car chaque jour de perdu retarde mon retour et, malgré la vue et la beauté de la mer, je suis rempli de tristesse et ma pensée est toujours à Poissy, non pas certes pour cet horrible pays, comme vous le savez[7]. » Et les plaintes n'ont plus cessé. Le 7 mars : « Je voudrais vous dire que je travaille bien, mais ce ne serait pas la vérité. Ça va mal au contraire, et j'ai dû gratter deux toiles, je me donne cependant beaucoup de mal, je vous assure, et ne perds pas mon temps, mais j'ai beau faire, cela ne va pas comme je voudrais[8]. » Tout s'est ligué contre lui. Le 15 mars, il n'a pu que rapporter à Alice une nouvelle épreuve inattendue : « J'ai eu assez peur hier, j'ai été piqué à la main gauche par un moucheron et ma main est devenue énorme en si peu de temps que je ne savais si je pourrais travailler tellement je souffrais. Ce soir cela va mieux quoique toujours très enflammé[9]. » Même le beau temps n'a pas suffi à le rasséréner : « Ce beau temps, s'il peut durer, me permettra de finir plusieurs toiles ; mais j'ai un mal extrême à faire ce que je voudrais, j'ai des toiles auxquelles j'ai travaillé plus de dix fois sans y arriver[10]. » Ce fichu beau temps n'a lui-même pas été fidèle : « Ce matin le soleil se brouille ; je tremble car j'ai bien à faire. Je suis resté si longtemps sur certaines toiles que je ne sais plus qu'en penser, et je deviens décidément de plus en plus difficile ; rien ne me satisfait, et puis la nature change terriblement en ce moment[11]. » Trois jours plus tard, alors que le beau temps est resté imperturbablement le même, il en est arrivé à espérer que le ciel se couvre : « Hier j'ai travaillé à huit études, en supposant que j'y travaille à chaque une petite heure, vous voyez que je ne perds pas mon temps, ne comptant pas le voyage d'un motif à l'autre. Il est temps que cela finisse, car je suis terriblement fatigué quand je rentre le soir, je n'y vois plus clair et, le matin, je resterais bien couché. Le temps est admirable, encore une journée de soleil et je réclame un peu de gris[12]. »

Quand il n'a plus été piqué par un moucheron, trempé par la pluie, accablé par un ciel obstinément serein, il a fallu qu'un autre contretemps survienne encore : « Après déjeuner, au moment de partir, le bonhomme qui me porte mes toiles était ivre mort, je suis rentré dans une colère terrible, car il m'était impossible de songer à porter tant de toiles pour aller si loin, j'ai donc complètement perdu ma journée[13]. »

Pendant ces mêmes semaines, Monet a tenu Durand-Ruel informé de ce qu'il faisait. Il lui a épargné le journal de ses déboires et n'a pas cessé de le rassurer. A la fin du mois de février, il s'est dit « assez content » d'un travail qui, croit-il, permettra à son marchand de le trouver « en progrès[14] ». A la mi-mars, il a jugé utile de lui préciser que, s'il gardait le lit, c'était en raison d'un « excès de travail », lequel n'était pas vain : « Bref, je me donne beaucoup de mal et j'espère vous apporter des choses supérieures à ce que j'ai fait avant[15]. » Si Monet a tout fait pour que Durand-Ruel ne puisse douter de son ardeur, il n'a pu s'empêcher de lui écrire, alors qu'allait s'achever son séjour à Pourville : « Trouverez-vous bien ce que je vous apporte ? Je veux l'espérer, car moi, je ne suis pas content et voudrais faire mieux[16]. »

De retour à Poissy, si la 7e exposition des artistes « indépendants » n'est plus un souci, si les contretemps, les agacements, les fatigues et les déceptions auxquels il a eu affaire à Dieppe et à Pourville sont désormais derrière lui, d'autres tracas l'attendent. Il lui faut finir de vider la rue de Vintimille avant le 15 avril. Caillebotte ne veut plus en assumer le loyer qu'il a payé depuis le premier jour, depuis juillet 1879. Il lui faut conforter Alice Hoschedé, fatiguée par les maladies des enfants, soucieuse d'avoir dû faire des dettes à nouveau, inquiète parce que Monet a commis l'erreur de lui écrire qu'il avait trouvé Pourville « joli », ce qui a réveillé sa jalousie, l'a conduite à « imaginer un tas de choses[17] »...

« Trouverez-vous bien ce que je vous apporte ? » La question posée par Monet à Durand-Ruel ne tarde pas à recevoir une réponse : près de 9 000 francs pour l'achat d'une vingtaine de toiles.

Dès la mi-juin, Monet repart pour Pourville. Et, pour qu'Alice sache en quoi Pourville est « joli », il l'entraîne avec lui, il emmène les enfants pour l'été. On se promène au pied des falaises à marée basse, on y regarde les pêcheurs récupérer les poissons pris dans les hauts filets lorsque la mer s'est retirée, on les aide parfois, on rame, on s'éclabousse dans la barque d'un maître baigneur, on court à perdre haleine dans la gorge des Moutiers, dans le chemin de la Cavée, dans celui du Petit-Ailly, on y joue à cache-cache autour d'une cabane de douaniers... Et Blanche Hoschedé, l'une des filles d'Alice, apprend à peindre sur le motif, en plein air. Comme M. Monet...

Qui peint quand il le peut... Si « le pays est merveilleux[18] », il ne peut que profiter « des éclaircies dès qu'il en survient[19] ». De lettre en lettre adressées à Durand-Ruel, la litanie reprend à propos d'un temps qui « a terriblement de mal à se mettre au beau[20] ». Enfin, au début du mois de septembre, il peut le rassurer : « Heureusement, je viens d'avoir une bonne semaine de beau temps et j'ai plus travaillé pendant ces huit jours que pendant tout le mois d'août[21]. » Les lettres envoyées à Durand-Ruel ne sont pas que ce lamento provoqué par les caprices du temps, elles sont une incessante demande d'argent. Pour toutes sortes de dépenses, du loyer de Poissy à d'anciennes dettes qu'il faut se résigner à payer, ici 400 à 500 francs dus à un certain Monsieur Carpentier, ancien marchand de couleurs, là 1 200 francs demandés par un huissier pour une dette « qui date de plus de quinze années », etc.

A la mi-septembre, Monet prend Pissarro à témoin de son désarroi : « Vous devez comme nous tous être bien mécontent du temps. Quelle horrible saison pour le pauvre peintre. Je suis ici depuis près de trois mois : ce que j'ai commencé de toiles est insensé, mais hélas sans pouvoir arriver à rien terminer[22]. » Cette lettre à Pissarro pose une question qui devient pressante parce qu'il faut trouver un collège pour Jean, « très en retard pour son éducation », et qu'il ne peut se résigner à le « mettre pensionnaire ». Il lui faut quitter Poissy. La conclusion est simple : « Il me faut trouver un endroit où il y ait un collège sérieux et où je sois à la campagne[23]. » Pontoise ? Le temps presse.

Il est impossible de rien trouver avant la rentrée. Reste à faire le bilan de l'été.

Monet est au désespoir. Il en rend compte à Durand-Ruel : « Vous allez trouver que je manque de courage, mais je n'y puis plus tenir et je suis dans un complet découragement. Après quelques jours de beau temps, voilà de nouveau le temps remis à la pluie, encore une fois il faut remettre de côté les études commencées. J'en deviens fou et malheureusement c'est à mes pauvres toiles que je m'en prends. Un grand tableau de fleurs que je venais de faire, je l'ai détruit ainsi que trois ou quatre toiles que j'ai non seulement grattées mais crevées. Cela est absurde, je le reconnais, mais je sens le moment du retour arriver, je vois que j'ai dépensé de l'argent d'avance sans avoir rien fait de bon. Bref, je suis décidé à tout planter et à revenir de suite[24]. » Une semaine plus tard, en dépit d'une lettre d'encouragement du marchand, l'accablement de Monet est le même : « Je suis de plus en plus découragé et dégoûté de ce que je fais. C'est en somme une saison de complètement perdue pour moi et il faut en prendre son parti. Je ne dis pas que toutes ces difficultés ne m'aient pas fait faire certains efforts et peut-être des progrès, mais cela n'aboutit à rien présentement, car je ne vois pas une seule chose de bonne parmi toutes ces toiles commencées. Je suis extrêmement malheureux et troublé. Je ne sais même pas ce que je vais faire[25]... »

Il lui reste à s'arrêter à Rouen, chez son frère, pour y « prendre quelques jours de repos sans songer à la peinture[26] », à rentrer à Poissy.

De retour dans cet « horrible » Poissy, la vie quotidienne reprend. Avec ce que cela suppose de dépenses toujours plus élevées que ce qu'elles devraient être, de jours où l'on se retrouve « tout à fait à sec[27] », de dettes qui se rappellent à lui dans l'espoir d'être apurées enfin. C'est un certain M. Hardy qui demande « 1 933 francs plus les frais d'opposition[28] », c'est son frère Léon lui-même, auquel il a sans doute laissé entendre lors de son séjour chez lui à Rouen au début du mois d'octobre que financièrement les choses allaient mieux, qui réclame tout à coup 1 500 francs pour de petits prêts de 100, de 200 francs, faits pendant des années et jamais remboursés. Et c'est, au début du mois d'octobre, la recherche pendant plusieurs jours, aux abords de la Seine, d'une maison qui convienne et qui ne soit pas trop éloignée d'un « collège sérieux ».

En décembre, une nouvelle crue de la Seine contraint Monet à changer de rôle : « Je ne suis plus peintre pour le moment, mais sauveteur, batelier, déménageur, etc. Nous sommes littéralement dans l'eau, entourés d'eau de tous côtés et la maison n'est plus accessible qu'en bateau : il nous a fallu nous réfugier au premier étage, et l'eau monte toujours et jusqu'où cela va-t-il aller, c'est effrayant[29]. »

Pour la première fois depuis longtemps, Monet se voit contraint d'achever dans une pièce de la villa Saint-Louis, qui lui tient lieu d'atelier, le nombre « insensé » de toiles rapportées de Pourville que le mauvais temps ne lui a pas permis de terminer sur le motif même, sur les falaises d'Aval, devant l'église de Varengeville, dans le chemin de la Cavée dit aussi de la Côte, dans celui du Petit-Ailly, devant les pins, devant les filets tendus sur des poteaux plantés dans la grève découverte par la marée basse... Comment faire autrement ? En cette année 1882, il a vendu à Durand-Ruel pour 24 700 francs de toiles. Et il a reçu de lui plus de 31 000 francs. Comment ne pas vouloir lui livrer les toiles qu'il attend ? D'autant qu'il songe à de nouvelles expositions...

1883/1

Il n'y a plus rien à faire à présent[1]

A plusieurs reprises, au cours de l'automne précédent, Monet est venu à Paris. Paul Durand-Ruel l'a informé de son projet de présenter désormais des expositions personnelles dans sa nouvelle galerie au 9, boulevard de la Madeleine. Ils en ont parlé ensemble encore avec Sisley au début du mois de novembre. Sisley n'a pas semblé convaincu. Il a confirmé ses réticences par écrit à Monet qui lui a aussitôt répondu et qui a, dans la foulée, écrit à Durand-Ruel : « Je viens donc de lui [Sisley] écrire ce que je pensais car je ne suis pas entièrement de son avis et je crois qu'avec des expositions collectives comme nous les avons toujours faites et trop souvent répétées, nous finirons par lasser la curiosité du public, tout en mettant la presse contre nous. Je suis cependant de son avis sur la question d'expositions individuelles, si chacun de nous doit faire la sienne à tour de rôle, cela durerait un temps infini ; il faudrait donc que nous prenions une décision et c'est à vous surtout qu'il appartient de décider ce que vous croyez le mieux pour vos intérêts qui sont aussi les nôtres. Je ferai quant à moi ce que vous voudrez, bien que j'aie une peur terrible des expositions quand on ne s'y est pas préparé à l'avance, et c'est mon cas[2]. » Monet s'en remet à Durand-Ruel. A lui de décider.

Et Durand-Ruel de consulter les uns et les autres pendant plusieurs mois. A la fin de l'année, il sait à quoi s'en tenir. Il a arrêté un programme : Boudin en février, Monet en mars, Renoir en avril, Pissarro en mai, Sisley en juin.

Dès le début du mois de février, alors que commence l'exposition Boudin, Monet commence de rassembler les toiles nécessaires à la sienne qui doit ouvrir le mercredi 28. Cela lui est d'autant moins facile que, depuis le 31 janvier, il est à Etretat.

Il s'est installé à l'hôtel Blanquet, rendez-vous des artistes. Il y a d'emblée la certitude que son choix est idéal : « Je vous dirai que je suis très content d'être venu ici, c'est vraiment admirable et je crois que je vais faire de très bonnes choses[3]. » Et de confirmer à Mme Hoschedé : « Ici je me suis mis de suite à travailler, j'ai mes motifs à la porte de l'hôtel et même une superbe fenêtre[4]. » Dès le lendemain, il sait le défi qu'il veut relever : « Je compte faire une grande toile de la falaise d'Etretat, bien que ce soit terriblement audacieux de ma part de faire cela après Courbet qui l'a faite admirablement, mais je tâcherai de la faire autrement[5]. »

Le 3 février, il assure Mme Hoschedé qu'il travaille, qu'il est « content[6] ». Ce qui ne dure guère. Le 7, le dépit est à l'ordre du jour : « Hélas, voilà mon beau soleil parti, de la pluie toute la matinée, j'en suis désolé car avec une séance ou deux je finissais plusieurs études et, pour comble de malheur, j'en avais abîmé une très bien commencée et je comptais bien aujourd'hui la remettre à son état primitif. Mais qui sait si ce beau temps reviendra. Bref, cela m'a rendu tout triste, j'ai passé en revue mon ouvrage de ces derniers jours et il me semblait que tout cela était mauvais[7]. » Le 10, les choses vont mieux : « Je suis tellement préoccupé que je ne dors plus ; aussi cette nuit tout en pensant à cette satanée exposition, j'entendais la pluie cingler et me voyais perdu. Cependant, je n'ai pas perdu ma journée ; j'ai pu m'installer dans une annexe de l'hôtel d'où l'on a une vue superbe sur la falaise et sur les bateaux. J'ai donc travaillé toute la journée de cette fenêtre, regrettant bien de ne pas m'être mis là plus tôt, car j'aurais tranquillement pu faire des choses superbes. Enfin, il y a toujours des péripéties. J'ai quatre études : que des bateaux, des bateaux qui ne servent pas du tout l'hiver. Pof, voilà qu'aujourd'hui, à cause du mauvais temps, on remonte ces bateaux ; il va donc falloir que je change tout cela[8]. » Satanée tempête...

comme si la mer ne pouvait pas comprendre qu'elle pose ! Le lendemain, la colère ne tombe pas : « Il fait un temps épouvantable, impossible de travailler dehors. J'ai voulu essayer ce matin et n'ai réussi qu'à me faire tremper. Il fait une tempête terrible. La mer est montée tellement haut qu'elle a fait beaucoup de ravages et tous les bateaux que j'avais commencés sont bouleversés, changés de place. Je ne sais plus si je pourrai seulement arriver à terminer une seule chose, justement à cause de ce dérangement des bateaux. Je vous assure que je suis bien ennuyé, car c'était délicieux à faire. J'enrage, car je me donne beaucoup de mal. J'ai commencé plusieurs choses de ma fenêtre au cas où cette tempête durerait, mais c'est que, pendant cela, le temps marche. Enfin, je suis très inquiet et d'une humeur massacrante[9]. » Le 14, rien n'a changé : « Croyez-vous que ce n'est pas à rendre fou d'avoir un temps pareil. De la pluie toute la journée, quand hier j'étais remonté par ce beau soleil et je crois bien que je serai obligé de revenir passer une dizaine de jours ici fin mars afin de ne pas perdre tout ce que j'ai entrepris[10]. » Sa colère ne retombe pas : « Je suis furieux, désolé, navré. Il fait un temps superbe qui justement paraît devoir durer, et j'ai travaillé comme une brute, perdant tout ce qu'il y avait de bien dans mes études ; tout cela à cause des pêcheurs qui, encore une fois, ont rangé les bateaux et j'en suis arrivé à détruire ce qui m'avait donné tant de mal à faire. J'aurais mieux fait de prendre des toiles blanches. Je viens de rentrer et de voir mon œuvre. Je suis désolé, car maintenant il me faut renoncer à toutes mes toiles à bateaux. Je vais terminer, si je puis, deux ou trois bêtes de motifs à falaises. Si je ne me retenais, je laisserais tout en plan et je partirais. Du reste, je crois que je suis las de travailler sans cesse et de lutter comme cela avec des changements de temps[11]. » Ce combat est loin, très loin d'être fini...

Le 28 février, Monet est à Paris pour le vernissage de son exposition. Le catalogue, édité chez Gouery, énumère cinquante-six numéros. Si, comme il se doit, un certain nombre d'entre ces toiles appartiennent à Durand-Ruel, d'autres ont été prêtées par les plus anciens et les plus fidèles de ses amateurs, de De Bellio à Faure, de Duret à Charpentier, ou encore par des « complices » accidentels pendant les années qui viennent de passer, de Michel Levy, compagnon de Zaandam, qui a confié « une bonne vue de Rouen[12] », au « père » Paul Graff qui a prêté les *Galettes* ainsi que son portrait, exposé malgré les réserves d'Alice Hoschedé, peu convaincue de la nécessité de présenter un tel barbu âgé coiffé d'une toque de chef. Mais comment argumenter quand Monet veut qu'il soit accroché pour faire « diversion » ?

La presse se tait. Le 5 mars, pas un article n'est arrivé encore à Poissy. Monet n'en peut plus. Autant que Durand-Ruel le sache. Et, pour qu'il n'ait pas le moindre doute à l'égard de ce qu'il pense, il lui écrit coup sur coup le 5, le 6 et le 7 mars.

Le 5 : « Vous allez me trouver bien ennuyeux et surtout bien difficile, bien exigeant, mais c'est qu'en dehors du four de mon exposition qui est incontestable à présent, je souffre dans mon amour-propre et je tiens à montrer mes tableaux dans les meilleures conditions possibles, afin que les quelques personnes qui viennent voir mes toiles puissent les juger convenablement. Bref, je viens réclamer de vous qu'il soit mis des stores dans le salon du fond, car le soleil donnant sur les tableaux empêche de les voir[13]. » Le 6 : « Je reçois votre lettre et vous remercie des paroles encourageantes que vous m'adressez. J'admire votre foi et votre confiance, mais sans les partager. Je trouve que lorsque l'on s'adresse au public et que l'on répond par le silence et l'indifférence, je trouve que cela est un insuccès. Je fais quant à moi fort peu de cas de l'opinion des journaux, mais il faut bien reconnaître qu'à notre époque on ne fait rien sans la presse et je vous affirme que si les camarades dont vous me parlez trouvent le silence des journaux de peu d'importance pour moi, je vous certifie qu'ils sauront bien s'assurer de leur concours quand le tour de leur exposition viendra, et ils auront raison, car il est hors de doute que cela excite la curiosité publique et, pour ma part, il n'est pas une personne qui ne me parle de ce silence et ne le déplore. Il n'y a plus rien à faire à présent[14]. » Et Monet de tirer une dernière salve le 7 mars : « Je préfère rester dans mon coin avec mes soucis, car vous avez beau dire et vouloir me remonter, je ne vois pas les choses comme vous, et je suis certain que cette fatale exposition me retardera au lieu de m'avancer d'une ligne. Car vous avouerez que s'il ne nous faut compter que sur des gens de goût, ce sera long et il vaudrait mieux renoncer à la lutte ; voyez le peu de progrès fait depuis que nous sommes sur la brèche. Je ne doute pas que les prochaines expositions vous soient profitables ; mes amis auront l'avantage de profiter de l'expérience faite à mes dépens, et je le souhaite bien pour vous et pour eux. Quant à moi, je suis très touché de cette indifférence à laquelle je n'étais pas habitué. Lorsque dans les journaux nous étions critiqués, insultés souvent, on savait bien nous dire que cela prouvait notre valeur, qu'autrement on ne s'occuperait pas de nous. Alors que penser aujourd'hui de ce silence ? Ne croyez pas que j'aspire à voir mon nom dans les journaux. Je suis bien au-dessus de cela et je me moque de l'opinion de la presse et des soi-disant critiques tous plus bêtes les uns que les autres. Non, au point de vue artistique cela ne change rien, mais je sais ma valeur, et je suis plus difficile pour moi que n'importe qui. Mais c'est au point de vue commercial qu'il faut voir les choses. Et ne pas reconnaître que mon exposition a été mal annoncée, mal préparée, c'est ne pas vouloir la vérité. Il fallait à tout prix s'assurer d'avance le concours de la presse, car même les amateurs intelligents sont sensibles au plus ou moins de bruit que font les journaux. Je n'ai pas, croyez-le bien, l'ambition d'être populaire et n'aspire pas à faire le bruit des aquarellistes et autres, mais je trouve que nous ne sommes pas assez connus et que l'on ne voit pas assez nos tableaux. Par conséquent, faisant de temps en temps une exposition, il était de toute nécessité de le faire bien savoir. Mais je dois bien vous ennuyer avec mes lamentations[15]. »

Une semaine plus tard, Pissarro confirme à son fils Lucien le « four » qu'est l'exposition de Monet : « L'exposition Monet, qui est merveilleuse, ne fait pas un sou d'entrée ; mauvaise idée, les expositions partielles : les journaux, sachant que c'est un marchand qui la fait, ne soufflent mot, ils parlent de ces affreux tableaux de la rue Vivienne, du cercle Saint-Arnaud, etc. C'est décourageant[16]. »

Monet s'est plaint trop tôt. Et à tort. A l'exception de Dargenty qui n'est que fiel dans *Le Courrier de l'art*, Paul Labarrière dans *Le Journal des artistes*, Gustave Geffroy dans *La Justice*, Emile Bergerat dans le *Voltaire*, Philippe Burty dans *La République française* saluent l'exposition. *La Gazette des Beaux-Arts* elle-même, quoique d'ordinaire élogieuse pour les seules œuvres qui respectent les critères d'un Salon où elles sont médaillées et primées, sort de sa réserve en avril pour regretter que l'exposition de Monet n'ait « pas excité une curiosité bien vive ». Alfred de Lostalot écrit une manière d'invitation à découvrir sa peinture : « Pour bien voir la peinture de M. Monet et en apprécier les qualités exceptionnelles, il faut passer outre à l'impression première ; bientôt l'œil s'accoutume et l'esprit s'éveille ; le charme peut agir. » Et de conclure que le peintre « est impressionné par la nature et il impressionne : il sait son métier et il le prend par les grands moyens. Voilà, ce me semble, un signalement qui répond à l'idée qu'on se faisait autrefois du véritable artiste[17] ».

Même Huysmans qui publie *L'Art moderne* revient sur ses anciennes condamnations. Il avait écrit : « M. Monet est certainement l'homme qui a le plus contribué à persuader le public que le mot "impressionnisme" désignait exclusivement une peinture demeurée à l'état de confus rudiment, de vague ébauche[18]. » Aujourd'hui il écrit ces mots : « Ses glaçons sous un ciel roux sont d'une mélancolie intense et ses études de mer avec les lames qui se brisent sur les falaises sont les marines les plus vraies que je connaisse. Ajoutez à ces toiles des paysages de terre, des vues de Vétheuil, et un champ de coquelicots flambant sous un ciel pâle, d'une admirable couleur. Certes, le peintre qui a brossé ces tableaux est un grand paysagiste dont l'œil, maintenant guéri, saisit avec une surprenante fidélité tous les phénomènes de la lumière[19]. » Si Huysmans n'a pas reconnu immédiatement la puissance des œuvres de Monet, c'est, l'excuse est claire, parce que celui-ci était « malade ». Pissarro ne peut s'empêcher de lui faire remarquer son erreur : « Vos articles sur Monet m'ont profondément étonné. Comment cette vision si étonnante, cet exécutant phénoménal, ce sentiment décoratif si grand et si rare ne vous ont pas frappé dès 1870..., mais il faut revoir ces tableaux chez Durand-Ruel et les amateurs. J'en ai vu dernièrement : je suis resté frappé d'admiration devant une œuvre aussi belle et aussi constante. C'est une grave erreur[20]. » Et Huysmans de lui répondre : « En ce qui regarde Monet, j'avoue, encore, que ses expositions depuis 1876 ne m'avaient pas enchanté. J'y trouvais bien du talent, mais quelles abréviations ! (Quelles incertitudes !) Je lui ai rendu justice dans mon œuvre autant que possible, j'ai dit qu'il était (actuellement) le premier de nos marinistes, que voulez-vous que je fisse de plus[21] ? »

Si Monet apprend ce repentir de Huysmans, il n'est pas sûr que cela apaise son dépit. D'autant qu'il vient de traverser une autre crise.

1883/2

Enfin je pars ce matin pour Giverny[1]

La première lettre écrite par Monet en 1883, le 1er janvier même, est adressée à Ernest Hoschedé : « Laissez-moi vous dire toute la peine que j'éprouve en pensant que ma seule présence vous empêche d'être aujourd'hui près de vos enfants. J'avais espéré qu'en m'absentant pour quelques jours vous auriez au moins consenti à venir passer le jour de l'an avec eux ; vous avez refusé de leur procurer cette joie. J'en ai un vif chagrin, car vous n'y avez pas manqué les années précédentes. Cependant si je suis ici au milieu des vôtres, n'est-ce pas d'un commun accord et n'est-ce pas avec votre assentiment que j'ai pu faire la location de notre maison à Poissy ? Si, vous le savez bien, mais vous avez subitement décidé de ne plus venir ici et vous avez créé entre nous une situation des plus difficiles. Aussi, bien que persuadé qu'il ne vous sera pas plus agréable de me lire que de me voir, ne puis-je résister à vous dire toute ma peine[2]. » Ce n'est à l'évidence pas seulement de sa peine que Monet a voulu faire part. C'est sans doute à l'instigation d'Alice qu'il a écrit cette lettre. Il lui faut, il leur faut en finir avec une situation très équivoque qu'empoisonnent les réactions des enfants Hoschedé dont le père a « disparu », leurs sentiments troublés, de la tristesse à l'inquiétude, à l'incompréhension.

Après son départ pour Le Havre où il ne s'est arrêté que quelques jours à l'hôtel Continental, Monet n'a pas cessé d'assurer Alice des sentiments qu'il éprouve pour elle. Du Havre même, dès son arrivée le 25 janvier, il lui a envoyé une lettre qui s'est achevée sur ces mots : « Adieu, chère madame, croyez bien que je pense à vous, embrassez bien les enfants pour moi, mes amitiés à Marthe, pour vous mes meilleures pensées, Votre Claude Monet[3]. »

Depuis Etretat, il a tenté de conjurer les doutes de celle qu'il n'appelle toujours que « Chère madame » : « Votre lettre de ce matin m'a bien fait de la peine, je suis navré de vous voir vous laisser abattre de la sorte, comment pouvez-vous penser que je suis perdu pour vous et que vous ne me reverrez jamais. Ne craignez pas cela, je pense à vous sans cesse et vous reviendrai avec bien du bonheur[4]. » Et, jour après jour, la situation s'est tendue. Alice attend à Poissy la visite de son mari. Et cette visite, toujours remise, doit être décisive. Le 8 février, faute de savoir à quoi s'en tenir, Monet n'a guère pu que faire cette proposition dérisoire : « Il serait peut-être utile de prendre une bonne à tout faire, surtout si nous devons rester un peu de temps à Poissy, ce qui me paraît inévitable, d'abord à cause du peu de temps que nous aurions d'ici au mois d'avril, et puis parce que je ne dois et ne puis rien faire en fait de location sans qu'il y ait eu une entente avec Hoschedé et, comme il est malheureusement à craindre que vous ne serez pas plus avancée au mois d'avril qu'à présent, je vais m'assurer de pouvoir prolonger notre séjour à Poissy. Ce n'est pas drôle, je le sais, mais je préfère cela que d'être obligé de me séparer de vous et, certainement, à vous laisser dans de grands embarras[5]. »

Quelles sont les intentions d'Ernest Hoschedé ? Impossible de le savoir... Nouvelle lettre le 12 février : « Je vois que vous êtes toujours dans les mêmes inquiétudes que je partage bien et, pendant mes nuits sans sommeil, car je ne dors plus, je songe à tout cela, et, comme vous, chère amie, il me semble impossible d'être séparés. C'est pourquoi je vous disais que, si la question du déménagement devait amener quelque catastrophe, il vaudrait mieux rester dans cet affreux Poissy plutôt que d'être séparés. Mais qui sait ? de cette entrevue, si elle a lieu, sortira une meilleure solution : car comment peut-il songer à vous installer avec lui dans la situation qu'il s'est faite. Ne désespérez donc pas[6]. » Le lendemain, comme si tout allait pour le mieux, comme s'il n'y avait pas d'échéance à redouter, de remises en cause à craindre, il a averti Alice de l'arrivée imminente de homards, d'étrilles et de tourteaux, et donné quelques conseils culinaires : « Les étrilles et tourteaux doivent être morts avant de les cuire ; s'ils étaient encore vivants, mettez-les dans l'eau douce. Les homards, eux, demandent à être cuits vivants, ils y tiennent même beaucoup[7]. » Les homards, les étrilles et les tourteaux n'auront été qu'une brève parenthèse.

Ernest Hoschedé est arrivé à Poissy. D'intenses conversations ont abouti à l'expédition d'une dépêche à Etretat. Réponse accablée de Monet datée du 19 février : « Vous ne pouvez pas savoir ce que je souffre depuis dimanche matin, dans quelle anxiété j'étais d'avoir des nouvelles : vous pouvez alors juger de mon état quand, ce matin, j'ai reçu vos quatre lignes qui m'en disent certes plus que quatre pages détaillées. Je les ai bien lues et relues vingt fois chaque : je fonds en pleurs ; est-ce donc possible, faut-il me faire à cette idée de vivre sans vous ? Je sais bien cependant que je ne puis rien et ne dois rien dire contre ce que vous avez décidé hier, il me faut me soumettre, n'ayant aucun droit, mais je suis malheureux, bien malheureux. Rien ne me fait. Bonnes ou mauvaises sont mes toiles, cela m'est égal. L'exposition est le moindre de mes soucis, c'est un coup de foudre que j'ai reçu dans ces quatre lignes, je suis atterré. Dans votre dépêche vous me dites de venir de suite : voulez-vous donc me quitter de suite ! Que vous a-t-on dit, mon Dieu, que votre résolution soit prise ainsi[8] ! »

« On » aura fait appel à la conscience catholique de Mme Alice Hoschedé. « On » l'aura convaincue que, liée à Ernest Hoschedé par le sacrement du mariage, elle vit dans le péché, que celui-ci ne peut que retomber sur les têtes de ses enfants. « On » lui aura démontré que, dans la situation où elle s'est mise, elle ne peut plus passer aux yeux du monde que pour une femme débauchée, que personne ne saurait la recevoir sans se compromettre, qu'elle ne pourrait donc même pas être utile à M. Monet dans les relations qu'il se doit d'entretenir avec ses amateurs, gens respectables. « On » lui aura peut-être même laissé entendre que cette liaison affichée peut finir par lui porter préjudice auprès de son marchand, M. Paul Durand-Ruel, dont on connaît la foi, dont on sait le respect qu'il porte à l'Eglise catholique.

A la veille de l'exposition chez Durand-Ruel, Monet n'a pu faire part à Alice que de son désespoir : « Quand je ne songe qu'à vous et moi, je trouve impossible de vivre l'un sans l'autre. Bref, il faut avant tout que je sache ce que vous avez dit et décidé, puis je déciderai de mon chef ; la vérité est que je souffre bien, que je veux vivre de toutes mes forces et que l'idée d'une séparation me rend fou[9]. » Pas au point de précipiter son départ...

Reste qu'à son retour, en dépit du temps passé à Paris à vérifier que les toiles dont il a demandé les prêts aux uns et aux autres ont bel et bien été réunies chez Durand-Ruel, pour les y accrocher dans les salons de la galerie du boulevard de la Madeleine, pour y recevoir les invités du vernissage le 28 février au soir, Monet a tout précipité avant de repartir pour Etretat. Et, une nouvelle fois, à son retour d'Etretat, il aura tout fait pour quitter Poissy, pour y éviter un procès avec le propriétaire de la villa Saint-Louis, pour organiser le déménagement, pour trouver avec Durand-Ruel le moyen de le financer. La décision d'Alice de s'installer avec lui à Giverny lui donne la force pour écarter soucis, difficultés, contrariétés... Le 29 avril, il peut écrire à son marchand : « Enfin je pars ce matin pour Giverny avec quelques-uns des enfants. Mais nous sommes tellement à court d'argent que Mme Hoschedé ne peut partir et il faut qu'elle quitte la maison demain avant dix heures. Je viens donc vous prier de remettre au porteur un ou deux billets de cent francs, selon que cela vous sera possible, et de m'en adresser autant à moi directement à Giverny, par Vernon, Eure, car nous serons là sans un sou[10]. »

Sans le sou peut-être, mais avec Alice.

IV

DES FALAISES D'ÉTRETAT
À LA CATHÉDRALE DE ROUEN

1883-1892

1883/3

Giverny est un pays splendide pour moi[1]

Monet connaît Vernon depuis des années déjà. Ne serait-ce que parce que, au printemps 1868, sur les conseils de Zola, il s'est installé à l'auberge de Gloton, à Bennecourt qui est à deux pas de Bonnières-sur-Seine, et donc de Vernon. Ne serait-ce que parce que le train, entre la gare Saint-Lazare à Paris et la Normandie, passe par Vernon. Mais Giverny... Le village est à l'écart de la voie ferrée. A moins qu'à Vernon on ne change de train pour prendre la direction de Gisors. Et encore, de là à voir Giverny... Qui plus est, le village est à l'écart de la Seine. Reste que Monet n'a sans doute pas à arpenter à pied cette campagne en amont, en aval de Vernon.

Giverny est, sur la rive gauche de la Seine, un village étiré au long d'une départementale, qui compte près de trois cents habitants. Monet a sans doute longtemps marché dans le village, il est sans doute passé par la rue « d'en haut » qui passe devant l'église, monte jusqu'à la mairie, il a sans doute parcouru celle « d'en bas », anoblie par son nom, le chemin du Roy, qui longe le Ru, ce bras de l'Epte qui se jette dans la Seine quelques kilomètres plus loin en aval. Sans doute lui a-t-on signalé une maison à louer. Elle appartient à un certain M. Louis-Joseph Singeot. Elle est construite en bordure d'un vaste terrain clos de murs, « borné par-devant, la route de Gisors à Vernon, par-derrière, la route de Haut ou du Village ». Les arbres fruitiers en fleurs alors dans le jardin de la maison emportent peut-être la décision de Monet. C'est là...

Parce que la maison est vaste – les quatre pièces du rez-de-chaussée, les quatre autres du premier étage et les deux mansardes encore permettent de loger les Hoschedé et les Monet –, parce que l'école communale est en mesure d'accueillir les enfants les plus jeunes, parce que les gar-

197

çons plus âgés peuvent être mis en pension chez Dubois à Vernon, où les filles peuvent être reçues chez les sœurs de la Providence, parce que Mme Hoschedé peut continuer de vivre avec Monet dans ce village à l'écart sans que cela provoque un scandale aux conséquences regrettables, parce qu'une grange qui prolonge l'aile ouest de la maison doit pouvoir être transformée en atelier, parce que ce village n'est pas si loin de Paris où Monet doit pouvoir se rendre facilement, Giverny convient.

Même si, quand l'on est étranger au pays, il faut accepter d'y être considéré comme un « horzin[2] ». Même si, lorsque se lève le vent qui souffle de l'est, ce vent dont les vieux disent qu'il vient de France, l'odeur n'est pas toujours la plus agréable. En 1908, un Américain de passage à Giverny constate que les paysans « vivent comme tous les paysans que j'ai vus n'importe où, au milieu de la puanteur effroyable des basses-cours. Ils puent tellement que nous sommes suffoqués [...] quand nous les croisons sur la route. Claude Monet vit à droite sur cette route [...] pas même à quinze mètres de ses fenêtres, ce sont les basses-cours les plus infectes de Giverny ou d'ailleurs. Ce n'est pas que du fumier. On peut supporter le fumier, mais ici tout est trop délabré[3] ». En 1883, ni les fumiers ni les puanteurs des basses-cours ne rebutent Monet.

Le 1er mai, on apporte à Monet, qui emménage, un premier télégramme. C'est l'annonce de la mort de Manet survenue le 30 avril, à 7 heures du soir. Le 18 avril, il avait été amputé de la jambe gauche dans une chambre de son appartement de la rue de Saint-Pétersbourg transformée en salle d'opération. En dépit de la gangrène, de la fièvre, du chloroforme, il a trouvé encore dans les jours qui suivirent le moyen de rire et de faire rire ceux qui l'entouraient... Monet bouleversé écrit aussitôt à Durand-Ruel : « Cher monsieur Durand-Ruel, j'apprends la terrible nouvelle de la mort de notre pauvre Manet. Son frère compte sur moi pour tenir un des cordons. Il me faut être à Paris demain soir et me faire un habit de deuil[4]. »

Le 3 mai, avec Antonin Proust, Zola, Burty, Duret et Stevens, Monet tient l'un des cordons du poêle. Le service religieux a lieu à Saint-Louis-d'Antin. Sous un ciel gris, le cortège funèbre rassemble plus de mille personnes, mille cinq cents peut-être. Dans la foule, on reconnaît le photographe Nadar comme l'homme politique Clemenceau, l'architecte Charles Garnier comme l'éditeur Charpentier, le pamphlétaire et homme politique Rochefort comme le critique Wolff, qui a conclu son article paru le 1er mai dans *Le Figaro* en assurant que l'avenir vengerait Manet de n'avoir pas vu une seule de ses toiles entrer au musée du

Luxembourg en en faisant rentrer plusieurs au Louvre. Au cimetière de Passy, Antonin Proust rappelle à la fin de son discours la devise que Poulet-Malassis a fait graver pour l'ex-libris du peintre par Bracquemond en 1874, *Manet et Manebit*. Il reste et restera.

Des peintres « officiels » comme MM. Bonnat, Henner, Hébert ou Bastien-Lepage, ou encore Carolus-Duran, assistent à ces obsèques. Comme y assistent ceux qui sont devenus, malgré eux, des « impressionnistes » en 1874, Renoir, Pissarro, Sisley, Degas, Berthe Morisot... Parmi ces artistes, qu'ils le disent ou qu'ils le taisent ne change rien à l'affaire, tous savent que ce n'est pas par hasard si, parmi eux, c'est Monet qui a été invité à tenir l'un des cordons du poêle, c'est parce que, désormais, c'est lui qui est, qui sera considéré comme le « chef de l'école impressionniste ». Et Monet qui rentre à Giverny aussitôt après la cérémonie en a parfaitement conscience. Il lui suffit pour s'en convaincre de lire la brochure que publie Huysmans, *L'Art moderne*. Il y écrit encore à propos de toiles présentées quelques années plus tôt : « L'étude de ces œuvres relevait surtout de la physiologie et de la médecine. Je ne veux pas citer ici des noms, il suffit de dire que l'œil de la plupart d'entre eux s'était monomanisé : celui-ci voyait du bleu perruquier dans toute la nature et il faisait d'un fleuve un baquet de blanchisseuse ; celui-là voyait du violet ; terrains, ciels, eaux, chairs, tout avoisinait, dans son œuvre, les lilas et l'aubergine[5]... » Monet peut, sans vanité, se reconnaître en « celui-ci » comme en « celui-là »... Dans une lettre qu'il envoie à son fils Lucien, Camille Pissarro enrage à propos de ces pages de Huysmans : « Comme tous les critiques, sous prétexte de *naturalisme*, il juge en littérateur, et ne voit la plupart du temps que le sujet. Il met Caillebotte au-dessus de Monet, pourquoi ? Parce qu'il a fait *Les Raboteurs de parquets*, les *Canotiers*, les etc.[6] »

Monet le solitaire, Monet qui, à l'évidence, vient de faire le choix de Giverny pour tenir Paris, ses querelles, ses ragots et ses rivalités à distance, ne sait que trop ce qu'implique ce rôle de « chef » d'une « école » qui est loin d'être admise. Ses prochaines expositions, ses prochaines toiles seront regardées avec une attention toute particulière, autrement dit, sans la moindre indulgence.

Peut-être est-ce pourquoi, dans le mois qui suit son retour, il ne peint pas, il ne peut peindre. Sans doute a-t-il tous les prétextes pour ne pas reprendre ses pinceaux, l'installation de la maison, les démarches à faire à Vernon pour y mettre en pension les enfants, la construction d'un hangar au bord de la Seine pour y abriter ses bateaux, y déposer ses chevalets et ses toiles, le jardinage qui l'absorbe, écrit-il à Durand-Ruel, « afin de récolter quelques fleurs pour peindre dans les mauvais jours[7] », prétexte plus fallacieux qu'aucun autre car il y a peu de chance que ces fleurs renoncent à faner dans l'attente de « mauvais jours »... Ce n'est que le 3 juin que Monet écrit à son marchand : « Enfin tout cela est fini, je ne vais plus quitter mes pinceaux et je pourrai vous donner des choses qui vous plaisent[8]. » Monet passe sous silence une autre raison d'inquiétude qui l'a sans doute empêché d'entreprendre plus tôt ces « choses ». Elle concerne Durand-Ruel lui-même. Depuis son arrivée à Giverny, celui-ci ne lui a fait aucun « envoi sérieux[9] ». Monet ne peut qu'exprimer son trouble à Pissarro : « Je viens vous demander de me donner quelques nouvelles au sujet des affaires, de celles de Durand ainsi que des nôtres, car j'ai beau en demander à Durand, ses lettres sont rarement longues et il n'y répond pas positivement. Vous qui allez plus fréquemment à Paris et qui voyez beaucoup de monde, vous devez savoir ce qu'il en est. Vous seriez bien aimable de me renseigner un peu et de me dire ce qu'il en est au juste, car, éloigné et solitaire, on se tourmente quelquefois à tort. Enfin, quel est le résultat de nos expositions ? Avez-vous vendu, vous ou Durand ? Et à Londres ? Je ne vous cache pas que j'ai un peu d'inquiétude non pour l'avenir, si j'étais certain que Durand puisse tenir, mais pour le présent, et pour Durand lui-même, car je vois qu'il a bien du mal à donner de l'argent en ce moment : dites-moi donc votre avis[10]. »

Autre chose trouble encore Monet. Si, dès le 7 mai, il a assuré à Durand-Ruel : « Je suis enchanté du pays[11] », s'il a, le 20 mai encore, écrit à Duret : « Je suis dans le ravissement, Giverny est un pays splendide pour moi[12] », il n'est pas sûr de lui. A Durand-Ruel, le 10 juin : « Je sens que j'ai fait une sottise de me fixer si loin. J'en suis désespéré[13]. » Et de lui confier encore le 3 juillet : « Je travaille, mais pas comme je voudrais, et cela me rend toujours de méchante humeur après moi. Le pays est superbe et jusqu'à présent je n'ai pas su en tirer parti. J'ai du reste été si longtemps sans peindre que forcément il me faut gâter quelques toiles avant d'en réussir, et puis il faut toujours un certain temps pour se familiariser avec un pays nouveau. Aussi ne faut-il pas désespérer si je ne vous envoie rien. Je suis difficile, et ce que je vous donnerai n'en sera que mieux[14]. » Aussi, lorsqu'à la fin du mois de juillet, lorsque enfin Monet est en mesure d'envoyer sept toiles à Paris, aucune d'entre elles n'a été peinte à Giverny. Cinq l'ont été à Etretat. Deux l'ont été à Pourville. Les premières toiles peintes depuis l'installation à Giverny ne partent dans une caisse expédiée de Vernon que le 9 novembre. Dans la lettre qui les annonce à Durand-Ruel, Monet leur attribue le numéro 3, *Eglise à Vernon*, le numéro 4, *Les Bords de l'eau à Vernon*, le numéro 5, *Côte de Notre-Dame-de-la-Mer au bord de la Seine*, et le numéro 6, *Paysage à Port-Villez*. Pendant des mois, Monet tourne autour de Giverny comme on tourne autour du pot...

Des années plus tard, Blanche Hoschedé-Monet note quelques souvenirs. Dont celui-ci : « En 1883, en septembre, nous avons été passer quinze jours à Etretat dans une villa offerte par Faure, le chanteur, mais Monet y resta plus longtemps et travailla beaucoup. Là il vit souvent Maupassant et Fribourg et allait avec eux dîner chez La Belle Ernestine et chez Lefevre, à Gouville. Monet se rappelait toujours un certain repas chez La Belle Ernestine avec Alexandre Dumas[15]... » Est-ce la même nostalgie qui le conduit en octobre à rendre visite à Léon, son frère qui habite Déville-les-Rouen ? Aucune raison particulière ne semble justifier un tel voyage auprès d'un frère plus lointain année après année, quand bien même celui-ci garde précieusement « des Monet et des petits Renoir superbes[16] ! ». Et c'est Durand-Ruel et Pissarro que Monet retrouve à Rouen. Le 8 novembre, sur le papier à en-tête de l'hôtel d'Espagne, place de la République, Camille Pissarro écrit à leur ami de Bellio : « Monet est venu ici voir son frère, nous avons passé deux jours à courir la campagne[17]. »

Sans doute, au cours de ce séjour à Rouen, Durand-Ruel s'inquiète-t-il de ce que deviennent les décorations qu'il a demandées à Monet un an et demi plus tôt. Pour lui prouver d'une nouvelle manière sa fidélité, pour témoigner de la confiance qu'il a dans son œuvre, il lui a dit son désir de le voir décorer de ses peintures les panneaux des six portes du grand salon de son appartement au 35 de la rue de Rome. Et peut-être encore lui a-t-il passé en mai 1882 une pareille commande, en dépit des difficultés financières qui sont les siennes, pour conjurer le trouble qui est celui de Monet depuis son arrivée à Giverny...

Le 1er décembre, il en a presque fini avec ce travail singulier : « Je voudrais pouvoir vous répondre que tous vos panneaux sont terminés, mais malheureusement je ne fais pas ce que je veux, quoique me donnant beaucoup de mal. Tous les grands sont finis, ce qui est le principal, j'en ai même fait deux de plus au cas où un ou deux ne s'harmoniseraient pas avec l'ensemble ; mais pour arriver à faire ces six panneaux combien en ai-je fait que j'ai dû effacer ! plus de vingt, peut-être trente. Je m'occupe des petits à présent et j'espère que cela ira mieux, quoique ceux que j'ai faits soient à recommencer. Quant aux autres tableaux, j'aurai bientôt fini de les retoucher. Il me tarde bien d'être sorti de tout cela, car voilà un siècle que je n'ai pas travaillé sur nature en plein air. Je suis bien aise de savoir que ce que je vous ai envoyé a du succès, mais moi j'ai de plus en plus de mal à me satisfaire et j'en arrive à me demander si je deviens fou ou bien si ce que je fais n'est ni mieux ni plus mal qu'auparavant, mais simplement que j'ai plus de difficulté aujourd'hui à faire ce que je faisais jadis facilement. Cependant je trouve que j'ai raison d'être plus difficile[18]. »

Quinze jours plus tard, sans que rien l'ait laissé présager, à l'improviste, comme si la décision avait été prise tout à coup au cours d'une conversation avec le seul complice qui le tutoie et qu'il tutoie – Renoir –, Monet annonce leur départ immédiat pour Gênes. Est-ce la lumière d'hiver de la côte ligure dont l'un et l'autre ont besoin ? Est-ce de se mesurer aux défis que la peinture italienne ne peut manquer de les sommer de relever ? Est-ce pour prendre le temps de discuter avec Renoir de ces nouvelles initiatives de Durand-Ruel qui prête sans hésiter leurs toiles pour des expositions à l'étranger ? A propos de l'une d'entre elles, présentée à la galerie Fritz Gurlitt à Berlin à la fin de l'année, Jules Laforgue écrit : « Dans cette petite et étroite exposition de chez Gurlitt, la formule est sensible surtout dans le Monet et le Pissarro où tout est obtenu par mille touches menues dansantes en tout sens comme des pailles de couleur – en concurrence vitale pour l'impression d'ensemble. [...] Tel est le principe de l'école du plein air impressionniste. Et l'œil du maître sera celui qui discernera et rendra les dégradations, les décompositions les plus sensibles, cela sur une simple toile plane[19]. » La question que Monet a posée en juin à Durand-Ruel est toujours à l'ordre du jour : « Croyez-vous qu'il soit bon de nous colporter tant que cela en province et à l'étranger tant que nous ne serons pas plus admis que cela à Paris[20] ? » Question posée par un « chef d'école » installé à Giverny.

« Je serai de retour pour le nouvel an[21]. »

1884/1

Je fais, moi, un métier de chien[1]

Par une lettre datée du 12 janvier 1884, Monet annonce à Durand-Ruel sa volonté de passer un mois à Bordighera. Il part le 17. Il est de retour à Giverny le 16 avril. Le mois prévu en aura duré trois...

Jour après jour, Monet écrit à Alice Hoschedé, à « Chère madame » restée à Giverny, et, de loin en loin, régulièrement à Durand-Ruel. Et ses lettres composent le journal le plus intense qui soit d'une création, de ses méthodes et de ses exigences. Jours d'enthousiasme, jours de doute, jours de déception, jours de colère, jours de ravissement... Ces lettres, écrites dans une chambre d'hôtel, mettent en évidence l'essentiel. Les commentaires sont vains.

A Durand-Ruel, Giverny, le 12 janvier : « Je veux passer un mois à Bordighera, l'un des plus beaux endroits que nous ayons vus dans notre voyage. De là, j'espère bien vous rapporter une série de choses neuves. Mais je vous demande de ne parler de ce voyage à *personne*, non parce que je veux en faire mystère, mais parce que je tiens à *le faire seul*. Autant il a été agréable de faire le voyage en touriste avec Renoir, autant il me serait gênant de le faire à deux pour travailler. J'ai toujours mieux travaillé dans la solitude et d'après mes seules impressions. Donc gardez le secret jusqu'à mon ordre. Renoir, me sachant sur le point de partir, serait sans doute désireux de venir avec moi et ce nous serait tout aussi funeste à l'un qu'à l'autre. Vous serez sans doute de mon avis[2]. »

A Durand-Ruel, Bordighera, le 23 janvier : « Bref, je suis installé et j'ai commencé à travailler hier. Les débuts sont toujours médiocres, mais certainement je pourrai rapporter des choses intéressantes, car c'est de toute beauté et le temps est superbe. Je compte faire un séjour de trois semaines environ ici et autour, dans un autre endroit, afin de rapporter des choses variées. Ailleurs je ferai de l'eau, de la belle eau bleue[3]. »

A Alice, le 26 janvier : « Aujourd'hui j'ai encore plus travaillé : cinq toiles, et demain je compte en commencer une sixième. Ça marche donc assez bien, quoique ce soit bien difficile à faire : ces palmiers me font damner ; et puis les motifs sont extrêmement difficiles à prendre, à mettre dans la toile ; c'est tellement touffu partout ; c'est délicieux à voir. On peut se promener indéfiniment sous les palmiers, les orangers et les citronniers et aussi sous les admirables oliviers, mais quand on cherche des motifs, c'est très difficile. Je voudrais faire des orangers et des citronniers se détachant sur la mer bleue, je ne puis arriver à les trouver comme je veux. Quant au bleu de la mer et du ciel, c'est impossible[4]. »

A Alice, le 27 janvier : « A 2 heures, la pluie a cessé, mais non le vent, un vent formidable, et les nuages qui cachaient les montagnes se sont dissipés ; alors ça a été un spectacle inoubliable pour moi, peut-être plus beau que l'adorable temps calme des autres jours, toutes les montagnes couvertes de neige à la cime ; car, quand il pleut en bas, c'est de la neige sur ces énormes hauteurs ; alors le soleil là-dessus, des nuages à la moitié des montagnes et la mer toujours même plus bleue encore ; non, cela ne se peut décrire. Quant à le peindre, il n'y faut pas songer, ce sont des effets de trop courte durée et qui ne peuvent se retrouver[5]. »

A Alice, 29 janvier : « Je travaille comme un forcené à six toiles par jour. Je me donne terriblement de mal, car je n'arrive pas encore à saisir le ton de ce pays ; par moments, je suis épouvanté des tons qu'il me faut employer, j'ai peur d'être bien terrible, et cependant je suis bien en dessous ; c'est terrible de lumière. J'ai déjà des études qui ont six séances, mais c'est tellement nouveau pour moi que je ne puis arriver à terminer ; mais le bonheur ici c'est de retrouver chaque jour son effet et de pouvoir poursuivre et lutter avec un effet. Aussi suis-je enfiévré par ce que je fais et il me tarde toujours d'être au lendemain pour mieux faire[6]. »

La lecture de ces quelques mots de Renoir conforte sans doute sa détermination : « Moi je suis cloué à Paris où je m'ennuie fort et je cours après le modèle introuvable, mais je suis peintre de figures ! Hélas ! c'est bien agréable quelquefois, mais pas quand on ne trouve que des figures pas à son goût. Sur ce, amuse-toi bien, c'est-à-dire fais de belles choses et écris-moi de temps en temps[7]. »

A Alice, le 30 janvier : « Depuis le jour jusqu'au coucher du soleil, je n'ai pas cessé de peindre, ne prenant que juste le temps de déjeuner ; j'ai maintenant huit toiles que je mène de front, toujours avec beaucoup de difficultés, mais qui arriveront certainement à bien[8]. »

A Alice, le 2 février : « Je suis maintenant à la tête de quatorze toiles ; c'est bien travailler, j'espère ; il y aura évidemment du bon et du mauvais dans tout cela, mais ce sera toujours intéressant à rapporter[9]. »

A Duret, le même 2 février : « Je suis installé dans un pays féerique. Je ne sais où donner de la tête, tout est superbe, et je voudrais tout faire : aussi j'use et gâche beaucoup de couleurs car il y a des essais à faire. C'est toute une étude nouvelle pour moi que ce pays et je commence seulement à m'y reconnaître et à savoir où je vais, ce que je peux faire. C'est terriblement difficile, il faudrait une palette de diamants et de pierreries. Quant au bleu et au rose, il y en a ici. Enfin, je pioche, je rapporterai des palmiers, des oliviers (c'est admirable, les oliviers) et de là mes bleus[10]. »

A Alice, le 3 : « Je travaille toujours, comme un forcené, très entraîné et très content de moi ; je fais des progrès, et mes premières toiles sont bien mauvaises à côté des dernières. Maintenant je sens bien le pays, j'ose mettre tous les tons de rose et bleu ! c'est de la féerie[11]... »

A Alice, le 4 : « Et puis je me mets à l'aise, je fais ma petite exposition des toiles auxquelles j'ai travaillé dans la journée[12]... »

A Alice, le 5 : « Vous avez raison, je travaille peut-être un peu trop, vous savez comment je suis lorsque je suis bien en train ; mais vous ne m'avez jamais vu à l'œuvre quand je suis seul ainsi au loin : je ne me donne pas une minute de répit, tant j'ai peur de revenir bredouille, ou enfin, de ne pas rapporter grand-chose[13]. » Le même 5 février, à Durand-Ruel : « Je travaille de plus en plus et mieux qu'au commencement[14]. »

A Durand-Ruel, le 9 : « Oui, je suis de plus en plus dans le ravissement et je travaille beaucoup[15]. »

A Alice, le 12 : « Après la terrible pluie d'hier, il a fait aujourd'hui un temps splendide et j'ai travaillé tout le jour avec plus d'ardeur que jamais ; mais, mon Dieu, que ce satané pays est difficile ; je ne puis arriver à finir mes seules études ; je crois toujours que ça va y être, puis, une fois rentré, je vois que ce n'est pas encore cela. Je ne sais si mes toiles plairont, mais elles me donnent bien du mal à faire[16]. »

A Durand-Ruel, le 18 : « Je ne suis pas satisfait du tout du temps. Voilà une huitaine de jours qu'il fait très mauvais et aujourd'hui il fait si froid qu'il m'a fallu faire du feu. J'espère bien que cela ne va pas durer, car il n'y a pas moyen de travailler par ce temps. Ici il faut le soleil[17]. »

A Alice, le 19 : « J'ai de meilleures nouvelles à vous donner. Le soleil est revenu, superbe, mais avec un vent terrible, épouvantable, une tempête avec du soleil, la mer est inimaginable. Figurez-vous la mer agitée de Pourville, mais d'un bleu merveilleux et l'écume est comme de l'argent. J'ai voulu en essayer, mais parasol, toiles, tout a été emporté et le chevalet cassé ; il m'a fallu battre en retraite, furieux. J'ai donc pris un grand parti, me rappelant qu'à Dolce Aqua où je suis allé dimanche on ne sentait pas le vent, abrité par les montagnes, j'ai pris une voiture et j'y ai très bien travaillé deux motifs merveilleux[18]. »

A Alice, le 27 : « J'ai beau regarder toutes mes toiles, je vois bien que je ne suis pas au bout malgré le mal que je me donne. Et quand je songe aux deux études que j'ai faites à Monte-Carlo lors de mon premier voyage, lesquelles toiles eussent été complètes avec deux séances au plus, je me dis que j'ai été mal inspiré en choisissant Bordighera ; enfin, il me faut aller jusqu'au bout, et plus je serai long, plus il faut que ce voyage soit productif[19]. »

A Alice, le 1er mars : « Je vous assure que, pour travailler comme je le fais, il ne faut pas penser à autre chose. Comme je vous l'ai écrit : je suis quelquefois absolument las et ne pourrai encore longtemps faire ce métier[20]. »

A Alice, le 5 : « J'ai reçu une lettre de Caillebotte ce matin qui me demande si je vais passer ma vie ici ; il est vrai que d'ordinaire je suis plus expéditif dans mes voyages, mais il faut bien admettre qu'ici il m'a fallu toute une étude pénible au début. Il règne ici un ton rose extraordinaire, intraduisible, les matinées sont idéales. Je peins maintenant avec des couleurs italiennes que j'ai dû faire venir de Turin[21]. »

A Alice, le 10 : « Depuis ce matin je n'ai cessé de travailler jusqu'à 6 heures du soir, j'ai pris une heure pour déjeuner et c'est tout, mais j'ai bien travaillé et suis très content de moi aujourd'hui ; j'ai fait bien des croûtes au début, mais maintenant je le tiens ce pays féerique et c'est justement ce côté merveilleux que je tiens à rendre. Evidemment bien des gens crieront à l'invraisemblance, à la folie, mais tant pis ; ils le disent bien quand je peins dans notre climat. Il fallait en venant ici que j'en rapporte le côté saisissant[22]. »

A Durand-Ruel, le 11 : « Les débuts ont été pénibles et avec cela beaucoup de variations dans le temps, enfin si je me suis donné du mal et si j'ai fait de mauvaises choses, je crois qu'il y en a aussi de bonnes. Cela fera peut-être un peu crier les ennemis du bleu et du rose, car c'est justement cet éclat, cette lumière féerique que je m'attache à rendre et ceux qui n'ont pas vu ce pays ou qui l'ont mal vu crieront, j'en suis sûr, à l'invraisemblance, quoique je sois bien au-dessous du ton : tout est gorge-de-pigeon et flamme-de-punch, c'est admirable et chaque jour la campagne est plus belle, et je suis enchanté du pays[23]. »

A Alice, le 12 : « Ici, ce qui est admirable, c'est que de loin en loin il pleut à torrents, comme hier, mais le lendemain le temps redevient superbe, et ce soir il y avait de nouveau de la poussière : ce soleil m'a redonné de l'ardeur, car quand je vois le mauvais temps, j'ai toujours peur qu'il ne dure et tout de suite je m'attriste ; j'ai tant envie d'être revenu ; je suis plus que las de cette solitude et bien fatigué de tant travailler car, je puis vous le dire aujourd'hui, j'ai craint un moment de ne rien rapporter de bon ; pendant longtemps j'ai travaillé sans arriver à ce que je voulais, j'ai dû abandonner des toiles, en recommencer, en effacer, enfin, je n'arrivais qu'à faire d'horribles croûtes et vous savez, dans ces cas-là, le mauvais sang que je me fais ; j'avais une peur atroce, mais je me suis donné du mal, ça m'aura servi : le malheur est que toutes mes toiles ne soient pas les dernières[24]. »

A Alice, le 13 : « J'ai huit toiles terminées, c'est quelque chose, mais que d'efforts, de fatigue même ! Je suis assommé de tant travailler, je me sens comme à bout de forces : aujourd'hui j'ai travaillé à sept études, je crois n'avoir jamais fait cela, mais aussi j'en suis comme abruti, je voudrais tant être revenu et cependant quel temps adorable, que c'est beau[25] ! »

A Alice, le 21 : « Faire ce métier-là pendant un mois, c'est possible, mais plus de deux mois, c'est tuant et je n'en puis plus, et cependant ça marche. Il fait très beau aujourd'hui et j'ai encore fini une toile : il me faut du reste en finir une chaque jour à présent[26]... »

A Alice, le 22 : « J'ai eu aujourd'hui une mauvaise journée, quoiqu'il ait fait très beau, mais avec apparence de gris le matin, puis le soleil, puis du regris, et tout le temps comme cela, de sorte que j'ai fortement maugréé, changeant de toiles je ne sais combien, pour ne pas faire grand-chose, et cependant très fatigué ce soir[27]. »

A Alice, le 26 : « La journée d'hier n'a pas été très bonne, mais j'ai bien rattrapé le temps perdu et je suis plein d'ardeur ; aussi ces dernières journées vont-elles améliorer bien des toiles[28]. » En ce même mercredi 26 mars, il écrit une deuxième lettre à Alice : « Bonne et excellente journée, temps idéal, merveilleux, trois toiles encore de finies : je dis finies, mais cependant pas encore comme je voudrais ; mais je resterais ici des mois que ce serait la même chose. Les effets changent, ça pousse si vite, et puis enfin, je ne puis plus être jamais content : il me semble toujours qu'en recommençant je ferais mieux. J'espère que tout cela va me paraître bien une fois là-bas. Enfin, j'ai bien travaillé aujourd'hui et j'en suis content. Au fur et à mesure que je décide, non pas qu'une toile est finie, mais que je n'y toucherai plus, pour en être plus sûr, je la fourre dans une caisse pour ne la plus voir qu'à Giverny[29]. » Enfin, parce qu'il n'a pas tout dit, il lui écrit encore une troisième lettre en ce même 26 mars : « Quant à dire si je suis content, si je rapporte de bonnes choses, je n'en sais rien. J'ai été tellement dépaysé que j'ai barboté pas mal au début et, à la vérité, aujourd'hui encore, je voudrais pouvoir laisser là toutes mes toiles et recommencer une série de choses qu'il me semble je ferais à coup sûr ; mais, comme je vous le dis, j'ai tant travaillé, tant fait d'efforts que je suis à bout de forces[30]. »

A Alice, le 28 : « Je ne sais comment je fais pour faire ce métier, aller d'un motif à un autre, me creusant la tête pour mettre le plus que je peux de cette lumière dans mes toiles, c'est le travail d'un fou ; j'en suis abruti[31]. »

A Alice, le 31 : « Vous dire la journée mortelle que j'ai passée est impossible, enfermé dans cette maudite chambre devant ces toiles que je ne puis arriver à finir et qui, dans ces moments, me paraissent épouvantables et moins que rien, et je sais cependant quels efforts j'ai faits pour arriver à ce pauvre résultat[32]. »

A Alice, le 1er avril : « En moins d'une heure, ce matin, le ciel est devenu radieux : pendant ce temps j'ai pu finir par à-peu-près les oranges d'hier, puis je me suis mis avec rage à mes études. Trois sont bâclées : je dis cela, parce que je veux finir absolument, j'en ai assez, j'en ai même par-dessus les yeux. Aussitôt rentré, je les fourre dans la caisse de peur de n'en pas être satisfait et de vouloir encore y donner une séance et, dans l'état d'énervement où j'en suis, cela ne serait peut-être pas heureux. Je ne reverrai maintenant mes toiles qu'à Giverny ; je parle de celles terminées[33]. »

A Alice, le 3 : « Le temps couvert est revenu avec mon désespoir. Ce n'est pas de chance et j'ai passé une bien ennuyeuse journée, ne sachant que faire de mon corps, navré enfin. Mon unique moyen de passer le temps est en somme de peindre des natures mortes, mais sans grand entrain : aujourd'hui, c'est le tour des citrons[34]. » A Alice, en ce même 3 avril : « Je vois que vous vous attendez à des merveilles ; vous serez peut-être désillusionnée, car bien que j'aie travaillé énormément, je ne suis pas content. Vous direz que c'est mon habitude et que je me plains toujours, mais certainement le résultat n'est pas en rapport avec le mal que je me suis donné. Ça a été une étude pour moi et c'est à présent seulement que je commence à comprendre[35]. »

Si, jour après jour, pendant ces trois mois, Monet n'a pas cessé d'écrire à Alice Hoschedé qui lui écrit elle-même très régulièrement – « ... un jour sans lettre me tourmenterait bien[36] » a confirmé Monet –, s'il ne cesse de se soucier de l'argent qui manque ou pourrait manquer, de la santé des uns et des autres, des bêtises de tel ou tel enfant auquel il faut faire des « remontrances[37] », Monet doit encore et encore conjurer son incorrigible jalousie. Ces lettres ne sont pas pour autant des lettres intimes... Monet s'adresse toujours à la même « Chère madame » qu'il vouvoie, ou plutôt voussoie, tant la tendresse, tant l'amour qu'il lui témoigne demeurent pudiques. Mais cette pudeur n'est pas une réserve. Il affirme sans cesse sa fidélité. « Moi, d'être ici, je ne suis que malheureux d'être séparé de vous[38] », « Je suis tout à vous, je vous aime, ne pense qu'à vous et n'ai jamais la pensée de vouloir ne plus vous aimer. Connaissez-moi donc et ne doutez jamais[39] », « Je vais me mettre au lit, souffler ma bougie et m'endormir en pensant à Giverny où j'aimerais bien vivre[40] », « Il n'y a de bonheur pour moi qu'avec vous, et je le voudrais plus complet[41] », « Je ne puis vivre sans vous, vous le voyez bien, et si je ne travaillais pas, je m'ennuierais à mourir[42] »...

Une fois, une seule fois pendant ces trois mois, Monet se permet de transgresser ce voussoiement qu'il s'impose, une seule fois, le 9 février, pour écarter « les idées noires, folles, absurdes » de sa « Chère madame », une fois, une seule fois, Monet ose sommer par un tutoiement : « J'exige donc que tu m'aimes comme je t'aime. Puissent les baisers que je t'envoie effacer ces vilaines pensées. Je t'aime, je te voudrais là et te supplie de répondre par une bonne lettre pleine de caresses[43]. » Mais ces confidences, ces promesses, cet unique élan, ne sont au bout du compte que cette affirmation : « Dites-vous que je travaille, que cela est bon pour moi et patientez[44]. »

« Je travaille »... Mme Alice Hoschedé peut le vérifier lorsque – enfin ! – les quatre caisses refermées à Bordighera arrivent à Giverny. Ces caisses ne sont pas sorties d'Italie sans mal. A Vintimille, Monet a découvert qu'aucun tableau ne pouvait sortir du royaume d'Italie sans une autorisation de l'Académie qui doit attester que les susdits tableaux n'ont pas été volés dans un musée, qu'il lui fallait obtenir à Gênes un certificat du représentant de cette Académie confirmant que M. Monet Oscar-Claude était bel et bien l'auteur des toiles et études dont la liste complète mentionnant les titres et les dimensions devrait être établie, que les caisses seraient alors mises sous scellés, que... Les caisses, après trois jours de démarches et de tribulations remises en cause par la rupture des scellés, ont finalement passé la frontière clandestinement, un dimanche, à une heure où des douaniers indifférents n'ont pas vérifié si la cinquantaine de toiles qu'elles contenaient étaient, ou non, de Raphaël...

Le 16 avril, Monet envoie un billet à Durand-Ruel pour lui confirmer son retour à Giverny. Et son besoin d'argent. L'impatience – celle d'Alice qui attendait depuis des semaines le retour de Monet, celle de Monet lui-même qui a au plus vite besoin de 200, 300 francs, celle de Durand-Ruel qui veut au plus tôt découvrir ce que rapporte Monet – est le sentiment le mieux partagé en cette mi-avril.

1884/2

Quant à Durand, il a une telle foi qu'il en est admirable[1]

Pendant une dizaine de jours, Monet a attendu Durand-Ruel à Giverny où les toiles rapportées de Bordighera et de Menton ont été sorties des caisses, mises en place dans l'atelier. Durand-Ruel n'est pas venu. Enfin, c'est l'un de ses fils qu'il envoie à Giverny. Cette visite permet à Monet de mettre les choses au point : « Je viendrai demain matin selon votre désir, mais avec un très petit nombre de toiles et uniquement pour ne pas vous désobliger, car je n'ai pas une seule toile qui n'ait besoin d'être revue et retouchée avec soin, et cela ne peut se faire en une journée. J'ai besoin de voir tout cela tranquillement dans de bonnes conditions. J'ai travaillé pendant trois mois, me donnant bien du mal, et n'étant jamais satisfait sur nature, et c'est seulement ici depuis quelques jours que je vois le parti que je peux tirer d'un certain nombre de toiles. Vous devez bien penser que dans la grande quantité des études que j'ai faites, toutes ne peuvent être livrées au commerce, quelques-unes peuvent être très bien, je crois, et d'autres, même un peu vagues, peuvent devenir de bonnes choses en les retouchant avec soin, mais, je le répète, cela ne peut se faire du jour au lendemain et il ne serait pas plus dans votre intérêt que du mien de vouloir quand même en montrer beaucoup, mon ambition étant de ne vous donner que des choses dont je suis complètement satisfait, quitte à vous en demander un peu plus cher. Vous comprendrez cela, je l'espère, car autrement je deviendrais absolument une machine à peindre et vous vous encombreriez d'une foule de choses incomplètes et qui ne pourraient qu'indisposer les amateurs les mieux disposés. J'ai regretté que vous n'ayez pu venir hier. Nous aurions pu faire ensemble un choix. Au lieu de cela je suis très troublé, votre fils m'ayant dit de votre part que vous teniez à en avoir de suite le plus grand nombre possible pour les montrer, quitte à me les rendre. Mon amour-propre de peintre s'oppose à ce que je laisse voir des toiles dans un état incomplet. Bref, je serai demain chez vous à l'heure convenue, 11 heures et demie. Je vous apporterai quelques toiles de celles que je juge les plus possibles à montrer, mais à la condition de les rapporter pour vous les livrer au fur et à mesure que je les terminerai[2]. »

Quelques jours plus tard, la question n'est plus de savoir si telle ou telle toile est encore dans un « état incomplet », à quelle date il faut faire parvenir les « toiles terminées ». Durand-Ruel est menacé. Le krach de l'Union générale et la crise qui atteint le « marché artistique » ont conduit les créanciers du marchand à se rassembler au sein d'un syndicat. On s'inquiète... Durand-Ruel serait-il acculé à se mettre en faillite ? Des amateurs qu'il réunit au début du mois de mai semblent déroutés. « Ils ne le cachent pas[3] », écrit en hâte Monet à Durand-Ruel sur le point de reprendre un train pour Giverny à la gare Saint-Lazare, en face de l'hôtel de Londres et de New York où il descend lors de ses séjours parisiens. Peut-il seulement encore espérer le soutien de Durand-Ruel ? « N'allez pas croire que je doute de vous. Non, je sais votre courage et votre énergie, mais je doute absolument des autres[4]. » Et les « autres » sont nombreux...

De retour à Giverny, Monet y est, inquiet, incapable de rien faire. Il fait part à Pissarro de son désarroi : « Mon cher ami, je me fais un sang du diable depuis mon retour, et n'ai pas eu le courage de travailler tant je suis préoccupé de la situation du pauvre Durand et du sort qui fatalement nous attend. Je compte bien sur vous pour me donner des nouvelles quelles qu'elles soient[5]. » Pissarro répond aussitôt : « Mon cher Monet, rien de nouveau, cependant je constate une certaine tranquillité chez Durand. Il m'a assuré avoir obtenu du syndicat la faculté de payer par fraction. C'est évidemment un avantage ; mais par contre, ce sera une prolongation de la crise. Pourrons-nous aller jusqu'au bout[6] ? » Pissarro n'est pas le seul à se poser la question. Renoir informe Monet de ce qu'il vient de conseiller à Durand de vendre leurs toiles « à bon marché[7] ». Monet acquiesce. Si cela permet de se tirer tout à fait d'affaire, il n'y a pas à hésiter. Si tel est le sort des tableaux... « Nous vous en ferons d'autres[8]. »

Reste que, dans l'immédiat, Monet doit faire face aux exigences de créanciers de toutes sortes. Durand-Ruel fait ce qu'il peut. Cent francs par-ci. Cent francs par-là. « Je vous remercie, mais je vois que vous avez de plus en plus de mal et je ne sais que faire, car de si petites sommes sont bien insuffisantes[9]. » Dès qu'il le peut, Durand continue, semaine après semaine, d'envoyer ces mêmes « sommes insuffisantes ». Au point que Monet finit par se sentir coupable : « Combien je suis tourmenté de vous savoir tourmenté à ce point et de prendre de l'argent qui vous coûte tant à avoir[10]. » Une semaine plus tard, il lui confirme : « Je ne sais plus que vous dire. Vous demander de l'argent me semble mal, car j'ai peur que vous n'ayez bien des illusions et qu'il vous soit impossible de vous tirer d'affaire. [...] Mais n'allez pas croire que je doute de vous, j'ai peur que vous croyiez pouvoir vous sortir de ce pas et que cela vous soit impossible. Nous voilà à la fin du mois, il me semble problématique que vous puissiez me donner de l'argent et cependant je l'espère cet argent, tout en me disant que je commets une mauvaise action de vous le prendre[11]. »

A la fin du mois d'août, en dépit des créanciers qui s'impatientent et qu'il parvient à éconduire avec des promesses dont il sait qu'elles ne seront pas davantage tenues que d'autres déjà faites, il part pour Le Havre, pour Etretat. Il y peint quelques toiles. Mais presque aussitôt le temps devient mauvais. Il rentre à Giverny malgré la rencontre qu'il fait du baryton Faure. Avoir proposé à Monet de mettre sa maison à sa disposition lui vaut d'être soupçonné d'avoir eu « l'arrière-pensée d'avoir quelque chose de bien et de bon marché[12] ». Pour éviter de succomber peut-être à des propositions d'achat à « bon marché », Monet s'est gardé de lui faire part de ses difficultés financières, de l'informer de celles de Durand.

Et, comme il se doit, il retrouve ses créanciers, « pension, loyer, contributions, puis un billet du marchand de vin non payé », qui le menacent. Rien qui puisse rassurer Monet. Ni quiconque... Pissarro lui-même est accablé : « Je sais hélas fort bien que les affaires sont des plus déplorables, il n'en est pas moins triste de voir Sisley en arriver à cette baisse, quant à Monet c'est moins compréhensible, après Degas c'est le plus choyé de la bande[13]. »

Durand-Ruel, qui n'en finit pas de recevoir les demandes de Monet, se résigne à devoir lui conseiller de faire des économies. A la rentrée, en octobre, Monet n'en peut plus : « J'ai fait tout ce que j'ai pu durant cet été pour aller à l'économie et pour vous demander le moins possible. (Depuis le 3 juillet, c'est-à-dire trois mois, vous m'avez remis 1 100 francs.) C'est infiniment moins que ce que je touchais dans un seul mois. J'espère donc que vous allez pouvoir me venir un peu plus en aide, car je sens bien que continuer ainsi amènerait une catastrophe. J'ai mené ma barque comme j'ai pu ; mais en ayant toujours soin de ne jamais laisser voir ma gêne et en n'offrant des tableaux à personne (cela dans votre intérêt comme dans le mien, et je crois qu'en cela vous m'approuverez). Mais si vous ne pouviez pas m'aider, il faut me le dire, afin qu'alors, et coûte que coûte, je me procure de l'argent[14]. »

Durand rassure comme il peut les uns et les autres. Avec sa prochaine nouvelle installation rue Laffitte, les choses ne peuvent manquer de s'améliorer. Pissarro, dont la situation n'est guère plus enviable, écrit à Monet le 9 octobre : « Mon cher Monet, je suis à Paris, depuis le jour que j'ai reçu votre lettre, et n'ai pu par conséquent vous répondre. Je ne sais à quoi cela tient, j'ai trouvé Durand beaucoup plus rassuré sur notre sort à tous. Il m'a même prié de ne pas déprécier le prix de mes tableaux, en les vendant à trop bas prix, et a insisté pour les lui apporter. On fait comme on peut ; ce n'est qu'à grand-peine que j'ai pu joindre les deux bouts, et en vendant à des prix dérisoires. Si j'avais pu attendre, certes c'eût été mieux. Je suppose que Durand doit vous écrire, et vous donner du courage. – Que je regrette de n'avoir encore pu aller à Giverny : je suis curieux de voir ces toiles, qui vous donnent tant de mal ; rien ne m'intéresse comme celles-là ! – Quelle surprise, quand plus tard on s'aperçoit que ce sont ces ratés qui sont les meilleures. J'ai vu ici Renoir. Nous avons parlé d'exposition ; je vous vois jetant des cris désespérés. Sérieusement, il faut y réfléchir : une exposition faite discrètement, sans trop d'encombrement, avec peut-être des dissidents, ne peut que nous faire du bien ; c'est à étudier[15]. »

Pour Monet, cette étude-là peut attendre. Celle qu'il a entreprise de la nature à Giverny même lui donne, dans l'immédiat, assez de fil à retordre. « Je travaille beaucoup, mais aussi avec bien du mal. La nature se transforme tant d'un jour à l'autre[16]. » « Je travaille beaucoup en effet, mais dire que je suis satisfait et que j'ai beaucoup de bonnes choses à vous donner, cela est différent ; plus je vais plus j'ai de peine à mener une étude à bonne fin et à cette époque où la nature change tant d'aspect, je suis obligé d'abandonner des toiles avant leur complet achèvement. Je vous assure que je me donne bien du mal et si l'on se figure que je fais cela par-dessus la jambe, on se trompe fort. Enfin, je fais ce que je pense[17]. » Et ce qu'il pense ne peut le conduire à aucun prix à une compromission, à un renoncement. Si Durand-Ruel a pu croire à la lecture de ces lettres que Monet était, pouvait être, de ceux qui mettent de l'eau dans leur vin, celle du 3 novembre dissipe le malentendu : « Vous savez que depuis longtemps déjà mon ambition est de ne vous donner que des toiles complètes et dont je suis absolument satisfait. Vous-même, dans une de vos dernières lettres, m'avez recommandé de les pousser, de les finir le plus possible, me disant que là était la principale cause d'insuccès. Ainsi suis-je très tourmenté en présence de ce j'ai fait, d'un choix à faire. Il ne faudra donc pas trop m'en vouloir si je ne vous donne en ce moment que peu de chose, et ces quelques toiles sont loin d'être comme je voudrais. Quant au fini, ou plutôt au léché, car c'est cela que le public veut, je ne serai jamais d'accord avec lui[18]. » Le point est mis sur le « i ». Est-ce bien nécessaire ?

Durand ne doute ni n'a jamais douté de l'exigence et de la rigueur de Monet comme Monet n'a jamais douté ni ne doute de la détermination et du courage de Durand.

Il écrit cette conviction à Camille Pissarro comme à Théodore Duret. Au premier : « Durand se démène toujours, sa ténacité nous sauvera sans doute, puisqu'il a pu tenir tête à tous ses ennuis[19]. » Au second : « Quant à Durand, il a une telle foi qu'il en est admirable et nous lui devrons une fière chandelle[20]. » Durand-Ruel mérite cet hommage. Depuis plusieurs semaines, il tente de conjurer les coups bas de quelques marchands peu scrupuleux qui ne voient aucun inconvénient à dévaloriser la peinture dont il s'est fait le champion. Benoîtement, en cette période difficile, ils consentent à donner aux peintres démunis les sommes, même dérisoires, dont ils ont tant besoin. Heyman est de ceux-là. Lettre de mise en garde de Durand-Ruel à Pissarro : « Mon cher monsieur Pissarro, je vous envoie trois cents francs en attendant mieux. Ne donnez plus rien à cet animal de Heyman qui étale vos tableaux sans cadre dans de sales boutiques pour les faire tourner en ridicule. Il est difficile de vous faire plus de tort que par de pareils procédés. C'est comme Gauguin auquel j'avais donné en commission un beau Monet et qui le laisse mettre sans cadre par terre dans l'affreuse boutique de Chercuitte, rue de Douai avec un beau Renoir également sans cadre. Le tout au milieu de tableaux à dix francs. Je suis entré en donnant un acompte. Mais alors la comédie s'est découverte. On ne me l'a pas envoyé, et on m'a fait remettre les cinquante francs d'acompte en disant qu'il y avait erreur et que le tableau était de mille francs. C'est un système chez tous ces gens-là de vous dénigrer et ils cherchent à rabaisser vos prix en disant le plus de mal qu'ils peuvent de moi[21]. » Durand-Ruel ne se prive pas d'avertir de la même manière Monet, dont il sait qu'il a cherché à obtenir l'adresse de ce Heyman.

Le 17 novembre, Durand-Ruel présente Octave Mirbeau à Monet. Il n'en doute pas, s'il écrit sur « ses » peintres, les choses peuvent changer. S'il a huit ans de moins que Monet, il n'en occupe pas moins une place importante dans la vie parisienne qu'il doit à son talent de pamphlétaire. Féroce, implacable, sans pitié, il use sans vergogne de la satire, de l'invective et de l'insolence pour des éreintements sans appel. En revanche, lorsqu'il admire... Mirbeau promet d'écrire. Monet à Durand-Ruel, le 26 novembre : « Vous serez bien aimable de m'adresser les articles de Mirbeau lorsqu'ils paraîtront et puis enfin de l'argent. Il en faut toujours[22]. » Durand-Ruel sait mieux que personne qu'il en faut toujours...

Comme il sait que l'article de Mirbeau peut être l'un de ces coups de gueule – l'éloquence acerbe et puissante de Mirbeau peut-elle être autre chose ? – capables d'enrayer la crise, d'autant plus que cette chronique doit paraître dans *La France*, journal conservateur, qu'elle sera donc lue par des amateurs qui voudront sans doute, provoqués par la verve de Mirbeau, vérifier que les toiles présentées par Durand ne sont ni des blagues de rapin ni des injures faites au goût et aux « bonnes mœurs ». Au-delà de Monet, c'est tout le groupe que l'article peut servir.

Et ce groupe est plus solidaire depuis quelques mois. Durand-Ruel le sait, la crise, les difficultés, les inquiétudes ont resserré les liens entre les uns et les autres. Monet a, pendant l'été, descendu la Seine à bord d'un bateau de Caillebotte et si celui-ci n'a pu l'aider alors, une fois de plus, au moins a-t-il avancé les trois cents francs exigés par M. Flament, ancien propriétaire de Monet à Argenteuil qui avait gardé en caution son *Déjeuner sur l'herbe*, « une toile de six mètres, très médiocre, mais que je serais très heureux de ravoir[23] », avait écrit Monet à Durand dès mars. Monet a fini par livrer à Berthe Morisot la toile qu'elle aura attendu des mois... Monet à Berthe Morisot, le 10 novembre : « Il me faut bien avouer la vérité, à mon retour de la mer, j'ai trouvé si mal ce que j'avais commencé que je n'ai plus eu le courage de le finir, et puis, je viens de m'y mettre et je compte vous l'apporter d'ici une huitaine sans doute, mais je vous demande un peu d'indulgence (j'ai très peur que cela ne vous plaise pas). Ce n'est pas un tableau, mais une décoration très crue ou peut-être pas assez crue ; enfin, il faut voir cela en place ; alors si cela ne vous plaît pas, il faudra me le dire franchement[24]. » Monet aura voyagé avec Renoir... Monet aura reçu Pissarro à Giverny... Enfin Monet – Durand-Ruel en est aussitôt informé – propose aux uns et aux autres un dîner mensuel. Monet à Pissarro, le 11 novembre : « J'ai écrit à Renoir pour que nous nous entendions pour dîner tous ensemble chaque mois, histoire de nous réunir et de causer, car c'est bête de s'isoler. Pour ma part, je deviens moule et je ne m'en fais que plus de mauvais sang[25]. » L'article de Mirbeau devient urgent.

Le 21 novembre, il paraît. Après un premier article consacré à Degas, publié le 15 novembre, avant la publication d'un autre encore sur Renoir, qui sort le 8 décembre.

Comme Durand-Ruel s'y attendait, dès la première phrase, quand bien même ces « Notes sur l'art » ont pour titre « Monet », c'est l'ensemble de « ses » peintres qui est désigné : « Que pensera-t-on de nous, plus tard, quand on se dira que tous ceux qui furent de grands artistes et qui porteront, dans la postérité, la gloire de ce demi-siècle, ont été insultés, vilipendés – pis encore, plaisantés[26] ? » Après cette introduction, les colonnes consacrées à Monet, « un des plus insultés, parmi les insultés », ne sont qu'éloge sans réserves d'un « art si puissant qu'il s'impose de lui-même aux imbéciles ».

Suivent des affirmations qui ne souffrent pas la moindre contradiction. Un : « Je ne connais pas, parmi les paysagistes modernes, un peintre plus complet, plus vibrant, plus divers d'impression que Claude Monet ; on dirait que pas un frisson de la nature ne lui est inconnu. » Deux : « L'éloquence caractérise le talent de Claude Monet, une éloquence claire, forte, harmonieuse, qui va, roulant ses phrases cadencées et ses sonorités magnifiques, comme une symphonie de Beethoven. » Trois : « Partout, quoi qu'il ait peint et devant quelque nature qu'il se soit trouvé, Claude Monet a apporté la même sincérité, le même recueillement, le même amour et la même puissance. » Quatre : « Monet a fait sortir de sa palette tous les incendies et toutes les décompositions de la lumière, tous les jeux de l'ombre, toutes les magies de la lune et tous les évanouissements de la brume. » Cinq : « Tout ce qu'il a touché, il y a mis la vie et la sensibilité – la vie, la sensibilité propres à l'objet –, et c'est le plus bel éloge qu'on puisse adresser à un artiste. » Conclusion : « Il n'y a que Corot, l'immense et sublime Corot, à côté de qui on puisse le placer. Et encore je trouve chez Monet une sensibilité de l'œil plus délicate et en quelque sorte plus affectable, une compréhension plus puissante et plus vaste. Corot et Monet, ce sont les deux plus belles, les deux plus éloquentes expressions de l'art du paysage. Et la postérité, pour qui rien ne se perd, qui sait mettre chacun à sa place, accouplera ces deux noms dans la même gloire définitive[27]. »

Monet fait déposer *La Cabane du douanier à Pourville* chez Mirbeau. Lettre de Mirbeau à Monet, « Paris, le 30 décembre 1884 » : « Mon cher monsieur Monet, Mille fois merci pour la très belle étude que vous m'avez envoyée. Je l'accepte avec une vive reconnaissance. Ce que j'ai fait ne valait pas, hélas ! tant de remerciement, et vous êtes le plus charmant et le plus indulgent des hommes pour m'avoir récompensé de la sorte[28]. »

Commence une amitié de respect, de solidarité et de complicité qui n'est déchirée que par la mort de Mirbeau en février 1917.

1885

Certaines de ces toiles
je les verrais à regret partir au pays des Yankees[1]

L'année commence par un malentendu. On s'en serait passé... En dépit des réticences des uns et des réserves des autres qui ne sont pas convaincus que l'initiative soit opportune, Antonin Proust a voulu célébrer l'anniversaire de l'exposition des peintures de Manet à l'Ecole des Beaux-Arts par un banquet. Pissarro a répondu à l'invitation par la colère. Monet n'a guère été que « très embêté ». Il a consulté Renoir. Parce que c'est Renoir qui, un an plus tôt, l'a, à la fin de janvier 1884, informé de ce qui se passait à Paris : « L'exposition de Manet a bien marché, il y a toujours assez de monde pour que ça ne fasse pas le vide si horrible des deux personnes qui se promènent dans une grande salle. Ils ont fait de six à sept cents francs en moyenne par jour. En somme tout le monde est content[2]. » Les jours sont passés. « Enfin, ne voyant pas venir de nouvelles et apprenant par les journaux que Degas et bien d'autres acceptaient, je me suis décidé à envoyer ma cotisation » et, on n'est jamais assez prudent, « à n'y pas aller si Renoir m'annonçait le contraire »[3]. Pissarro, en ce début d'année 1885, est le seul à demeurer intraitable. Le 3, Monet lui écrit : « Je regrette que vous ne soyez pas au banquet Manet, car je vois que tout le monde trouve cela absurde et inutile, mais tout le monde y va et juge qu'il nous est impossible de n'y point assister[4]. »

Le 5 janvier, chez le père Lathuille, rares sont ceux qui, comme Pissarro, ont décliné l'invitation. Pissarro s'en explique sans doute dans les jours qui suivent, lors du premier des dîners qui doivent rassembler

217

chaque mois ceux qui sont devenus des « impressionnistes » il y a plus de dix ans déjà. Plus que l'attitude de Pissarro, auquel nul n'adresse de reproche, c'est la situation de Durand-Ruel qui est le sujet essentiel des conversations. On s'accorde à lui reconnaître un courage exemplaire car rien ne semble pouvoir l'abattre.

Pas même la litanie des demandes d'argent de Monet toujours aux abois entre les dépenses courantes et l'exaspération de créanciers qui attendent depuis des années. Le 8 février, Monet lui écrit à propos de l'une de ces échéances : « Comme vous avez pu le voir par le papier timbré que je vous ai adressé, il s'agit seulement d'un effet de 350 francs pour lequel il y a eu jugement en 75. Je dois une grosse somme à ce Nivard. Il serait donc urgent, tout en prenant les arrangements que vous jugerez devoir prendre, de tâcher d'éteindre cette première affaire afin de ne plus avoir à craindre de saisie. Enfin, faites pour le mieux, mais je vous en prie, ayez l'obligeance de vous en occuper de suite, car ce serait un désastre pour moi[5]. » Quelques mots du post-scriptum de la même lettre, « j'avais à payer de tous côtés », laissent entendre à Durand-Ruel qu'il n'a pas fini de devoir assumer les dettes de Monet. Au moins sait-il à quoi s'en tenir...

Il sait aussi à quoi s'en tenir avec le lamento qui accompagne le travail de Monet. Recevoir à la mi-mars une lettre où il lui apprend qu'il vient de passer « une semaine de rage à rendre fou, recommençant, grattant, crevant mes toiles[6] », ne saurait l'inquiéter. Il en a lu et, il le sait, il en lira d'autres du même ordre. Il n'en doute pas. Pas plus qu'il ne doute de la fidélité d'un peintre qui l'assure dans la même lettre de ce qu'il continue de travailler aux panneaux destinés aux portes de son salon.

Pourquoi aurait-il le moindre soupçon ? Au début du mois d'avril, Monet lui livre lui-même plusieurs de ses panneaux. Reste que le fait d'apprendre que le peintre qu'il n'a pas cessé de soutenir, d'aider, d'encourager, s'apprête à exposer chez Georges Petit ne peut que le troubler.

La 5ᵉ exposition internationale que Petit ouvre le 15 mai dans les somptueuses salles de sa galerie, au 8 de la rue de Sèze, compte dix toiles de Monet. Deux ont été peintes dans la lumière de la Méditerranée, trois à Giverny, les autres sur la côte normande. Les dernières lignes de l'article d'Albert Wolff qui paraît le jour même dans *Le Figaro* admettent que Monet puisse avoir « beaucoup de talent » et reconnaissent sa capacité « à saisir les grands aspects du paysage avec une vérité surprenante »[7]. Les critiques de l'exposition qui paraissent dans *Le Journal des arts, Le Voltaire, Gil Blas, Le Rappel, Le Courrier de l'art* ou *Le Journal des Artistes* vont de l'indifférence la plus fade au soupçon d'aliénation le plus éculé. Malgré tout, comment Durand-Ruel n'admettrait-il pas qu'être exposé dans une galerie où se presse le Tout-Paris, que n'être pas décrié, condamné et éreinté par le critique le plus influent de la capitale, sont un atout pour lui-même ? Au cas où il n'en serait pas convaincu, Monet lui confirme le 30 mai : « Car c'est surtout dans notre intérêt à tous que j'étais heureux de mon entrée dans ce milieu, ce qui ne peut amener que d'heureux résultats pour l'avenir[8]. »

En mai, parce qu'une fois de plus le temps lui « joue bien des tours[9] », parce qu'il fait un froid « à se croire en hiver[10] », Monet informe Durand-Ruel d'une autre décision qui concerne un autre moyen de préparer l'avenir : « Aussi ai-je pris le parti de jardiner et de me préparer de beaux motifs pour l'été, quand il viendra[11]. » Durand-Ruel quant à lui commence à songer que l'avenir de sa galerie, et donc celui de ses peintres, peut se jouer aux Etats-Unis. Monet est loin d'en être convaincu : « J'ai deux toiles auxquelles je travaille depuis déjà un mois mais j'avoue que certaines de ces toiles je les verrais à regret partir au pays des Yankees et j'en voudrais réserver un choix pour Paris car c'est surtout et là seulement qu'il y a encore un peu de goût[12]. »

Après avoir une fois de plus constaté : « J'ai eu plus de difficultés que jamais et j'ai raté bien des choses[13] » – aveu fait à Pissarro –, Monet prépare un nouveau voyage pour la Bretagne ou la Normandie pour la fin de l'été. La proposition du baryton Faure de mettre à sa disposition sa maison d'Etretat décide de la destination.

Il arrive dans la « maison Faure » au début du mois d'octobre. Il s'empresse de rassurer Durand-Ruel. Si son séjour, à l'hôtel Blanquet où il fait le choix de s'installer plutôt que de rester chez les Faure, doit durer un certain temps c'est parce qu'il a beaucoup à faire et que parmi les toiles qu'il s'apprête à peindre, Durand-Ruel devrait trouver des choses à son goût.

Alice Hoschedé qui recommence de recevoir ces lettres obstinément adressées à « Chère madame », retrouve les plaintes, les rages et les dépits provoqués par la pluie, la bourrasque, la mer furieuse, le baromètre qui descend, les pêcheurs qui ne sortent pas leurs bateaux comme prévu, une belle journée qui arrive trop tôt, le vent, un ciel gris, etc. « Je suis donc à la merci du temps, je dois absolument rapporter de bonnes choses, il le faut, je dois donc, et vous aussi, être courageux[14]. »

Il y a d'autant plus de raisons de devoir être courageux que les informations qui parviennent à Etretat à la fin d'octobre sont inquiétantes. Lettre de Pissarro : « Je suis à Paris depuis huit jours, courant après la pièce de cent sous, sans parvenir à l'atteindre. Rien, mon cher, depuis un mois ; je vous suppose, quoique vous êtes d'un mutisme absolu, dans le même cas, cela va mal, très mal. Durand nourrit toujours l'espoir de faire des affaires en Amérique. Je pense même, d'après ce que j'ai su, qu'une partie des tableaux sont, à l'heure qu'il est, en mer, voguant vers la terre promise. Il comptait partir dans deux ou trois mois, mais il a ici de bien graves difficultés qui le retiennent. Il faut de l'argent, et beaucoup. On n'en trouve pas souvent. Pour comble de difficulté – ceci entre nous – Petit lui a joué un vilain tour de marchand normand, maure, turc ou juif : il a passé sa créance à Bague, un des grands et puissants marchands de tableaux de Paris ; celui-ci, sans préjugé mesquin (un moderne celui-là), assigne notre Durand en paiement. Avec cela quelques cancans sur les faux tableaux que ces messieurs se jettent les uns sur les autres en plein dans *Le Gaulois, Le Gil Blas* ; cela fait un joli gâchis qui retombera sur le pauvre peintre naïf qui trime sur nature, qui s'use le tempérament pour faire son œuvre. C'est écœurant, ignoble ! C'est à tout lâcher. Je suis étonné que vous ne m'en disiez rien, de ces événements gros de conséquences, funestes pour nous. Vous qui lisez *Le Gil Blas*, vous devez être au courant ; je n'ouvre jamais ces journaux, c'est chez Durand que j'ai su tout cela. Vraiment, c'est à fuir chez les Patagons. Dieu nous garde de ces messieurs si gentils, si féroces ! Le plus beau de l'affaire, toutes ces discussions sur les faux tableaux, sont des combinaisons savantes pour arriver à tomber Durand et arriver à le tuer net comme expert et marchand. Si vous voyiez le Daubigny en litige, une croûte ! Inutile de vous dire qu'il est faux. Daubigny, tout faible peintre qu'il était, n'aurait commis ce piètre tableau. Voilà quels sont les bruits dans Landerneau. Triste[15] ! »

Cette lettre accablée arrive à la veille d'un dîner avec Guy de Maupassant « qui a été un peu aigre. Comme il n'y entend pas grand-chose et m'agaçait souvent, j'ai été un peu violent, peut-être un peu trop, si bien que, ce matin, il a fait ses malles et vient de partir[16] ».

Ce départ précipité n'empêchera pas Maupassant de publier dans *Gil Blas*, à peine un an plus tard, le 28 avril 1886, l'un des rares textes qui décrivent Monet sur le motif : « L'an dernier [...] j'ai souvent suivi Claude Monet à la poursuite d'impressions. Ce n'était plus un peintre, en vérité, mais un chasseur. Il allait, suivi d'enfants qui portaient ses toiles, cinq ou six toiles représentant le même sujet à des heures diverses et avec des reflets différents.

« Il les prenait et les quittait tour à tour, suivant tous les changements du ciel. Et le peintre, en face du sujet, attendait, guettait le soleil et les ombres, cueillait en quelques coups de pinceau le rayon qui tombe ou le nuage qui passe, et, dédaigneux du faux et du convenu, les posait sur sa toile avec rapidité.

« Je l'ai vu saisir ainsi une tombée étincelante de lumière sur la falaise blanche et la fixer avec une coulée de tons jaunes qui rendaient étrangement le surprenant et fugitif effet de cet insaisissable et aveuglant éblouissement.

« Une autre fois, il prit à pleines mains une averse abattue sur la mer et la jeta sur la toile. Et c'était bien de la pluie qu'il avait peinte ainsi, rien que la pluie voilant les vagues, les roches et le ciel, à peine distinct sous ce déluge[17]. »

Celui-ci peut être fatal. Récit de Monet à Alice : « Après une matinée encore pluvieuse, j'étais content de voir le temps se remettre un peu ; bien qu'il souffle grand vent et que la mer soit furieuse, mais justement à cause de cela, je comptais faire une riche séance à la Manneporte, mais il m'est arrivé un accident : ne vous alarmez pas, je suis sain et sauf puisque je vous écris, mais peu s'en est fallu que vous n'ayez de mes nouvelles et que je ne vous revoie pas. J'étais dans toute l'ardeur du travail sous la falaise, bien à l'abri du vent, à la place où vous êtes venue avec moi ; convaincu que la mer baissait, je ne m'effrayais pas des vagues qui venaient mourir à quelques pas de moi. Bref, tout absorbé, je ne vois pas une énorme vague qui me flanque contre la falaise et je déboule dans l'écume avec tout mon matériel. Je me suis vu tout de suite perdu, car l'eau me tenait, mais enfin j'ai pu me sortir à quatre pattes, mais dans quel état, bon Dieu ! avec mes bottes, mes gros bas et la gâteuse mouillée : ma palette restée à la main m'était venue sur la figure et j'avais la barbe couverte de bleu, de jaune, etc. Mais enfin, l'émotion passée, ce n'est rien, le pire est que j'ai perdu ma toile brisée bien vite, ainsi que mon chevalet, mon sac, etc. Impossible de rien repêcher. Du reste, c'était broyé par la mer, la gueuse, comme dit votre sœur. Enfin, je l'ai échappé belle, mais ce que j'ai ragé de me voir dans l'impossibilité de travailler une fois changé et de voir ma toile sur laquelle je comptais perdue, j'étais furieux[18]. »

Au lendemain du dîner « aigre » en compagnie de Maupassant, Monet reçoit une bonne nouvelle, « une lettre de la fameuse Société des

XX de Bruxelles m'invitant officiellement[19] ». Dans *Le Journal de Bruxelles* du dimanche 15 juin 1885, quelques mois plus tôt donc, est paru cet article du poète Emile Verhaeren : « Aussi, à examiner l'œuvre de Monet, le voit-on s'acharner à étudier l'eau, le ciel et l'air. L'eau dans son infinie variété, l'eau fluide, courante, l'eau claire, songeuse, dormante, l'eau diamantée de soleil, l'eau avec une image momentanée qu'elle déploie et immédiatement emporte ; l'eau tout empreinte d'azur ou tout emmaillotée de brouillard ; l'eau cristalline si le fond est pur ; l'eau trouble, boueuse, opaque si le fond est vaseux ; l'eau frissonnante, susurrante, vivante.

« Le ciel avec ses mille teintes effacées et mobiles, avec ses orages et ses calmes, avec ses éclaircies brusques, avec ses intensités de bleu implacable, avec ses yeux de clarté autour et sous et dans et sur les nuages, avec ses arcs-en-ciel prismatiques, avec ses désinences de lumière, ses teintes posthumes de soleil, ses blanchissements d'aube. L'air enfin, l'air modifiant toute chose, mettant sur tout l'éternel changement, habillant et déshabillant les mêmes objets à chaque heure du jour, avec de nouvelles couleurs et de nouveaux tons ; l'air baignant, rongeant, mordant toutes les arêtes, tous les reliefs, toutes les lignes ; l'air donnant le mouvement à l'immobilité, le frémissement à l'espace, la vibration à la matière[20]. » La lecture de ces lignes a-t-elle déterminé Octave Maus, jeune avocat de trente ans qui, depuis la création des XX en 1883, se propose de mettre en évidence « l'interprétation directe de la nature et de la réalité contemporaine par l'artiste[21] » ? Dès le 5 novembre, Monet lui répond : « Je m'empresse de vous faire savoir que je suis on ne peut plus flatté de l'invitation qui m'est faite par la Société des XX. Veuillez, je vous en prie, exprimer mes remerciements à ces messieurs. Vous pouvez donc compter sur moi. Je vous enverrai la désignation de mes tableaux en temps voulu. » Et de préciser : « Si cela n'est pas abusif, je voudrais exposer cinq choses afin de me montrer sous différents aspects[22]. » Encore faudra-t-il trouver ces cinq « choses »... Quelques jours avant de quitter Etretat à la mi-décembre, de refermer les caisses sur ses tableaux, Monet enrage : « Je suis absolument dégoûté, depuis quelques jours que j'ai retravaillé, je ne fais que de la cochonnerie, c'est un voyage perdu : tout est changé et les jours par trop courts, et j'ai cependant plus que jamais besoin de beaucoup de toiles et de très bonnes pour Durand, pour Petit et Bruxelles[23]. »

Si Durand-Ruel peut admettre de prêter des toiles pour le cercle des XX de Bruxelles, il n'est pas sûr qu'il puisse accepter avec plaisir de partager avec Petit les toiles rapportées d'Etretat. Une lettre du 10 décembre tente de l'amadouer : « Vous pensez bien qu'en allant chez Petit, j'appréhende un peu bien des potins et des choses désagréables, mais j'ai été terrifié d'apprendre que plusieurs de vos confrères ennemis aient offert à M. Petit de lui acheter tout ce qu'il possède de nos tableaux pour les mettre en vente publique *sans cadres* comme représailles contre vous (mais ceci entre nous, n'est-ce pas). [...] Jugez quel coup ce serait pour vous et pour nous. Mais très aimablement Petit m'a rassuré en me disant que, plus que jamais, il comptait sur moi pour son exposition du mois de mai, à la condition toutefois que pas un seul des tableaux vous appartenant n'y figurerait – ce qui est en somme de bonne guerre et prouve le mauvais côté de ces dernières affaires – puis à condition aussi de ne pas exposer avec mes amis s'ils organisaient quelque chose cet hiver. Je crois avoir bien fait en acceptant ces conditions puisqu'il est incontestable que c'est du bien que m'a fait (et aussi à vous) la dernière exposition et que cela se confirmera par celle de cette année. Du reste en refusant, je semblais ainsi me ranger ouvertement avec vous contre lui et cela est imprudent. J'espère donc que vous serez de mon avis et je suis convaincu que cela vous sera profitable ainsi qu'à mes amis. Du reste je crois qu'il ne serait pas mauvais qu'aux yeux du public et des amateurs nous n'ayons pas l'air d'être complètement sous votre tutelle et entre vos mains, il serait même prudent, sans toutefois les provoquer, de vendre nous-mêmes, sans vous nuire comme prix. Cela n'est pas seulement mon avis mais celui de Pissarro et de Sisley qui m'en ont parlé et comptent un peu sur moi pour vous le faire comprendre. » Un couplet badin et reconnaissant achève de vouloir convaincre Durand-Ruel : « Voilà une bien longue tartine, n'est-ce pas ? N'allez pas au moins en augurer rien de mal, je sais trop ce que je vous dois et les sacrifices que vous faites. Je vous dis franchement ce que je pense comme je l'ai toujours fait ; je sais que je peux compter toujours sur vous comme vous pouvez toujours compter sur moi, vous n'avez pas à en douter[24]. » Malheureusement, et il fallait s'y attendre, Durand doute. Il s'inquiète, il grogne. Courtoise, la détermination de Monet est inébranlable : « Je n'ai jamais eu la pensée de vous abandonner ni vous ni mes amis, soyez-en persuadé : nos intérêts sont les mêmes et comme je vous l'ai dit bien souvent, je sais trop ce que je vous dois et les sacrifices que vous avez faits pour nous, et quoi qu'il arrive vous n'avez rien à craindre de moi. Je me suis sans doute mal exprimé ou vous m'avez mal compris, mais je ne vous ai jamais dit que Pissarro, Sisley et moi voulions manœuvrer seuls : cela n'a jamais été notre pensée, je vous ai seulement dit que si l'occasion se présentait pour nous, et sans la provoquer, de vendre nous-mêmes, dans de bonnes conditions bien entendu, ce ne serait peut-être pas mauvais, et prouverait que nous ne sommes pas entièrement liés avec vous ; cela est l'opinion de ces deux amis et la mienne. De là à vouloir manœuvrer seuls, il y a une nuance, et je ne veux pas faire dire à Pissarro et à Sisley ce qu'ils n'ont jamais pensé. Quant à Petit, c'est une autre affaire. Je comprends votre sentiment à son égard, mais ai-je besoin, moi, de me faire son adversaire quand il ne m'a fait personnellement aucun mal, que bien au contraire, en essayant de me faire admettre de son public, il m'a fait le plus grand bien, cela est incontestable et c'était aussi votre avis lors de cette exposition. Petit sait très bien qu'en me produisant vous en profitez, et il est compréhensible qu'étant en guerre il ne veuille pas exposer vos propres tableaux ; mais n'en profiterez-vous pas quand même ? Aussi dans cette question d'exposition, j'ai de suite envisagé et votre intérêt et le mien. Il était inadmissible que j'oblige M. Petit à exposer vos tableaux et moins que prudent de renoncer à cette exposition. J'ai donc donné ma parole et ne puis la retirer[25]. »

1885 s'achève comme elle a commencé, sur un malentendu.

1886/1

Vous ne voyez plus que l'Amérique, et l'on nous oublie ici[1]

Les raisons d'être troublé ne manquent pas à Durand-Ruel. Le 23 décembre a commencé de paraître en feuilleton dans *Gil Blas* le nouveau roman d'Emile Zola, *L'Œuvre*. Il a laissé entendre que cette nouvelle histoire serait celle d'un peintre qui « voudrait plus de nature, plus de plein air, de lumière », qui « veut embrasser d'une étreinte la nature qui lui échappe »[2]. On croit savoir que ce récit de la vie d'un artiste « toujours en bataille avec le vrai, et toujours vaincu, la lutte contre l'ange[3] » serait celui d'un échec. Zola, on le répète, a assuré qu'il se mettrait lui-même en scène entouré de ceux qui furent comme lui impatients de secouer la tradition. Comment en douter ? ce sont donc bien les peintres que soutient Durand-Ruel depuis des années dont Zola va, veut, conter l'histoire. Or, s'il en fait celle d'un échec, ne se rend-il pas compte que le coup qu'il va porter à des peintres qu'il a défendus jadis, parce qu'il est devenu célèbre, peut leur être fatal ? Qui plus est le personnage principal du roman s'appelle Claude Lantier, Claude comme Monet.

Terrible coïncidence, ce roman dangereux de Zola est publié au moment même où Durand-Ruel prépare une exposition de ses peintres aux Etats-Unis. Encouragé par son associé Robertson, le marchand James F. Sutton a invité Durand-Ruel à présenter leurs œuvres à l'AAA, l'American Art Association, qu'il a fondée à New York en 1877 avec Thomas I. Kirby. En ce début d'année 1886, on rassemble les toiles qui doivent être expédiées. Ce qui ne manque pas d'exaspérer Monet. Le 22 janvier, il écrit à Durand-Ruel : « Mais vous faut-il donc tant de tableaux pour l'Amérique ? Vous devez cependant en avoir une fameuse quantité. Il est vrai de dire que vous les dissimulez joliment, car on ne les voit jamais, ce qui est un tort à mon avis : nous avons beau faire des tableaux, le public n'en voit pas plus pour cela. Cela n'est pas que je ne veuille vous en donner – j'en aurais que je vous les donnerais, mais je ne serais pas fâché que vous les montriez. Vous ne voyez plus que l'Amérique, et l'on nous oublie ici, puisque au fur et à mesure que vous avez des tableaux nouveaux, vous les faites disparaître[4]. » Le lendemain même, il insiste encore : « Car je veux bien croire à vos espérances en Amérique, mais je voudrais bien et surtout faire connaître et vendre mes tableaux ici. Tout cela est bien difficile, je le reconnais, mais c'est inquiétant, et je suis bien difficile et bien embêtant[5]. »

« Bien difficile et bien embêtant » : Durand-Ruel mesure comme personne la pertinence des adjectifs choisis et la lucidité de l'aveu... C'est que, sans vergogne, Monet continue de lui demander d'assumer ses dépenses courantes – le matériel acheté à un marchand de couleurs – comme celles qui le sont moins, dont l'agrandissement de l'atelier pour lequel il va falloir payer quatre cents francs. Sans vergogne encore, Monet lui demande de prêter cinq toiles pour Bruxelles où dix de ses œuvres doivent être présentées à l'exposition des XX qui ouvre ses portes au palais des Beaux-Arts le 6 février.

Nouvelle mise au point le 24 janvier : « Si je sais parfaitement tout le mal que vous vous donnez et les sacrifices que vous faites, seulement je suis effrayé de vous voir si dépourvu de tableaux et je crains qu'une fois ce que vous avez en Amérique, on ne nous oublie ici, et je voudrais que chez vous l'on ait toujours et toujours du nouveau sans en montrer des quantités à la fois. Voilà ma pensée, et je déplore que pour nous donner de l'argent vous soyez obligé d'engager nos tableaux, car il est plus facile de les engager que de les dégager. Cela, je l'avoue, me fait peur. Croyez-moi, exposez nos tableaux le plus possible rue de la Paix, c'est là le seul moyen de tenir en éveil l'attention et de donner de la vitalité à nos affaires, d'autant plus qu'on est, je vous assure, très surpris de ne rien voir, et l'on se demande où passent les tableaux que nous vous donnons. Ce n'est pas bien mal, je pense, de vous dire cela, car c'est l'opinion de bien des gens et aussi ce que nous disons entre nous. Je trouve donc qu'il est de mon devoir de vous le dire franchement, quitte à ce que vous me trouviez bien ennuyeux et d'avoir toujours l'air de me plaindre. Je travaille dans la neige. Si j'arrive à quelque chose, je ne vous oublierai pas[6]. » Cette promesse de n'être pas oublié ne rassure sans doute qu'à peine Durand-Ruel qui ne comprend que trop bien que le souci de Monet d'être exposé à Paris est la première justification des ventes consenties par « son » peintre à Georges Petit.

Serait-ce une menace d'un tout autre ordre qui conduit alors Monet à se vouloir intraitable ? Tout semble se déliter, partir à vau-l'eau, tomber en quenouille. L'exposition des XX ne provoque à Bruxelles qu'un scandale de plus et il y passe pour « avoir été l'un des inventeurs de l'art incohérent[7] », Durand-Ruel fait un pari à New York et déserte Paris, Pissarro s'obstine à vouloir qu'il participe à une nouvelle exposition « impressionniste » à laquelle il a invité un certain M. Georges Seurat, qui aurait la prétention de donner des leçons de rigueur, et ce M. Gauguin, ancien employé d'un agent de change, protégé par Degas, qui, même s'il tient tête à « ces petits jeunes chimistes qui accumulent des petits points », se donne des allures de chef d'école... Et enfin Alice semble à nouveau tout remettre en cause.

M. Hoschedé, à l'occasion de l'anniversaire de sa femme née un 19 février, a voulu rappeler ses droits d'époux légitime, père en particulier de deux jeunes filles qui lui sont fort attachées et qui sont en âge de se marier. Comment pourraient-elles prétendre à un mariage convenable quand leur mère, aux yeux de tous, vit scandaleusement une liaison qui est une injure aux bonnes mœurs comme à la décence et aux préceptes de l'Eglise ? Pour laisser les Hoschedé fêter ensemble l'anniversaire d'Alice, Monet fuit Giverny.

Il est seul à Etretat. Il y est « bien triste et tout anéanti[8] ». Il lui reste à faire part de son désespoir. A Alice, le 22 février : « Je pense aux enfants que vous aimez et qui vous aiment, mais je vois aussi tout ce qui divise et divisera de plus en plus notre vie que je croyais devoir être si douce. Allez, je suis bien malheureux, bien triste, ne me sentant de cœur à rien : le peintre est mort en moi. Il ne reste plus qu'un cerveau malade, et il ne faut pas croire qu'en prenant le parti de vivre séparés, je retrouverai le courage : oh non[79]. » A Alice encore, deux jours plus tard : « Vous me mettez en demeure de prendre une résolution, lorsque je vous écris que, comme vous, je ne puis penser à vivre sans vous. Si vous insistez, c'est que vous en avez la force et le courage ; moi, je ne l'ai pas : donc prenez vous-même une résolution, je m'y soumettrai, dussé-je en mourir, mais ne croyez pas, en me quittant, que ce soit pour moi le salut et que je retrouverai le courage. Non, je sens très bien que de toutes les façons je suis bien perdu, notre vie en commun est désorganisée à jamais, et vivre sans vous ne m'est pas possible : allez, je n'ai pas d'arrière-pensées et, si je vois les causes du mal sans y trouver un remède, c'est qu'il n'y en a pas[10]. » Le 28 février, il lui écrit encore : « Je ne sais ce que je fais ici, j'y dépense inutilement de l'argent que je n'ai pas : je ne sais quel parti prendre, mais il est impossible que je reste ainsi ; j'ai si peu le cœur à travailler que je n'ose toucher à aucune toile[11]. »

Au retour à Giverny, Alice est là. Le peintre, qui s'est dit mort à Étretat, peut recommencer à vivre.

Et à faire face à ses soucis de peintre. Il lui faut redouter le manque d'argent pendant l'absence de Durand-Ruel qui laisse sa galerie entre les mains de son fils Joseph. Il lui faut faire part de son dépit, de sa tristesse et de ses craintes à Zola : « Mon cher Zola, vous avez eu l'obligeance de m'envoyer *L'Œuvre*. Je vous en suis très reconnaissant. J'ai toujours un grand plaisir à lire vos livres et celui-ci m'intéressait doublement puisqu'il soulève les questions d'art pour lesquelles nous combattons depuis si longtemps. Je viens de le lire et je reste troublé, inquiet, je vous l'avoue. Vous avez pris soin, avec intention, que pas un seul de vos personnages ne ressemble à l'un de nous, mais malgré cela j'ai peur que dans la presse et le public nos ennemis ne prononcent les noms de Manet ou tout au moins les nôtres pour en faire des ratés, ce qui n'est pas dans votre esprit, je ne veux pas le croire. Excusez-moi de vous dire cela. Ce n'est pas une critique ; j'ai lu *L'Œuvre* avec un très grand plaisir, retrouvant des souvenirs à chaque page. Vous savez du reste mon admiration fanatique pour votre talent. Non, mais je lutte depuis un assez long temps et j'ai les craintes qu'au moment d'arriver les ennemis ne se servent de votre livre pour nous assommer[12]. »

Le 7 mai au soir, de retour de Hollande où Monet a découvert « des champs énormes en pleines fleurs » qu'il a renoncé à peindre parce qu'un tel motif est « à rendre fou le pauvre peintre » comme il est « inrendable avec nos pauvres couleurs »[13], le roman de Zola est le sujet essentiel du dîner impressionniste auquel assistent Duret, Burty, Mallarmé, Huysmans, Renoir...

Il lui faut enfin, « au moment d'arriver », tirer les conséquences de cette exposition qui ne s'est voulue que la « VIIIᵉ exposition de peinture »... Est-ce parce qu'elle n'a pas osé se dire, s'avouer « impressionniste » parce que ce nom résonne encore de révolte et de scandale ou, autre hypothèse qui serait pire, parce que, ouverte le 15 mai dans des salles au premier étage de l'immeuble du restaurant La Maison dorée, à l'angle de la rue Laffitte et du boulevard des Italiens, elle a congédié l'impressionnisme même et marque la fin d'un combat entamé douze ans plus tôt ? Au cours du dîner impressionniste du 7 mai, peut-être entend-il Pissarro assurer avec force que « Seurat apportait un élément nouveau que ces messieurs ne pouvaient apprécier malgré tout leur talent, que moi, personnellement, je suis persuadé du progrès qu'il y a dans cet art qui donnera, à un moment donné, des résultats extraordinaires. Du reste, je me fiche de l'appréciation de tous les artistes, n'importe lequel, je n'admets pas le jugement en l'air des romantiques, qui ont intérêt à combattre les tendances nouvelles, j'accepte la lutte, voilà tout[14] ». La « lutte » de Pissarro n'aurait-elle plus rien de commun avec ce qui fut leur combat ?

« Au moment d'arriver »... Ces mots tiennent plus de l'espoir que de la réalité. D'autant que Monet ne sait rien du sort des trois cents toiles emportées par Durand-Ruel aux Etats-Unis, il ne sait rien de la manière dont sont accueillies les « Œuvres à l'huile et au pastel des Impressionnistes de Paris », titre très officiel de l'exposition de New York. Il ne sait pas que le 11 avril, au lendemain de l'inauguration, le *New York Daily Tribune* publie cette accusation qui est aussi un regret : « Nous nous permettons de blâmer ces messieurs chargés de fournir en tableaux le marché de New York, d'avoir laissé le public dans l'ignorance des artistes qui sont représentés à l'exposition des American Art Galleries[15]. » Il ne sait pas davantage que, quelques jours plus tard, *The Critic* assure : « New York n'a jamais vu une exposition plus intéressante que celle-ci[16]. » Il ne sait pas enfin que des toiles ont été vendues et que le succès de l'exposition est tel que l'on doit la transférer à l'Académie nationale de dessin pour une prolongation d'un mois. Reste qu'entre-temps il faut faire face... A Durand-Ruel : « Voici un mois et demi passé depuis votre départ et pas un mot de vous, pas un sou de votre fils. Je ne sais comment vous pensez que je fais pour vivre, mais je reste stupéfait de votre indifférence et cela devient plus qu'inquiétant car en admettant que vous arriviez à une réussite là-bas, où sera le résultat si, à Paris, je suis obligé de rétrograder et de vendre à vil prix ? Que d'efforts perdus[17] ! » Efforts qui semblent d'autant plus incompréhensibles qu'à son retour Durand-Ruel garde le silence. Ce qui provoque la colère de Monet. Cette colère est d'abord une leçon : « Je vous affirme que si vous avez bien manœuvré là-bas, j'ai aussi bien mené ma barque ici et je dois dire que sans le concours de ceux qui selon vous veulent ma perte, je serais crevé de faim. Au lieu de cela j'ai pu vendre pas mal de toiles à très bon prix[18]. » Et elle est une exigence : « J'aurais voulu savoir de vous des détails sur votre exposition, sur ce que vous faites, sur nos espérances, car cela a un intérêt pour moi, et vous vous êtes borné à m'écrire que vous vous donniez bien du mal, ce dont j'étais sûr et ne m'apprenait rien[19]. » Durand-Ruel n'a pas besoin d'un dessin pour comprendre que désormais, c'est sur Petit que compte Monet.

Comment Monet ne mettrait-il pas tous ses espoirs dans la Ve Exposition internationale dont l'ouverture est prévue le 15 juin ? Lorsque celle-ci referme ses portes, Monet peut prendre et Berthe Morisot et Théodore Duret à témoin du succès. A Berthe Morisot : « Je ne sais si je dois vous dire que c'est un succès, mais cela en a tout l'air si l'on considère cela au point de vue de la vente, tout ce qui a été exposé a été vendu cher et à des gens bien. Quant à avoir la prétention de faire l'éducation du public, il y a longtemps que je n'y crois plus, ce serait être trop gourmand de ne vouloir vendre qu'à de vrais connaisseurs, et à ce jeu-là on risquerait de mourir de faim[20]. » A Duret : « Je dois une fière chandelle à Petit. Je ne suis ni plus ni moins fort, mais, enfin, je suis chez Petit et les amateurs ont plus confiance, mais, hélas, sans y rien comprendre de plus pour cela, mais ne vouloir vendre uniquement qu'à des connaissances serait trop demander[21]. »

Enfin, ô étonnement, la critique semble avoir renoncé à l'injure, au sarcasme, à la raillerie. Même M. Albert Wolff lui-même fait l'éloge de l'une des treize toiles de Monet exposées, *La Mer à Etretat*. A de très rares exceptions près, *Le Rappel*, *Le Journal des arts*, *La République française*, *Le Gaulois*... saluent par des éloges la peinture de Monet. *Le XIXe Siècle* va jusqu'à assurer qu'il est « l'artiste qui triomphe rue de Sèze[22] ». Quant à M. Félix Fénéon, jeune critique qui n'a guère que vingt-cinq ans et qui a eu l'impudence d'écrire dans *La Vogue* un article intitulé « Les Impressionnistes » dans lequel il affirme que « M. Georges Seurat, le premier, a présenté une formule complète et systématique de cette nouvelle peinture[23] », il se rachète par un nouvel article publié dans le numéro du 28 juin au 5 juillet de la même revue : « Les envois de M. Claude Monet se datent de 1884, 1885, et 1886 : ce sont des impressions de nature fixées dans leur instantanéité par un peintre dont l'œil apprécie vertigineusement toutes les données d'un spectacle et décompose spontanément les tons. Ces mers, vues d'un regard qui y tombe perpendiculairement, couvrent tout le rectangle du cadre ; mais le ciel, pour invisible, se devine ; tout son changeant émoi se trahit en fugaces jeux de lumières sur l'eau[24]. »

Pour conjurer le trouble provoqué pendant les premiers mois de l'année par les inquiétudes, les déceptions et le succès même, il devient urgent de se confronter à un nouveau motif.

1886/2

Eh bien ! je crois pouvoir dire que je suis content[1]

A Giverny où il passe l'été, Monet reçoit une lettre de Renoir qui vient d'arriver en Bretagne, à Saint-Briac : « Et me voilà dans un coin gentil. Tout y est petit, petites baies en masse avec de jolies plages, de sable, petits rochers insignifiants, mais la mer est superbe, il me semble que je regarde un plan en relief, au musée de la Marine ; bref, c'est joli, mais rien de grandiose, cependant je crois que ce n'est pas perdre son temps de venir voir[2]. » La lettre s'achève par une invitation : « Je t'ai dit, je crois, je suis là pour deux mois, ne te gêne pas si tu veux voir, ça vaut la peine[3]. » Renoir ajoute un post-scriptum dont il sait qu'il évoquera dans la mémoire de son ami leur voyage sur la Riviera italienne qui provoqua son séjour à Bordighera : « La mer ressemble plus à la Méditerranée qu'à la Manche. Elle est propre et très bleue au beau temps[4]. » Monet n'a pas le temps d'aller vérifier l'intensité de ce bleu. Il lui faut, à la fin du mois d'août, au début du mois de septembre, accompagner Alice à Forges-les-Eaux où, souffrante, elle doit être soignée. Il lui faudrait aussi retoucher des toiles à la demande de Durand-Ruel. Si une toile doit être parachevée pour être vendue... Il y a des concessions qui ne sont pas des compromissions... Peut-être Durand-Ruel transmet-il à Monet un article publié dans le journal argentin *La Nacion*. L'auteur qui affirme que « les Monet sont des orgies[5] », donne une information essentielle : « Le monde de l'art se déverse sur New York dans une odeur d'argent. Les riches pour vanter leur luxe, les villes pour encourager la culture, les cafés pour attirer les curieux, tous achètent les plus hardies, les plus belles œuvres des artistes européens contre d'énormes sommes d'argent[6]. » Si l'on sait cela à Buenos Aires, autant qu'on le sache à Giverny...

Le 12 septembre, Monet prévient son marchand de ce qu'il vient de commencer « ce fameux voyage de Bretagne[7] ». C'est de Belle-Ile-en-Mer qu'il écrit, non de Saint-Briac où Renoir l'a convié. Que Monet ait décliné l'invitation de Renoir ne surprend ni Renoir lui-même ni Durand-Ruel. Il savent l'un et l'autre que Monet a besoin de solitude.

Au lendemain de son arrivée à Palais commence la recherche du motif. Nécessité de « continuer mon voyage jusqu'à ce que je trouve l'endroit qui m'empoignera. Après une bonne nuit réparatrice, je me suis mis en campagne, j'ai vu de belles choses, admirables même, mais loin, trop loin ; puis des choses merveilleuses où il est presque impossible de s'installer à peindre : c'est tragique, mais de toute beauté, et une mer inouïe de ton[8] ». Dès le lendemain, il avertit Alice de ce qu'il a trouvé cet endroit qui l'a « empoigné » : « Quant à moi, je suis plus content, j'ai vu des choses admirables et je vais rester dans l'île ; je quitte demain matin la ville et vais m'installer dans un petit hameau de huit ou dix maisons, près de l'endroit appelé la Mer terrible et c'est bien nommé : pas un arbre à dix kilomètres à la ronde, des rochers, des grottes admirables : c'est sinistre, diabolique, mais superbe et, ne croyant pas trouver pareille chose ailleurs, je veux essayer d'y faire quelques toiles ; demain donc je vais travailler. Je ne sais trop comment je vais être là, j'ai trouvé une chambre propre et assez grande chez un pêcheur qui tient un petit débit et qui consent à me faire la cuisine, le tout pour 4 francs par jour ; je crois que je n'y vivrai guère que de poisson, de homard surtout, car le boucher y vient une fois par semaine et le boulanger aussi, enfin, je ne puis exiger la cuisine du Café Riche[9]. » C'est donc chez M. Marec, à Kervilahouen, Belle-Ile, Morbihan, qu'Alice devra adresser ses lettres. Elle ne devra pas s'inquiéter du retard des réponses, le courrier n'arrive ni ne part de l'île au même rythme que sur le continent. Si urgence il devait y avoir, elle pourrait toujours avoir recours au télégraphe. Celui du sémaphore n'est guère qu'à deux kilomètres de Kervilahouen. Quoi qu'il en soit, le séjour de Monet ne devrait durer que « quinze jours au plus, le temps de faire deux ou trois choses[10] ». Alice Hoschedé a-t-elle la moindre illusion ? Les quinze jours prévus le 14 septembre ne prennent fin qu'au début du mois de décembre... Les deux ou trois choses annoncées ne sont guère au retour à Giverny que près de quarante toiles...

Quand bien même son installation laisse à désirer parce que les rats ne se privent pas de cavaler à l'aplomb de son lit, parce qu'il a pour voisin au-dessous de sa chambre un cochon – « vous voyez et sentez cela d'ici[11] » –, parce qu'il n'est éclairé que par une chandelle et qu'il lui faut faire venir des bougies de Palais, parce que « les soirées sont mortelles[12] », parce qu'il lui faut porter ses affaires, ce qui l'éreinte, il travaille, même s'il lui faut en outre « se familiariser avec cette nature[13] » qui n'a rien de commun avec celle de Normandie.

Monet tenait à être seul. Il l'est. Absolument. Le hasard veut que dans « ce coin perdu », un jeune homme l'aborde et lui demande s'il ne serait pas « Claude Monet, le prince des impressionnistes[14] ». Dans l'île on appelle ce jeune homme l'Anglais. Monet en parle à Alice comme d'un « peintre américain ». Il est australien. John Pole Russell a vingt-huit ans. Il est passé par l'atelier de Cormon.

Ce jeune professeur a une vertu essentielle : si son *Caïn fuyant avec sa famille*, immense machine de sept mètres de long sur plus de trois en hauteur, lui a valu la Légion d'honneur en 1880, si *Le Retour de la chasse à l'ours à l'âge de la pierre polie* a aussitôt été acheté par l'Etat en 1884, il laisse le vent de l'impressionnisme souffler dans son atelier où travaillent Toulouse-Lautrec, Anquetin, Laval. Ainsi, si sa peinture est une allégeance à l'Institut où il ne peut manquer d'être élu un jour ou l'autre, il laisse la bride sur le cou à ses élèves. Ceux-ci lui reconnaissent en outre un titre de gloire exceptionnel : avoir trois maîtresses à la fois !

Monet, au lendemain d'un dîner chez Russell, informe Alice de ce que ce jeune peintre « est marié avec une Italienne très jolie », ce qui, paradoxalement, conjure sa jalousie. A seize ans déjà, elle a posé pour le sculpteur Frémiet, elle a été le modèle de la Jeanne d'Arc à cheval de la place des Pyramides. (On a passé sous silence que le modèle de celle qui incarne la Nation dans une France blessée d'avoir été défaite en 1870, et où couve une volonté revancharde, s'appelle Marianna Mattiocco...)

Avant de quitter Belle-Ile, Russell aide Monet à trouver un porteur. Il ne peut continuer, seul, de convoyer son matériel de Port-Coton dont il peint les pyramides, les rochers, le Lion, à Port-Goulphar, à Port-

Dormois... Pourtant, à la fin du mois de septembre, s'il « commence à bien comprendre ce pays et le parti à en tirer[15] », Monet laisse entendre qu'il pourrait aller voir autre chose. Peut-être rejoindre Renoir à Noirmoutier, encore que Renoir le prévienne de ce que la nourriture y est partout « épouvantable[16] ».

Le 25 septembre, à la veille du départ de Russell, maintenant « emballé » par la peinture de Monet à laquelle « il ne comprenait rien[17] », Monet fait en compagnie de son « Américain » une dernière « promenade admirable » avec des pêcheurs. Il la raconte à Alice : « Il y avait du vent et l'on filait ferme entre d'énormes rochers. Puis nous nous sommes fait déposer dans une énorme grotte où j'ai vainement essayé une pochade ; il était 1 heure et les pêcheurs devaient nous reprendre à 4, car il n'y a pas d'issue possible par terre et il est impossible de gravir ces rochers. A 5 heures 1/2, personne en vue, nous commencions à la trouver mauvaise d'autant que le vent et la mer devenaient inquiétants. M. Russell songeait à grimper quand même et à aller chercher une corde pour me faire monter ; enfin les pêcheurs qui étaient allés relever les tambours à homards à cause du gros temps sont arrivés, mais c'est avec beaucoup de peine qu'ils ont pu aborder et nous prendre. Alors a eu lieu le retour par une vraie grosse mer ; c'était admirable et délicieux, mais quels bonds faisait notre pauvre bateau[18] ! »

Ni cet incident, ni le départ de Russell et de sa jolie femme, ni les baisses du baromètre qui annoncent des changements de « ce diable de temps », ni une lettre de Renoir qui lui recommande de ne pas quitter la Bretagne « sans voir le Guildo[19] », n'encouragent Monet à partir. Au contraire. « Je suis plein d'ardeur, le peintre a pris le dessus et je vois partout de belles choses[20]. »

Monet ne part pas. Il a d'autant moins de raisons de partir que sa peinture même lui prouve la nécessité de rester. Confidence faite à Alice : « Je viens de passer la revue de toutes mes toiles, elles sont là toutes étalées et je vous voudrais bien là, près de moi, pour avoir votre impression ; eh bien ! je crois pouvoir dire que je suis content et si ce diable de temps ne se met pas tout à fait mauvais, je rapporterai de bonnes choses[21]. »

Depuis le départ de Russell le 28 septembre, Monet peut croire que sa solitude ne sera plus troublée par qui que ce soit. Le 2 octobre, il écrit à Alice : « Quoique je sois dans un coin vraiment perdu, j'ai fait une rencontre aujourd'hui : en rentrant ce soir pour dîner, je trouvai ma place habituelle prise par un monsieur et une dame qui dînaient et étaient en grande conférence avec l'aubergiste, parlant de chambre et d'installation. Ce monsieur, auquel on avait dit que je faisais des tableaux, s'excuse d'avoir pris ma place, me cause et me demande si je connais Raffaelli ; il me dit être un de ses grands amis. Bref, en entendant mon nom, il se précipite et me donne force poignées de main et manifeste toute son admiration : c'est un critique d'art de *La Justice* qui a fait de très bons articles sur moi auquel j'avais adressé mes remerciements ; il doit venir passer une semaine ici. C'est drôle d'être si loin et de faire des rencontres, je ne m'en plains pas, car une fois le travail fini, c'est mortel, d'autant que les jours diminuent furieusement[22]. » Le jeune critique de trente ans, venu chercher des informations à propos de Blanqui qui fut prisonnier dans l'île, est Gustave Geffroy. Près de quarante ans plus tard, le journaliste et romancier racontera leur rencontre : « J'avais pris, sans le savoir, la place habituelle de l'artiste. Celui-ci entra. Un fort gaillard, vêtu d'un tricot, coiffé d'un béret, la barbe en broussaille, et des yeux brillants, aigus, qui me transpercèrent dès la porte. Je compris que celui-là tenait à sa solitude, mais puisque je devais rester près de lui au moins pendant un mois, et que lui non plus n'était pas près de s'en aller, j'ouvris la conversation, j'allais dire les hostilités.

« – Vous êtes peintre, monsieur ? lui dis-je après l'avoir salué.

« – Oui, je suis peintre.

« – Et vous venez ici pour préparer votre Salon ?

« Les yeux acérés se dardèrent de nouveau sur moi :

« – Non, je ne suis pas de ceux qui exposent au Salon. Et vous, est-ce que vous êtes peintre aussi ?

« – Non, rassurez-vous... Je ne suis qu'un journaliste, mais j'écris des articles dans un journal que vous ne connaissez sans doute pas.

« – Lequel ?

« – *La Justice.*

« – Alors, vous vous appelez Gustave Geffroy ?

« – C'est mon nom, en effet.

« Vous avez écrit sur moi, je vous ai remercié, mais je vous remercie encore. Je m'appelle Claude Monet[23]. »

Les conversations des jours qui suivent, le regard que porte le critique sur les « études qui ont été trouvées très belles[24] », l'admiration de ce « garçon très gentil[25] », déterminent Monet à rester encore : « Il faut que ce voyage me soit très bon, c'est très utile après mon succès chez Petit[26]. » Et, malgré le vent, la pluie et la tempête, il peint et il essaye de peindre quand bien même il lui faut « attendre des heures que la pluie cesse pour travailler une demi-heure[27] », il reste dans ce « pays superbe de sauvagerie, un amoncellement de rochers terribles et une mer invraisemblable de couleurs[28] », description faite à Caillebotte auquel il demande de lui envoyer un bonne pipe de bruyère.

Autant que l'admiration de Geffroy, le conforte celle de son porteur, Poly, « un dur à cuire[29] » qui se désole de voir parfois Monet reprendre ses pochades « prétendant que ce serait un crime de retoucher à d'aussi bonnes choses, qu'il défiait n'importe qui d'en faire de pareilles[30] »...

A son retour à Paris, Renoir, quant à lui, « a gratté tout ce qu'il a rapporté de Bretagne[31] »... Monet pressent qu'à Giverny, à son retour, il n'aura pas à gratter ainsi. Encore que... Lettre à Alice datée du 20 octobre : « Déjà hier, comme je vous l'ai écrit à la hâte ce matin, j'avais fait une bonne séance malgré une pluie battante. Le matin, tout découragé, j'avais de nouveau passé la revue de mes pauvres toiles et, pour simplifier la besogne, j'en ai anéanti trois que j'ai grattées, des choses qui ne marchaient pas et qui me prenaient du temps plus utile à d'autres toiles. Enfin ça marche mieux, et, si le temps pouvait seulement rester comme aujourd'hui pendant une semaine, je crois que je serais sauvé[32]. » Trois jours plus tard, il en a la preuve : « Ce matin, j'étais content, il ne pleuvait pas, c'était un de ces terribles temps sombres, mais qui m'allait pour plusieurs études, et j'ai bien travaillé. J'ai deux toiles qui ne demandent qu'une séance. L'après-midi, la pluie n'a pas cessé, mais après une heure d'attente, je me suis mis bravement à travailler sous la pluie ; les rochers mouillés n'en sont que plus noirs, mais c'est peut-être plus beau. Il me faut faire de grands efforts pour faire sombre, pour rendre cet aspect sinistre, tragique, moi plus porté aux teintes douces, tendres ; aussi suis-je bien curieux de voir ce que vous pensez de cela. Vous avez sans doute vu ces tableaux de Bretagne sombres : mais c'est tout le contraire, c'est tout ce qu'il y a de plus beau de ton, et cette mer qui, aujourd'hui avec un ciel plombé, était si verte que j'étais impuissant à en rendre l'intensité. En tout cas, je crois que j'aurai une grande variété dans mes bords de mer. Donc, je ne perds pas courage, du moment que je vois quelques toiles aboutir. Songez que j'ai trente-huit toiles couvertes ; il faut dire qu'il y a sept ou huit pochades et autant de toiles très médiocres, mais il y en a bien vingt-cinq à terminer de front. Vous voyez que je ne perds pas mon temps et qu'il me faut être tenace[33]. »

Il a d'autant plus de raisons de vouloir l'être que ce qu'il peint peut être un argument commercial dont il fait part à Durand-Ruel : « Je travaille cependant autant que je peux et me félicite d'être venu ici quoique cela paraisse vous inquiéter. Je suis enthousiasmé de ce pays sinistre et justement parce qu'il me sort de ce que j'ai l'habitude de faire, et du reste, je l'avoue, je dois me forcer et ai beaucoup de peine pour rendre cet aspect sombre et terrible. J'ai beau être l'homme du soleil, comme vous dites, il ne faut pas se spécialiser dans une seule note[34]. »

Comme Durand-Ruel s'inquiète, Alice s'impatiente : « Je suis sûr que Giverny me paraîtrait bien joli avec ses arbres jaunes, après m'être saturé la vue de ces rochers ; mais vous savez ma passion pour la mer, et celle-ci est si belle. Instruit comme je le suis et ne cessant de l'observer, je suis sûr que j'arriverais à faire des choses tout à fait bien, si je vivais ici des mois encore. Je sens que chaque jour je la comprends mieux, la gueuse, et certes ce nom lui va bien ici, car elle est terrible ; elle vous a de ces tons d'un vert glauque et des aspects absolument terribles (je me répète). Bref, j'en suis fou ; mais je sais bien que pour peindre vraiment la mer, il faut la voir tous les jours à toute heure et au même endroit pour en connaître la vie à cet endroit-là : aussi je refais les mêmes motifs jusqu'à quatre et six fois même ; mais je vous dirai tout cela bien mieux de vive voix et avec mes toiles devant vous[35]. »

Alice se garde de demander quand elles seront devant elle. Elle redoute la réponse. Surtout quand il est donné de lire des phrases comme celles-ci : « Je suis ici depuis près de deux mois, un pays terrible, sinistre, mais très beau qui m'avait peu séduit au premier moment, mais l'océan est si beau que je me suis embarqué dans une quantité d'études, et plus je vais, plus je suis émerveillé : mais quel terrible temps ! Je travaille par la pluie, par le vent. Bref, je suis très emballé ; je me fourre peut-être dedans, mais je vais toujours[36]. » Cette opiniâtreté n'est interrompue que par l'arrivée d'Octave Mirbeau, de sa femme, « la belle Alice Mirbeau[37] », et de l'un de leurs amis, les uns et les autres rendus malades par une grosse mer. Ils doivent, ils ne devraient rester qu'une journée. « Malgré le charme de mes visiteurs, je souhaite leur départ[38]... » Arrivés le 4, ils ne repartent par le bateau-pilote que le 9 novembre. « Enfin, je me sens plus libre[39]. »

Alice s'impatiente. Elle n'est pas la seule. Mise au point adressée à Durand-Ruel : « Vous me demandez de vous envoyer ce que j'ai de terminé ; je n'ai rien de terminé et vous savez que je ne peux juger réellement de ce que j'ai fait que lorsque je le reçois chez moi et j'ai toujours besoin d'un moment de repos avant de pouvoir donner les dernières touches à mes toiles[40]. » Le travail face à la mer n'est interrompu que par un portrait, celui de son porteur. Lettre à Alice du 17 novembre : « J'ai eu aujourd'hui une des plus mauvaises journées et j'ai eu le courage de ne pas travailler dehors ; c'est depuis mon séjour ici la seconde fois que cela m'arrive. Mais pour ne pas me laisser aller à me faire trop de mauvais sang, j'ai fait poser le père Poly et j'en ai fait une bonne pochade extrêmement ressemblante ; il a fallu que tout le village le voie et ce qu'il y a de joli, c'est que tout le monde le complimente de sa chance, pensant que j'ai fait cela pour lui, de sorte que je ne sais trop comment m'en tirer. Enfin vous verrez ce type : c'est encore une espèce de diable dans le genre du père Paul[41]. »

Enfin, le 25 novembre Monet quitte Belle-Ile. C'est pour s'arrêter à Noirmoutier, chez Mirbeau qui lui a envoyé quelques jours plus tôt une lettre d'invitation qui est aussi une lettre de remontrances : « Je comprends vos angoisses, vos découragements, parce que je ne connais pas d'artiste sincère qui ne les ait éprouvés et qui n'ait été injuste vis-à-vis de lui-même. Vos toiles grattées ? ah ! quelle folie ! et je suis convaincu qu'il y en avait dans le nombre d'admirables, et que toutes avaient la griffe de ce que vous êtes, c'est-à-dire le plus grand, le plus sensible, le plus compréhensif artiste de ce temps. Ne croyez pas que j'exagère ce que je pense de vous. Non. Et je ne suis pas le seul à penser de la sorte. Rodin, qui vient de passer quinze jours avec nous, est comme moi. Nous avons causé de vous, combien de fois, et si vous saviez quel respect, quelle tendre admiration Rodin a pour vous ! Dans la campagne, sur la mer, devant un horizon lointain, un frissonnement de feuillages, une fuite de mer changeante, il s'écriait avec un enthousiasme qui en disait long : "Ah ! que c'est beau. – C'est un Monet !" Il n'avait jamais vu l'Océan, et il l'a reconnu d'après vos toiles, vous lui en avez donné l'exacte et vibrante sensation. Que vous dirai-je, mon ami ?... Vous êtes atteint d'une maladie, d'une folie, la maladie du toujours mieux[42]. » Mirbeau montre à Monet les paysages qu'a admirés Rodin, ce coin de nature sur lequel, Mirbeau l'assure, « les siècles n'ont point passé », la lande refleurie. Et Alice tremble en lisant qu'au cours d'une promenade en voiture Monet a découvert « un superbe pays bien fait pour la peinture[43] »...

Le 8 décembre, de retour à Giverny, il invite Durand-Ruel à lui rendre visite dès le dimanche suivant : « Rassurez-vous, mon intention n'est pas de vendre mes meilleures toiles avant votre venue, je tiens seulement à m'en réserver une partie pour moi en vue de l'avenir et des expositions. J'ai en effet près de quarante toiles mais il n'y en a guère que cinq ou six de bonnes. Mirbeau est trop indulgent, moi seul sais ce que j'ai fait de bien ou de mal. Enfin s'il y en a six de très bien, il y en aura trois pour vous et trois pour moi, je ne puis vous dire mieux et certainement nous nous entendrons[44]. »

1887

Enfin ne craignez rien,
il y en a encore pour vous et des bons[1]

Monet le pressent, les choses doivent changer. Sa longue – trop longue ? – absence laisse des équivoques prendre place. Et elles troublent ses rapports tant avec Alice ou les enfants qu'avec ses amis les peintres ou ses marchands.

Froissé sans doute, frustré sûrement de ne pouvoir compter que sur trois toiles parmi les six « de très bien », selon les propres mots de Monet, alors qu'il en rapporte près de quarante, Durand-Ruel n'envoie qu'un billet de mille francs. Monet le renvoie par retour du courrier le 29 décembre avec une lettre cinglante qui est une menace. Phrases ulcérées : « Si j'eusse pensé vous causer l'ombre d'un ennui ou de reproche, j'aurais commencé par vous demander mon compte et me serais empressé de me mettre en règle. Bref, c'est ce que je viens demander aujourd'hui. Et à l'avenir nous ferons nos modestes affaires au comptant, ce qui vaudra mieux pour tous deux. D'après votre lettre en date du 19 août 86, vous étiez mon débiteur de 141 francs 45. Voulez-vous m'établir et m'envoyer de suite le relevé de mon compte à dater de cette date[2]. » Cette sommation annoncerait-elle une rupture ?

Sans le moindre doute, l'attitude de Durand-Ruel, ses espoirs américains que Monet continue de ne pas comprendre sont-ils l'un des sujets de la conversation qui s'engage le jeudi 16 janvier au soir chez Berthe Morisot, lors du dîner auquel elle a également convié Renoir. Et, autour de la table, on parle sans doute encore de Pissarro. Serait-il en train de s'aigrir ? Certain que la peinture ne peut devoir son salut qu'au point, il ne tolère plus rien d'autre. Et il semble ne plus voir partout que des ennemis, en Albert Besnard comme en Puvis de Chavannes soupçonnés de vouloir saboter les expositions où les points doivent démontrer leur pertinence. Et que Monet puisse continuer de peindre comme il le fait... « Cela n'est pas possible, Monet a trop de talent pour ne pas s'apercevoir un jour que nous avons raison[3]. » Pissarro sait que Durand-Ruel est loin de partager sa conviction. Malgré tout, honnête, fidèle, intègre en dépit de soucis d'argent dont il n'a pas l'exclusivité, lorsque Durand-Ruel le prie de faire comprendre en anglais à M. Robertson, associé de l'AAA de New York, « rétif au Monet », « ce qu'il y en avait de bien », il le fait « très loyalement »[4]. Comment ne pas reconnaître sa loyauté ? Peut-être Berthe Morisot et Renoir convainquent-ils Monet de proposer à Petit d'admettre Pissarro à la prochaine exposition internationale qu'il prépare ?

Le 3 mars Monet écrit à Pissarro rentré à Eragny : « Vous allez recevoir ou avez peut-être déjà reçu un avis officiel de chez Petit vous annonçant qu'à la dernière réunion du comité de l'exposition internationale nous avions voté votre admission. Je m'étais chargé de vous en prévenir de suite, mais vous savez comment on est quelquefois débordé à Paris, aussi je crains d'arriver après l'avis de chez Petit. Quoi qu'il en soit, je tiens à vous écrire afin de vous prouver que, malgré les divisions qui existent depuis un an, divisions qui ne sont pas de notre fait, nous n'avons pas oublié notre devoir et, bien que Renoir et moi nous sachions votre manière de voir et votre répugnance pour cette exposition, nous avons cru devoir voter votre admission tout en ignorant comment vous prendriez la chose, n'ayant du reste ni le temps, ni la possibilité de vous consulter. A vous donc, mon cher ami, de voir ce que vous devez décider, nous nous avons fait ce que nous devions[5]. » La réponse de Pissarro ne tarde pas : « En effet j'ai reçu vendredi une lettre de M. Petit m'annonçant l'invitation à l'Exposition internationale. J'ai répondu que j'acceptais. Je vous remercie, mon cher Monet, ainsi que Renoir d'avoir pensé à moi, n'ayant plus de relations d'affaires avec Durand-Ruel, je n'avais plus les mêmes raisons pour ne pas en faire partie. J'espère avoir le plaisir de vous voir à Paris et vous serre la main[6]. » Malgré les partis pris par les uns et les autres, malgré les malentendus, malgré les rivalités mêmes, la solidarité l'emporte. Et peut-être Camille Pissarro qui remercie Renoir et Monet regrette-t-il alors d'avoir écrit quelques jours plus tôt à son fils Lucien, le 1er mars : « Monet et Renoir ne me renseignent guère, ils connaissent des amateurs, mais ils me boudent, Duret lui-même a l'air de faire le mort[7]... » Monet, quant à lui, sourit du consentement de Pissarro et ne peut se priver d'une pique lorsqu'il écrit à Berthe Morisot : « Il ne redoute donc plus de se trouver en si mauvaise compagnie et ses convictions ne sont pas de longue durée[8]. »

Il prépare scrupuleusement sa participation. Et parce que l'exposition doit ouvrir le 8 mai et non le 15 comme prévu, faute de pouvoir achever en temps et en heure de nouvelles toiles commencées à Giverny, il rassemble des œuvres qui doivent permettre que l'on mesure les divers aspects de son art. La plus ancienne, *Un coin d'appartement*[9], date de 1875. Il demande à de Bellio de lui prêter l'une de ses gares pour « montrer une note très différente de [ses] marines[10] ». De Bellio prête *Le Train de Normandie*[11] de 1877 qui ne figure pas dans le catalogue. En revanche *Via Romana*[12] et *Vallée de Sasso*[13], peintes toutes deux à Bordighera en 1884, y sont citées. Comme *Un champ de tulipes, près de La Haye*[14], de 1886. Toutes les autres toiles viennent de Belle-Ile. Toutes sont des paysages, à l'exception du portrait de Poly.

Pas une seule des toiles exposées n'a été prêtée par Durand-Ruel qui n'assiste pas au vernissage. Ce qui lui épargne de constater que Monet ne s'interdit pas de montrer des toiles peintes en Bretagne qui ne sont pas parmi les six jugées les meilleures... Et son prochain départ pour les Etats-Unis lui épargne d'avoir à attendre dans l'anxiété l'article de M. Albert Wolff redouté par Petit comme par les peintres.

Les jours passent et aucun article de M. Wolff ne paraît. Sans doute est-il convaincu que son silence exprime assez le dédain qu'il porte aux œuvres rassemblées rue de Sèze, œuvres de Morisot, Sisley, Whistler, Raffaelli, etc. et de Rodin, seul sculpteur, qui expose *Les Bourgeois de Calais*. M. Wolff se tait. Serait-il surpris de l'immédiateté du succès de l'exposition ? On n'ose y croire... Décontenancés l'un et l'autre, surpris de ce qui se passe, Renoir et Monet préviennent aussitôt Durand-Ruel. Renoir lui écrit le 12 mai : « L'exposition Petit est ouverte et elle a pas mal de succès, dit-on, car c'est difficile de savoir soi-même ce qui se passe. Je crois avoir fait un pas dans l'estime publique, petit pas, mais c'est toujours ça. Monet toujours fidèle au poste. Bref, le public a l'air de venir. Je me trompe peut-être, mais on le dit de tous côtés. Pourquoi cette fois-ci et pas les autres, c'est à n'y rien comprendre[15]. » Et Monet constate le lendemain, 13 mai : « Je suis persuadé que vous eussiez mieux fait de rester ici où vous méritiez de réussir. Justement le mouvement en notre faveur s'accentue cette année. Nous sommes à peu près tous à l'Exposition internationale où le public acheteur nous fait décidément meilleur accueil[16]. »

Que *Le Figaro* ne publie pas l'article aussi attendu que redouté de M. Wolff, que *L'Estafette*, sous la plume de M. Jules Desclozeaux, affirme : « Nous ne comprenons pas l'intérêt que peuvent avoir les brutales peintures de M. Claude Monet, ni les œuvres simplistes de M. Renoir. Ces deux artistes sont entrés tous les deux dans une voie erronée[17] », que *Le Cri du peuple* constate qu'il n'y a rien de « vraiment haut ni d'profondément original dans c'te maison Tellier de la peinture[18] », laisse Monet parfaitement indifférent. Il vend ! Que M. Huysmans publie cet éloge qui a le ton d'une condamnation : « La sauvagerie de cette peinture vue par un œil de cannibale déconcerte d'abord, puis devant la force qu'elle décèle, devant la foi qui l'anime, devant le souffle puissant de l'homme qui la brosse, l'on se soumet aux rébarbatifs appas de cet art fruste[19] » n'a pour Monet pas la moindre importance. Monet vend.

Que Pissarro enrage – « M. Petit, pour plaire à un peintre étranger s'offusquant de ma luminosité, n'a-t-il pas retiré ma *Prairie à Eragny*, mais retiré tout à fait et mis à sa place un Monet sombre[20] » –, que Pissarro ronchonne devant les Monet – « cela me fait l'effet de manquer de lumière, j'entends par là la lumière baignant tous les corps, dans l'ombre comme dans les parties éclairées[21] » –, que ce cher Pissarro encore en arrive à dénoncer « l'exécution grossière de certains Monet, une toile de Hollande où les empâtements sont tellement en relief qu'une lumière factice vient s'ajouter à celle de la toile[22] », Monet n'en à rien à faire. Il vend.

En juin, Monet ne peut qu'être reconnaissant à Alfred de Lostalot de ce qu'il invite les lecteurs de *La Gazette des Beaux-Arts* à « admirer ces toiles enfiévrées où malgré l'intensité des colorations et la brutalité de la touche, la discipline est si parfaite que le sentiment de la nature se dégage librement dans une impression pleine de grandeur[25] », il ne peut être qu'ému de lire dans *Le Journal* sous la plume de Gustave Geffroy ce compte rendu qui lui rappelle leur rencontre chez Marec à Belle-Ile : « Rapidement, il couvre sa toile des valeurs dominantes, en étudie les dégradations, les oppose, les harmonise. De là, l'unité de ces tableaux qui donnent, en même temps que la forme de la côte et le mouvement de la mer, l'heure du jour, par la couleur de la pierre et la couleur de l'eau, par la teinte de la nue et la disposition des nuages. Observez ces minces bandes de ciel, ces clartés, ces états si différents d'une même nature, et vous verrez devant vous se lever des matins, s'épanouir des midis, tomber des soirs[24]. » Il se trouve que, pour la première fois, ces hommages accompagnent des ventes...

Monet vend ! Et ne vend pas que chez Petit. Dès le 22 avril, M. Théo Van Gogh, qui dirige la succursale de Boussod rue Montmartre, est venu à Giverny. Il est venu chercher de nouvelles toiles. Déjà il a vendu l'une des *Mer de Belle-Ile*. A-t-il parlé pendant les heures passées auprès de Monet de son frère arrivé à Paris à l'improviste à la fin du mois de février, a-t-il parlé de Vincent qui vit désormais chez lui ? Probablement pas...

A la mi-mai, Monet part pour Londres. Whistler l'y invite. Il y passe une douzaine de jours. Sans peindre aucune toile. Mais peut-être y apprend-il auprès de Whistler, qui s'apprête à prendre la présidence de la Society of British Artists, ces singulières leçons de savoir-vivre en société qui consistent à faire en sorte que la susdite société reconnaisse votre place. Toujours est-il qu'à son retour à Giverny, comme il ne l'a jamais fait encore depuis son installation, il invite semaine après semaine Rodin, Mirbeau, Richepin, de Bellio...

Et il peint à Giverny. Il en peint, saison après saison, les arbres du côté de Bennecourt, dépouillés en hiver, les peupliers au bord de l'Epte. Il en peint les champs d'iris jaunes dans la lumière du matin comme dans celle de midi. Il en peint les chemins dans le brouillard comme les champs ponctués des taches rouges des coquelicots. Et les enfants posent pour lui. Jean-Pierre Hoschedé et Michel Monet sont sur la berge de l'Epte. Suzanne Hoschedé lit, assise dans l'herbe auprès de sa sœur Blanche qui peint, debout devant son chevalet. Ou c'est Suzanne qui se promène dans un champ, une ombrelle verte sur l'épaule. Ou ce sont les sœurs Hoschedé encore, Blanche, Suzanne et la plus jeune, Germaine, qui pêchent, assises dans une barque. Le 13 août, il confie à Théodore Duret : « Je travaille comme jamais et à des tentatives nouvelles, des figures en plein air comme je les comprends, faites comme des paysages. C'est un rêve ancien qui me tracasse toujours et que je voudrais une fois réaliser ; mais c'est difficile ! Enfin, je me donne bien du mal, cela m'absorbe au point d'en être presque malade[25]. » Il fait part de ce même défi à Paul Helleu qui l'admire depuis leur rencontre en 1876 au point d'avoir renoncé à participer à la dernière exposition impressionniste en 1886 malgré l'insistance de Degas, lequel l'aurait traité de « Watteau à vapeur », à ce cher Helleu qui a connu la misère et qui, grâce à l'amitié de Sargent, à l'enthousiasme de Robert de Montesquiou et à une exposition de pastels qu'il prépare pour la galerie Petit, va bientôt être le peintre le plus adulé du faubourg Saint-

Germain : « J'ai entrepris des figures en plein air que je voudrais finir à ma manière, comme je finis le paysage[26]. »

Et, enfin, pour la première fois, les fleurs du jardin de Giverny, les pivoines, les clématites blanches, lui tiennent lieu de modèles. Ce jardin n'a pas cessé, pendant son absence, même l'année précédente, d'être l'un de ses soucis. Au début du mois d'octobre, il avait demandé à Alice : « Et le jardin est-il à peu près bien encore[27] ? » Il s'était inquiété de savoir si le nouveau domestique embauché par Alice « était un peu au courant du jardinage[28] ». Il lui avait recommandé quelques jours plus tard de s'occuper des « dahlias qu'il ne faudra pas oublier de marquer avant les gelées en en supprimant pas mal[29] ». A la fin du mois, il avait remercié Alice du soin qu'elle lui avait dit avoir apporté à ses fleurs, en particulier à ces dahlias dont on sait que « plus il y en a, plus ils s'abîment à la cave[30] ». Enfin, heureux de ce qu'Alice se révèle « une bonne jardinière[31] », il lui avait au début de novembre donné quelques instructions à propos des glaïeuls qu'il n'était pas urgent de déterrer et qu'il conviendrait de remplacer par des plantes vivaces, des anémones et de jolies clématites. Ce que le domestique pourrait en tout cas faire avant son retour, c'était de labourer sur toute la longueur du poulailler et de la clôture sans pour autant gâter une plate-bande où des pavots devraient être semés. Qu'il s'abstienne de toucher aux roses trémières qui poussent dans les mauvaises herbes ! Qu'en revanche, enfin, il retire les glaïeuls...

Mais si, en 1887, Monet peint à Giverny moins de toiles qu'il n'en a peint pendant les mois passés à Kervilahouen, c'est parce que son jardin de Giverny commence d'être une autre œuvre.

1888

Il faudrait peindre ici avec de l'or et des pierreries[1]

Les choses commencent mal. A son arrivée le 15 janvier au cap d'Antibes, au château de la Pinède, Monet écrit à Alice : « L'hôtel, ou le château, puisque c'est le vrai nom, est admirablement situé ; j'y ai une immense chambre avec vue sur de jolis jardins et la mer, mais chose terrible, c'est une maison à peintres : le père Harpignies est là avec des élèves, puis il y a un ami de Faure que j'avais rencontré chez lui à Etretat. Ensuite la pension est assez élevée, 12 francs par jour. Voilà bien des raisons qui me feront renoncer à cet endroit, à moins que je n'y trouve des merveilles et, comble de déveine, voilà qu'aujourd'hui il fait un temps de chien, de la pluie à torrents, donc impossible de voir et se rendre compte du pays[2]. » Pour la première fois, le dépit de Monet pourrait permettre à Alice d'espérer un prompt retour de son peintre. Il se retrouve non seulement devoir payer sa pension trois fois plus qu'à Belle-Ile, mais alors qu'il lui faut être seul pour peindre, il doit supporter la présence d'Harpignies... S'il est passé par le Salon des Refusés en 1863, depuis lors ce paysagiste qui s'est satisfait de ramasser le pinceau de Corot, ou un autre tombé à Barbizon, fait une carrière sans accident Salon après Salon. Avoir été refusé en 1863, sans que personne comprenne bien pourquoi, est au bout du compte le seul titre de gloire qui épice un tant soit peu la carrière de celui que Monet qualifie de « père » parce qu'il est né en 1819. En outre, Monet un jour ou l'autre aura à supporter un concert donné par Harpignies. Car, si M. Ingres avait son violon, le père Harpignies a son violoncelle... Et il est comme il se doit entouré d'élèves qui le vénèrent. « Naturellement je suis pour eux une bête curieuse à voir de près et tous désirent voir ce que je fais sans doute pour me débiner. Mais je vais travailler d'un tout autre côté que leur patron ; ils en seront pour leurs frais[3]. »

La solitude de Monet est menacée quelques jours plus tard par Renoir. Il est à Aix auprès de Cézanne. Il n'y supporte pas le froid et s'inquiète de savoir s'il fait plus chaud sur la côte. Monet le dissuade de le rejoindre même si le beau temps est revenu, et écrit le 24 janvier : « Il y a de grandes variétés dans ce beau temps qui me gênent, ne voulant pas mettre des masses de toiles en train » pour entretenir l'espoir d'Alice d'un retour rapide. Espoir détruit par la phrase qui suit aussitôt : « Je me suis entiché des montagnes couvertes de neige[4]... » Alice sait que, une nouvelle fois, elle va devoir attendre : « Ici le temps continue à être admirable : c'est féerique et quelle délicieuse température. Aujourd'hui j'ai beaucoup mieux travaillé : j'ai pris le parti de gratter deux toiles, les premières commencées qui étaient mal parties ; bien m'en a pris. Bref, je suis content de ma journée[5]. » La lettre s'achève sur cette phrase qui résonne pour Alice comme une menace : « Je suis seul avec ma peinture qui m'absorbe, ou à Giverny par la pensée car je ne cesse de penser à vous. Du courage donc[6]. » Du courage...

Monet ne rentre à Giverny qu'au début du mois de mai. Au cours des trois mois et demi passés au cap d'Antibes, il a peint une trentaine de toiles.

Jour après jour, Monet, soumis à « cette terrible spécialité de paysagiste[7] », écrit à Alice. Et, jour après jour, ces lettres sont le compte rendu scrupuleux de ses émerveillements, de ses dépits, de ses enthousiasmes, de ses déceptions, de ses colères... « Ce qui peut vous consoler, c'est de me savoir bien travaillant[8]. » Alice n'a guère le choix...

Et les litanies reprennent. 1er février : « Je suis las, j'ai travaillé sans arrêt tout le jour : que c'est beau décidément, mais que c'est difficile ! J'entrevois bien ce que je veux faire, mais n'y suis pas encore. C'est si clair, si pur de rose et de bleu que la moindre touche pas juste fait une tache de saleté. Enfin, je pioche, il faut bien qu'il en sorte quelque chose[9]. » 5 février : « En un mot, je m'ennuie à mourir dès que je n'ai plus ma peinture qui m'obsède et me tourmente bien. Je ne sais où je vais ; un jour je crois à des chefs-d'œuvre, puis ce n'est plus rien : je lutte, je lutte sans avancer. Je crois que je cherche l'impossible. Je suis néanmoins très courageux[10]. »

6 février, à Rodin : « Je m'escrime et lutte avec le soleil. Et quel soleil ici ! Il faudrait peindre ici avec de l'or et des pierreries. C'est admirable[11]. » Le même jour à Alice : « Quelle malédiction que cette sacrée peinture et que je me fais de mauvais sang et sans avancer, sans pouvoir arriver à ce que je voudrais, et cela avec le plus beau temps que l'on puisse rêver[12]. » 11 février, à Alice de nouveau : « Je ne sais décidément plus me sortir d'une toile : je sens que je refais chaque jour la même besogne sans avancer. Un jour je me leurre et, le lendemain, je revois tout mal. Je vous assure que j'ai peur d'être fini, vidé. Je me ronge ; et moi qui pensais faire plusieurs stations et des merveilles[13] ! » 19 février : « Je suis dégoûté du temps, de cette fatale interruption dans le travail et par suite dégoûté de ce que j'ai fait[14]. » 24 février : « Le temps est revenu complètement superbe, mais, hélas, mes motifs sont tout changés, et j'ai grand-peine à les reproduire : les uns ne s'éclairent plus de même et à d'autres il y a tant de neige sur les montagnes que c'est tout autre chose : aussi ai-je été obligé de recommencer. Tout est contre moi, c'est désolant et je suis dans un état fiévreux et de mauvaise humeur qui me rend malade[15]. »

10 mars, à Helleu : « [...] je n'en finis plus avec mes toiles ; plus je vais, plus je cherche l'impossible et plus je me sens impuissant[16]. » Et ainsi jusqu'au dernier jour, ou plus exactement à ce qui aurait dû être le

dernier jour. Le 30 avril, à Alice : « Hélas le temps reste gris, brumeux ; je viens de travailler à une malheureuse toile de temps gris qui ne m'intéresse guère[17]. » Il lui faut ajouter aussitôt : « Pardonnez-moi donc ; je vous conjure de retarder encore d'un jour ou deux, il le faut. Je ne puis laisser ces toiles dans cet état, il faut absolument que j'y mette ce qui leur manque. Je crois qu'elles seront très bien, ou alors je me fourre dedans et deviens fou. Je comprends votre peine de cette si longue séparation et vous remercie de votre patience et de votre courage[18]. » Cette prière faite à Alice et cet hommage rendu à ses qualités s'imposent d'autant plus que, quinze jours plus tôt, le 14 avril, il lui a écrit fort sèchement pour en finir avec les reproches comme avec les tracas domestiques de toutes sortes dont elle le bassine depuis des mois, sur le ton d'un ordre : « Laissez-moi faire de belles choses, si possible : c'est là le principal[19]. »

La raison de cette exaspération de Monet ne tient pas qu'à l'impatience d'Alice, qu'au temps qui se permet de passer sans préavis d'une lumière intense à un ciel gris, à la pluie, qui lâche les bourrasques du mistral, qu'aux doutes qui l'étreignent. Loin de Paris, il est sans prise sur ce qui s'y passe. Et les silences de Petit comme les échos de ce qui se passe à la galerie ont tout pour l'inquiéter.

A la fin du mois de janvier, il demande à Petit deux mille francs qui lui sont dus encore. Mille doivent lui être adressés et le reste doit aller à son marchand de couleurs qui lui adresse lettre sur lettre. Seule lui parvient une réponse dilatoire. Puis le silence. Enfin, à la fin du mois d'avril, Monet reçoit un relevé qui provoque sa colère. La somme due est diminuée de cinq cents francs et son marchand de couleurs, monsieur Troisgros, qui est passé plus de vingt fois à la galerie, n'a rien reçu.

Ce n'est pas le pire : « J'ai appris que vous vous défaisiez de tous mes tableaux et les vendiez moins cher qu'ils ne vous ont coûté, je ne m'étais donc pas trompé en pensant que depuis mon absence, votre but était de me faire tort. C'est un charmant procédé[20]... » Ce coup de pied de l'âne n'est pas le seul coup tordu de Georges Petit. A la fin du mois de janvier, Monet a appris que, en dépit du succès de l'Exposition internationale, il n'y en aurait pas en 1888, que tout le monde y aurait renoncé à l'exception des impressionnistes, de Whistler, d'Helleu... En outre les élèves d'Harpignies qui résident au château de la Pinède, et qui sont des messieurs très aimables à la condition que l'on s'abstienne de parler de peinture avec eux, laissent également entendre à Monet que certains marchands ne se seraient pas privés d'entrer en guerre contre son école et ceux qui la soutiennent. Harpignies lui confirme lui-même en février qu'il y a au même moment une exposition du cercle des Mirliton rue de Sèze, qu'à cause de cela l'exposition de ses propres œuvres et de celles de ses élèves est repoussée d'un mois et que le mois de mai aurait déjà été attribué. « Que de canailleries décidément dans tout cela et que de points noirs à l'horizon[21] », enrage Monet le 21 février. Malgré le doute, Monet invite en mars Berthe Morisot à travailler pour l'exposition. Il lance la même invitation à Whistler. Mais quoi, « les meilleurs restent et il faut que ce soit épatant cette année ».

Comme si ce souci ne suffisait pas, Van Gogh lui écrit pour lui signifier qu'il ne peut accepter son prix de 2 000 francs pour une toile et n'en peut offrir que 1500. Théo Van Gogh lui précise qu'il y a trop de Monet sur le marché et à bas prix. Désarroi de Monet : « Vous comprenez mon inquiétude, ne pouvant travailler, ne rapportant rien de bien, ça va être l'effondrement pour moi ; j'en suis malade et, si je le pouvais, je bouclerais pour rentrer de suite tant j'ai peur de l'avenir[22]. » Pour tout arranger, le collectionneur Charles Leroux, plus avocat que peintre quand bien même il a été l'élève de son père et de l'ami de celui-ci, Théodore Rousseau, va mettre en vente huit tableaux de lui. Nouvelle inquiétude. Il télégraphie à ses marchands pour qu'ils soutiennent sa cote. « Mais le feront-ils ? Songez donc, huit tableaux qui peuvent être vendus rien. Car, s'ils n'ont pas atteint au moins les prix que je vends aux marchands, c'est un désastre pour moi et l'impossibilité d'avoir de l'argent. J'avais cependant assez de soucis comme cela. Si au moins j'en avais été prévenu plus tôt, j'aurais pu soit m'entendre avec Caillebotte pour les soutenir et vendre mes actions : cela eût mieux valu. Enfin je n'ai plus qu'à attendre mon sort[23]. » Des actions à vendre... Claude Monet qui, des années, a relancé ses collectionneurs pour qu'ils lui achètent de nouvelles toiles, qui a dû emprunter, qui a fait des dettes, Claude Monet qui ne manque pas d'exiger de ses marchands ce qui lui est dû, qui leur demande de régler ses fournisseurs parce qu'il est à court, Claude Monet qui subvient aux besoins d'une importante famille, qui tient depuis des années à disposer de domestiques, Claude Monet qui rechigne à payer sa pension douze francs par jour, serait-il, si ce n'est riche, à l'aise ? Le serait-il depuis assez longtemps pour avoir pu faire des économies et qui sait, en ce début d'année 1888, avoir donné l'ordre à son banquier d'acheter des emprunts russes à peine mis en vente sur la marché ?

Au début du mois d'avril, Monet sait à quoi s'en tenir : « C'est donc décidé, il n'y aura pas d'exposition chez Petit ; je le craignais bien et ne comptais que sur une entente possible à mon retour, mais j'ai d'abord reçu hier cette lettre de Van Gogh et j'avais de suite écrit à Petit : voilà que, ce matin, Renoir m'écrit qu'il y avait une vente d'annoncée pour le 16 mai, rue de Sèze. Quelle infamie de nous tromper de la sorte ! J'y renonce donc tout à fait et, ma foi, n'en ferai pas même chez Durand. Mes affaires en iront peut-être moins bien, mais chez Durand ce sera encore pour retomber dans toute la bande et sa suite dont j'avais eu du mal à me retirer. J'en ai assez, j'ai eu la bêtise de faire entrer les autres chez Petit ; voilà le résultat[24]. »

Quelques jours plus tard, il reçoit une lettre de Paul Durand-Ruel, qui vient d'ouvrir une galerie à New York. Il y vend. Il s'apprête à y repartir avec des tableaux. Durand-Ruel, en dépit du malentendu qui les a éloignés l'un de l'autre, lui fait part de son désir de travailler de nouveau avec lui. La réponse est aussi courtoise que ferme : « Vous me demandez de vous réserver de mes nouvelles choses ; vous savez que je serai toujours heureux de refaire des affaires avec vous, quoique je sois navré de voir partir tout en Amérique, mais enfin je suis à votre disposition ; je préviendrai votre fils de mon retour bien que nous ne nous soyons du tout entendus ensemble lorsque avant mon départ il m'avait manifesté le désir de venir à Giverny pour m'y acheter quelques toiles. Je dois vous prévenir du reste que j'ai déjà promis mes toiles à d'autres personnes. Je préviendrai donc les uns et les autres en même temps, le premier aura le choix[25]. »

Quelques jours après le retour de Monet à Giverny, M. Charles, l'un des fils de Paul Durand-Ruel, n'est pas le plus rapide. Théo, dès le 4 juin, paye 11 900 francs dix toiles qui arrivent du cap d'Antibes. Il obtient, en fonction des tailles des unes et des autres, de payer 1 300 francs pour les plus grandes, les plus petites 1 000. Et il reconduit l'accord passé déjà : 50 % des gains qui seront faits lors des ventes lui seront reversés. Une lettre de son frère Vincent l'aurait-il déterminé à faire cet achat ? Le 29 mai 1888, il lui avait écrit : « A Montmajour, j'ai vu un soleil couchant rouge, qui envoyait des rayons dans les troncs et feuillages de pins enracinés dans un amas de rochers, colorant d'orangé feu les troncs et les feuillages tandis que d'autres pins sur des plans plus reculés se dessinaient bleu de Prusse sur un ciel bleu-vert tendre, céruléen. C'est donc l'effet de ce Claude Monet, c'était superbe[26]. »

Van Gogh expose l'ensemble dans les deux petits salons de l'entresol de la galerie, au 19, boulevard Montmartre. Paul Durand-Ruel ne manque pas de lui reprocher cette infidélité à son retour des Etats-Unis. La réponse de Monet du 24 septembre est implacable : « Vous trouvez regrettable que j'aie accepté cet engagement, mais, cher monsieur Durand, que serais-je devenu depuis quatre années sans M. Petit d'abord et sans la maison Goupil ? Non, voyez-vous, ce qui est regrettable, c'est que les circonstances vous aient mis dans la nécessité de ne pas pouvoir continuer à acheter. Enfin, voyez ces messieurs si vous croyez, ou bien acceptez ces conditions auxquelles moi seul ferai une perte et cela sera je crois à l'avantage de tous. » Paul Durand-Ruel ne se prive sans doute pas de faire comprendre à son fils Charles ce qu'aura été la stupidité de son attitude lorsque, au début du mois de mai, il s'est rendu à Giverny, attitude si inconvenante que Monet a cru qu'il n'était venu « que par curiosité » et, pis encore, dans l'espoir de le voir « dans l'embarras »[27]. Paul Durand-Ruel a dû faire comprendre à son fils que personne ne saurait mettre Monet dans l'embarras. Charles ne se prive pas, très respectueusement, de rappeler à son père que lui-même, mécontent de voir Monet faire affaire avec Boussod-Valadon, s'est rapproché de Pissarro. Or, le 10 juillet, Pissarro a écrit à son fils Lucien : « Je te disais que ce que j'avais vu des tableaux de Monet ne me paraissait pas dénoter un progrès ; l'opinion des peintres est à peu près unanime à cet égard. Degas a été des plus sévère, il ne considère cela que comme un art de vente, du reste il a toujours été de l'avis que Monet ne faisait que de belles décorations ; mais c'est plus vulgaire encore, dit Fénéon, que jamais ! Renoir aussi trouve que c'est en arrière ; diable qu'en dis-tu ?... Durand fils est aussi de cet avis[28]. »

Reste que Monet, ulcéré par Charles Durand-Ruel, a dû écrire à Rodin, à Berthe Morisot, à Renoir, pour expliquer son attitude, pour ne pas passer pour « un lâcheur, comme on va dire[29] ».

Bref, Monet renoue pour le reste de l'année avec la vie parisienne, ses polémiques, ses jalousies, ses complicités. A Zola auquel on reproche d'avoir accepté la Légion d'honneur dont il reçoit, après la promotion du 14 juillet, les insignes de chevalier dans le salon de Mme Charpentier, on donne l'exemple de Monet qui l'aurait refusée. Or il se trouve que nul n'a jamais songé à décorer Monet...

En novembre, de passage à Paris, Whistler ne lui rend pas visite. Monet lui adresse un amical reproche, ce qui est aussi une manière de lui présenter ses excuses. Le 30 novembre : « Ces jours passés, étant à Paris, j'ai appris que vous y étiez venu et cela sans me faire signe ; c'est mal car vous savez le plaisir que j'ai à vous voir. J'espère au moins que vous ne m'avez pas gardé rancune d'avoir quitté Londres sans vous serrer la main. J'avais été retenu chez Sargent et rappelé subitement chez moi, et c'est avec bien du regret que j'ai dû partir sans pouvoir aller à Tower House[30]. »

A Giverny, Monet retrouve ses modèles préférés, Suzanne, Blanche, Germaine, Jean-Pierre, Michel, Jean... Il retrouve les peupliers, les champs. Et, à l'automne, il découvre des meules dans ces mêmes champs. Des meules...

1889/1

Hier j'ai pu travailler à onze toiles[1]

« Je vais de moins en moins à Paris, où du reste l'on n'est absorbé que par la politique. » Propos dépité de Monet à Berthe Morisot. En ce début d'année 1889, la politique a un nom, celui du général Boulanger. Le 27 janvier, il a été élu député de Paris avec 82 361 voix de majorité. Paris et la banlieue même sont boulangistes. On rapporte qu'au 11 *bis* de la rue Dumont-d'Urville, dans l'hôtel particulier du général, lorsque les résultats ont été connus, ses proches, de Rochefort à Déroulède, à Anatole France, de Dillon à Thiébaud, de Marcel Habert au journaliste Mermeix, tous l'ont pressé de prendre aussitôt le pouvoir. Il aurait répondu : « Pourquoi voudriez-vous que j'aille essayer de conquérir illégalement le pouvoir, alors que je suis sûr d'y être porté dans six mois par l'unanimité de la France ? » On assure que le même soir, le président de la République, Carnot, a convoqué à l'Elysée le Conseil des ministres. Lugubre, il a été informé de ce que de nouveaux fusils Lebel avaient été distribués sur l'ordre du gouverneur de Paris. Mesure peu efficace si la majorité de la garde républicaine devait se révéler elle aussi boulangiste... Et, tout à coup, le préfet de police est arrivé avec la nouvelle la plus inattendue : le général est allé se coucher ! Et de préciser : « Avec une dame. » Mme Marguerite de Bonnemains aurait-elle sauvé la République ?

En dépit de cette menace boulangiste, la République s'apprête à fêter le centenaire de la prise de la Bastille le 14 juillet 1889. Paris va, veut démontrer au reste du monde la grandeur de la France par une

Exposition universelle comparable à aucune autre. Déjà, au bout du Champ-de-Mars, en face du palais du Trocadéro, continue de monter dans le ciel de la capitale la tour qui doit être la plus haute du monde. Et cela en dépit de la protestation dite « des Artistes » qui a été publiée le 14 février 1887 par le journal *Le Temps*, deux semaines après le premier coup de pioche des fondations de la tour : « Nous venons, écrivains, peintres, sculpteurs, amateurs passionnés de la beauté jusqu'ici intacte de Paris, protester de toutes nos forces, de toute notre indignation, au nom du goût français méconnu, au nom de l'art et de l'histoire français menacés, contre l'érection, en plein cœur de la capitale, de l'inutile et monstrueuse tour Eiffel, que la malignité publique, souvent empreinte de bon sens et d'esprit de justice, a déjà baptisée du nom de "Tour de Babel". » La conclusion s'imposait : « La tour Eiffel, dont la commerciale Amérique elle-même ne voudrait pas, c'est, n'en doutez pas, le déshonneur de Paris[2]. »

Ce texte indigné avait été signé par des hommes aussi divers que Guy de Maupassant, Charles Gounod, François Coppée, Sully Prudhomme ou le peintre Meissonier. Peut-être a-t-on évité de le présenter à Monet, parce que lui-même continuait de représenter aux yeux de certains le déshonneur de la peinture...

Ce qu'il n'est pas pour Georges Petit. La proposition qu'il fait à Monet en février vaut d'être étudiée attentivement. Même si elle oblige à ne pas tenir compte d'anciens coups tordus que Monet se garde sans doute d'oublier. « Mon cher Rodin, je reçois un mot de Petit me donnant rendez-vous samedi matin à 10 heures pour m'entendre avec lui au sujet d'une exposition à faire dans sa galerie pendant l'Exposition universelle, *mais rien que vous et moi*. Etes-vous toujours dans cette disposition comme vous me l'avez dit lorsque je vous en ai parlé ? Oui, j'espère, et dans ces conditions nous pourrions faire quelque chose de bien à nous deux. Maintenant, d'après ce que m'a dit Petit, il ne nous demanderait pas d'argent pour sa galerie, se réservant les entrées et un tant pour cent sur la vente. Il voudrait cependant avoir en paiement quelque chose de vous et de moi. C'est pour débattre ces questions qu'il me donne rendez-vous après-demain samedi. J'ai donc besoin avant tout de savoir si je puis compter sur vous[3] ».

Lorsque, quelques jours plus tard, le 4 mars, il part pour la Creuse, il sait qu'il peut compter sur lui. Deux mois plus tôt, Gustave Geffroy lui a fait découvrir cette région, où, en compagnie de Louis Mullem et de Franz Jourdain, il l'a emmené jusqu'à Fresselines où vit, retiré, le poète

Maurice Rollinat avec sa compagne Cécile dans une chaumière nommée La Pouge. Au lendemain de leur arrivée, Monet a été entraîné dans une excursion « à travers les stupéfiantes et sobres beautés des deux Creuses, au ravin de Puyguillon, au village de Vervit, au confluent des rivières nommé "Confolans" ou Eaux-Semblantes, qui est un des plus étranges et des plus beaux aspects qui se puissent voir[4]. »

Monet a promis de revenir. Il revient. Il s'installe à Fresselines même, loge à l'auberge de la mère Baronnet. Et il recommence d'écrire chaque jour ou presque à Alice. Et c'est un pays qu'il croyait saisir du premier coup qui se révèle d'un difficile inouï, et c'est la difficulté et la lenteur à exprimer ce qu'il veut qui s'imposent, et c'est le temps qui est de plus en plus mauvais, et ce sont des interruptions, et malgré le froid, ça pousse et ça change, et c'est la gelée blanche qui fiche en l'air des toiles sombres, sinistres, et ce sont les pluies incessantes qui font monter des eaux qui grossissent, et c'est un ouragan subit, et c'est un froid si intense qu'il se retrouve avec une main gercée, si crevassée qu'il lui faut porter un gant enduit de glycérine et le garder jour et nuit, et c'est la Creuse qui baisse à vue d'œil, qui est un jour verte, un jour jaune, et ce sont des jours gris, et c'est le soleil qui se reflète dans l'eau en paillettes de diamant au point d'être aveuglant, et c'est...

La nature, une fois de plus, est imprévisible, inattendue, insupportable. Il faut donc la soumettre.

A Alice, le 8 mai : « Je vais tenter d'offrir au propriétaire de mon vieux chêne de payer cinquante francs pour faire enlever toutes les feuilles dudit arbre, sans quoi je ne puis [peindre] et j'ai cinq toiles où il est, dont trois où il joue tout le rôle mais j'ai peur d'un échec, car c'est un richard peu aimable et qui, déjà, avait voulu m'empêcher d'aller dans un pré à lui, et ce n'est que grâce à l'intervention du curé que j'ai pu continuer à y aller. Enfin là est le seul salut de ces toiles[5]. » Contre toute attente, le « richard peu aimable » donne l'autorisation espérée. « Je suis dans la joie, la permission inespérée d'ôter les feuilles de mon chêne m'a été gracieusement donnée ! C'était une grosse affaire d'amener des échelles assez grandes dans ce ravin. Enfin, c'est fait, deux hommes depuis hier y sont occupés. N'est-ce pas un comble de finir un paysage d'hiver à cette époque[6] ? » Quelques jours plus tard, le 11 mai, il fait une autre expérience : « Hier j'ai pu travailler à onze toiles, ce qui ne m'est jamais arrivé. Levé à 4 heures et demie, je rentrais à 8 heures du soir, mais c'était journée rare, hélas, jamais suivie d'une seconde, la déveine me poursuit jusqu'au bout. Jamais une journée d'apparence belle sans orage, quelle ténacité il me faut pour persister. Quand je songe à Giverny où je voudrais tant être, qui doit être si beau, j'ai peur de ce que je fais, ça me semble terrible et épouvantable, enfin, il me tarde de voir tout cela loin d'ici[7]. » Et d'ajouter aussitôt : « Dites à Brandin de s'inquiéter d'avoir du terreau bien consommé, il en faut absolument pour les semis à faire, puis du fumier, le père Douville en doit[8]. » Monet sait déjà que ce terreau et ce fumier dont il convient de se soucier sont le moyen de composer une nature enfin à sa disposition telle que sa peinture la requiert.

Et comme il se doit, au cours de ces mois de mars, d'avril, de mai, Monet rassure Alice, tente de conjurer sa jalousie. S'il ose écrire : « Quant à mes soirées, elles se passent très agréablement, je suis toujours enchanté de mes hôtes qui sont très bien pour moi. Rollinat toujours charmant à son piano et par son extraordinaire conversation », il s'empresse d'ajouter aussitôt : « Ne vous mettez pas martel en tête au sujet de sa femme qui est très aimable et obligeante. Je ne suis qu'à vous et ne serai jamais qu'à vous[9]. »

Enfin, comme il se doit, lorsque le séjour est sur le point de s'achever, il faut lui faire comprendre qu'une fois de plus c'est contre sa volonté qu'il a dû le prolonger : « Et ne me blâmez pas de ma persistance à retarder ce retour tant désiré, il ne sera pas retardé sans fin. J'en souffre plus que vous pensez[10]. »

1889/2

Bref, je suis sorti de la galerie complètement navré[1]

Les foules se pressent vers le Champ-de-Mars, vers les Champs-Elysées. Le 6 mai, en grande pompe, l'Exposition universelle a été inaugurée. Au lendemain du retour de Monet à Giverny, le lundi 20 mai, le président de la République, Sadi Carnot, inaugure le palais des Beaux-Arts, immense nef de 210 mètres de long sur 75 mètres de large, dans le prolongement de la galerie des Machines. Le cortège officiel parcourt les deux expositions de la section française dont le commissariat spécial a été confié à Antonin Proust, félicité par le ministre de l'Instruction publique et des Beaux-Arts, Armand Fallières. L'une est l'exposition centennale, l'autre une exposition décennale d'art français. La première rassemble 642 tableaux et 140 sculptures, la seconde 561 sculptures et 1448 peintures. Parmi celles-ci, trois peintures de Monet, *La Seine à Lavacourt, Les Tuileries, Vue de l'église de Vernon*, que Roger Marx a réussi à faire admettre malgré les nombreuses réticences qui se sont exprimées. Dont celle publiée par Gustave de Violaine dans *Le Moniteur universel* du 24 mars 1889 : « Les étrangers qui viendront admirer à l'Exposition universelle nos œuvres artistiques constateront aussi que depuis Ingres et Delacroix notre peinture est en décadence. Certes, ils reconnaîtront la supériorité de notre sculpture, ils verront que certains de nos paysagistes suivent dignement les traditions de Corot et de Th. Rousseau ! Mais pour le reste, à quelques exceptions près, ils trouveront que nos peintres peuvent se diviser en deux catégories. Les uns, sous prétexte qu'ils possèdent un savoir-faire merveilleux, ne cherchent pas à nous prouver qu'ils ont des idées ou des sentiments ; les autres cherchent et ne trouvent pas[2]. »

Quoi qu'il en soit, le rituel sera au cours de cette Exposition universelle respecté comme il l'est chaque fois. Sur ce point, il n'y a pas la moindre illusion à avoir.

A croire que le monde de l'art parisien est immobile. A croire que rien ne peut remettre en cause d'anciennes habitudes. Ce que confirme avec amertume le jeune critique Albert Aurier : « Comme toujours, naturellement, les coteries officielles se sont efforcées de clore, autant que possible, les portes aux consciencieux artistes qui, d'une trop récente intransigeance pour être encore compris et goûtés du public, ont rompu carrément en visière avec les traditions et les formules de l'école. Cette exclusion systématique est regrettable et ne permet guère d'apprécier les plus intéressantes manifestations de l'art contemporain. A peine quelques Raffaelli, deux Pissarro ancienne manière et un seul Claude Monet, perdus en les salles du Palais des Beaux-Arts ! Aucun Degas, aucun Gauguin, aucun Seurat, aucun Renoir, aucun Guillaumin[3] !... »

A l'amertume répond la résignation des Goncourt. Après une visite de l'exposition centennale, ils notent dans leur *Journal,* le vendredi 12 juillet 1889 : « Oui, vraiment, la peinture contemporaine a trop la place d'honneur dans ce temps... Au fond, il y a eu une peinture primitive italienne et allemande ; ensuite, la vraie peinture qui compte trois hommes : Rembrandt, Rubens, Velasquez, et à la suite de cette école du grand et vrai faire, encore de jolies et spirituelles palettes en la France et surtout à Venise. Et après, plus rien que des pauvres *recommenceurs* –

sauf des paysagistes du commencement et du milieu de ce siècle[4]. » Inutile de le préciser, Monet ne saurait compter parmi ces « paysagistes du commencement et du milieu de ce siècle ».

Monet, rentré à Giverny, n'a que faire des commentaires des uns à propos de ces expositions, des ragots et des potins des autres. Une seule chose lui importe, l'exposition chez Petit avec Rodin. D'autant que Rodin fait beaucoup parler de lui, ne serait-ce que parce qu'il est l'auteur des six imposantes allégories mises en place sur le fronton du palais des Beaux-Arts.

Par une lettre du 12 avril, Monet a confirmé à Rodin son acceptation des conditions financières suivantes : « Partage des entrées entre Petit et nous, 10 % sur la vente, et 8 000 francs de peintures et 8 000 francs de sculptures à donner à M. Petit[5]. » Le 20 avril, il lui confirme par un télégramme son accord pour un changement de dates d'ouverture. Ce sera, ce devrait être, le 15 juin au lieu d'un jour entre le 5 et le 10 juillet. L'attention qu'impose cette préparation n'est troublée un instant que par l'annonce de la mort de la femme de Boudin auquel il écrit : « J'ai bien des reproches à me faire à votre endroit. Je me les fais bien souvent. Ne m'en gardez pas rancune, mon cher ami. Je suis toujours aux champs, souvent en voyage et toujours passant par Paris. Mais n'en soyez pas moins certain de l'amitié que je vous porte, ainsi que de ma reconnaissance pour les premiers conseils que vous m'avez donnés, conseils qui m'ont fait ce que je suis[6]. »

Il adresse l'une des premières lettres écrites à Giverny à Paul Durand-Ruel ; celui-ci se refuse à prêter des toiles pour une exposition qui doit se tenir chez son rival. Monet plaide sa cause : « J'espère que vous reviendrez sur votre décision et que si vous ne voulez pas participer à cette exposition par un grand nombre de toiles, vous voudrez tout au moins me prêter quelques tableaux nécessaires à former une exposition complète. C'est à moi seul que vous rendrez ce service et je vous en serai très reconnaissant[7]. » Le temps presse. Déjà le 1er mai, il écrivait à Alice : « Ah ! je la maudis bien cette exposition et que de soucis je me suis créés là, mais quel besoin, quelle ambition et quelle vanité[8] ! » Il est trop tard pour renoncer.

Il faut aussi pallier le refus de prêt de Faure, de « ce cochon de Faure[9] », il faut emporter l'accord de Duret auquel, depuis Fresselines, il a écrit le 15 mai : « J'espère que, malgré votre répugnance à prêter vos tableaux, vous ne refuserez pas ce service capital pour moi, car j'ai eu un refus de Faure ; refus sans motif[10]. » Le 27 mai, il prévient

Charpentier : « Je viens vous demander un grand service. Nous allons Rodin et moi ouvrir une exposition très importante rue de Sèze chez Petit. Pour ma part, une partie de ce que j'ai fait de mieux depuis vingt ans. Je serais très heureux si vous vouliez me prêter vos *Glaçons*. J'espère que vous ne me refuserez pas ce service. C'est très important pour moi[11]. »

Les jours passent. Et les confirmations des prêts arrivent les unes après les autres. Duret, réservé, finit par accepter tout comme Faure et Durand-Ruel. Le 15, l'accrochage des 145 toiles peut commencer. Parmi ces toiles, plus de la moitié datent des trois dernières années et douze d'entre elles viennent d'arriver de la Creuse. Seul un tiers des tableaux exposés sont destinés à la vente. Monet espère 2 000, si ce n'est 2 500 francs de chaque vente...

Le soir même se tient au restaurant du palais des Beaux-Arts le Dîner de la banlieue. Edmond de Goncourt en est le président honoraire. Le dîner rassemble Franz Jourdain, Gallimard, Geffroy, Toudouze, Mirbeau et Monet, « le paysagiste, un silencieux, à la forte mâchoire d'un carnassier, aux terribles yeux noirs d'un *tapeur* des Abruzzes[12] ». Rodin est absent. Comme il l'est à la galerie de la rue de Sèze. Le 20 juin, Monet et Petit doivent lui envoyer ce télégramme : « Absolument urgent que vous veniez de suite avec le reste de vos groupes pour finir le placement et les raccords. Nous ouvrons à 9 heures demain matin et si nous ne vous voyons pas ce soir, rien ne sera prêt. C'est de la plus haute importance[13]. » Rodin vient aussitôt. Et, pendant la nuit, met ses sculptures en place, indifférent aux toiles de Monet absent.

Le 21 au matin, Monet revient. Il est atterré. Blessé, il repart pour écrire aussitôt cette lettre à Petit : « Je suis venu ce matin à la galerie où j'ai pu constater ce que j'appréhendais que mon panneau du fond, le meilleur de mon exposition, est absolument perdu, depuis le placement du groupe de Rodin. Le mal est fait... c'est désolant pour moi... Si Rodin avait compris qu'exposant tous les deux nous devions nous entendre pour le placement... s'il avait compté avec moi et fait un peu de cas de mes œuvres, il eût été bien facile d'arriver à un bel arrangement sans nous nuire. Bref, je suis sorti de la galerie complètement navré, résolu à me désintéresser de mon exposition et à n'y pas paraître. J'ai eu du mal à me contenir hier en voyant l'étrange conduite de Rodin... Je n'aspire qu'à une chose, c'est prendre le chemin de Giverny et y trouver le calme[14]. » Ce qu'il fait.

Petit informe Rodin de la réaction de Monet. Rodin explose. Le lendemain, tout Paris est au courant. *Journal* des Goncourt, dimanche 23 juin 1889 : « A propos de l'exposition faite en commun des œuvres de Rodin et de Monet, il s'est passé, à ce qu'il paraît, des scènes terribles, où le doux Rodin, sortant tout à coup un Rodin inconnu à ses amis, s'est écrié : "Je me fous de Monet, je me fous de tout le monde, je ne m'occupe que de moi !"[15]. » Comment se priver, le 3 juillet, de noter encore dans ce même *Journal* un autre potin à propos de Rodin ? « Par exemple, dit Mirbeau, il est capable de tout, d'un crime pour une femme, il est le satyre brute qu'il met dans ses groupes érotiques. Et Mirbeau me raconte qu'à un dîner chez Monet, qui a quatre grandes belles filles, il passa le dîner à les regarder, mais à les regarder de telle façon que tour à tour, chacune des quatre filles fut obligée de se lever et de sortir de table[16]. »

Monet s'attend au pire. Outre l'égoïsme de Rodin qui a planté ses *Bourgeois de Calais* devant ses toiles rapportées de la Creuse, il redoute que le public continue de se presser aux pieds de la tour Eiffel, d'en monter et descendre les escaliers, de s'attarder sur les terrasses pour y découvrir Paris comme on ne l'a jamais vu, et qu'il dédaigne la rue de Sèze. Il faut craindre que les critiques ne tiennent aucun compte du catalogue de quatre-vingt-dix pages qui réunit la préface que Gustave Geffroy a consacrée à Rodin et celle de Mirbeau qui voulut mettre en évidence la singularité de Monet : « Le *motif* et l'instant du *motif* une fois choisis, il jetait sur la toile sa première impression. Il se faisait une stricte règle de couvrir cette toile, en ce court espace d'une demi-heure. [...] Chaque jour, à la même heure, le même nombre de minutes, par la même lumière, quelques fois durant soixante séances, il revenait devant son *motif*, tâchant de saisir du même coup d'œil les accords de ton, les rapports de valeurs, disséminés çà et là dans le motif ; les fixant, pour ainsi dire, simultanément en leur forme exacte, et dans leur fugitif dessin [...] ; s'arrêtant impitoyablement, et courant à un autre *motif* si, durant cette séance rapide, la lumière venait à se modifier. Jamais M. Monet ne se laissa entraîner à la tentation, pourtant forte, de s'acharner sur une toile au-delà du temps par lui déterminé. Cette probité de travail, rare, sinon unique, outre qu'elle lui donnait des résultats merveilleux, n'étaient point sans luttes, sans angoisses, qu'il y a d'heures en un jour[17]. »

Si les critiques peuvent ne pas répondre à ce qu'attend Monet, c'est, paradoxalement, par la compréhension dont ils font preuve. Ni *Art et Critique*, ni *L'Evénement* ni le *Matin* ni *Le Rappel* ni *Le Journal des arts* n'expriment la moindre réserve. Il n'y a guère que *Le Soleil* et *La République française* pour rechigner, le premier pour le soupçonner d'être atteint d'une « maladie funeste de l'appareil visuel[18] », la seconde pour l'accuser « de vous blesser l'œil[19] ». Commentaires, éloges et accusations ne drainent pas vers la galerie de Georges Petit les foules fascinées par l'Exposition universelle... Non sans arrière-pensées peut-être, celui-ci en informe Monet. « Je vois que vous avez perdu espoir et confiance dans le résultat de mon exposition[20]. » Monet est découragé. Quelques semaines avant l'ouverture de l'exposition, le 10 mars, Mirbeau a publié un article où il affirmait : « Aujourd'hui M. Claude Monet a vaincu la haine, il a forcé l'entourage à se taire. Il est ce qu'on appelle arrivé. Si quelques obstinés pour qui l'art n'est que la résurrection des formes glacées et des formes mortes discutent encore les tendances de son talent, ils ne discutent plus ce talent qui s'est imposé de lui-même par sa propre force et son charme si intense qui pénètre au plus profond des sensations de l'homme[21]. » Le 25 juin, Mirbeau affirme encore dans *L'Echo de Paris* : « Ce sont eux qui, dans ce siècle, incarnent le plus glorieusement, le plus définitivement, ces deux arts magnifiques : la peinture et la sculpture[22]. » De son côté, le critique Joseph Gayda écrit dans *La Presse* : « L'un et l'autre n'étaient point parvenus encore jusqu'au grand public, n'en avaient point encore reçu cette vaste exclamation d'enthousiasme qui change en célébrité la notoriété acquise et d'un nom répandu fait un nom glorieux[23]. »

Monet accablé n'est pas bien certain d'être « arrivé » ni « célèbre », comme il doute d'incarner glorieusement la peinture de son siècle ailleurs que dans l'esprit de rares complices critiques et amateurs. Mirbeau, pour le rasséréner, doit reprendre la plume pour lui écrire : « On parle beaucoup de vos toiles, on les admire. Vous êtes entré, des esthétiques d'artiste, dans les conversations courantes. Et votre prochaine exposition sera un triomphe pour vous... Ayez encore un an de patience. Vous êtes taillé, physiquement et moralement, pour supporter cela... Allons, allons, mon cher ami, ne pensez plus trop à cela, maintenant[24]. » Monet ne pense qu'à cela. Plus que touché par ces encouragements, il est alors convaincu de la justesse de la remarque faite par Fernand Bourgeat dans *Le Siècle* : « Monet est encore le plus contesté (il est même le seul contesté car on n'ose plus discuter Rodin)[25]. »

La mélancolie de Monet n'empêche pas la vente de ses toiles. Parmi les acheteurs, une certaine Mme Potter Palmer, de Chicago, un certain Monsieur James Sutton, de New York... Malgré les doutes de Monet, les démarches de Durand-Ruel aux Etats-Unis auraient-elles, au bout du compte, été fructueuses ? Il en a une autre preuve : après avoir habité quelques jours avec sa famille à l'hôtel Baudy, le seul de Giverny, où elle est arrivée le 20 juin, Mme Lilla Cabot Perry loue depuis le 18 juillet à Louis-Joseph Singeot, le propriétaire de la maison de Monet, une « petite maison qui se casse la figure » voisine de la sienne. Après le peintre anglais Dawson Dawson-Watson, lui aussi descendu à l'hôtel Baudy, en juin sont arrivés Theodore Butler et Theodore Wendel, tous deux nés dans l'Ohio. Si Monet n'a pas vu sans déplaisir ses toiles partir au-delà de l'Atlantique, ce sont maintenant des peintres américains qui viennent travailler à Giverny... Souvenir de Lilla Cabot Perry : « A cette époque il ne jouissait pas de la considération qu'il méritait, et ce premier été, j'écrivis à plusieurs amis et parents en Amérique pour leur parler de ce grand artiste qui commençait à peine à être connu, et qui cédait volontiers des toiles de son atelier de Giverny pour la somme de 500 dollars[26]. »

1889/3

C'est le plus bel hommage que nous puissions rendre à la mémoire de Manet[1]

Dans la lettre de consolation autant que d'encouragement adressée par Mirbeau à Monet le 7 juillet, il y avait cet ordre : « Prenez vos bottes, votre béret, votre chevalet, et plongez-vous dans le travail[2]. » Monet l'ignore. Il est incapable de travailler.

Le commissaire de l'exposition centennale a tenu à ce qu'un ensemble de toiles de Manet lui rende hommage. Antonin Proust a déjà été à l'origine de l'exposition inaugurée le 5 janvier 1884 à l'Ecole des beaux-arts. Rappel d'Octave Mirbeau : « Lorsque M. Antonin Proust organisa, à l'Ecole des beaux-arts, une triomphante exposition des œuvres de Manet, mort, M. Cabanel faillit mourir de honte devant le sanctuaire profané. Manet dans ce temple ! dans ce temple !... Manet, ce chien obscène qui allait souiller le tabernacle, polluer le sacré ciboire[3] ! » Les 116 tableaux, les pastels, les aquarelles, les dessins, eaux-fortes et lithographies rassemblés avaient alors provoqué la colère d'Edmond About devant « cet énorme fumier qui représente le travail de toute sa vie[4] ». La répulsion outragée qu'il éprouvait le conduisait à demander dans *Le XIXe Siècle* du 7 janvier 1884 : « Imposer à l'Ecole, durant tout près d'un mois, un garnisaire qui l'a bravée ouvertement jusqu'au dernier jour de sa vie, n'est-ce point abusif, pour ne pas dire injurieux ? Il est impossible d'admettre que l'Etat proteste lui-même contre l'enseignement de l'Etat dans le palais où nos jeunes peintres sont instruits aux frais de l'Etat[5]. » Il n'y a que quatorze toiles accrochées à l'exposition centennale. Parmi elles, le n° 487, l'*Olympia*. Lors de la vente aux enchères des 4 et 5 février 1884, le commissaire-priseur l'a adjugée dix mille francs à Léon Leenhoff qui a voulu qu'elle reste dans la famille. A l'exposition centennale, elle n'a rien perdu de son pouvoir de provoquer quolibets, rires et colère.

John Sargent informe Monet de l'intention d'un collectionneur américain de l'acheter. Serait-ce le même qui vient de faire l'acquisition de *L'Angélus* de Millet lors de la vente Secrétan, le 1er juillet, où les enchères sont montées jusqu'à 553 000 francs[6] ? Serait-ce le même James Sutton de cette AAA grâce à laquelle Durand-Ruel a pris pied à New York ? Cette vente scandaleuse parce qu'elle dépouille la France d'un chef-d'œuvre, cette vente qui provoque un débat à l'Assemblée nationale où Gambetta doit monter à la tribune, cette vente qui va conduire le journal *Le Temps* à annoncer à ses lecteurs que, grâce à un accord avec Georges Petit, la gravure réalisée par Charles Waltner d'après *L'Angélus* sera vendue pour seulement 20 francs, cette vente ne provoque donc pas une prise de conscience ? On laisserait aussi partir l'*Olympia* ? Intolérable.

A Giverny, Monet commence à écrire encore et encore la même phrase aux uns et aux autres : « C'est le plus bel hommage que nous puissions rendre à la mémoire de Manet, et en même temps c'est une façon discrète de venir en aide à sa veuve[7]. » Inutile de faire la démarche auprès de certains, comme Edmond de Goncourt. Sans doute Monet, depuis le Dîner de la banlieue, sait-il ce qu'il pense de sa peinture. Le 18 mai 1889, l'écrivain note encore dans son *Journal* : « Avec Manet, dont les procédés sont empruntés à Goya, avec Manet et les peintres à sa suite, est morte la peinture à l'huile, c'est-à-dire la peinture à la jolie transparence ambrée et cristallisée, dont la femme au chapeau de paille de Rubens est le type. C'est maintenant de la peinture opaque, de la peinture mate, de la peinture plâtreuse, de la peinture ayant tous les caractères de la peinture à la colle. Et tous peignent ainsi, depuis Raffaelli jusqu'au dernier rapin impressionniste[8] ! »

Mais de pareils rapins et d'autres, amis, amateurs, admirateurs, doivent permettre de réunir les 20 000 francs escomptés. Monet lui-même promet 1 000 francs. Et il écrit sans cesse. Il relance ceux qui tardent à répondre. Il demande aux uns et aux autres de lui rappeler les noms qu'il pourrait oublier. A Berthe Morisot : « Si vous pouvez me donner leurs adresses, je leur écrirai aussitôt[9]. » Pissarro, auquel il a fait la même demande, lui répond : « Mon cher Monet, je vous prierai de m'inscrire pour la somme de 50 francs, regrettant de ne pouvoir faire plus pour une si belle cause. Je pense que vous ferez bien d'écrire à Murer, à Auvers-sur-Oise ; j'en avais parlé à Van Gogh, il semblait vouloir souscrire et pensait trouver, parmi les quelques amateurs de notre peinture, des adhérents ; je crois donc que vous feriez bien de lui en faire part[10]. »

Il y a des défections. Zola, qui doit aux *Rougon-Macquart* une fortune, refuse en raison de principes auxquels il ne saurait déroger : « C'est chez moi un parti pris absolu de ne pas acheter de peinture, même pour le Louvre. Que les amateurs se syndiquent pour faire monter les prix des peintres dont ils ont des toiles, je le comprends ; mais je me suis promis, moi, écrivain, de ne jamais me mêler à ces sortes d'affaires. Manet ira au Louvre, mais il faut que ce soit de lui-même, en pleine reconnaissance nationale de son talent, et non sous cette forme détournée de cadeau, qui sentira quand même la coterie et la réclame[11]. » Le baryton Faure refuse. Sans explications. Ce qui n'étonne pas Monet. Mary Cassatt de même. Depuis la visite que fit Degas en 1877 dans l'atelier de cette jeune peintre américaine alors âgée de trente-trois ans, elle a exposé à quatre reprises avec les impressionnistes, en 1879, 1880, 1881 et 1886. Fille d'un banquier et fière d'appartenir à une famille patricienne de Pennsylvanie, dont le frère préside les chemins de fer, elle ne s'est pas privée de donner à Durand-Ruel des conseils décisifs pour provoquer l'achat d'œuvres de ses amis aux Etats-Unis. Pourquoi donc refuse-t-elle ? « Je ne sais sous quelle influence[12] », se demande Monet dans une lettre à Mallarmé qui ne peut guère souscrire que pour 25 francs. (Mary Cassatt se serait-elle irritée de ce que la souscription prive les Etats-Unis d'un chef-d'œuvre ?) Monet a tardé à demander à Mallarmé de s'associer à sa démarche pour une raison particulière : « Je suis tout honteux vraiment de ma conduite, écrit-il, et je mérite tous vos reproches. Il n'y a cependant pas mauvaise volonté de ma part comme vous pourriez le penser. La vérité vraie, c'est que je me sens incapable de vous faire rien qui vaille : il y a peut-être excès d'amour-propre, mais vraiment, dès que je veux faire la moindre chose avec des crayons, cela est absurde et de nul intérêt, par conséquent indigne d'accompagner vos poèmes exquis. (*La Gloire* m'a ravi et j'ai peur de n'avoir pas le talent nécessaire pour vous faire quelque chose de bien.) Ne croyez pas à une vulgaire défaite, c'est hélas la pure vérité ; excusez-moi donc et surtout d'avoir mis ce temps à vous l'avouer. Vous savez la sympathie et l'admiration que j'ai pour vous, eh bien ! permettez-moi de vous le prouver en vous offrant comme souvenir d'amitié une petite toile (une pochade) que j'irai vous porter quand je viendrai à Paris un de ces jours et que vous me ferez le plaisir d'accepter tout simplement comme je vous l'offre[13]. »

Si Monet essuie quelques refus, en revanche il reçoit des participations auxquelles il n'osait croire, celles de Duez, d'Ary Renan, d'Alfred Roll, de Besnard, de Félix Bouchor... Mme Scey-Montbélliard, qui a acheté plusieurs de ses toiles, verse quant à elle, comme personne d'autre, 2 000 francs. Le 3 novembre, la somme réunie pour la souscription s'élève précisément à 18 330 francs. Il peut donc écrire à Berthe Morisot que « la somme fixée sera donc facilement couverte[14] ». La même lettre laisse pointer une inquiétude : « Proust semble se dérober et, après m'avoir fixé un rendez-vous, ne m'a pas reçu[15]. » Cela n'entame pas sa résolution : « Dès que je le pourrai je viendrai vous causer de tout cela, car je ne céderai pas, et je suis décidé à tout pour réussir[16]. » Monet n'a pas le temps d'aller à Paris dans les semaines qui suivent. Le 25 décembre, il écrit à Berthe Morisot qui s'est permis de lui donner un conseil : « Je crois que vous avez pleinement raison en me conseillant d'attendre un peu pour l'*Olympia* ; [...] j'ai du reste cessé momentanément de m'occuper de la souscription, c'est prudent par ces jours d'étrennes[17]. »

Inutile de faire la moindre démarche à Paris. La remise officielle du tableau à l'Etat peut attendre que commence l'année 1890. D'autant que, depuis le début du mois d'octobre, M. Zidler, son directeur, attire au Moulin-Rouge le Tout-Paris et tout Paris, fascinés par le quadrille dansé par Vide-bouteilles, Grille d'égout, la Sauterelle et Nini-Pattes-en-l'air, ou encore la Goulue et Valentin le Désossé coiffé de son tube lustré au pétrole, viennent entendre Yvette Guilbert chanter[18]. Après tout, elle n'est pas si différente de la *Chanteuse des rues* de Manet pour laquelle posa Victorine Meurent en 1861. Et Victorine a été le modèle d'*Olympia*...

1890/1

Puisque la guerre est déclarée
nous allons lutter jusqu'au bout[1]

Le 21 janvier, la foudre tombe sur Giverny. Un article signé Gaston Calmette rapporte dans *Le Figaro* des propos d'Antonin Proust tenus dans les couloirs de l'Assemblée nationale à propos du tableau qu'est l'*Olympia*, dont il assure que « ce qui est à peu près certain, c'est qu'il n'ira pas au Louvre ; et ce qui est encore plus certain, c'est que je ne demanderai pas pour lui l'entrée au Louvre[2] ». Monet laisse exploser sa colère. Le jour même, il écrit à Geffroy, se dit « furieux » et lui demande d'écrire au plus tôt un article : « Il y aura beaucoup à dire sur ce beau tableau et sur la canaillerie et sur l'imbécillité des gens[3]. » Et, le lendemain, c'est à Berthe Morisot qu'il crie sa révolte : « Ce Proust est un joli coco et il comprend singulièrement l'amitié. Cette façon de s'ériger en arbitre et de juger l'*Olympia* et la façon dont il affirme qu'en faisant cette souscription nous ne nous préoccupons pas de ce que deviendra le tableau, comme si c'était une quête que nous faisions, quel pignouf[4] ! » Antonin Proust a, dès le 20 janvier, confié à *La République française* : « Manet n'a jamais rien sollicité de l'Etat et j'ai trop le respect de sa mémoire pour associer son nom à une requête qu'il eût réprouvée[5]. » Il a osé ajouter que l'on « canonisera Manet à son heure, mais cette heure n'est pas venue[6] ». En revanche, c'est celle de la guerre, « et puisque la guerre est déclarée nous allons lutter jusqu'au bout[7] ».

Si le savoir-vivre et la politesse autant que le protocole républicain interdisent à Monet d'écrire à un ancien ministre qu'il n'est qu'un « joli coco » et un « pignouf », ils ne l'empêchent pas de lui dire son fait et qu'il ne saurait, seul, se prendre pour l'Etat : « Vous avez cru devoir dire publiquement que, n'aimant pas l'*Olympia*, vous ne demanderiez pas l'entrée au Louvre. Eh bien, n'est-ce pas là, avouez-le, le meilleur moyen de nuire à notre entreprise et n'est-ce pas comme une campagne contre Manet ? Pauvre Manet ! Et vous blâmez une manifestation qu'il eût réprouvée, dites-vous. Ce qu'il eût réprouvé avec fierté, c'est l'aumône que vous prétendez faire à sa veuve et le peu de cas que vous faites du tableau qu'il préférait. Nous ne demandons rien à l'Etat. Nous comptons lui offrir ce tableau. A lui de le refuser ou de l'accepter. Alors seulement nous verrons ce que nous aurons à faire, mais je ne vois pas que, parce que vous n'aimez pas l'*Olympia*, ce tableau n'irait pas au Louvre, et cela malgré le conseil que vous donnez à l'Etat de le refuser. Il est du reste à présumer qu'en présence de l'autorité et de la compétence qui donnent une certaine signification à la souscription, l'Etat saura ce qu'il a à faire[8]. » Le lendemain, le 23 janvier, Monet ne se prive pas de préciser à Eugène Manet, frère d'Edouard, mari de Berthe Morisot, qu'il tient ce Proust pour « un sot imbécile », pour un « mufle »[9]. Dans les jours qui suivent, Antonin Proust exprime des regrets et désavoue les paroles que Gaston Calmette lui a attribuées dans *Le Figaro*. Monet en prend note. Et demande à Proust d'adresser lui-même une rectification au journal. Le démenti tarde. Octave Mirbeau est mobilisé par Monet. Trop heureux de jeter de l'huile sur le feu, dans *Le Figaro* du 26 janvier il ne se prive pas de rappeler que, parmi les quatorze toiles de Manet présentées à l'exposition centennale, il y avait le portrait de M. Antonin Proust lui-même : « Au lendemain de l'exposition centennale, M. Proust était fort chaud pour Manet, qui avait permis que toutes les nations admirassent, dans la salle d'honneur et à la meilleure place, les traits non pareils de M. l'ancien ministre des Beaux-Arts, et son chapeau fameux. M. Proust promit donc tout ce qu'on voulut. Je dois dire, cependant, que M. Proust ne trouvait pas heureux le choix de l'*Olympia*. Il manquait quelque chose à ce tableau... Quoi ?... Il ne le savait pas au juste... Mais il manquait quelque chose... Probablement de n'être pas le portrait de M. Proust... Il y a dans l'esthétique des anciens ministres des Beaux-Arts des mystères insondables[10]. » Ulcéré, certain de l'origine de cette attaque, Proust écrit à Monet le 27 janvier : « Monsieur, Les journaux m'ont pendant trois semaines attribué une initiative qui vous appartient. Vous êtes resté muet : c'était votre droit. J'ai parlé : c'était le mien. Vous pensez aujourd'hui que mes paroles ont été désobligeantes pour vous. Si vous vous trouvez offensé, j'attends vos amis[11]. » Quelle arme devra choisir Monet pour le duel qui lui est proposé ? L'épée, le sabre, le pistolet ? Théodore Duret et Georges Geffroy sont les témoins de Monet. Ils se présentent chez Proust. Monet attend dans un café du boulevard Haussmann. Les témoins parviennent à arranger l'affaire, permettent une « rencontre pacifique » des adversaires. Le duel n'aura pas lieu. Un rendez-vous est pris.

Le 1er février, Proust s'associe à la souscription pour la somme de trois cents francs. Aucune des séductions qu'il déploie lors de leur entretien ne convainc Monet de relâcher sa vigilance. Cette rencontre l'assure qu'il faut faire vite.

Il envoie à tous les souscripteurs une circulaire imprimée dès le 4 février. Et, le 7, il écrit au ministre de l'Instruction publique Armand Fallières. Il lui remet sa lettre en main propre, en compagnie de Camille Pelletan qui dirige *La Justice* avec Clemenceau. Impeccable lettre qui conjure les objections artistiques, morales ou administratives qui pourraient être présentées : « Monsieur le Ministre, Au nom d'un groupe de souscripteurs, j'ai l'honneur d'offrir à l'Etat l'*Olympia* d'Edouard Manet. Nous sommes certains d'être ici les représentants et les interprètes d'un grand nombre d'artistes, d'écrivains et d'amateurs qui ont reconnu depuis longtemps déjà quelle place considérable doit tenir dans l'histoire du siècle le peintre prématurément enlevé à son art et à son pays. Les discussions auxquelles les tableaux de Manet ont servi de sujet, les hostilités qu'ils eurent à subir sont maintenant apaisées. La guerre serait encore ouverte contre une telle individualité que nous n'en serions pas moins convaincus de l'importance de l'œuvre de Manet et de son triomphe définitif. Il nous suffirait de nous rappeler, pour ne citer que quelques noms autrefois décriés et repoussés, et aujourd'hui célèbres, ce qui est advenu à des artistes comme Delacroix, Corot, Courbet, Millet, l'isolement de leurs débuts et leur incontestable gloire posthume. Mais, de l'aveu de la grande majorité de ceux qui s'intéressent à la peinture française, le rôle d'Edouard Manet a été utile et décisif. [...] Nous avons voulu retenir une des toiles les plus caractéristiques d'Edouard Manet, celle où il apparaît en pleine lutte victorieuse, maître de sa vision et de son métier. C'est l'*Olympia* que nous remettons entre vos mains, Monsieur le Ministre. Notre désir est de la voir prendre place au Louvre, à sa date, parmi les productions de l'école française. Si les règlements s'opposent à cette entrée immédiate, s'il est objecté, malgré le précédent de Courbet, qu'une période de dix ans n'est pas écoulée depuis la mort de Manet, nous estimons que le musée du Luxembourg est tout indiqué pour recevoir l'*Olympia* et la garder jusqu'à l'échéance prochaine. Nous espérons que vous voudrez donner votre appui à l'œuvre à laquelle nous nous sommes attachés, avec la satisfaction d'avoir accompli simplement un acte de justice[12]. »

La très officielle réponse du ministre, datée du 12 février, précise : « Je charge le directeur des Beaux-Arts et le comité consultatif des Musées d'examiner, d'après les règlements, la nature de cette donation et je m'empresserai de vous faire connaître quelle suite peut y être donnée[13]. » Monet se méfie d'instinct de ce comité derrière lequel, tel Ponce Pilate, le ministre se retranche. Aussi, à Gustave Larroumet, directeur des Beaux-Arts auquel le dossier a été transmis, il rappelle le 26 février que les donateurs « n'ont d'autre désir que de voir ce tableau placé au Louvre ou, si les règlements s'y opposent quant à présent, au musée du Luxembourg[14] ». Ce rappel est d'autant plus nécessaire que, la veille, Gustave Larroumet a lu ces colonnes de *La Liberté* : « Il n'y a pas que les Français qui visitent notre grand musée national, devenu le conservatoire de l'art universel. Les deux mondes, représentés par des foules de visiteurs, circulent journellement dans les galeries de ce palais où sont gravés les fastes de notre histoire, et où chacun peut encore évoquer les figures les plus rayonnantes de la monarchie. Eh bien ! que penseront les étrangers, non moins raffinés que nous, lorsque parmi les chefs-d'œuvre, au sein de ces magnificences, ils trouveront, hurlant la fausse note, cette *Olympia* si bizarre et son horrible escorte ? Que diront ces gens-là, ces raffinés de tous pays, ces Latins des deux mondes, ces Attiques de partout, en présence de cette créature affichant le vice et l'art le plus incomplet dans le Louvre de François Ier et d'Henri II, au sein des plus pures manifestations de la beauté idéale[15] ? »

Le 15 mars, le même directeur des Beaux-Arts informe Monet de ce que « le comité a émis l'avis qu'il n'y avait pas lieu de placer immédiatement ce tableau au Louvre. Il a été d'avis qu'il n'y avait pas lieu de le placer au Luxembourg, en prenant l'engagement de le mettre au Louvre après un délai de dix ans écoulés depuis la mort de l'auteur. Il a été d'avis, enfin, de l'accepter pour le Luxembourg, sans engagement[16] ». Quinze jours plus tard, il « s'empresse » de lui faire « connaître qu'en entrant au Luxembourg, l'*Olympia* subirait la condition ordinaire de tous les tableaux admis dans ce musée, c'est-à-dire que son entrée au Louvre serait toujours possible, lors des remaniements annuels et dans les cas prévus par le décret organique des Musées nationaux[17] ». Précision donnée au conditionnel au nom de l'administration : « J'ajoute, cependant, que, vu l'intérêt de l'œuvre et les intentions des donateurs, elle s'efforcerait de la conserver toujours à Paris, et sous les yeux du public[18]. » Pressé par Monet, Gustave Larroumet se doit, le 21 avril, d'ajouter : « Il ne s'agit donc là que d'une *intention* bienveillante, mais non d'une *promesse* ni d'une *assurance*. » Enfin, le 20 mai, c'est Léon Bourgeois, à son tour ministre de l'Instruction publique et des Beaux-Arts, qui écrit à Monet : « Mon administration ne saurait prendre l'engagement de le maintenir au Luxembourg et de ne l'envoyer jamais en province, car ce serait mettre ce tableau en dehors des règlements qui régissent les Musées nationaux. Toutefois, prenant en considération l'intérêt de l'œuvre et le vœu des donateurs, son intention est de conserver toujours l'*Olympia* à Paris et sous les yeux du public[19]. » Monet ne peut qu'accepter.

Maître Grimpard, notaire à Vernon, établit l'acte de donation le 26 août et, après consultation du Conseil d'Etat, enfin, le 17 novembre, le décret d'acceptation de l'Etat, signé par Carnot, président de la République, Léon Bourgeois, ministre de l'Instruction publique et des Beaux-Arts, et Larroumet, directeur des Beaux-Arts, est publié au *Journal officiel*. Déjà, le 18 mars, Suzanne Manet a signé ce reçu : « Reçu de M. Claude Monet, la somme de dix-neuf mille quatre cent quinze francs, montant de la souscription pour l'achat de l'*Olympia* de mon mari[20]. »

Le 26 novembre, de retour à Giverny, Monet écrit à Berthe Morisot après une visite au musée du Luxembourg : « J'ai pu seulement y aller dernièrement et tout en courant, et, ma foi, sans m'occuper de l'épouvantable entourage et de ce que contient ce stupide musée, j'avoue avoir été ravi. Jamais je n'ai mieux vu l'*Olympia* et je pense que c'est aussi votre avis[21]. » Il aura fallu plus de dix mois pour que l'Etat se résigne à l'accepter...

Les adversaires de l'*Olympia* de Manet et de ces impudents impressionnistes guidés par Monet qui prétendent forcer la porte du Louvre sont loin de s'avouer vaincus. Dans *La France illustrée, journal littéraire, scientifique et religieux* du 17 mai 1890, M. Oscar Havard s'est fait leur porte-parole : « L'effronterie des apologistes d'*Olympia* a provoqué une réaction salutaire. Enhardis par d'inexcusables faiblesses, les amis de Manet ont voulu décerner à la burlesque toile du "Maître" les honneurs du Louvre. Cette prétention a tout perdu. On s'est mis à discuter les titres des "fumistes" qui patronnaient une telle intrusion et peu à peu le public qui, pour suivre la mode, avait pris au sérieux les tabarinades des Antonin Proust, le public sérieux a trouvé que la comédie allait trop loin et qu'il était temps de mettre le holà. Assez d'histrionisme ! » Il faut se rendre à l'évidence : « Les impressionnistes n'ont rien innové, rien, absolument rien. » Il faut que les choses soient claires : « Ce n'est pas une "révolution" que l'impressionnisme puisque c'est un recul : il considère comme non parvenus les progrès accomplis par toute une lignée de chercheurs et de héros. Eh bien ! l'honneur du Salon de 1890 est de remettre à leur place les "poseurs" et les "ratés" qui voudraient nous imposer le respect de leur impuissance. » Conclusion : « Oui, les peintres doivent être de leur temps. Loin de les blâmer, nous les féliciterons d'évoquer devant nos regards les scènes et les personnages dont la rue et les champs se constellent. Mais au moins faut-il qu'ils se montrent logiques et qu'à la peinture des sujets modernes s'ajoute une exécution moderne. Un impressionniste qui procède des maîtres primitifs et des enlumineurs japonais est-il un artiste de son temps ? On ne saurait le soutenir. Son art est un anachronisme[22]. »

M. Monet, ses complices et ses comparses doivent se rendre à l'évidence : en dépit de leur prétention, de leur ambition proclamée, la modernité n'est pas de leur côté. La perversité de la démonstration d'Havard ne laisse pas de place au moindre doute : le combat qu'a engagé Monet est loin d'être terminé...

1890/2

Cette satanée peinture me torture[1]

A Mallarmé qui lui confirme que, comme promis, il viendra déjeuner à Giverny le 13 juillet, Monet répond : « Je suis triste et découragé par le temps et la peinture : votre visite me fera un double plaisir. J'écris à Mme Manet et compte sur vous pour dimanche matin[2]. » Cette lettre terminée, il prend aussitôt une autre feuille et, en ce même 11 juillet, écrit à Berthe Morisot : « Nous serons tous très heureux de vous avoir avec votre mari et l'ami Mallarmé et j'espère que vous me remonterez un peu le moral car je suis dans un découragement complet. Cette satanée peinture me torture et je ne puis rien faire. Je ne fais que gratter et crever des toiles. Je sais bien qu'étant resté longtemps sans rien faire, il fallait m'attendre à cela, mais c'est que ce que je fais est en dessous de tout. Vous devez comme nous maudire le temps. Quel été ! Ici, nous sommes dans la désolation ; mes jolis modèles ont été malades. Enfin, ennui sur ennui[3]... »

Le 13 juillet, les Manet et Mallarmé arrivent ensemble de Mézy. On déjeune dans la salle à manger jaune. On discute, on évoque la souscription pour l'*Olympia*, on parle de cuisine – quelques jours plus tard, Monet ne manque pas de rappeler à Mallarmé qu'il doit lui envoyer « la recette des girolles[4] » promise. On passe dans l'atelier. Monet y invite Mallarmé à choisir une toile, cette toile qu'il lui a offerte pour se faire pardonner de n'avoir pas donné de dessins pour *Pages*. Mallarmé hésite, troublé, gêné. Enfin, conseillé sans doute par Berthe Morisot, il fait le choix d'une toile de 1884 de soixante centimètres sur un peu plus de quatre-vingts, *Le Train à Jeufosse*. Le clocher de l'église de Jeufosse se reflète dans la Seine sur la berge de laquelle passe un train en direction de Bonnières et, au-delà, de Paris.

Au retour, dans la voiture à cheval qui les ramène à Mézy au travers des villages en fête à la veille du 14 juillet, Mallarmé confie à Berthe Morisot : « Une chose dont je suis heureux, c'est de vivre à la même époque que Monet[5]. » Et, le 21 juillet, il écrit à Monet : « On ne dérange pas un homme en train d'une joie pareille à celle que me cause la contemplation de votre tableau, cher Monet. Je me noie dans cet éblouissement et estime ma santé spirituelle du fait que je le vois plus ou moins, selon mes heures. Je me suis peu couché la première nuit, le regardant ; et, dans la voiture, Mme Manet était humiliée que je ne craignisse les incartades du cheval, parmi le bruit de la fête, qu'au point de vue de ma toile... Vous triste ! le seul être qu'un découragement ne doive effleurer[6] ! »

Triste, Monet ne cesse pas de l'être comme il ne cesse pas d'être découragé. Ce même 21 juillet, il écrit à Geffroy : « Je suis bien au noir et profondément dégoûté de la peinture. C'est décidément une torture continuelle ! Ne vous attendez pas à voir du nouveau, le peu que j'ai pu faire est détruit, gratté ou crevé. Vous ne vous rendez pas compte de l'épouvantable temps qu'il n'a cessé de faire depuis deux mois. C'est à rendre fou furieux, quand on cherche à rendre le temps, l'atmosphère, l'ambiance. Avec ça, tous les ennuis, me voilà bêtement atteint de rhumatismes. Je paie mes stations sous la pluie et la neige et ce qui me désole, c'est de penser qu'il me faut renoncer à braver tous les temps et à travailler dehors, hormis par le beau temps. Quelle bêtise que la vie[7] ! »

Exactement un mois plus tôt, il l'avait informé de ce qu'il tentait de relever un nouveau défi : « J'ai repris encore des choses impossibles à faire : de l'eau avec de l'herbe qui ondule dans le fond... c'est admirable à voir mais c'est à rendre fou de vouloir faire ça. Enfin je m'attaque toujours à ces choses-là[8] ! » « Ça », c'est une yole d'acajou sur l'Epte à bord de laquelle ont pris place Suzanne et Blanche Hoschedé qui tire les rames. Devrait-il renoncer à cette herbe dans l'eau, devrait-il, à cause des rhumatismes, s'en tenir à des portraits comme celui de Suzanne qu'il a peint quelques mois plus tôt dans l'atelier ? Lilla Cabot Perry a assisté à cette séance de travail. « Il avait fait poser sa belle-fille, une belle adolescente, dans une robe en mousseline lilas, assise à une petite table où elle appuyait un coude. Dans un vase, devant elle, se trouvait un tournesol qu'il représentait grandeur nature. Elle apparaissait tout entière dans le tableau, mais pas tout à fait grandeur nature, car elle se trouvait un peu en retrait par rapport à la fleur. En comparant avec les extérieurs de Monet ou avec la plupart de ses portraits d'atelier, je fus frappée par la tonalité très assourdie et très sombre de cette peinture[9]. » Et peut-être cette fois de nouveaux encouragements de Mirbeau qui sont des injonctions redonnent-ils confiance à Monet : « Ah ! vous qui êtes un fort et un voyant, et qui avez le génie de la création, vous qui travaillez à des choses vraies et saines, dites-vous bien que vous êtes un heureux et un élu de la vie et que vous avez tort de vous plaindre. Vous avez derrière vous une œuvre énorme et splendide ; vous en avez encore une, devant vous, plus belle peut-être parce que, chez les tempéraments comme le vôtre, tout grandit, s'élargit, pousse en force, avec le temps. Ne vous martyrisez pas à vouloir l'impossible[10]. » Dès que le temps le lui permet, il retourne dans les champs. Ils sont rouges de coquelicots. Souvenir de Clemenceau : « J'ai souvent raconté comment, un jour, j'avais trouvé Monet devant un champ de coquelicots, avec quatre chevalets sur lesquels, tour à tour, il donnait vivement de la brosse à mesure que changeait l'éclairage avec la marche du soleil[11]. » Monet peint cinq toiles de ce champ des Essarts derrière lequel, au-delà des arbres, une colline qui domine Giverny s'incline vers Vernonnet. Il peint encore à cinq reprises un champ d'avoine ourlé par les frondaisons des arbres des bois de la Réserve et du Gros Chêne, tachés de rouge par les coquelicots.

Monet, au début du mois d'août, se doit d'avouer à Durand-Ruel : « Voilà une éternité que je veux vous écrire, mais je suis tellement pris par le travail que je remets chaque jour au lendemain[12]. » L'explication qu'il donne à de Bellio de son silence est la même quelques semaines plus tard : « Mon excuse est que je travaille énormément et que le soir venu je suis las et absorbé par ce que je fais, de sorte que la correspondance est chaque jour remise au lendemain[13]. »

Cette reprise intense du travail est tout à coup interrompue par l'hospitalisation de Jean au Havre où il fait son service militaire. Régulièrement, en septembre, Monet fait des allers et retours entre Giverny et Le Havre pour rendre visite à son fils. Dans le même temps, les domestiques partent, ce qui cause « une vraie déroute dans la maison[14] ». L'élan est cassé.

Au début du mois d'octobre, Monet se remet en branle. Explication donnée à Geffroy : « Je deviens d'une lenteur à travailler qui me désespère, mais plus je vais, plus je vois qu'il faut beaucoup travailler pour arriver à rendre ce que je cherche : l'instantanéité, surtout l'enveloppe, la même lumière répandue partout, et plus que jamais les choses faciles venues d'un jet me dégoûtent. Enfin, je suis de plus en plus enragé du besoin de rendre ce que j'éprouve et fais des vœux pour vivre encore pas trop impotent, parce qu'il me semble que je ferai des progrès. Vous voyez que je suis en bonne disposition[15]. »

En 1888 déjà, après la moisson, Monet s'était arrêté dans le clos Morin. Il y avait peint ces meules dressées dans l'attente du battage par les « tasseurs » qui travaillent pour le fermier Quéruel, un « cultivant » parmi les plus importants de Giverny. Or, en 1888, il ne les a peintes que cinq fois, devant les coteaux qui dominent la rive gauche de la Seine ou devant les peupliers tendus sur la masse des collines. Cette fois, il s'arrête. Peintes presque par inadvertance, par accident en 1888, elles deviennent, deux ans plus tard, un motif qui s'impose à lui exclusivement pour plusieurs mois. Récit de Clemenceau : « On chargeait des brouettes, à l'occasion même un petit véhicule campagnard, d'un amas d'ustensiles, pour l'installation d'une suite d'ateliers en plein air, et les chevalets s'alignaient sur l'herbe pour s'offrir aux combats de Monet et du soleil. C'était une idée bien simple qui n'avait encore tenté aucun des plus grands peintres. Monet peut en revendiquer l'honneur[16]. »

Et Monet s'acharne. Alors son propriétaire l'avertit de la mise en vente de sa maison. Aussitôt, Monet prévient Durand-Ruel : « Je viens vous annoncer que mercredi ou jeudi prochain je vous apporterai vos tableaux, je n'en ai plus qu'un ou deux à finir et aussitôt je viendrai. Mais je serai obligé de vous demander pas mal d'argent, étant à la veille d'acheter la maison que j'habite ou de quitter Giverny, ce qui m'ennuierait beaucoup, certain de ne jamais retrouver une pareille installation ni un si beau pays[17]. » Nul doute à avoir, au cours de leur conversation le marchand et le peintre conviennent d'un accord. A la promesse du marchand de l'aider à faire l'acquisition de sa maison de Giverny répond la promesse du peintre d'être plus fidèle. Cette fidélité sera d'autant plus facile à respecter que, depuis la mort de son frère Vincent qui s'est tué à Auvers-sur-Oise à la fin du mois de juillet, Théo Van Gogh va de plus en plus mal. Le 17 novembre, l'acte de vente est signé chez maître

Quimpard, à Vernon. Les vingt-deux mille francs du prix de vente devront être payés en quatre versements les 1er novembre à dater du 1er novembre 1891. Monet est chez lui à Giverny. Il y est propriétaire et certain de pouvoir y rester. Et il y peint des meules. A la fin du mois de novembre, au début du mois de décembre, le temps y est aussi beau qu'à Eragny où Pissarro se plaint de n'avoir pu assez en profiter. Moralité, selon Monet : « Ce qui autrefois nous semblait facile est le diable à faire et il faudrait plus de temps. Enfin, jusqu'au dernier moment ce sera la même lutte. J'envie presque ceux qui travaillent dedans, il doit y avoir moins de déceptions[18]. »

Alors qu'il lui semble qu'il aborde un temps nouveau de sa vie, un projet de Durand-Ruel le tire vers le passé. Inacceptable : « Quant à votre projet d'exposition, nous en causerons ensemble à la première occasion mais je suis, moi, tout à fait rebelle en ce qui touche le rétablissement d'expositions du groupe ancien. Vous avez chez vous des tableaux de nous tous, ce qui constitue une sorte d'exposition permanente ; je crois que cela est suffisant et que l'intérêt serait bien plus grand de faire de temps en temps une petite exposition d'un choix des œuvres récentes de l'un de nous mais refaire nos anciennes expositions me paraît une chose inutile et peut-être mauvaise. Voilà quel est mon avis et nous en causerons plus longuement[19]. » Que Durand-Ruel se donne la peine de venir jusqu'à Giverny. Il y verra que Monet a ce qu'il faut pour une prochaine exposition personnelle.

1891

Je n'ose quitter Giverny et j'en profite pour retoucher quelques toiles[1]

Dans le numéro 42 du 15 janvier 1891, la revue bimensuelle *La Plume* publie une nouvelle d'un certain Alcide Guérin, *A l'Opéra*. Dès la première page du récit dont l'héroïne est Antonia, une « courtisane de la plus aristocratique espèce » connue de tout Paris et dont « les démêlés avec un prince russe, son amant », firent scandale quelques mois plus tôt, l'auteur énumère les « merveilles qui encombrent » son salon, sa salle à manger, sa chambre à coucher, son boudoir. Y sont

Portrait de Claude Monet en uniforme de chasseur d'Afrique, huile sur toile de Charles-Marie Lhuillier, 1861.
Musée Marmottan © akg-images

Eugène Boudin (1824-1898), photographie
de Pierre Petit. Giraudon, Archives Larousse © Bridgeman Giraudon

Edouard Manet (1832-1883),
photographie de Cortat. © Roger-Viollet

Jean-Frédéric Bazille
(1841-1870). © Roger-Viollet

Auguste Renoir
(1841-1919).
© Ullstein Bild/Roger-Viollet

Gustave Caillebotte
(1848-1894). Bibliothèque des Arts décora
Paris, Archives Charmet © The Bridgeman Art Lil

Camille Pissarro (1830-1903) et
Paul Cézanne (1839-1906). © Roger-Viollet

Paul Durand-Ruel (1831-19.
marchand d'art. Tallandier © Rue des

Monet peignant dans son jardin à Argenteuil, huile sur toile d'Auguste Renoir, 1873.
Hartford (Connecticut), Wadsworth Atheneum. © akg-images

Claude Monet dans son atelier-bateau, huile sur toile d'Edouard Manet, 1874.
Munich, Neue Pinakothek © akg-images

Impression, soleil levant,
1873, Claude Monet.
La critique s'étrangle et condamne :
ces taches, ces traces de couleurs
qui sont à peine une ébauche,
cette toile inachevée ne saurait
passer pour un paysage !
Mais l'impressionnisme est né…
Musée Marmottan © akg-images/Erich Lessing

Cette jeune femme montrée de dos, loin des portraits qu'affectionne la société bien pensante, serait-elle de celles qui se retournent lorsqu'on les hèle dans la rue ? Cette œuvre de jeunesse de Monet fit scandale au Salon. *Camille (La dame à la robe verte)*, huile sur toile de Monet, 1865-1866.
Breme, Kunsthalle © akg-images/Erich Lessing

Pour Monet, Camille, sa jeune femme, pose en *Japonaise*, huile sur toile, 1875.
Boston (Massachusetts), Museum of Fine Arts
© The Bridgeman Art Library

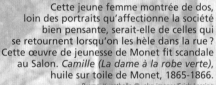

Claude Monet, huile sur toile de Sévérac, 1865.
Musée Marmottan
© akg-images/Erich Lessing

Monet peign dans son ate de Give
© Albert Harli
Roger-

Près du bassin des nymphéas, été 1905, photographie de Jacques-Ernest Bulloz. © RMN/Bulloz

Les familles
Monet et
Hoschedé,
vers 1880.

Claude Monet
et sa seconde
femme Alice
sur la place
Saint-Marc,
Venise,
octobre 1908.

Monet dans son
jardin de Giverny avec
Georges Clemenceau.

exposés des Rembrandt, des Delacroix, des Corot, un Ruysdael « que Rothschild pourrait payer de sa fortune »... Et, parmi ces œuvres, il y a encore « deux marines de Monet, fougueuses et terribles », et un plâtre de Rodin, « ce plâtre qui semble de la chair, où la vie éperdue et damnée crie ». Cette citation du nom de Monet au côté de celui de Rodin dans une nouvelle serait-elle le signe de ce que le temps de la polémique, du dédain, si ce n'est de la condamnation, est terminé ? C'est loin d'être certain. Un an plus tôt, le 18 janvier 1890, Goncourt note dans son *Journal* : « Un après-midi passé devant les tableaux anglais de Groult, devant ces toiles génératrices de toute la peinture française de 1830, ces toiles qui renferment une lumière si laiteusement cristallisée, ces toiles aux jaunes transparences des couches superposées d'une pierre de talc. Oh ! Constable, le grand, le grandissime maître !... Il y a parmi ces toiles un Turner : un lac d'un bleuâtre éthéré, aux contours indéfinis, un lac lointain, sous un coup de jour électrique, tout au bout de terrains fauves. Nom de Dieu ! ça vous fait mépriser l'originalité de Monet et des autres originaux de son espèce[2] ! »

Monet se contrefiche des Goncourt comme il ignore qu'un auteur de *La Plume* l'associe à Rembrandt, Delacroix ou Corot. En ce début d'année, il fait froid à Giverny. Il y a de la neige. Plusieurs jours de suite, au début de janvier, la température descend au-dessous de − 10°. Pendant presque deux semaines, jusqu'au 24, la Seine est prise dans les glaces. Monet ne peut recommencer de peindre les meules couvertes par la neige, par la gelée blanche, qu'après avoir dû, pendant deux semaines, faire des démarches et des allées et venues une fois de plus entre Le Havre et Giverny pour son fils Jean. Les interventions auprès de divers colonels et généraux, auprès du maréchal Canrobert lui-même, n'ont encore abouti à rien. L'armée, dernière proposition faite à la fin de l'année 1890 et déposée par les gendarmes à Giverny, pourrait consentir à accorder trois mois de congé au sergent Jean Monet à la condition qu'il rende ses galons à son colonel. Ce qui est pour Monet aussi absurde que scandaleux. Autre lutte...

Il lui faut, à la fin du mois de janvier, retourner chaque jour dans le clos Morin. Le meules doivent y être démantelées. A Durand-Ruel, le 21 janvier : « En ce moment je suis dans l'affolement de travail, j'ai des masses de choses en train et ne puis distraire une minute, voulant avant tout profiter de ces splendides effets d'hiver[3]. » Monet veut d'autant moins distraire le moindre moment de ce travail que, Durand-Ruel en est convenu, il est hors de question d'en revenir à une exposition du groupe ancien. Ce qui ne veut pas dire que la solidarité entre ceux qui ont constitué ce groupe soit morte. A Pissarro auquel l'argent continue de manquer et qui lui demande de lui accorder un prêt, Monet répond le 7 février : « S'il y a eu entre nous quelques petits froissements ou dissentiments à propos de groupements ou d'école, chose stupide en somme, nous sommes de trop vieux amis pour ne pas nous entraider à l'occasion[4]. » A la fin du même mois de février, Berthe Morisot, autre signe de respect et d'affection entre les membres du « groupe ancien », dissipe un malentendu provoqué par un certain Portier. Celui-ci, qui ne savait rien de leur relation amicale, lui a vendu l'une des toiles qu'il tenait à lui offrir. « Le pauvre Portier n'est à blâmer en rien ; j'ai vu votre toile et lui ai demandé de l'acheter comme je vous l'avais dit, ce qui était tout naturel[5]. »

Pour d'autres raisons, il aurait tout autant de plaisir à voir Durand-Ruel à Giverny pour que celui-ci fasse le choix des tableaux qui seront exposés dans sa galerie de la rue Le Peletier dès le début du mois de mai. Monet se refuse à faire lui-même un choix parmi ses « dernières choses ». « Je vous dirai franchement que cela est trop embarrassant pour moi, en même temps que très délicat. Je préfère donc attendre qu'il vous soit possible de venir jusqu'à Giverny pour choisir vous-même selon votre goût[6]. » Pour préparer l'exposition, Mirbeau se propose d'écrire un texte dans une nouvelle revue, *L'Art dans les deux mondes*. Que ces deux mondes soient l'ancien et le nouveau ne laisse pas Durand-Ruel indifférent... L'étude devrait être illustrée de reproductions de dessins que Monet tarde à donner. La raison de la publication d'un pareil article, le 7 mars, est claire : « Le public doit savoir aujourd'hui quel est l'idéal de cet art, et quelle sa signification, et quelle son influence régénératrice sur la peinture contemporaine. [...] Or, Claude Monet est maintenant célèbre, d'une célébrité durement, douloureusement, et chèrement gagnée. La critique, même la plus tardigrade, les peintres même les plus jaloux, n'osent plus contester l'énorme puissance et le charme infini de ses œuvres[7]. » Et Mirbeau de donner une explication de cette puissance et de ce charme : « Aussi, pour diversifier nos impressions, n'a-t-il pas besoin de varier ses motifs et de changer ses décors. Un même motif – comme dans l'étonnante série de ses meules hivernales – lui suffit à exprimer les multiples et si dissemblables émotions par où passe, de l'aube à la nuit, le drame de la terre[8]. » Le texte s'achève par une déclaration d'amour : « Et j'aime cet homme qui, maintenant, pourrait ambitionner toutes les vanités que la célébrité donne à ses élus, je l'aime de le voir, dans l'intervalle de ses travaux, en manches de chemise, les mains noires de terreau, la figure halée de soleil, heureux de semer des graines, dans son jardin toujours éblouissant de fleurs, sur le fond riant et discret de sa petite maison crépie de mortier rose[9]. »

Ni Claude Monet ni Alice Hoschedé ne peuvent se complaire à la lecture de ces pages. Ernest Hoschedé est au plus mal. Depuis des mois, l'intense douleur qu'il éprouve dans les jambes, attribuée à la goutte, l'empêche parfois de se lever. Les soins qu'a pu lui prodiguer le docteur Gachet depuis la fin de 1889 n'ont guère permis qu'une rémission. Pour Hoschedé, le plus efficace traitement, qui n'a pas été prescrit par Gachet, reste l'Amer Picon. Ni celui-ci ni les dernières prescriptions du médecin ne parviennent à enrayer une détérioration qui s'accélère depuis novembre dernier. Désespéré, reclus dans une chambre d'hôtel de la rue Laffitte, il appelle Alice. Très catholique, coupable, en dépit des liens sacrés du mariage, de l'avoir abandonné, elle accourt, l'accompagne dans son agonie, lui fait donner l'extrême-onction. Le 19 mars, à 10 heures du matin, l'officier d'état civil de la mairie du IXe arrondissement enregistre le décès de Jean Louis Ernest Hoschedé, âgé de cinquante-trois ans, « hier à minuit et quart ». Monet assume les frais des obsèques, célébrées dans l'église Notre-Dame-de-Lorette, de celui que l'officier d'état civil a qualifié d'« homme de lettres » parce qu'il a dirigé la rubrique artistique du *Magazine français illustré*, ce qui est loin de lui avoir permis de mettre fin à ses soucis financiers. Marthe, sa fille aînée, lui a envoyé en cachette quelques mois plus tôt un billet de cinquante francs glissé dans une enveloppe revenue à Giverny parce qu'elle avait mal libellé l'adresse.

Le 23 tout est fini. A Durand-Ruel : « Nous venons de passer par de bien pénibles moments, les enfants tenant à avoir leur père près d'eux. L'inhumation a eu lieu à Giverny, leur chagrin était bien pénible à voir et leur pauvre mère à bout de forces (elle avait tenu à veiller son mari pendant six jours et six nuits sans prendre une minute de repos) est arrivée ici dans un état tout à fait inquiétant et n'a pu quitter le lit depuis trois jours. Elle est enfin un peu mieux et j'espère que grâce à nos soins elle va se remettre petit à petit[10]. »

A la fin du mois d'avril, Monet s'occupe, vaille que vaille, troublé sans doute par la peine des enfants comme par les remords d'Alice, de la très prochaine ouverture de son exposition. Il tarde à donner les dimensions des cadres nécessaires. Il se trompe dans la liste des œuvres qui doit être publiée dans le catalogue, doit expédier une dépêche pour confirmer que « c'est 22 tableaux que j'aurai à exposer dont une série de 15 toiles (*Meules*)[11] ».

Mais déjà un bruit court dans Paris. Pissarro à son fils Lucien, le 3 avril : « Pour le moment on ne demande que des Monet. Il paraît qu'il n'en fait pas assez. Le plus terrible, c'est que tous veulent avoir des *Meules au soleil couchant* ! Toujours la même routine, tout ce qu'il fait part pour l'Amérique à des prix de quatre, cinq, six mille francs[12]. » Une confirmation tombe encore quelques jours plus tard. Pissarro à Lucien, le 9 avril : « Le commis de Boussod et Valadon m'a dit que les amateurs ne demandaient tous que des *Meules*, je ne sais pas comment cela ne gêne pas Monet de s'astreindre à cette répétition... Voilà les effets terribles du succès. Cela doit arriver souvent[13]... »

Comme prévu, l'exposition ouvre le 4 mai. Le texte de Geffroy publié dans le catalogue est un hymne à la puissance d'un « peintre subtil et fort, instinctif et nuancé[14] ». La préface s'accorde à un ton qui n'est pas si différent de ce que fut celui de Mirbeau quelques semaines plus tôt : « De toutes ces physionomies du même lieu, il s'exhale des expressions qui sont pareilles à des sourires, à des gravités et à des stupeurs muettes, à des certitudes de force et de passion, à de violents enivrements[15]. »

La foi de Mirbeau et celle de Geffroy emportent-elles les dernières hésitations des amateurs ? En deux jours tout est joué. Pissarro à Lucien, le 7 mai : « Monet a ouvert son exposition, je te l'ai écrit, eh bien ! à peine ouvert, mon cher, tout est vendu, dans les trois à quatre mille chaque[16] !... » Le lendemain, 8 mai, Monet n'en sait encore rien à Giverny. A Durand-Ruel, il adresse ce bref billet : « Vous seriez bien aimable de me faire savoir comment marche mon exposition. Je ne l'ai guère vue annoncée dans les journaux, mais je pense que malgré cela les gens que ma peinture intéresse y viendront quand même[17]. »

Monet reste à Giverny. Il parachève dans son atelier d'autres Meules dont il apprend vite que Durand-Ruel ne peut qu'en avoir besoin... D'autant que, quelques semaines plus tard, dans les salles de la galerie même, il confie à un jeune Hollandais, W. G. C. Byvanck : « Voyez ce tableau-là, qui dès le premier abord a attiré votre attention, celui-là seul est parfaitement réussi, peut-être parce que le paysage alors donnait tout ce qu'il était capable de donner. – Et les autres ? – Il y en a quelques-uns vraiment qui ne sont pas mal : mais ils n'acquièrent toute leur valeur que par la comparaison et la succession de la série entière[18]. » Monet laisserait-il entendre qu'un amateur conséquent devrait faire l'acquisition de plusieurs toiles ?

A la fin du mois de juillet, Pissarro peut se permettre de rembourser les mille francs empruntés. « Il me reste, mon camarade, à vous offrir une toile en échange de celle que vous m'avez donnée. Je suis bien embarrassé vraiment, je ne saurais vous offrir que quelque chose de très bien. Je ne suis guère satisfait, nous verrons à la fin de la saison[19]. » Réponse immédiate de Monet : « C'est bien gentil à vous de me donner une toile, vous savez le plaisir que cela me fera, mais ne faites cela que lorsque vous aurez des toiles devant vous, j'entends, sans que cela vous gêne[20]. » Un jour donc, la toile de Pissarro prendra place dans sa collection. En cette même fin du mois de juillet, Monet décline toutes les invitations qu'il reçoit. A Mallarmé, le 28 juillet : « Je dois vous l'avouer, j'ai beaucoup de peine à quitter Giverny surtout maintenant que j'arrange la maison et le jardin à mon goût[21]. »

Peut-être, pour distraire Alice d'un deuil qu'elle porte par convenance et par respect des enfants désormais orphelins de leur père, peine que ne suffit pas à apaiser l'affection que leur porte Monet, finit-il d'aménager la salle à manger qui a annexé la cuisine. Elle est peinte de deux tons de jaune, l'un très pâle, l'autre plus soutenu. De ce même jaune sont peintes les chaises, les dessertes, la table même qui peut recevoir jusqu'à une quinzaine de convives. Les buffets sont du même jaune, bien évidemment. Et, peut-être, avec Alice auprès de lui, commence-t-il de mettre en place sur les murs les estampes japonaises de Korin, d'Hokusaï, d'Hiroshighe, d'Utamaro, d'Hururolu, d'autres encore qu'il a fait mettre sous verre et encadrer d'une simple petite baguette de bois qui n'est ni peinte ni vernie. Ou peut-être, ensemble, rangent-ils la bibliothèque qui rassemble des auteurs aussi divers que les Goncourt, Octave Mirbeau, Flaubert, Gustave Geffroy, Zola, Tolstoï, Jules Renard, Ibsen, Clemenceau, Maeterlinck, Lucien Descaves, Mallarmé et d'autres encore. Il aime le soir à prendre un livre, en particulier en hiver, et à lire à haute voix tandis qu'Alice l'écoute en cousant. Tantôt c'est l'*Histoire de France* de Michelet, ou ce sont les *Mémoires* de Saint-Simon. Il revient souvent au *Journal* de Delacroix.

Peut-être encore profite-t-il de l'été pour faire repeindre les volets de la maison. Ils étaient gris. Il les fait peindre en vert. Peut-être consulte-t-il un entrepreneur à propos de travaux qu'il envisage. Il voudrait remplacer les quelques marches de pierre qui donnent accès à la maison par une longue terrasse de chêne qui longerait toute la façade, qui permettrait l'accès à chacune des pièces par des portes-fenêtres. La surplomberait un balcon qui courrait d'un bout à l'autre de la maison au premier étage. Il imagine encore de réaménager complètement son atelier, d'y faire construire un escalier qui épargnerait d'avoir à passer par l'extérieur pour rejoindre la maison, de le surélever d'un étage. Dans les deux pièces de ce qui pourrait devenir son appartement, prendrait place sa collection de peintures. Non pas les siennes, mais celles qu'il a échangées, celles qui lui ont été offertes, celles qu'il a pu acquérir et qu'il ne peut manquer de vouloir acquérir encore. D'acquérir si...

Si les toiles qu'il commence se vendent comme continuent de se vendre les *Meules*. Encore faudrait-il que l'on n'abatte pas son motif ! Souvenir de Jean-Pierre Hoschedé : « Arrivant en canot sur l'Epte, où il peignait sa série des *Peupliers*, il remarqua qu'ils étaient tous marqués à la hache, à la base du tronc. Renseignements pris, nous sûmes qu'ils devaient être abattus d'un jour à l'autre[22]... » Ce motif est, comme le clos Morin où se dressaient les meules, proche de la maison, à deux kilomètres. Ce sont les peupliers qui s'élèvent au bord du marais communal de Limetz, au bord de l'Epte. Les démarches faites auprès du maire restent vaines. Le 18 juin, le conseil municipal de Giverny vote l'adjudication à un marchand de bois. Les arbres seront donc abattus. Pour éviter cet attentat, Monet s'associe à un mandataire. Si les enchères dépassent la somme qu'il consent à mettre, Monet ajoute la différence. A une condition : que les arbres restent debout tant qu'il n'aura pas terminé la dernière toile de la série qu'il entreprend. Le 2 août, la vente publique qui concerne « une partie des peupliers et des arbres qui se trouvent dans les propriétés communales du Carouge et du marais, le long de la rivière d'Epte[23] » a lieu. L'adjudication se fait pour six mille francs. La participation de Monet reste minime. Et il peut continuer de peindre.

Plutôt que de rejoindre le motif par la route, Monet fait le choix de le rejoindre par bateau. Il utilise la norvégienne entreposée dans son hangar de l'île aux Orties. Souvenirs de Lilla Cabot Perry qui rapporte que les toiles « des *Peupliers* furent peintes sur un bateau à fond plat dans lequel il avait creusé des rainures pour faire tenir plusieurs toiles. A propos des *Peupliers*, il m'expliqua que l'effet durait tout juste sept minutes – jusqu'à ce que le soleil quitte une certaine feuille –, et qu'il sortait alors une autre toile pour y travailler. Il insistait beaucoup sur la nécessité vitale, pour le peintre, de repérer le moment où l'effet se modifie, afin d'obtenir une impression vraie d'un certain état de la nature, et non un tableau composite comme il y en a tant, anciens ou récents. Il admit qu'il était difficile de s'arrêter à temps parce qu'on se laisse emballer – ajoutant : "J'ai cette force-là, c'est la seule que j'ai !"[24]... »

L'avoir ne l'empêche pas, comme d'habitude, de douter. Le 19 novembre, il écrit à Paul Durand-Ruel : « Depuis votre dernière visite je n'ai eu que des déceptions et des difficultés avec mes pauvres arbres dont je ne suis pas du tout satisfait[25]. » Au cas où le marchand n'aurait pas compris que l'exposition envisagée pour l'année qui vient risque de ne rassembler que des toiles médiocres, si toutefois elles sont prêtes en temps et en heure, il ajoute dès le lendemain : « Malgré ce vilain temps qui me désespère pour mes arbres, je n'ose quitter Giverny et j'en profite pour retoucher quelques toiles[26]. » A un peintre qui lui a demandé comment il a bien pu se satisfaire d'un seul motif, Monet répond : « Enfin, je me suis escrimé tant bien que mal avec l'admirable motif de paysage que j'ai dû faire par tous les temps afin de n'en faire qu'un qui ne soit d'aucun temps, d'aucune saison, et cela se réduit à un certain nombre de bonnes intentions. Moralité, il faut faire ce que l'on peut en se foutant absolument du reste[27]... »

Le 22 décembre, il est de retour de Londres où il a rejoint pour quelques jours Whistler, dont une toile est entrée au musée du Luxembourg et qui vient de le présenter au Club du Chelsea devant les membres duquel Monet redoute d'avoir bégayé. Il prévient Durand-Ruel qu'il envisage d'y retourner peindre.

En ce même 22 décembre meurt Albert Wolff. Il s'éteint un peu plus d'un an après l'entrée au Luxembourg de « l'*Olympia* de Manet où une femme toute nue, mais plate par l'absence d'étude, éclate comme une tache blanche à côté d'un chat qui est la tache noire[28] ». Wolff terminait le même article du *Figaro* du 1er mai 1883, écrit au lendemain de la mort de Manet, par cette conclusion à propos du *Bon Bock* et de *L'Enfant à l'épée* : « Mourir à cinquante ans et laisser derrière soi deux excellentes pages dignes d'être recueillies parmi les manifestations de la peinture française, c'est assez de gloire pour un artiste[29]. » Laisser des textes où la prétention le dispute au fiel et à la perversité, est-ce assez de gloire pour un critique ?

1892

Je suis content, mais crebleu, quel travail que cette cathédrale[1] !

Au Havre, leur demi-sœur Marie légitimée par Adolphe Monet vient de mourir. Ni Claude ni Léon Monet ne tiennent à ce que la faute commise par leur père continue d'entacher leur nom. La succession doit être réglée dans les meilleurs délais. Le 12 février, un acte notarié entérine le fait que les biens et valeurs sont cédés contre une somme forfaitaire. Parmi ces « biens », d'anciennes toiles de Claude dont nul ne sait encore en Normandie qu'elles sont devenues des « valeurs ».

C'est pour préparer cet acte que Claude Monet est arrivé quelques jours plus tôt à Rouen pour y retrouver son frère. Ne serait-ce que pour y conjurer de nouvelles difficultés. Dix ans plus tôt, en novembre 1882, Monet a écrit à Durand-Ruel à propos d'un remboursement de sommes avancées de loin en loin par Léon, mille cinq cents francs au bout du compte, que celui-ci exige maintenant : « Vous savez qu'entre parents les questions d'argent sont souvent plus terribles qu'avec des créanciers ordinaires[2]. »

Aucun créancier ne harcèle plus Monet. Durand-Ruel continue de demander des toiles. Maurice Joyant, qui a pris la succession de Théo Van Gogh, interné plusieurs semaines dans la clinique du docteur Blanche dans les mois qui ont suivi la mort de son frère Vincent, et qui vient de mourir à Utrecht, expose ses *Peupliers* dans les salons de l'entresol de la galerie Boussod. Vendrait-il les vues de Rouen peintes depuis la côte Sainte-Catherine, le brouillard sur la Seine, la rue de l'Epicerie ?... Aucun de ces motifs, depuis que l'école de 1830 et le romantisme entiché de gothique sont passés par Rouen, qui ne soit éculé.

Or, au soir de ce même 12 février, dans sa chambre de l'hôtel d'Angleterre où il a pris pension, ce qui lui épargne la présence permanente de son frère Léon, directeur d'un laboratoire suisse de produits chimiques à Déville-lès-Rouen, Monet écrit à Alice pour lui faire part d'un événement décisif. Il commence par maugréer : « Ce n'est décidément pas mon affaire d'être dans les villes, et je m'ennuie ferme, d'autant que ça ne marche pas comme je veux. » Et il ajoute aussitôt :

« Je suis pourtant un peu plus content aujourd'hui : j'ai pu m'installer dans un appartement vide en face de la cathédrale, mais c'est une rude besogne que j'entreprends là[3]. »

Cet appartement vide est celui de M. Jean Louvet qui tient La Grande Fabrique, magasin de chemiserie, à l'angle de la rue du Gros-Horloge, au 31, place de la Cathédrale. Des fenêtres de cet appartement, Monet fait face à la cathédrale, face à cet élan de pierre, à cette falaise sculptée qui cache presque le ciel, ce ciel dont il connaît toutes les couleurs, toutes les nuances, toutes les variations parce qu'il aura été, sur la Manche comme sur la Riviera italienne, sur la Creuse comme sur les toits de Paris, sur les canaux de Hollande comme sur les bras de la Seine, le plus constant de ses motifs. Tout à coup ce qu'il reconnaît devoir peindre ce ne sont plus ces métamorphoses des ciels, c'est la manière dont la lumière effleure, creuse, érafle ou fouille ces pierres heure après heure...

De retour à Giverny, Monet tombe malade. Lettre à Durand-Ruel du 21 février : « Vous me supposez sans doute en plein travail à Rouen. J'y étais en effet et j'avais entrepris plusieurs choses mais depuis huit jours, je suis retenu ici malade. Je suis heureusement rétabli à peu près, mais pas encore assez pour sortir et retourner prendre la besogne, car j'ai été très secoué[4]. » Le temps n'est pas perdu pour autant. Durand-Ruel souhaitait présenter à son tour une exposition de *Peupliers*. Monet se propose de faire « quelques retouches[5] » à six toiles de ces *Peupliers* qu'il conviendra d'ajouter à celles que détient d'ores et déjà Durand-Ruel. Il devrait donc n'être pas bien difficile « d'accrocher une quinzaine de toiles » pour l'exposition qui pourrait ouvrir le 29 et qu'il conviendrait de « faire annoncer en deux lignes dans *Le Figaro* en indiquant le jour d'ouverture et de fermeture qui sera le 10 mars[6] ».

Remis du mal qui l'a « secoué », Monet repart pour Rouen. Il a prévenu M. Monnier, propriétaire de l'hôtel d'Angleterre, de telle sorte que le porteur dont il a besoin pour son matériel se tienne à sa disposition. A Alice, le 25 février : « Je suis arrivé ici avec un temps superbe, j'ai déjeuné avec mon frère et, aussitôt après, je me suis mis au travail à ma nouvelle fenêtre où je suis très commodément installé. La cathédrale par soleil est admirable : j'en ai commencé deux, mais ce matin j'ai eu une déception, je suis allé pour travailler à mon ancienne fenêtre, mais à cause des peintres qui nettoient le parquet de l'appartement, je n'ai pu m'y installer. Le beau temps continue, je suis content, mais crebleu, quel travail que cette cathédrale ! c'est terrible et je souhaite bien de n'avoir pas trop de changements de temps[7]. » La « nouvelle fenêtre » est celle de la pièce où est installé le salon d'essayage de la Boutique de lingeries et modes que tient M. Levy, au coin de la rue du Petit-Salut, au 23, place de la Cathédrale. Quant à l'ancienne fenêtre... il faut attendre que les travaux soient achevés.

Monet ne revient à Paris que pour la mise en place des *Peupliers* chez Durand-Ruel et l'ouverture de l'exposition. Quelques jours plus tard, Ambroise Vollard entend dans sa galerie Degas répondre au peintre Robert qui vient de voir les toiles de Monet chez Durand-Ruel : « J'y ai justement rencontré Monet hier. Je lui ai dit : "Je m'en vais, il me semble que c'est plein de courants d'air ici. Un peu plus, je relevais le col de mon veston"[8]. »

De retour à Rouen, Monet essaye de ne pas se laisser distraire par les invitations qui lui sont faites par son frère comme par un amateur, M. Depeaux, qui veut « être inscrit en premier pour une *Cathédrale*, une pour lui, une pour le musée de Rouen[9] ». Monet se garde de faire la moindre promesse. Il veut s'« en être tiré d'abord » et les « avoir vues et revues à Giverny[10] ».

S'« en être tiré »... La même méthode obstinée est une fois de plus mise en branle. 8 mars, à Alice : « Je pioche ferme, je me donne du mal et ne pense qu'à mes *Cathédrales*. Je vais rentrer les regarder pendant une heure en fumant ma pipe et me coucher, car je suis matinal : à 8 h je suis chez mon marchand de nouveautés[11]. » Le lendemain à Durand-Ruel : « Je travaille à force mais ce que j'ai entrepris ici est d'une énorme difficulté mais en même temps d'un bien grand intérêt. Malheureusement voilà le temps qui se gâte, ce qui va me déranger[12]. »

Il n'y a pas que le temps qui veuille le déranger. La nouvelle tombe le jour même où ferme son exposition chez Durand-Ruel : un jeune homme du nom de Théodore Earl Butler s'est présenté à Alice la veille pour lui demander la main de sa fille Suzanne ! Scandaleux ! Car ce monsieur, qui « peut être un brave garçon[13] », a deux défauts : il est peintre et il est américain. Il fait donc partie de ces « gens qui se vantent de ne pas avoir d'état civil ni de papiers[14] ». Bouleversé, Monet songe à vendre Giverny. Il y rentre. La demande subite et inattendue de ce Butler mérite des explications. Il en obtient assez pour repartir, apaisé ou presque, pour Rouen.

A Alice, le 18 mars : « Je travaille comme un nègre, aujourd'hui 9 toiles : vous pensez si je suis fatigué, mais je suis émerveillé de Rouen, de tout ce qu'il y aurait à faire. Je ne sais ce que je vais en tirer pour cette fois, enfin, je me donne bien du mal[15]. » Le 30 mars : « Oui, il fait le même temps ici, un froid et un vent terribles, et je vous assure qu'il me faut du courage pour persister. J'ai revu mes motifs par soleil : deux sont inretouchables, partant finis, et les autres plus ou moins à transformer. J'avoue que j'aurais préféré la continuité du temps gris que cette épouvantable temps aride qui ne peut amener encore des giboulées[16]. » Le lendemain, tout est remis en cause. Il ne reste rien de ces tableaux qualifiés la veille d'« inretouchables, partant finis » : « J'ai transformé, démoli toutes mes toiles par soleil ; le sort en est jeté, mais je ne vous cache pas qu'il y en a que je regrette. Si le beau temps continue, je peux m'en tirer, mais s'il y a de nouveau interruption, je suis fichu et me bornerai à terminer mes 2 ou 3 temps gris, mais peut-on prévoir ? En tout cas, ce n'est pas le courage qui me manque[17]. » Celui-ci est d'autant plus nécessaire qu'une imbécile nouvelle difficulté se présente le 2 avril : « Le marchand de nouveautés chez qui je travaille m'a demandé tantôt de ne plus venir l'après-midi, que cela gênait les clientes qui venaient : je ne lui ai pas caché ma désolation, lui offrant deux mille francs, ce qu'il voudrait, et il veut bien me tolérer encore quelques jours, mais je vois bien que cela le gêne[18]. » Il faut travailler malgré tout : « Songez que je me lève avant 6 heures et suis au travail à 7 heures jusqu'à 6 heures et demie le soir, tout le temps debout, neuf toiles. C'est tuant et pour cela j'abandonne tout, vous, mon jardin[19]. »

Monet s'acharne. « Quelle difficulté, mais ça marche, et quelques jours encore de ce beau soleil et bon nombre de mes toiles seront sauvées. Je suis rompu, je n'en peux plus et ce qui ne m'arrive jamais, j'ai eu une nuit remplie de cauchemars : la cathédrale me tombait dessus, elle semblait ou bleue ou rose ou jaune[20]. » Reste que, pour reprendre deux toiles, « deux motifs dorés et rouges », l'accès à l'ancienne fenêtre lui est interdit par l'architecte qui « a donné l'ordre aux peintres de ne pas [le] laisser entrer[21] ». Chassé par l'architecte du 31, place de la Cathédrale, jugé indésirable par ces dames clientes du 23 de la même place qui semblent ne plus admettre qu'un peintre barbu, planté devant son chevalet, travaille derrière un paravent, Monet ne pourrait-il plus peindre ? Cela serait d'autant plus insupportable que « chaque jour », il « découvre des choses non vues la veille ». « J'ajoute et je perds certaines choses[22]. »

Déconcerté par cette cathédrale comme il ne l'a été par aucun autre motif, Monet renonce. Lettre accablée à Durand-Ruel : « Je suis absolument découragé et mécontent de ce que j'ai fait ici, j'ai voulu trop bien faire et suis arrivé à abîmer ce qui était bien. Depuis quatre jours je ne puis pas travailler et prends le parti de tout abandonner et de rentrer chez moi, mais je ne veux même pas déballer mes toiles, je ne veux les voir que dans quelques temps ; je vous préviens donc dès que je serai un peu calmé[23]. » Deux semaines plus tard, de Giverny, il confie encore à son marchand : « Je suis revenu de Rouen si mécontent que j'ai encore du mal à m'en remettre[24]. »

Il lui reste à se laisser distraire de cet échec. A Paris pour une exposition de Renoir dont il s'est fait « d'avance un régal », il se soucie de faire un « petit placement » avec 15 000 francs. Il accepte de prêter à Pissarro 10 000 à 15 000 francs pour lui permettre l'acquisition de sa maison d'Eragny. Et, après avoir tardé à laisser Alice permettre le mariage de Suzanne, il la laisse fixer la date définitive d'un mariage devenu d'autant plus acceptable que Théodore Butler a accepté de s'installer à Giverny plutôt que d'emmener sa jeune épouse dans son Colombus natal. Sait-on seulement à Giverny, dans l'Eure, où est ce Colombus aux Etats-Unis ? Que l'on y apprenne que c'est la capitale de l'Ohio ne change rien à l'affaire. Enfin, le 20 juin, Suzanne peut expliquer à son fiancé la cause de ce qui provoque une attente interminable : « Vous ne vous doutez pas qu'une autre chose très sérieuse va se décider ces jours-ci, ce qui tourmente beaucoup maman... M. Monet a l'intention d'épouser maman et pour que les choses soient plus régulières, ils souhaitent beaucoup tous les deux que cela se fasse avant notre mariage afin que M. Monet puisse tenir la place qu'il souhaite et remplacer mon père en me conduisant à l'autel, et aussi pour que cela le mette plus à l'aise vis-à-vis de notre famille. C'est un grand secret que je vous confie là ; et jurez-moi bien, my darling, de n'en parler absolument à personne...Tous les papiers sont là et il faut que leur mariage se fasse d'ici 15 jours avec les témoins seulement et sans que personne le sache[25]. »

Le 10 juillet M. Monet conduit Mme veuve Hoschedé, née Raingo, à l'autel. A la fin du mois, il reçoit ce bref billet de Degas : « Mon cher Monet, recevez mes tardifs compliments que je vous prie de croire tout de même fort affectueux. Priez aussi Madame Monet d'agréer mes hommages[26]. »

Le 16, monsieur le maire de Giverny, Léon Durdant, déclare unis par les liens du mariage Monet Oscar Claude et Raingo Angélique Emilie Alice. Leurs témoins sont MM. Léon Monet, frère de Claude, Georges Pagny, beau-frère d'Alice, et MM. Gustave Caillebotte et Paul Helleu, peintres.

Le 20, Monet peut prendre le bras de Suzanne pour entrer dans l'église de Giverny. Philip Hale, ami de Théodore Robinson, l'un des rares peintres américains auxquels Monet consente à donner quelques conseils, écrit aux Etats-Unis pour rendre compte de cette journée exceptionnelle, le mariage de Butler : « Un véritable événement dans un petit village aussi tranquille, aussi reculé, l'affaire avait quelque chose d'étrange, de bizarre ; déjà le mariage de cet homme de l'Ouest dans un ancien village normand est curieux en soi, mais le déjeuner dans une salle à manger tapissée de haut en bas d'œuvres de Monet pouvait donner l'impression d'un mauvais rêve – non que je veuille dire que ces œuvres soient des cauchemars – au contraire[27] ! »

Théodore Robinson, peintre américain ami de Butler, note dans son *Journal* : « Un grand jour – le mariage de Butler et de Mlle Suzanne. Presque tout le monde à l'église – les paysans, la plupart méconnaissables – Picard était très bien. Mariage en grande pompe – d'abord à la mairie, puis à l'église. Monet entrant d'abord avec Suzanne. Puis Butler et Mme H. – beaucoup d'émotion chez les parents – repas à l'atelier pendant presque tout l'après-midi[28]. » Le récit, après avoir mentionné le départ des jeunes mariés pour Paris à 7 heures et demie, s'achève sur cette notation : « Monet très affecté, plein d'appréhension, cela se comprend. J'ai dû le remonter[29]. »

Dans les semaines qui suivent, Monet ne quitte pas Giverny. Il regarde ses *Cathédrales*, les montre rarement. Las, désenchanté, il avoue à Durand-Ruel le 8 septembre : « Vous savez comment je suis lorsque je m'arrête de travailler : autant j'ai d'ardeur au travail, autant j'ai du mal à m'y remettre[30]. » Monet ne s'y remet pas. Il se contente de faire ce qui doit être fait pour que des toiles qu'il aurait dû livrer depuis longtemps, puissent enfin l'être. Il se débarrasse... A la fin du mois d'octobre, il prévient Durand-Ruel qui lui annonce sa visite : « Je serai très content de vous voir, mais malheureusement je n'ai rien à vous montrer. J'ai été cette année d'une paresse complète qui m'effraie un peu, je vous l'avoue. Vous allez me gronder, vous ferez bien et cela me donnera du courage[31]. » Les remontrances, les blâmes ou les admonestations de Durand-Ruel, s'il élève la voix dans l'atelier de Monet, ne sont guère efficaces...

En novembre, la commission de décoration de l'Hôtel de Ville de Paris, présidée par le préfet Poubelle, promis à la postérité par la colère des concierges parisiennes qui ont donné son nom à la boîte à ordures qu'elles doivent traîner à l'aube sur le trottoir, doit remplacer Jules

Breton. Il a renoncé à donner les peintures promises pour les galeries des Tourelles du premier étage. Rodin, qui est membre de cette commission depuis quelques mois, propose le nom de Monet. La commission vote. Quatre voix pour Monet. Dix pour M. Pierre Lagarde, une valeur sûre déjà distinguée par la Légion d'honneur et une médaille d'argent qui lui fut attribuée lors de l'Exposition universelle de 1889. Monet n'en a rien à faire...

Monet attend l'hiver. Il attend la gelée blanche sur les champs de Giverny. Il attend les glaçons que pourrait charrier la Seine.

V

DE BENNECOURT À WATERLOO BRIDGE

1893-1901

1893

Et j'en viendrai à bout de cette cathédrale[1]

Monet est content. Il neige. Il gèle à pierre fendre. Pendant plusieurs jours, la Seine charrie des glaçons. A la mi-janvier, elle se fige, prise par les glaces. Monet pose son chevalet sur la rive de Bennecourt, face à l'îlot Forée. Puis, tout à coup, c'est la débâcle qu'il peint à Bennecourt même comme, en aval, devant les maisons de Port-Villez dominé par le Gibet. A la fin du mois de janvier, Monet fait le bilan de ces premières semaines d'hiver : « Comme vous l'avez deviné, j'ai peiné tous ces derniers temps à peindre dehors malgré le grand froid, mais le dégel est arrivé trop tôt pour moi. N'ayant pas travaillé depuis si longtemps je n'ai fait que de mauvaises choses que j'ai dû détruire, et ce n'est qu'à la fin que je parvenais à m'y retrouver. Résultat, quatre ou cinq toiles seulement, et encore elles sont loin d'être complètes mais je ne désespère pas de pouvoir les reprendre si le froid nous revient[2]. » Quatre ou cinq toiles ? Monet prendrait-il des précautions à l'égard de Durand-Ruel ? Se garde-t-il délibérément de lui dire qu'il a peint une dizaine de toiles pour laisser entendre à son marchand que celles-ci deviennent rares et qu'il convient désormais d'y mettre le prix ?

A la mi-février, Monet est de retour à Rouen. A Alice, qu'il n'appelle plus « Chère madame » mais « Ma bonne chérie » maintenant qu'elle est Mme Monet, il rend compte de sa situation dès le lendemain : « Je n'ai pas perdu mon temps depuis mon arrivée. Aussitôt ma chambre choisie, mes bagages en place, je me suis rendu rue Grand-Pont ; l'installation en est très bonne, et les ouvriers venaient juste de terminer. Cela fait, après être allé chez M. Louvet demander les clefs de la grande maison, j'ai fait porter à ces deux endroits des chevalets, et ce matin, j'étais à la besogne. J'ai commencé deux toiles et me voilà rentré en plein dans mon sujet. En opérant de la sorte, et lorsque je verrai venir mes effets de l'année dernière, j'y pourrai travailler sûrement. Voilà donc qui va te faire plaisir et j'ai l'espoir de sortir victorieux de tout ce travail[3]. » Le séjour à Rouen, Alice peut l'espérer, devrait ne pas durer (trop) longtemps...

Dans la même lettre, il raconte la visite qu'il a pu faire au Jardin des Plantes grâce à M. Varenne, lequel, « très aimable », lui a offert un pied de bégonia et, après la visite des serres, lui a présenté le jardinier-chef qui lui remettra, sur son ordre, les plantes dont il pourrait avoir besoin pour le jardin de Giverny. Tout va pour le mieux.

Tout irait pour le mieux si son frère ne l'invitait chaque soir ou presque dîner à Déville, si Alice elle-même ne lui avait proposé de le rejoindre à Rouen. Nécessaire mise au point aussi courtoise que ferme à l'attention de Léon comme d'Alice : « Si je veux travailler, il me faut avoir une vie régulière et tranquille. Je te remercie de tes bonnes lignes et d'avoir compris qu'avant tout je suis ici pour mes *Cathédrales*[4]. » Est-ce assez clair ?

Si la solitude est nécessaire à Monet, elle ne dissipe pas les difficultés. Le lamento qu'est sa correspondance avec Alice reprend donc. 22 février : « Quel terrible temps et que de changements. Je continue cependant à travailler sans arrêt. Je suis remonté, mais, bon Dieu, que cette mâtine de cathédrale est donc dure à faire ! Depuis que je suis ici, il y aura demain huit jours, j'ai travaillé chaque jour à deux mêmes toiles, et ne puis arriver à ce que je voudrais ; enfin, ça viendra à force de me donner du mal. Je suis très content d'avoir pris le parti de revenir, car ce sera mieux[5]. » 24 février : « Continuation du temps gris, crasseux et un peu brumeux qui fait assez mon affaire ; mais j'ai beau faire de bonnes et longues séances, ça avance bien péniblement : quelle complication, quel travail[6] ! » 28 février : « Je suis furieux après moi, je ne fais rien de bon[7]. » 3 mars : « Ça a été un peu mieux aujourd'hui et j'en viendrai à bout de cette cathédrale mais il me faut beaucoup de temps. Ce n'est qu'à force de travail que j'arriverai à ce que je veux[8]. » 9 mars : « J'ai beau travailler, je n'aboutis à rien. Ce soir, j'ai voulu comparer ce que j'ai fait avec les anciennes toiles que j'évite de voir trop pour ne pas tomber dans les mêmes errements. Eh bien ! le résultat, c'est que j'avais raison l'an dernier d'être mécontent : c'est horrible et ce que je fais cette fois est aussi mauvais, autrement mauvais, voilà tout. Il faudrait ne pas vouloir faire cela vite, essayer, essayer encore, pour refaire une bonne fois. Mais je sens la lassitude venir, je suis à bout, et cela prouve bien que j'ai absolument vidé mon sac. Crebleu, ils ne voient pas loin ceux qui me trouvent un maître, de belles intentions, oui, mais c'est tout[9]. » 14 mars : « J'ai le travail de plus en plus pénible. Avec cela un temps médiocre. Il me faudrait huit jours de soleil[10]. »

Et le 16, et le 20, et le 27, et le 28, le découragement, la lassitude et l'irritation sont les mêmes, toujours les mêmes. Et comme si le temps, brumeux, chassieux, pluvieux ou beau lorsqu'il ne devrait pas l'être ne suffisait pas à le contrarier, à l'occasion de l'inauguration d'un monument dédié à l'ancien archevêque, M. Bonnechose, pour une grand-messe, on trouve le moyen de tendre de noir le portail ! Monet obtient au dernier moment une invitation qui lui permet d'entrer dans la cathédrale faute de pouvoir la peindre : « J'ai vu des choses superbes à faire à l'intérieur que je regrette bien de n'avoir pas vues plus tôt[11]. » Puisse-t-il, songe sans doute Alice, ne pas vouloir peindre ces « choses superbes »... Après cette interruption, le lamento reprend jour après jour. Malgré tout, à la mi-avril, Monet est de retour à Giverny. Le 16 avril, à Helleu qui vient quant à lui de peindre un intérieur de cathédrale, Monet confie : « Enfin, je suis moins mécontent que l'an dernier et je crois que quelques-unes de mes *Cathédrales* peuvent aller[12]. »

Dans les mois qui suivent, une maladie d'Alice, la récupération de quelques milliers de francs, une participation à une exposition organisée par le Comité parisien des journalistes auquel il destine un *Portrait de M. Lapierre*, directeur du *Nouvelliste de Rouen*, peint alors qu'il avait vingt-sept ans, et son jardin enfin suffisent à l'occuper. Le 28 juillet, il peut enfin signer deux documents très officiels : « Je soussigné Claude Monet demeurant à Giverny reconnais avoir reçu le 27 juillet 1893 ampliation d'un arrêté préfectoral en date du 24 juillet 1893 m'autorisant à pratiquer une prise d'eau dans un bras dérivé de la rivière d'Epte dit "bras communal"[13]. » Et d'un. Et de deux : « Je soussigné Claude Monet demeurant à Giverny reconnais avoir reçu le 27 juillet 1893 ampliation d'un arrêté préfectoral en date du 24 juillet 1893 m'autorisant à construire deux passerelles sur un bras dérivé de la rivière d'Epte en face de ma maison[14]. » Que de démarches il aura fallu faire pour en arriver à ces deux signatures !

Il aura fallu écrire au préfet pour expliquer en détail que pour renouveler l'eau de bassins qu'il compte faire creuser sur son terrain et où il envisage de faire pousser des plantes aquatiques, il lui faut faire installer une prise d'eau sur l'Epte. Il lui aura fallu préciser que, propriétaire d'une parcelle de terrain entre le chemin de fer de Pacy à Gisors et la rive gauche d'un bras de l'Epte d'une part et, d'autre part, locataire d'un terrain sur la rive opposée de ce bras, il lui faudrait pouvoir construire, pour aller de l'un à l'autre, des passerelles. Il lui aura fallu arguer que ces plantes aquatiques sont et ne sont qu'une chose d'agrément et pour le plaisir des yeux, plantées dans le seul but de constituer un jour des motifs à peindre et que donc ces nénuphars, roseaux et autres iris ne sauraient en rien empoisonner l'eau...

Il lui aura fallu, noir sur blanc, écrire au préfet pour dénoncer la « méchante taquinerie[15] » de certains citoyens de Giverny qui n'ont d'autre raison d'agir que « dans un but vexatoire et de petite vengeance[16] ».

Enfin, ce 28 juillet, Monet peut commencer de mettre en œuvre son jardin. Les dispositions à prendre ne manquent pas. Les *Cathédrales*, qui ne sont pas si « mauvaises » que cela, peuvent attendre...

1894

Tous ont eu peur de mes prix[1]

Le début de l'année est implacable. En février meurent coup sur coup le docteur Georges de Bellio et Gustave Caillebotte. L'un et l'autre ont été pendant des années et des années les plus fidèles soutiens de Monet. Combien de fois Monet désespéré a-t-il écrit en hâte à l'un, à l'autre, qu'avec cinq cents francs, ne serait-ce que cent immédiatement, il sauverait la situation, que s'ils pouvaient lui prêter... parce qu'il n'arrivait pas à joindre les deux bouts... Pour pouvoir contempler les tableaux qu'il a achetés aux uns et aux autres, parfois sans même les voir parce qu'on lui vendait au café Riche où on pouvait être sûr de le trouver à l'heure du déjeuner, Bellio a dû louer une boutique en face de son appartement parisien, boutique sur les murs de laquelle ont été accrochés ces chefs-d'œuvre dont personne ne voulait alors et qu'il a prêtés chaque fois qu'on les lui a demandés. Comment Monet ne se souviendrait-il pas de ce qu'il acheta la première de ses toiles vingt ans plus tôt, en 1874 ? Et, depuis, il en acheté une trentaine d'autres... Qui lui aura été plus longtemps fidèle ? Ses toiles ont rejoint les œuvres de Goya, Delacroix, Daubigny, Bonington, Corot, Daumier, Sisley, Fragonard,

Pissarro, Renoir, Degas, Monticelli..., qu'il a réunies. Que va faire de cette collection sa fille Victorine, qui vient d'épouser en 1893 M. Donop de Mouchy ? « Je ne sais rien des intentions de la famille de Bellio ; il n'y a pas de mineur, j'ai seulement entendu dire qu'il n'y aurait pas de vente publique puis ce que je sais, c'est que pas mal de marchands ont déjà tâté le terrain auprès de son gendre, seul héritier, je crois[2]... »

Terrible mois de février... Le père Tanguy est mort. Le 13 février, Mirbeau lui consacre un article dans *L'Echo de Paris* : « L'histoire de son humble et honnête vie est inséparable de l'histoire du groupe impressionniste, lequel a donné les plus beaux peintres, les plus admirables artistes à l'art contemporain et, lorsque cette histoire se fera, le père Tanguy y aura sa place.Il était établi marchand de couleurs rue Clauzel, dans une toute petite boutique que connaissaient bien les flâneurs en quête de curiosités parisiennes. A la devanture on voyait des Cézanne, des Van Gogh, des Gauguin ; autrefois, il y a déjà longtemps, des Claude Monet, des Pissarro, des Renoir[3]. » Des années plus tard, Monet confiera ce souvenir à Sacha Guitry : « Van Gogh a fait un admirable portrait du père Tanguy. Le père Tanguy était marchand de couleurs, rue des Martyrs. Sa boutique était tout à fait minuscule et sa vitrine si petite qu'on ne pouvait y montrer qu'un tableau à la fois. C'est là que nous avons commencé, chacun de nous, à exposer nos toiles. Le lundi, Sisley, le mardi, Renoir, le mercredi, Pissarro, moi le jeudi, le vendredi, Bazille, et le samedi, Jongkind. C'est donc ainsi que chacun à son tour nous passions une journée dans la boutique du père Tanguy.

« Un jeudi, je bavardais avec lui sur le pas de sa porte, quand il me désigna du doigt un vieux petit monsieur, portant collier de barbe blanche, important, chapeau haut de forme, qui descendait à petits pas la rue. C'était Daumier – que je n'avais jamais vu. Je l'admirais passionnément et mon cœur battait fort à la pensée qu'il allait peut-être s'arrêter devant ma toile. Prudemment, nous rentrâmes dans la boutique, Tanguy et moi, et, au travers des rideaux de lustrine que j'écartai un peu, je guettai le grand homme. Il s'arrêta, considéra ma toile, fit la moue, haussa l'une de ses épaules – et s'en alla. M'ayant raconté cela, Claude Monet me regarda fixement et gravement me confia : "Ç'a été le plus grand chagrin de ma vie"[4]. »

Il reste à espérer que les marchands soient soucieux, en dépit des affaires qu'ils ne peuvent manquer de vouloir faire, de ne pas porter atteinte à la cote des impressionnistes. En revanche, dans ce domaine, rien à craindre avec la collection de Caillebotte. Il a laissé un testament par lequel il donne à l'Etat ses tableaux pour que ceux-ci entrent au musée du Luxembourg et plus tard au Louvre. Renoir est son exécuteur testamentaire. Il est à craindre que l'Etat n'accepte pas un tel don sans rechigner... Dans l'immédiat, il y a autre chose encore à craindre, la vente Duret. Duret lui-même a donné à Geffroy la justification d'une telle vente : « Personne ne peut commander aux circonstances surtout quand on est dans les affaires[5]. » Monet s'attend au pire : « Quel tripoteur que ce Duret et quelle veste il va remporter[6]. »

La vente a lieu le 19 mars chez Georges Petit. Six Monet sont adjugés. Les prix sont loin d'être aussi insignifiants qu'a pu le craindre Monet. Si *Cabane à Sainte-Adresse* part pour 4 650 francs, *Les Dindons blancs* atteignent 12 000 francs. En fait, ces numéros 26 et 24 du catalogue sont « ravalés » par Duret lui-même. Le numéro 25, *La Chasse*, de 1876, le numéro 27, *La Zaan à Zaandam*, de 1871, et le numéro 29, *Vétheuil, vue de Lavancourt*, de 1879, sont achetés par Durand-Ruel.

Le 26 avril, Monet lui écrit : « Ne pourriez-vous venir dimanche, nous prendrions toutes les décisions pour mon exposition et vous pourriez choisir deux des *Cathédrales* que je suis sûr de pouvoir terminer, et cela me permettrait de faire choisir à d'autres personnes et que j'en finisse avec ces difficultés. Et puis, enfin, puisque nous allons faire pas mal d'affaires, je vous serais très obligé de m'avancer cinq mille francs dont je me trouve avoir besoin[7]. » Au soir du dimanche 29 avril, lorsqu'il reprend à Vernon le train pour Paris, le marchand est abasourdi par les exigences de Monet. Il demande quinze mille francs pour ses *Cathédrales*. Les résultats de la vente Duret ne sont pas pour rien dans la décision de Monet d'imposer de tels prix. Il semble oublier que c'est Durand-Ruel lui-même qui a soutenu les cotes, qui a surenchéri assez pour emporter les toiles. Ce qui ne l'empêche pas de le soumettre à une manière de chantage très subtil : « Je viens de recevoir un mot de M. Valentin qui m'annonce sa venue pour dimanche prochain. Je ne sais pas son intention au sujet des *Cathédrales*, mais je pense bien qu'en apprenant que vous avez été effrayé des prix, il hésitera à faire un choix. Je n'en dois pas moins en écrire aux personnes qui m'ont exprimé le désir d'en avoir. Je veux en finir au plus vite avec cette question. Car si aucun marchand n'en prend, je n'ai plus la crainte de voir s'éparpiller ces toiles et j'ajournerai à plus tard mon exposition pour rester à travailler paisiblement. Je vous tiendrai au courant dès que j'aurai vu tout le monde. J'ai tenu à vous prévenir afin que si l'une ou l'autre de ces personnes se décident à choisir une des *Cathédrales* que vous préférez, il n'y ait pas de malentendu[8]. »

Cinq jours après, Durand-Ruel doit renoncer à son projet d'exposer les *Cathédrales* dans sa galerie quelques mois plus tard. Monet ne lui laisse pas le moindre espoir : « Je suis décidé et renonce absolument à une exposition cette année. Je regrette de vous avoir laissé si longtemps l'espérance, mais cela devient tout à fait inutile à présent. Je suis du reste en plein travail, j'ai beaucoup de choses en train et en vue et préfère ne pas interrompre. C'est un tracas de moins. Si on me demande des *Cathédrales* je ne vendrai qu'au prix que je vous ai demandé, mais à la condition qu'elles restent en France un certain temps, pour en faire l'exposition au moment donné[9]. » Quand ? Monet se hasarde à faire une hypothèse : « Je suis très content d'avoir retardé l'exposition que je ferai en octobre ou novembre. Je suis en pleine ardeur de travail et avec ce que je ferai d'ici là, j'aurai une exposition plus variée et complète, et je ne veux pas m'interrompre en ce moment malgré les difficultés du temps si variable[10]. » Durand-Ruel est-il prêt à exposer en octobre ou novembre les *Cathédrales* avec des vues de la Seine à Port-Villez dans la brume ou par temps clair, là « effet bleu », ici « effet rose », ailleurs « effet du soir », Monet ne s'en inquiète pas. Pas plus qu'il ne se soucie de savoir si Durand-Ruel ne voudrait pas faire une exposition avec le seul ensemble des *Cathédrales*...

Pendant des semaines, Monet semble camper sur ses positions. Il veut quinze mille francs pour ses *Cathédrales* et il ne saurait être question de rabattre cette prétention. Il le répète à l'envi à Durand-Ruel comme à Joyant, qui continue de travailler pour la galerie Boussod, lequel tolère de plus en plus mal d'être traité comme le fut Théo Van Gogh, d'une manière qui tenait autant de la condescendance que de la sévérité. Et Monet d'expliquer encore et encore que ces prix annoncés n'ont voulu qu'« atténuer l'ardeur des gens qui voulaient être les premiers à choisir des *Cathédrales*[11] ». Les réactions le conduisent, au début du mois d'août, à prendre « le parti d'en faire un choix qui ne serait pas à vendre à présent de façon à pouvoir diminuer un peu les autres[12] ». Les attitudes des marchands qui viennent les uns après les autres à Giverny sont si comparables que Monet en arrive à les soupçonner d'être de mèche. A Durand-Ruel, le 10 septembre : « J'avais entendu vaguement parler de ce syndicat, mais sans y croire trop. Je n'ai plus d'illusions à présent[13]... » Cette certitude ne l'empêche pas de continuer à laisser entendre à l'un qu'un autre pourrait fort bien... « Une réponse formelle de votre part me serait agréable, ayant à répondre d'un jour à l'autre à des propositions qui me sont faites[14]. » Personne n'est dupe. Monet lui-même ne l'est sans doute pas.

Quelques jours plus tôt, il vient de vendre plusieurs toiles, quatre, l'une de 62,5 centimètres par 82, une de 1 mètre par 65 centimètres, et deux de 1,06 mètre sur 73 centimètres pour lesquelles il fait préparer les cadres. Monet a dû consentir un rabais et sa prière « de ne pas parler du prix[15] » et de ne pas révéler le nom du collectionneur n'a servi à rien. Le 16 septembre, il écrit à Joyant qu'il n'en peut plus de ces « reproches, marchandages, mise en demeure d'avoir à céder, tout cela au point d'en avoir par-dessus la tête de ces *Cathédrales*[16] ». Il doit se résigner à admettre que, s'il est prêt à certaines concessions, c'est « à cause de rapports antérieurs[17] ». Il pourrait, mot pour mot, écrire la même lettre à Durand-Ruel.

Celui-ci vient à Giverny. Monet et lui s'expliquent. Lorsque, cette fois, il reprend le train à Vernon, Durand-Ruel peut espérer les *Cathédrales* chez lui. Si Monet est tombé d'accord sur le principe d'un tel projet pour le printemps de l'année prochaine, le marchand lui a demandé le temps d'y réfléchir. La situation se retourne, ce n'est plus à Durand-Ruel d'attendre le bon plaisir du peintre, c'est à lui d'attendre.

Lorsque l'année s'achève, Monet écrit à l'un des fils de Durand-Ruel parti aux Etats-Unis : « Je vous serais bien obligé, dès que vous aurez reçu une réponse de votre père, de me faire savoir ce qu'il aura décidé relativement à mon exposition des *Cathédrales* que je tiens à montrer le printemps prochain vers la fin d'avril – s'il est disposé à la faire comme cela devait avoir lieu l'an dernier, ou si je dois m'occuper de la faire ailleurs. »

L'année s'achève. Elle n'aura pas été, à priori, si différente des autres. Année de travail dans l'atelier à y parachever les *Cathédrales*, à peindre sur le motif à Port-Villez... Année de travaux dans le jardin où l'on creuse un bassin... Année où il aura conseillé Renoir qui n'a pas fini d'avoir à affronter les tergiversations de l'administration des Beaux-Arts embarrassée par le legs Caillebotte : « Je crois que le *Raboteurs* feront bien, bien qu'il y ait une autre toile qui, autant que je m'en souviens, est plus particulière. C'est une fenêtre avec une figure d'homme vu de dos, les jambes écartées, qui regarde dans la rue. Mais peut-être l'avait-il donnée, sans quoi ce serait moins école que les *Raboteurs*[18]. » Année où il aura remercié comme il se doit Toulouse-Lautrec : « Je vous demande bien pardon d'avoir laissé votre aimable lettre sans réponse et de ne pas vous avoir remercié pour votre très belle affiche que je suis bien heureux de posséder[19]. » Année de marchandages voulus discrets si ce n'est secrets et dont tout le monde aura eu connaissance ; Pissarro à son fils Lucien, le 14 octobre 1894 : « Monet a refusé de baisser le prix de ses *Cathédrales*, il en demande quinze mille francs de chaque – fichtre ! – Durand ne doit pas être content, faut-il que je sois peu de chose pour qu'il regimbe sur mes prix si modestes[20] ! » Année au cours de laquelle, le 2 juin, il aura racheté pour trois mille francs une vue de Bordighera donnée à Octave Mirbeau pour la vente au profit de la veuve du père Tanguy qui vient de mourir comme il a vécu, dans la gêne, de ce père Tanguy dont depuis vingt-cinq ans tous les peintres ont poussé la porte de la boutique de couleurs, au 14 de la rue Clauzel d'abord, puis de l'autre côté de la rue, à deux pas de la rue des Martyrs, au pied de la butte Montmartre. A la même vente les toiles de Cézanne ne se sont pas vendues aux mêmes prix... La plus « chère » est partie pour 175 francs. Une *Ferme* s'est vendue 45 francs. A Geffroy qu'il invite à déjeuner à Giverny, le 23 novembre : « J'espère que Cézanne sera encore ici et qu'il sera des nôtres, mais il est si singulier, si craintif de voir de nouveaux visages que j'ai peur qu'il nous fasse défaut malgré tout le désir qu'il a de vous connaître. Quel malheur que cet homme n'ait pas eu plus d'appui dans son existence ! C'est un véritable artiste et qui est arrivé à douter de lui par trop. Il a besoin d'être remonté[21]... »

Le 28, autour de Monet sont réunis Gustave Geffroy, Mirbeau, Clemenceau, Rodin et Cézanne. Au moment de passer à table, « Cézanne confie à Geffroy et à Mirbeau qu'il retient à l'écart : "Il n'est pas fier, monsieur Rodin, il m'a serré la main ! Un homme décoré !"[22] ». Au cours du déjeuner même, Monet s'adresse à Cézanne : « Nous sommes tous heureux de saisir cette occasion pour vous dire combien nous vous aimons et combien nous estimons et admirons votre art. » Cézanne bougonne pour réponse : « Vous aussi, vous vous foutez de moi[23] ! » Il n'a pas fini de surprendre les uns et les autres. Après le déjeuner, dans le jardin des nymphéas, Cézanne se met à genoux devant Rodin pour le remercier encore. Le soir même Cézanne continue sans doute de déconcerter les clients de l'hôtel Baudy où il est descendu. Mlle Matilda Lewis, jeune femme peintre qui vient d'arriver à Giverny, écrit à ses parents aux Etats-Unis : « La première fois que je l'ai vu, je lui ai trouvé l'air d'un assassin avec ses gros yeux éraillés qui lui sortent de la tête d'une manière tout à fait féroce, sa barbe pointue assez menaçante, toute grise, et sa façon exaltée de parler qui fait trembler les plats.

Mais je me suis rendu compte que je m'étais méprise sur les apparences, car bien loin d'être dur ou dangereux, il est l'homme le plus doux du monde, "comme un enfant", dit-il. Au début ses manières m'ont interloquée : il racle l'assiette à potage, puis il la soulève et en vide les dernières gouttes dans la cuiller ; il mange même ses côtelettes avec les doigts et arrache la viande de l'os. Il mange au couteau et ponctue le moindre geste, le moindre mouvement de la main avec cet instrument qu'il agrippe dès le début du repas, et ne lâche que quand il sort de table ; mais malgré son mépris total de l'étiquette, il est avec nous délicat comme personne d'autre ici. Il ne veut pas que Louise le serve avant nous, selon l'ordre du service à table ; il est même cérémonieux avec cette pauvre fille, et il ôte le vieux béret dont il protège sa tête chauve en rentrant dans la pièce[24]. » Et Cézanne disparaît sans prévenir... « Ce fut Monet qui rassembla, pour les lui faire parvenir, les toiles... oubliées[25]. »

L'année s'achève. Une année qui n'aurait pas été si différente de celles qui précédèrent ? Pourtant jamais encore Monet n'a osé tenir tête à ses amateurs ou à ses marchands comme il vient de le faire. Jamais encore, pour Renoir qui lui aura demandé conseil ou pour Pissarro qui se sera effaré de la prétention de ses prix, il n'aura tenu un tel rôle de référence exemplaire.

Monet a une autre raison de penser à Pissarro. Parce qu'il est juif. En cette fin d'année, un événement trouble Monet. Le 22 décembre, le Conseil de guerre condamne le capitaine Alfred Dreyfus, arrêté le 15 octobre, pour haute trahison, à la déportation perpétuelle. Est-il coupable ? Est-il innocent ? Trop tôt pour le savoir quand bien même la justice qui a été rendue à huis clos semble avoir été expéditive. Ce qui trouble Monet, c'est la haine que vomit la presse. S'il a accepté, sur l'insistance d'Alice, que ses fils soient baptisés, qu'ils fassent leur première communion, s'il a épousé Alice devant Dieu, par amour pour elle, par respect pour sa foi, si Alice demeure convaincue que la France est la fille aînée de l'Eglise, Monet ne peut admettre que cette France-là soit antisémite.

1895/1

On m'a porté un toast, au peintre Claude Monet, une gloire de la France[1]

Au soir du 16 janvier, lors du banquet donné en l'honneur de Puvis de Chavannes dont c'est le soixante-dixième anniversaire, le peintre scandinave Fritz Thaulow conforte sans doute la résolution de Monet. Rejoindre son beau-fils Jacques Hoschedé qui, après son mariage avec une Norvégienne, s'est installé à Christiania, est un prétexte suffisant. Si les descriptions des neiges faites par Thaulow confirment celles de Jacques, Monet ne doute pas de trouver des motifs sans commune mesure avec ceux de sa Normandie, même sous la neige, ni, qui plus est, avec ceux de Bordighera ou ceux d'Antibes.

Monet quitte la France le 28 janvier. Jamais voyage n'aura été aussi long. Le train de Paris à Kiel, via Cologne. Partout la neige. A Kiel, montée à bord d'un bateau pour Korsör. La traversée qui devait ne durer que cinq heures en dure plus de neuf. Dans la nuit, la tempête de neige a été si intense que le capitaine a été contraint de mettre en panne, de jeter l'ancre dans un hurlement de sirène et le fracas de la glace qui frappe la coque. Ensuite l'attente à Helsingör d'un train de nuit qui n'arrive le lendemain à Christiania[2] qu'à 11 heures du soir. Enfin.

Monet commence, lettre après lettre, à tenir un journal de voyage qui rapporte son émerveillement. C'est « la grande beauté des fjords, c'est l'eau, c'est la mer, et elle n'existe plus, c'est de la glace, mais couverte de neige et si bien qu'on ne voit plus qu'on est au bord de la mer[3] ». Ce sont « des tout petits gosses comme des grandes personnes et tous dans de délicieux costumes qui les font ressembler à des Lapons[4] ». Ce sont « de superbes forêts de pins », ou ce sont « d'énormes chutes d'eau de cent mètres, mais entièrement gelées, c'est extraordinaire[5] ». Ce sont des promenades en traîneau au cours desquelles on voit « des choses étonnantes[6] ». C'est une course « des plus curieuses, sur une pente de plus de cent cinquante mètres, ils descendent cela en faisant dans l'air des bonds de vingt à vingt-cinq mètres, c'est très extraordinaire[7] ». C'est « une magnifique promenade sur un bateau de construction nouvelle pour couper la glace dans les fjords[8] ».

En dépit des « superbe », « extraordinaire », « magnifique », en dépit de cet enthousiasme de touriste, Monet est loin d'être comblé. A Alice, le 13 février : « Il se pourrait que, subitement, je reprenne le chemin de la France, n'ayant aucun goût de voir du pays que je ne puis peindre. Du reste je suis trop vieux pour m'embarquer désormais pour des pays étrangers ; en France tant qu'on voudra, où l'on peut se caser et vivre à sa guise et où l'on peut profiter de son temps. Ici, manger à une autre heure qu'eux est chose presque impossible, on se couche fort tard et on se lève de même. Enfin, malgré l'amabilité des Norvégiens, j'en ai presque plein le dos et tout cela parce que je ne peux pas travailler, que c'est chose impossible[9]. » Monet ne se résigne pas à cette impossibilité. Il se met au travail à Sandviken : « Je travaille, mais c'est bien difficile subitement de comprendre un pays, et je ne fais que tourner Jacques en bourrique. Souvent, nous partons avec armes et bagages pour ne rien faire : mais il faut que j'en vienne à bout, et que je rapporte quelque chose[10]. » Sa détermination est sans failles : « Mes toiles sont préparées, je sais où je dois aller à différentes heures, si le temps le permet, car il y a des endroits que j'ai vus par temps gris qui ne sont pas faisables par le soleil, tant la neige est brillante et aveuglante pour les yeux (presque tout le monde ici porte lorgnon ou lunettes). Ce serait si bête d'être venu ici, d'avoir fait toute cette très grosse dépense et de revenir bredouille. Je sens de quelle humeur je serais, le dégoût que j'aurais pour terminer mes toiles pour l'exposition, et pressens même qu'elle n'aurait pas lieu encore cette fois ; il faut donc que ça marche ces jours-ci, ou alors c'est que je ne suis plus bon à rien[11]. » Tous les moyens sont bons pour prouver le contraire : « Et j'ai, je crois, trouvé mon affaire. Ne pouvant songer à aller sur skis comme tout le monde, il me fallait toujours suivre les routes, les chemins, sous peine de s'enfoncer dans la neige. Sur les fjords mêmes il y a de chemins de communication de tracés par les traîneaux, ou alors, aller partout sur skis. Mais maintenant quand je soupçonnerai un bon endroit, nous userons de la pelle[12]. »

Alors recommencent les sempiternelles récriminations à propos « de la brume, du soleil, de la neige et du temps net et noir, et tout cela pas toujours à l'heure qu'il me faudrait[13] ». Monet grogne une fois de plus : « J'aurais tant de choses différentes à faire et c'est là que j'enrage le plus car il est impossible de voir de plus beaux effets qu'ici. Je parle des effets de neige qui sont absolument stupéfiants, mais d'une difficulté inouïe et puis ce que le temps est changeant, ce n'est rien à côté de chez nous surtout à cause de cette immensité blanche. Ces changements me font perdre un temps bien précieux, mais je ne puis cependant pas mettre des quantités de toiles en train, de sorte que souvent je reviens bredouille et par conséquent furieux[14]. » Il est d'autant plus en rage qu'il lui faut faire cet extraordinaire constat : « On dirait le Japon, ce qui est du reste bien fréquent en ce pays. J'ai en train une vue de Sandviken qui ressemble à un village japonais, puis aussi une montagne que l'on voit de partout ici et qui me fait songer au Fuji-Yama. J'ai dû mettre six toiles en train de ce dernier sujet tant les effets sont variables, mais pourrai-je en venir à bout[15] ? » Monet qui retrouve le Japon à Sandviken, en Norvège, saurait-il qu'au soir du 21 février 1888 Vincent Van Gogh a écrit à son frère : « Et les paysages dans la neige avec les cimes blanches contre un ciel aussi lumineux que la neige, étaient bien comme les paysages d'hiver qu'ont fait les Japonais[16]. » Théo Van Gogh aurait-il, à Giverny, évoqué devant Monet cette lettre reçue d'Arles ?

Pour la première fois, Monet regrette d'avoir commencé à peindre : « Ce qu'il y a de bête et de regrettable, c'est de m'être mis dans la tête de rapporter quelque chose : on ne vient pas dans un pays si différent se mettre à le peindre de but en blanc. Cela m'a empêché de voir un peu la Norvège, d'où je reviendrai n'ayant vu que les environs de Christiania[17]. » Il est trop tard... Il continue donc à peindre. Et, pour la première fois, d'une manière différente : « Je travaille sans arrêt malgré tous ces changements, malgré la neige, mais je ne pourrai arriver à faire des choses terminées, il me faut me borner à faire des aspects en une ou deux fois, impossible de retrouver les mêmes effets, surtout à ce moment de l'hiver. J'avais aussi plusieurs toiles par soleil et voilà bien huit jours qu'il n'a pas paru et, quand il viendrait, ce sera pour tout fondre. Mais que de belles choses je vois, que de beaux effets que je n'ai pas pu voir au début. C'est maintenant que je vois ce qu'il fallait faire et de quelle façon ; j'aurais dû venir ici un mois plus tôt, et certes ce pays vaut la peine d'y revenir, on ne se doute pas en France de pareils effets de neige, c'est merveilleux, mais je vais, je vais[18]... »

Quelques jours plus tôt, Monet a reçu une visite. Le 7 mars, à Alice : « Un journaliste est venu me demander si je voulais consentir à exposer ce que j'aurai fait avant mon départ : tu penses si sa demande a été bien accueillie. Tous les peintres sont curieux de voir ce que je vois, mais je m'y suis refusé jusqu'à présent : je crois du reste que, s'ils voyaient mes toiles dans l'état actuel, ils seraient stupéfaits et très déçus[19]. » Mais comment refuser à un pays qui lui a réservé un accueil auquel Monet n'est guère habitué. Dès le 9 février, il a rapporté à Alice qu'« on s'occupe un peu trop de [sa] personne, dans les journaux, dans les restaurants, les cafés[20] ». Les peintres et les littérateurs se sont même dits prêts à lui offrir un banquet. A Sandviken, dans la ferme où il logeait de même qu'un autre peintre et sa femme, à deux pas d'un auteur danois qui occupait un pavillon voisin, il a dû chaque soir assister à un dîner donné en son honneur, dîner auquel, qui plus est, on ne manquait pas d'inviter d'autres peintres encore. Récit fait le 24 février : « On m'a porté un toast, au peintre Claude Monet, une gloire de la France, choc de verres et tout le monde, hommes et femmes, debout, entonnant *La Marseillaise*, tu vois ma tête, et ça finit par "hip hip hourra" assourdissant[21]. » Comment pourrait-il refuser de montrer ses toiles avant son départ ? Trois jours avant de quitter Christiania, il doit consentir à ouvrir les portes de sa chambre où les tableaux sont exposés. A Alice, le 30 mars : « Hier c'était le prince royal et son aide de camp avec plusieurs peintres ; ce matin, dès le réveil, d'autres peintres et, cet après-midi, quinze à vingt personnes : tout ce monde est dans l'admiration. Tous les journaux en parlent : ils ne sont vraiment pas bien exigeants, mais je dois l'avouer, je suis touché de leur témoignage qui paraît si sincère[22]. »

De retour à Paris au début du mois d'avril, il s'interdit d'espérer un accueil comparable à celui qu'il vient de recevoir en Norvège pour son exposition chez Durand-Ruel qui doit finalement ouvrir le 10 mai. Il lui faut, après un ou deux jours de repos, d'urgence terminer les toiles qu'il compte exposer. Il lui faut se soucier de son bassin qui vient de subir un premier hiver. Il n'a cessé d'y penser en Norvège. Le 18 février, il écrivait à Alice : « Ce froid que je voudrais voir durer ici, je le redoute bien pour le jardin. J'ai grand-peur que bien des choses ne soient perdues : on n'a couvert aucun oignon cette année ; cette imprudence due à Kléber pourra être une grande perte ; en plus de cela, bien des choses que j'ai dit de faire vont être très en retard. Si donc le temps change, que l'on secoue un peu Kléber[23]. » Alice aura-t-elle assez secoué Kléber ? Un mois plus tard, le 17 mars, c'était un autre souci encore : « Ce que tu dis de mes pauvres rosiers me désole, et je m'attends à bien des désastres. Aura-t-on pensé au moins à couvrir les pivoines japonaises, ce serait un meurtre de ne pas l'avoir fait ; et je me réjouis de voir la serre et j'espère bien qu'elle sera encore belle[24]. »

Plus que l'allure de la serre l'inquiète l'état de santé d'Alice et de Suzanne Butler, sa belle-fille, « qui s'est aggravé[25] ». Dès que l'exposition sera ouverte, Monet en avertit son marchand, il les accompagnera aux eaux de Salies-de-Béarn. Puisse cette cure être efficace ! Les médecins consultés semblent si peu sûrs de leurs diagnostics...

Le 5 mai, de Giverny, il donne encore à Durand-Ruel une dernière liste de noms d'amateurs chez qui il convient d'aller faire prendre les toiles qu'ils ont consenti à prêter. Le lendemain, il lui rappelle qu'au-delà de ces toiles récupérées chez Perry, chez Gallimard ou chez la princesse de Polignac, il ne faut pas oublier de passer chez Camondo.

Le 7 mai, Monet est à Paris pour la mise en place des œuvres. Les quarante-neuf tableaux mentionnés dans le catalogue doivent être répartis entre les deux galeries, celle du 11, rue Le Peletier, celle du 16, rue Laffitte. Ils composent quatre ensembles, *La Cathédrale de Rouen*, du numéro 1 au numéro 20, *Vernon, vu du bord de l'eau*, de 21 à 28, *Environs de Christiania*, de 29 à 36. Le quatrième groupe est plus disparate puisque composé de peintures plus anciennes comme un *Champ de tulipes en Hollande* de 1886, une *Vallée de la Creuse*, une *Meule*, des *Peupliers*, des *Glaçons* ou encore trois *Paysages de printemps*. Les *Cathédrales* sont rue Laffitte. Enfin tout est prêt pour l'ouverture de « cette exposition si souvent remise[26] ».

1895/2

Je suis tout confus de tant d'éloges[1]

On en parlait depuis des mois... Déjà, parmi les sujets de conversation énumérés par Goncourt à propos d'un déjeuner avec Geffroy, Franz Jourdain[2], touche-à-tout enthousiaste et généreux, romancier, critique et architecte, et Jean Lorrain[3], romancier et chroniqueur implacable de la vie parisienne tant artistique que mondaine, qui a eu lieu le dimanche 2 septembre 1894, si l'on a évoqué le « mouvement symboliste, que Geffroy croit être un mouvement bien dans le temps, ce temps scientifique dans lequel jurent les restitutions des choses usées de l'Antiquité », on a aussi parlé « de Monet, qui aurait fait, aux différentes heures du jour, une trentaine de vues de la cathédrale d'Angers, qui seraient supérieures, comme couleurs de pierres précieuses, d'après les dires de Franz Jourdain, à l'émail du peintre anglais Turner »[4]. La cathédrale d'Angers ? C'est peut-être celle de Reims, d'Auxerre, de Sens ou de Rouen... On sait si peu de chose... Déjà, Pissarro qui demandait à Monet le 21 octobre 1894 la permission de lui rendre visite avec l'« un de [s]es bons amis », écrivait alors : « Inutile de vous dire combien moi aussi je serai heureux de voir vos *Cathédrales* qui doivent être épatantes à juger par celles que j'avais déjà vues[5]. » Depuis des mois, on parle de ces toiles que Monet n'a montrées qu'en entrebâillant la porte de son atelier, de ces toiles pour lesquelles le bruit court qu'il « demande des prix fous[6] », de cette exposition dont on assure qu'elle aurait été prévue, annulée, reportée. Et elle est ouverte. Pissarro à son fils Lucien, le 11 mai 1895 : « Monet a ouvert son exposition hier, il y aura vingt *Cathédrales de Rouen* !!! Quarante toiles en tout. Ce sera la *great* attraction. Elle durera jusqu'à la fin du mois[7]. »

Goncourt, qui n'aime guère cette peinture irrévocablement pervertie depuis Manet, est très heureux de pouvoir noter dans son *Journal* le 22 mai 1895 ce que Bracquemond lui lance sur le boulevard : « Avez-vous vu les CATHÉDRALES de Monet ? Ce sont de petites crottes jaunes, bleues, roses... mais de loin, c'est admirable[8] ! » « Admirable », c'est à voir, et si ça l'est, cela n'empêche pas ces tableaux d'être de « petites crottes ». Pissarro entend sans doute ce « bon mot » et d'autres encore du même acabit. Cela ne remet pas en cause sa certitude : « L'exposition Monet fait grand bruit à Paris, les jeunes peintres Anquetin et autres prétendent que ce n'est pas de la peinture, que n'importe qui peut faire cela ; c'est tout bonnement un admirable artiste, on le verra bien plus tard[9] ! » Et Pissarro de répéter cette conviction. Il écrit encore à son fils Lucien, le 26 mai 1895 : « Je regretterais que tu ne sois pas ici avant la fermeture de l'exposition de Monet ; ses *Cathédrales* vont être dispersées d'un côté et d'autre, et c'est surtout dans son ensemble qu'il faut que ce soit vu. C'est très combattu par les jeunes et même par des admirateurs de Monet. Je suis très emballé par cette maîtrise extraordinaire. Cézanne, que j'ai rencontré hier chez Durand, est bien de mon avis que c'est l'œuvre d'un volontaire, bien pondéré, poursuivant l'insaisissable nuance des effets que je ne vois réalisée par aucun autre artiste. Quelques artistes nient la nécessité de cette recherche, personnellement je trouve toutes recherches légitimes, quand c'est senti à ce point[10]. » Son opinion n'est pas si différente de celle du jeune peintre Théo Van Rysselberghe qui reconnaît « que Monet est là tout entier, avec ses qualités et ses défauts, les uns et les autres plus forts que jamais – et qu'il est à prendre ou à laisser[10] ». Les autres « jeunes » peintres de sa génération sont pour la plupart d'entre eux partisans de « laisser », de Maximilien Luce qui ne peut « passer sur l'absence de composition » à Henri-Edmond Cross auquel répugnent ces « pièces montées ».

La critique a d'autres réticences. Dans *Le Mercure de France*, Camille Mauclair veut bien affirmer « Monet est incontestablement le plus prodigieux virtuose que la peinture française ait vu depuis Manet », cela ne l'empêche pas de noter : « Peut-être M. Monet va-t-il un peu loin dans l'irisation. Tels portails semblent polychromes et fondus dans l'azur fou des tropiques. Certains sont noyés d'un poudroiement qui réjouit l'œil, mais qui gêne l'impression de sévérité de ces vieilles pierres gothiques[12]. » André Michel est sur le point de porter le deuil de la peinture : « Après un tel effort et une si étonnante gageure, un tel abus et une telle dislocation du métier, la peinture à l'huile n'a plus rien à dire[13]. » Dans *La Plume*, Henry Eon fait part de son désarroi : « Cependant Claude Monet devait à la renommée de son passé de nous donner aussi une impression de brouillard. Il n'y a point failli et nous obsède avec une cathédrale fantôme qui semble osciller dans une atmosphère trouble ; l'œil déçu cherche vainement à y percevoir un point fixe[14]. » Ary Renan ne s'avoue pas moins désarçonné dans la *Chronique des Arts et de la curiosité :* « Le caprice et la discipline du pinceau n'ont jamais été, dans l'œuvre de Claude Monet, plus étrangement troublants. » Enfin, Thadée Natanson a le sentiment que Monet est désormais dans une impasse. Il lui semble que Monet s'est engagé dans « une recherche expérimentale et théorique où le peintre serait parvenu à une systématisation trop extrême du procédé des séries[15] ».

Seul Gustave Geffroy exalte la nouvelle dimension de l'œuvre de son ami : « Une mystérieuse opération s'est faite. L'art de Monet, épuré, dépouillé, purifié, pourrait-on dire, de tout alliage visible, conquiert un espace inconnu de lumière, et une vérité plus grande resplendit. Je ne crois pas que l'on ose réduire, devant ces toiles, l'impressionnisme de Monet à l'observation d'un accident. Je crois que ses œuvres achèveront la démonstration, donneront à tous la même sensation de l'éternelle beauté de la vie, présente à toutes les heures, à tous les moments de la lumière. »

Le 20 mai, sur cinq colonnes à la une de *La Justice*, paraît l'article de Georges Clemenceau sous le titre « Révolution de cathédrales » : « Habilement choisies, les vingt états de lumières des vingt toiles s'ordonnent, se classent, se complètent en une évolution achevée. Le monument, grand témoin du soleil, darde au ciel l'élan de sa masse autoritaire qu'il offre au combat des clartés. Dans ses profondeurs, dans ses saillies, dans ses replis puissants ou ses arêtes vives, le flot de l'immense marée battant la pierre de tous les feux du prisme ou apaisé en obscurités claires[16]. » Et, s'adressant à Félix Faure, président de la République française, Clemenceau lui donne un conseil – qui n'est pas loin d'être un ordre : « Puisqu'il y a en vous une pointe de fantaisie, allez regarder ces séries de cathédrales en bon bourgeois que vous êtes, sans demander l'avis de personne. Il se peut que vous compreniez, en songeant que vous représentez la France, l'idée vous viendra peut-être de nous doter de ces vingt toiles qui, réunies, représentent un moment de l'art, c'est-à-dire un moment de l'homme lui-même[17]. »

Le jour même de la parution de l'article, Monet écrit à Clemenceau, député acclamé deux ans plus tôt à la Chambre, malgré une accusation de trahison lors du scandale de Panama qui a échaudé des centaines de milliers de rentiers : « Je ne sais que vous dire ni comment vous remercier pour l'admirable article que vous m'avez consacré. Je suis tout confus de tant d'éloges et ne peux croire que je les mérite, mais ce que je puis vous dire, c'est que je suis très fier de votre admiration et d'avoir pu vous inspirer à ce point. Modestie à part et moi en dehors, c'est magnifiquement dit, c'est superbe. Je vous remercie de tout cœur[18]. » Immédiate réponse de Clemenceau : « Mon cher ami, je suis content que vous soyez content. Si l'article est bon, c'est qu'il vient de vous. Mais je le trouve fort au-dessous de ce qu'il aurait fallu dire. Je suis retourné hier aux *Cathédrales* et je me suis trouvé confus d'avoir été inférieur à mon sujet. Je trouve votre œuvre merveilleuse et je le dis. Seulement ce n'est pas assez. Il faudrait trouver des accents pour enfoncer votre lumière dans les cerveaux obscurs. Difficile besogne. Travaillez, et soyez remercié d'avance de tout ce que vous ferez encore pour les yeux qui viendront. A vous de tout cœur[19]. »

La mort interrompra en 1926 leur correspondance qui commence en cette fin du mois de mai 1895.

En raison de son succès, l'exposition est prolongée d'une semaine. Pas assez, semble-t-il, pour laisser le temps à M. Félix Faure, président de la République, de passer rue Laffitte.

1895/3

Mais comme je tiens à prouver
d'abord combien j'aime Giverny[1]

Monet avait annoncé à Durand-Ruel son intention d'accompagner sa femme et Suzanne aux eaux de Salies-de-Béarn au lendemain de l'ouverture de l'exposition. Mais il est bientôt impossible qu'il fasse un pareil voyage. Un bruit court à Giverny. L'amidonnerie Rémy se proposerait de faire l'acquisition du marais communal en vue d'y implanter une usine. Nouveau scandale. Sans la moindre hésitation et faute de pouvoir obtenir des informations précises à la mairie même, Monet s'adresse au préfet de l'Eure le 21 mai : « J'habite ce pays où je suis propriétaire depuis quinze années. Je m'y suis fixé à cause du charme et de la beauté de l'endroit et je crois pouvoir dire que j'ai contribué dans une certaine mesure au bien-être et à la prospérité du pays en y attirant un certain nombre d'artistes et d'étrangers, que plusieurs ont suivi mon exemple et fait construire, qu'un hôtel assez important s'y est établi, enfin, par cela même, la valeur du terrain et la location s'est très sensiblement accrue. Il est donc certain que la vente du marais communal pour y établir une usine quelconque entraînera le départ de tous les artistes et des étrangers, au grand détriment de bien des habitants. Je sais que, pour ma part, s'il est donné suite à ce projet, je suis décidé à le quitter aussitôt, considérant cela comme la perte du pays, c'est pourquoi je proteste énergiquement contre la vente du marais[2]. »

Quelques jours plus tard, le sous-préfet des Andelys vient lui-même sur place pour se rendre compte de la situation. Il prend bonne note des contrariétés qu'impliquerait une telle usine tout comme de la proposition de Monet de se porter acquéreur lui-même de ce marais pour empêcher l'absurdité que serait une usine à Giverny. Après le départ du sous-préfet, Monet précise qu'il ne s'oppose à cette vente et ne maintient son offre d'achat « que dans le seul cas où l'acquéreur actuel aurait la promesse de pouvoir établir une usine, ce qui n'est pas possible sans que les habitants soient de nouveau consultés par une nouvelle enquête *de commodo et incommodo*[3] ». Monet enquête. Puisse-t-il n'y avoir pas encore un de ces « cultivants » pour répéter encore et encore, comme lorsqu'il a voulu faire creuser son bassin, « moi je m'y oppose[4] »... Si

« moi je m'y oppose », surnom que l'on a donné dans la famille au paysan buté qui a tenu tête à Monet, semble hors de cause, les choses sont loin d'être claires.

Elles sont plus graves que Monet a pu le soupçonner, puisque le maire de Giverny en arrive à affirmer « que le marais ne serait vendu qu'à la condition que l'acquéreur s'engage à y établir une amidonnerie, ce qui est en complète contradiction avec ce qui avait d'abord été dit, sans doute dans le seul but d'obtenir des voix et d'éviter des protestations[5] ».

Ses démarches faites permettent à Monet de s'absenter quelques jours, de partir dans les Pyrénées où, heureusement, il retrouve Alice et Suzanne mieux qu'il pensait. Le 24 juin, il est de retour à Giverny. On y attend le résultat d'une nouvelle enquête conduite par ordre du préfet. A la mi-août, Monet est informé officiellement qu'un certain M. Rayer se propose d'acheter le marais, selon les assurances qu'il a données au préfet : « Mais comme je tiens à prouver d'abord combien j'aime Giverny et combien je serais heureux de voir cesser ces discussions qui agitent et inquiètent le pays, je viens vous informer que, dans l'intérêt de tous, je me décide à faire un plus grand sacrifice et qu'au lieu des quatre mille francs que je vous ai déjà offerts pour la commune, je suis disposé à lui donner la somme de cinq mille francs, sans autres conditions que le renoncement par elle à l'aliénation du marais communal et l'emploi par elle de cette somme à l'amélioration dudit marais. A vous, Monsieur le Maire, et au conseil municipal d'apprécier mon offre toute désintéressée ainsi que les sentiments qui me guident[6]. » La mairie s'empresse d'accepter l'offre du « horzin ». Affaire conclue, heureusement conclue. L'attitude du maire et d'une partie du conseil municipal n'a pas été qu'une nouvelle manifestation d'une ancienne défiance à l'égard d'un « Parisien » qui n'a pas hésité à différer le temps du démontage de meules et de l'abattage de peupliers. Elle aurait pu être fatale à son jardin, à ce qu'il veut qu'il soit, à ce qu'il devra être, un motif incomparable.

Durand-Ruel est le premier informé des conséquences de la décision municipale : « Je pensais justement vous écrire au sujet du règlement de mon compte de 15 632 francs que vous m'aviez promis lors de votre dernier envoi[7]... » Avant de venir déjeuner le samedi suivant à Giverny, il reste au marchand à prendre les dispositions nécessaires pour répondre à cette attente : « Un versement de 10 000 francs et 5 632 francs en espèces feraient bien mon affaire en ce moment[8]. »

Et l'été passe. Et l'automne commence. Monet s'occupe de son jardin : « Les deux caisses de plantes sont arrivées en bon état malgré cette forte chaleur, les fleurs bien peu abîmées, mais il n'y paraîtra plus l'année prochaine et elles devront être superbes[9]. » Pendant ces mêmes semaines, de plusieurs sources, reviennent aux oreilles de Monet des informations qui semblent vérifier les unes les autres d'anciens soupçons. Il est temps, en novembre, de crever l'abcès. Une lettre de Durand-Ruel lui en fournit le prétexte : « Puisque vous me parlez des *Cathédrales*, laissez-moi vous parler franchement et vous dire ce que j'ai sur le cœur. Il est un fait certain, c'est que du jour où je me suis permis de vouloir certains prix de mes *Cathédrales*, nos rapports et nos relations n'ont plus été les mêmes, le syndicat s'est formé qui a été le commencement des hostilités. » Tombent les reproches : « Je dois vous dire franchement que je sais, d'une façon certaine, que beaucoup d'étrangers sont venus à Paris avec l'intention d'acheter des *Cathédrales* et, n'en ayant pas, vous répondiez à ceux qui voulaient venir à Giverny qu'il était inutile de se déranger (M. Monet n'en voulant vendre aucune). A d'autres, vous disiez n'avoir pas voulu en acheter à cause des prix excessifs (que je ne voulais pas en vendre à moins de *trente mille francs*). » Conclusion : « Que les affaires soient calmes et que mes prix vous semblent trop élevés, rien que de naturel, et j'aurais mauvaise grâce à vous en vouloir. Mais me faire la guerre à cause de cela, c'est ce que je ne puis comprendre, et je ne vous cache pas que j'en ai eu de la peine et de l'irritation. » Moralité : « Voyez donc ce que vous voulez et pouvez faire et, si vous êtes libre et dégagé de tout engagement avec vos confrères, vous me trouverez disposé à m'entendre avec vous. Mais, je vous le répète, il faut pour cela que je sois certain qu'il n'y a plus trace de syndicat ni d'hostilités aucunes[10]. »

Les justifications de Durand-Ruel arrivent à Giverny par retour du courrier. Comme il se doit, Monet répond aussitôt : « Les lignes que vous m'adressez pour protester contre ce qui m'a été rapporté me font le plus vif plaisir et je suis heureux d'apprendre de vous qu'aucun engagement n'existe entre vous et MM. Boussod et Montaignac. [...] Je serai très heureux d'avoir votre visite et de causer avec vous, ce sera le meilleur moyen de nous entendre[11]. » L'incident est clos.

L'année s'achève. Le marchand Ambroise Vollard présente la première exposition personnelle de Paul Cézanne. Le 6 juillet, Cézanne a écrit à Monet pour lui annoncer qu'il abandonnait momentanément le portrait de Gustave Geffroy, confus du mince résultat obtenu après tant de séances. La lettre s'achevait par ces mots : « Pour terminer, je vous dirai combien j'ai été heureux de l'appui moral que j'ai rencontré auprès de vous, et qui me sert de stimulant pour la peinture[12]. » En ce 4 décembre 1895, un homme pousse la porte de la galerie Vollard, rue Laffitte. « Le premier jour de mon exposition Cézanne, je vis entrer un homme barbu, de forte corpulence, qui avait tout à fait l'air d'un *gentleman farmer*. Sans marchander, mon acheteur prit trois toiles. Je pensai que j'avais affaire à quelque collectionneur de province. C'était Claude Monet. Je devais le revoir plus tard, lors de ses passages à Paris. Ce qui frappait, chez un peintre aussi célèbre, c'était son extrême simplicité et la fervente admiration qu'il témoignait à son vieux camarade des temps héroïques de l'impressionnisme, à Cézanne, encore si méconnu. D'ailleurs, l'incompréhension du public d'alors s'étendait même aux artistes les plus notoires, et à Monet précisément[13]. »

En ce début de mois de décembre on annonce dans la presse que MM. Auguste et Louis Lumière doivent, le 28, dans l'un des salons du Grand Café, présenter une nouvelle attraction, le « cinématographe ». On parle de photographies animées...

1896

Je ne suis plus ce que j'étais, c'est bien certain[1]

Monet l'a écrit un an plus tôt, le 13 février, « Je suis trop vieux pour m'embarquer désormais pour des pays étrangers ; en France tant qu'on voudra[2] »... et il est hors de question de revenir là-dessus. Le 8 février, il avertit le marchand Maurice Joyant qu'il s'apprête à repartir « pour Le Havre où je vais me retremper à l'air de la mer et surtout pour y travailler[3] ». Finalement, il s'installe à Pourville, non loin de Dieppe. A la Renommée des galettes, où il a été choyé quatorze ans plus tôt par Paul et Eugénie Graff, les choses ne sont plus ce qu'elles ont pu être. Tous deux sont morts. Première déception : « Ce n'est plus l'ancienne maison Paul et ça laisse bien à désirer, sous tous les rapports[4]. » Pour le reste... les lettres qu'il écrit à Alice en ce mois de février 1896 ne sont guère différentes de ce qu'il a pu lui écrire jour après jour en 1882.

S'il rassure un marchand comme Durand-Ruel – « Je me suis installé ici depuis quelques jours, j'avais besoin de revoir la mer et suis enchanté de revoir tant de choses que j'ai faites il y a quinze années. Aussi me suis-je mis à l'ouvrage avec ardeur[5] » –, s'il s'en tient à une manière de neutralité avec un critique comme Geffroy – « Je suis un peu bien timide et tâtonnant, mais je me sens dans mon élément et j'espère pouvoir un peu travailler[6] » –, « Ma bonne chérie » est, elle, scrupuleusement informée comme le fut « Chère Madame » des doutes, des progrès, des contrariétés, des déceptions, des énervements, des colères, etc., de son « vieux mari ».

20 février : « J'ai travaillé toute la journée malgré un petit peu de pluie de temps en temps. J'ai mis en train quatre toiles, trois motifs différents. Je ne te dirai pas que je suis ravi de ces commencements, car j'y vais timidement et bafouille un peu, mais enfin, j'ai confiance et ne veux pas être trop exigeant le premier jour[7]. » 26 février : « J'ai dû chercher des motifs à l'abri du vent. Enfin, je fais ce que je peux, mais c'est dur[8]. » 28 févier : « Du reste, je ne fais que commencer et souvent recommencer mais il en sortira quelque chose, c'est si beau[9]. » 29 février : « Je travaille à deux ou trois, et toujours hésitant, mal content de la mise en toile, du choix de la place, ce qui m'amène à des changements ; enfin, je n'y suis pas encore et, avec cela, une indécision, une timidité extrême. Mais pas de découragement, je veux faire quelque chose et j'y arriverai. En tout cas ce ne sera pas faute de courage, car le temps est toujours bien dur et le vent bien gênant et, le pire de tout, c'est le changement de temps continu[10]. »

Au début du mois de mars, Monet échappe à ce pire pour honorer la promesse faite à Julie Manet de collaborer à la mise en place de l'exposition qui rend hommage à sa mère Berthe Morisot pour le premier anniversaire de son décès. Monet en a été plus affecté que d'aucune autre disparition. Il est intervenu auprès d'un collectionneur, M. Leclanché, pour qu'il accepte de prêter *La Parisienne*. Lui-même a prêté les Berthe Morisot de sa collection. Le lundi 2 mars, Julie entre dans la galerie Durand-Ruel : « M. Monet est déjà arrivé, il m'embrasse très tendrement et j'ai beaucoup de plaisir à le revoir ; il est bien gentil d'accourir ainsi, de laisser son travail. M. Degas s'occupe aussi de l'accrochage. M. Renoir arrive ensuite ; il a bien mauvaise mine. M. Mallarmé a dans ses attributions d'aller chez l'imprimeur pour le catalogue[11]. »

Deux jours plus tard, l'accrochage des tableaux est achevé. Presque achevé. Julie demande à Renoir comme à Monet de choisir parmi les toiles de sa mère en respect des volontés qu'elle a exprimées dans sa dernière lettre datée du 17 avril 1895. « M. Monet choisit le tableau que maman lui a laissé, il prend une chose d'après moi et *Laërte* que j'aime beaucoup et je suis contente que cela soit à M. Monet ; il m'embrasse avec beaucoup de bonté en me disant : "Elle est gentille." Il nous invite à Giverny[12]. »

A la fin de l'après-midi, les choses ne sont pas encore définitivement réglées. Récit de Julie Manet : « Vers six heures, lorsque la nuit tombe et que seuls les tableaux gardent quelques rayons de la lumière qui les éclaire, que tous ces portraits de jeunes filles sont de plus en plus vivants et que le paravent paraît encore plus une muraille, M. Monet demande à M. Degas de vouloir bien essayer demain matin ce fameux paravent dans la salle du fond, mais M. Degas prétend qu'on ne verra plus les dessins qui seront dessus : "Ces dessins sont superbes, je les estime autant que tous ces tableaux. – Le paravent dans la salle des dessins donne comme un air intime à cette pièce qui est charmant, dit Mallarmé. – Cela déroutera le public de voir des dessins au milieu de la peinture. – Est-ce que je m'occupe du public ? Il n'y voit rien, c'est pour moi, pour nous que nous faisons cette exposition ; vous ne voulez pas apprendre au public à voir ? crie Degas. – Eh bien si, réplique M. Monet, nous voulons essayer. Si nous faisions cette exposition uniquement pour nous, ce ne serait pas la peine d'accrocher tous ces tableaux, nous pourrions les regarder simplement par terre." Pendant cette discussion M. Renoir nous dit qu'il lui faut le pouf au milieu de la salle ; il est en effet agréable de pouvoir s'asseoir et regarder, M. Degas ne l'admet pas : "Je resterais treize heures de suite sur les pieds s'il le fallait." Il fait nuit, tout en parlant M. Degas marche de travers, va et vient avec son grand manteau à pèlerine et son chapeau haut de forme, sa silhouette est très amusante ; M. Monet debout parle fort, M. Mallarmé avançant une main veut arranger les choses et parle avec la douceur qui lui est habituelle. M. Renoir éreinté est échoué sur une chaise. Les hommes de Durand-Ruel rient, "Il ne lâchera pas", disent-ils. Mlle Blanche, Jeannie et moi, nous écoutons. "Vous voulez me faire enlever ce paravent que j'*adore*", dit M. Degas en appuyant sur le dernier mot. "Nous adorons Mme Manet, reprend M. Monet, il ne s'agit pas d'un paravent, mais de l'exposition de Mme Manet. Voyons, dites que nous essaierons demain le paravent dans l'autre salle. – Si vous m'assurez que c'est votre opinion, que cette pièce est mieux sans. – Oui, c'est mon opinion." Mais ce n'est pas fini, les discussions recommencent ; tout à coup M. Degas nous tend la main à Jeannie et à

312

moi et s'en va vers la porte ; M. Monet le retient et ils se donnent des poignées de main ; M. Mallarmé hasarde le mot de pouf, alors comme un coup de foudre M. Degas s'en va en courant dans le petit couloir, la porte se referme, il est parti, on se quitte un peu ahuri[13]. »

La mise en place ne s'achève que le lendemain : « J'arrive à neuf heures chez Durand-Ruel, il n'y a que les hommes qui balaient les salles. Je reprends mon travail de numérotage des tableaux ; puis M. Monet et M. Renoir ne tardent pas à être là. "Degas ne viendra pas, dit Renoir, il sera là dans la journée à clouer au haut d'une échelle et dira : Ne pourrait-on pas mettre une corde à la porte pour empêcher les gens d'entrer ? Je le connais." En effet, pas de M. Degas de toute la matinée. On se décide à mettre le paravent dans la salle du fond et on accroche les aquarelles et les dessins dessus. Enfin tout est prêt et admirablement arrangé, cette exposition est une merveille[14]. »

Monet repart aussitôt pour Pourville. Il s'en explique à Mallarmé le 8 mars : « Vous savez que c'est par raison, pour travailler que j'ai dû partir jeudi soir et malgré cette pluie et vent, je me suis remis aussitôt à la besogne. Mais non sans penser à cette belle réunion d'œuvres, si pure, si belle[15]. »

Et recommence aussitôt la longue doléance d'un Monet qui est accablé d'être « si maladroit, si long à voir et à comprendre[16] », qui doit se résigner à barbouiller et user de la couleur, qui doit se « résoudre à mettre des toiles en train par tous les temps, tous les vents[17] », qui enrage parce que, d'un jour l'autre, tous ses « motifs sont méconnaissables[18] », qui ne voit plus tout à coup que du « vert partout », ce qui le désole « au-delà du possible »[19], qui pressent, accablé, qu'il ne peut « arriver à aucun résultat[20] », qui peste parce que le vent emporte ses toiles, sa palette, et qu'il en arrive à vouloir « tout jeter[21] »... Monet prouve jour après jour que « c'est un drôle de métier que d'être paysagiste[22] ».

De retour à Giverny, il prévient Durand-Ruel que, d'une part, il a l'intention « d'y retourner passer l'hiver prochain[23] » et de ce que, d'autre part, il est sur le point d'« entreprendre différentes choses » qu'il a en vue. Suivent des mois de silence. Durand-Ruel est sans doute surpris de ce que, comme il l'a fait pendant des années, Monet ne lui demande pas de l'argent... A la mi-novembre, Monet lui explique la raison de ce long silence : « Je ne suis pas venu à Paris depuis bien des mois et n'ai pas bougé de Giverny où j'ai travaillé, mais pas selon mon gré, à cause du temps épouvantable que nous n'avons pas cessé d'avoir depuis un temps infini, et tout ce que j'ai entrepris, ou à peu près, sera à terminer l'an prochain. Et je me propose d'aller bientôt à la mer pour terminer toute une série de toiles commencées l'an dernier, qui m'intéressent beaucoup et dont je suis seul assez content. Vous voilà donc au courant[24]. »

Monet passe sous silence ce « temps épouvantable », cette pluie qui n'a pas cessé de tomber pendant l'automne, vingt jours sans arrêt en septembre, vingt et un en octobre – et il continue de pleuvoir au moment même où il écrit –, et n'a pas manqué de faire déborder la Seine et l'Epte. Monet vient de peindre l'inondation à Giverny.

Monet ne dit rien de la satisfaction qui a sans doute été la sienne à la lecture du *Figaro* du 2 mai. Emile Zola y exprimait son accablement, sa déception, à la sortie de la visite des Salons. Le très officiel Salon qui a écarté, condamné, refusé les impressionnistes avec constance, n'est plus. L'Etat a renoncé à son organisation en 1882 pour la céder à la Société des Artistes français. En 1889, celle-ci s'est déchirée, ce qui a permis la création de la Société nationale des Beaux-Arts qui organise son salon comme la Société des Artistes indépendants, fondée en juin 1883, organise le sien. Il s'est tenu cette année dans le palais des Arts libéraux au Champ-de-Mars[25]. Donc Zola écrivait : « Je m'éveille et je frémis. Eh quoi ! vraiment, c'est pour ça que je me suis battu ? C'est pour cette peinture claire, pour ces taches, pour ces reflets, pour cette décomposition de la lumière ? Seigneur ! étais-je fou ? mais c'est très laid, cela me fait horreur ! Ah ! vanité des discussions, inutilité des formules et des écoles ! Et j'ai quitté les deux Salons de cette année en me demandant avec angoisse si ma besogne ancienne avait donc été mauvaise[26]. » Comment en aurait-il voulu à Zola ? Lilla Cabot Perry raconte : « Un jour qu'il rentrait du Salon du Champ-de-Mars, je lui demandai ce qu'il pensait du foisonnement de pâles intérieurs dilués dans le beurre fondu et les tons épinards, phénomène dont il était directement responsable. Il était assis, les mains posées sur les genoux, et je reverrai toujours son geste impétueux : joignant les mains, il se toucha la tête et grogna d'un air désespéré : "Madame, des fois j'ai envie de peindre noir !"[27]. »

Monet ne tire pas vanité d'un mot rapporté par Raffaelli à Pissarro qui lui a vite été répété : « A propos du succès de l'ami Monet il m'a dit qu'il n'y a que lui de reconnu en Amérique, l'enthousiasme est tel qu'une dame a dit tout haut, en sa présence, que Monet est tellement grand que tous les peintres devraient faire du Monet ! Je croyais à une boutade, il m'a assuré que c'était l'exacte vérité[28]. »

Le 11 mars, à Pourville, Monet désolé a écrit à Alice : « Je ne suis plus ce que j'étais, c'est bien certain. » Il n'y a pas de doute à avoir. Monet qui a été injurié est adulé, Monet qui a été dans la gêne est riche, Monet qui a été méprisé est célèbre. Il n'est plus ce qu'il a été.

1897

J'étais sur le champ de bataille à 6 heures[1]

Qu'ont-ils donc les uns et les autres à vouloir se défaire de leur collection ? En 1894, Duret vendait la sienne chez Georges Petit. Cette année, chez le même Petit, on annonce pour les 1ᵉʳ et 2 février la vente Henri Vever. Le catalogue illustré compte près de deux cents numéros. Parmi eux, neuf désignent des toiles de Monet[2]. Dont l'une, numéro 79 du catalogue, *La Plage de Sainte-Adresse, temps gris,* a été peinte il y a exactement trente ans, en 1867... Elle est passée par les mains de Durand-Ruel qui l'a achetée à Monet en 1873, par celles de Faure qui en fit l'acquisition en 1876, à nouveau par celles de Durand-Ruel en 1893 qui l'a aussitôt revendue à Vever. Numéro 85 du catalogue, *La Mare, effet de neige*, a été peinte à Argenteuil pendant l'hiver 1874-1875. Elle est déjà passée en vente aux enchères en 1875, le 25 mars. Numéro 15 alors du catalogue, elle avait été adjugée 250 francs. Monet s'inquiète. Puisse cette vente Vever ne pas le ramener à ces prix d'il y a plus de vingt ans... Monet redoute d'autant plus cette vente qu'un procès est intenté à Mme Monet comme à lui-même en raison d'un vieille affaire de tableau vendu par un certain Legrand, ancien employé de Durand-Ruel en 1877, au temps des frasques financières de feu Ernest Hoschedé.

Arrivé à Pourville le 18 janvier, parce qu'il lui est apparu un an plus tôt qu'il était alors arrivé trop tard, Monet veut, voudrait, se préoccuper de peinture seulement, même si « les terrains sont bien plus verts que l'an passé[3] ». Les motifs sont là. « Rien n'a bougé, la petite maison est intacte[4]. » En revanche, la cabine sur la plage de Pourville où il pouvait s'abriter l'année précédente a été vendue sans que personne ait jugé utile de l'en prévenir. Pour tout arranger, il neige, il fait un froid de loup, la chambre où il s'est installé est mal tenue et traversée de « courants d'air insensés[5] ». « Il ne faut décidément compter que sur la fièvre du travail pour tenir chaud[6]. » Encore faudrait-il pouvoir travailler. Avec le souci provoqué par le procès, avec l'inquiétude levée par cette vente Vever, Monet se retrouve dans l'impossibilité de peindre. « C'est un bureau d'affaires que j'ai installé ici, de peinture point n'est question[7]. »

En quelques jours ces tracas sont écartés. Le jugement rendu le 27 janvier est en faveur des Monet. Et les adjudications de la vente Vever dépassent tous ses espoirs. La *Mare*, peinte à Argenteuil, vendue 250 francs en 1875, a été adjugée pour 5 000 francs. Ce prix est le plus bas parmi ceux atteints par ses toiles. *Le Pont routier*, peint lui aussi à Argenteuil en 1874, est parti pour 21 500 francs ! A Durand-Ruel, le 5 février : « J'ai été très heureux du résultat de la vente Vever et vous aussi vous devez en être satisfait, cela va sans doute donner un peu de stimulant aux amateurs. Je suis plein d'ardeur et d'entrain, mais ne suis guère satisfait du temps, et jusqu'à présent je n'arrive qu'à me faire mouiller. Avez-vous racheté pour votre compte ou pour des clients ? Je serais bien aise de le savoir, et aussi qui a bien pu acheter le *Pont d'Argenteuil* à un tel prix[8] ? »

Dès le lendemain, l'ardeur et l'entrain de Monet sont entravés : « Voilà t-y pas que l'endroit où j'ai tant de toiles commencées vers la hauteur vers Dieppe, va être interdit au public : une société de Dieppe a loué tous ces terrains, depuis le val Saint-Nicolas, pour y établir toutes sortes de jeux anglais, puis tir à la cible, tir aux pigeons[9]. » Si les terrassiers s'approchent des motifs de Monet dès le premier jour, Alice ne s'étonne pas des contrariétés égrenées en février, en mars, en avril encore. La mer est basse ? « Il me la faudrait haute[10]. » Le temps est ce qu'il doit être ? « Tout change à vue d'œil, éclairage, verdure, etc. Quel guignon, moi qui étais si emballé[11] ! » Il fait un soleil superbe ? « Mais une telle tempête de vent qu'il est impossible de tenir nulle part[12]. » C'est un coucher de soleil ? « Mais il n'était pas si beau qu'un autre jour[13]. » La conclusion s'impose : « Quel sacré métier je fais là, j'ai beau voir de belles choses, c'est vraiment trop difficile[14]. » Variation : « Absolument navré de tout, découragé et attristé de constater qu'après m'être donné tant de peine, je ne vais rien rapporter encore[15]. »

Rien... Ce sont plus de trente toiles qu'ont permises les motifs des falaises de Pourville, la pointe du Petit-Ailly, une cabane de douaniers à Varengeville, les falaises près de Dieppe encore, le val Saint-Nicolas... Rien...

Au retour à Giverny, de nouvelles contrariétés l'attendent. Léon, son frère, veuf depuis deux ans, trouve le moyen de vouloir épouser en mai, à soixante et un ans, une certaine Delphine-Aurélie Blis qui a trente-trois ans. Ne se souvient-il pas de la manière dont ils jugèrent leur père ? Et Jean, son fils, se met en tête d'épouser Blanche, la fille d'Alice. Ce qui n'enchante guère Monet. Si Blanche semble « emballée », en revanche, il ne sent pas son fils « absolument pris[16] ». De Pourville, il a demandé à Alice de faire part à Blanche de sa perplexité : « Dis-lui bien que je ne suis pas contre elle, mais qu'en somme je serais désolé si je voyais Jean ne l'épouser que par dévouement pour ne pas lui faire de chagrin[17]. » Les dénégations de Jean, la gentillesse de Blanche, les arguments d'Alice l'emportent. Monet laisse faire. Après tout, ni Blanche ni Jean ne sont plus des enfants. Jean a près de trente ans, Blanche en a trente-deux. Les faire-part sont envoyés sous la haute surveillance d'Alice qui tient à ce que les choses soient faites comme elles doivent être faites, autrement dit, comme cela doit être fait au sein de la famille Raingo. On ne saurait se compromettre, et gâcher la cérémonie, avec des personnes qui ne sont pas assez « respectables ». Ce qui exclut de la liste des invités Pissarro et quelques autres...

Lors de l'un des brefs voyages à Paris qu'il recommence de faire régulièrement, Monet ne manque pas d'aller au musée du Luxembourg. Depuis le 9 février, dans l'extension du musée qui vient d'être construite, le legs Caillebotte est enfin présenté au public auprès de l'*Olympia* de Manet. Dès le 18 février, Pissarro doit se résigner à rapporter à son fils : « Foule, paraît-il, hurlante ! devant les impressionnistes. Du reste salle mauvaise, étroite, mal éclairée, vilain cadre et placement idiot. » Pour ne pas s'en tenir aux « on-dit », il a vérifié par lui-même le 10 mars : « A propos de la collection Caillebotte, nous ne nous plaignons pas de la qualité : Renoir a son bal, qui est un chef-d'œuvre, Degas a de fort belles choses, Monet a sa gare de chemin de fer[18], Sisley n'a peut-être pas ses choses les plus faites, mais intéressantes, moi j'ai deux de mes meilleures choses de 1882, aussi bonnes que celles de la collection de ta mère. Seulement, c'est placé stupidement et très salement encadré, voilà tout[19]. » Les membres de l'Institut sont loin de reconnaître le moindre chef-d'œuvre parmi les tableaux présentés. Dix-sept de ses membres ont adressé une lettre de protestation au sénateur Hervé de Saisy. Celui-ci, outré, n'a pas manqué de monter à la tribune pour s'y étonner de ce qu'un musée comme celui du Luxembourg accueille, « par je ne sais quelle condescendance, une collection due à un peintre médiocre, nommé Caillebotte, aujourd'hui décédé ». Et d'interroger alors l'Assemblée : « Je vous demande, messieurs, en quoi à côté des œuvres de ce musée qui portent l'empreinte et comme le rayonnement de l'art cette misérable collection peut servir à l'enseignement de quoi que ce soit qui y ressemble. » La conclusion de cette sénatoriale colère s'imposait : « Non seulement cette malheureuse innovation n'a rien qui soit digne de nos grands peintres, mais elle est un défi au bon goût du public et l'antithèse de l'art français ! » Le compte rendu des débats de cette séance du 15 mars 1897 rapporte, entre parenthèses et en italiques, l'approbation des sénateurs : « (*Très bien ! très bien !*) » Et il rapporte encore la réponse de M. le commissaire du gouvernement : « Le comité a émis cet avis, parce qu'il a pensé qu'il était très difficile, à l'heure actuelle, dans l'état de division où sont les esprits sur les questions d'art (*Très bien ! sur divers bancs*), de prendre une autre attitude que celle d'un éclectisme libéral. » Monet sans doute s'amuse autant qu'il se résigne de devoir être admis au musée au nom d'un tel « éclectisme libéral[20] »... Ce qui l'attriste, en revanche, c'est de devoir constater que les Cézanne sont à peine visibles. Comme il se doit, la proposition qu'il fait de modifier la mise en place des œuvres reste vaine.

En avril, un contretemps empêche Monet d'assister au vernissage d'une exposition de Rodin : « Ça aurait été une joie d'assister à votre triomphe. Car depuis ma visite de l'autre jour, je ne cesse de penser à votre *Victor Hugo* et à une autre chose que j'ai vue chez vous. Mais ce n'est que partie remise, comptant venir bientôt à Paris[21]. » Quelques mois plus tard, Rodin envoie une édition de ses dessins à Giverny : « Voilà un temps infini que je veux vous écrire pour vous dire tout le plaisir que m'a causé votre collection de dessins, reproduits par Manzi et Joyant. Vous le saviez bien que j'en aurais de la joie, mais je tenais à vous le dire[22]. » Il est loin le temps où il sortit « navré » de la galerie Durand-Ruel, alors que les groupes sculptés de Rodin interdisaient que l'on puisse voir ses toiles...

Comme il est loin le temps où les « cultivants » de Giverny se méfiaient du « horzin » Monet. M. le maire, André Collignon, grâce aux 162 francs dus aux intérêts de la « donation Monet » faite pour le marais, a ouvert des livrets de caisse d'épargne pour chacun des enfants qui fréquentent l'école communale de Giverny.

En cette fin d'année, un premier article d'Emile Zola publié par *Le Figaro* le 25 novembre, un second quelques jours plus tard, exigent la révision du procès d'Alfred Dreyfus. Monet ne peut rester indifférent. Il ne s'agit pas de politique. Il s'agit de justice. Il écrit à Zola le 3 décembre : « Mon cher Zola, bravo et bravo encore pour les deux articles du *Figaro*. Vous seul avez dit et si bien dit ce qu'il fallait. Je suis heureux de vous en faire tous mes compliments. Votre vieil ami, Monet[23]. » Les antidreyfusards ont accusé Zola de servir le syndicat de la juiverie... Zola leur a répondu qu'il existe bel et bien un syndicat. Il est celui « des hommes de bonne volonté, de vérité et d'équité ». C'est à ce syndicat qu'à la fin de l'année 1897 Monet adhère.

1898

L'admirable courage de Zola !
C'est de l'héroïsme absolument ![1]

Le 12 janvier au soir, Emile Zola donne lecture d'une lettre ouverte au président de la République Félix Faure dans les locaux de *L'Aurore* que dirige Ernest Vaughan. Parmi les dreyfusards qui écoutent, Georges Clemenceau. Il propose un titre : « J'accuse ». Le lendemain, les 300 000 exemplaires qui proclament l'accusation implacable de Zola sont un coup de tonnerre. De nouveau Monet félicite aussitôt Zola : « Encore une fois bravo et de tout cœur pour votre vaillance et votre courage[2]. »

Le 18, le nom de Monet figure parmi ceux du « Manifeste des intellectuels » publié par *L'Aurore* auprès de ceux de Louise Michel, la « bonne Louise », condamnée après la Commune, déportée à Nouméa, amnistiée en 1880, du peintre Eugène Carrière, de l'écrivain Anatole France... Un jeune homme fort mondain a été « rabatteur » de certaines de ces signatures, un certain Marcel Proust. Octave Mirbeau est un autre de ces « rabatteurs ». Pissarro à son fils, le 19 janvier : « La France est bien malade, en sortira-t-elle ? Nous verrons cela après le procès Zola ! Je lui ai écrit quelques mots pour lui manifester toute mon admiration. J'ai reçu hier une carte de Mirbeau me priant de signer la protestation avec Monet, lui, et beaucoup d'autres[3]. »

L'Etat offensé fait comparaître Zola devant une cour d'assises. Monet suit jour après jour le déroulement des débats. A Geffroy, le 15 février : « Je suis de loin et avec passion cet ignoble procès. Vous devez y aller chaque jour ? Comme je voudrais y être ! Vous devez être bien attristé de la conduite de bien des gens... J'admire de plus en plus Zola pour son courage[4]. » A Geffroy encore, le 25 février : « L'admirable courage de Zola ! C'est de l'héroïsme absolument ! Je suis certain qu'avec un peu d'apaisement dans les esprits, tous ceux qui sont sensés se rendront à l'évidence, et reconnaîtront ce qu'il y a de beau dans l'acte de Zola[6]. »

Le même 25 février, Zola reçoit cette lettre de Monet : « Malade et entouré de malades, je n'ai pu assister à votre procès et venir vous serrer la main, comme c'était mon désir. Je n'en ai pas moins suivi avec passion toutes les phases et je veux vous dire combien j'admire votre courageuse et héroïque conduite. Vous êtes admirable et il n'est pas possible que le calme revenant dans les esprits, tous les gens sensés et honnêtes ne vous rendent hommage. Courage, mon cher Zola[7]. »

Parce qu'il a montré sa solidarité sans réserve avec Zola, on demande bientôt à Monet de devenir membre de la Ligue des droits de l'homme. Il refuse un tel engagement : « J'ai signé la protestation de *L'Aurore*, j'ai directement écrit à mon ami Zola ce que je pensais de sa courageuse et belle conduite. Quant à faire partie d'un comité quelconque, ce n'est pas du tout mon affaire[7]. » Il retourne donc aux siennes. Peu importe qu'en janvier la presse, trop occupée par l'affaire Dreyfus, par le lieutenant-colonel du Paty de Clam et autres généraux Mercier, Billot, de Boisdeffre, Gonse et de Pellieux accusés par Zola, ait presque passé sous silence l'exposition de la collection Rouart, qu'elle n'ait pas mentionné ses toiles... Le 27 janvier, Julie Manet a noté dans son *Journal* : « Il y a de M. Monet une ravissante marine : un bateau semble avancer lentement dans une vapeur bleue ; puis deux paysages[8]. » Etre polytechnicien et industriel, être un peintre assez respecté par Degas même pour qu'il l'ait amené à participer à plusieurs expositions impressionnistes, n'a jamais empêché Henri Rouart de rassembler des Pissarro, des Renoir, des Cézanne avec des Courbet, des Daumier, des Boudin, des Fantin-Latour...

En mars, c'est une ancienne inquiétude d'un autre ordre qu'il retrouve. La vente de la collection Goupil, d'Adolphe Goupil, fondateur en 1827 d'une galerie laissée à son gendre Etienne Boussod en 1875, est annoncée pour le 30. Puisse-t-elle se passer mieux que la vente de celle de Paul Aubry en mai de l'année précédente. Si la vente Vever avait été, au début de l'année, un succès, si seule alors une toile de Puvis de Chavannes avait été vendue pour 22 500 francs, plus cher qu'un Monet, en revanche, sans l'intervention de Durand-Ruel qui s'est porté acquéreur de quatre de ses cinq toiles, sa cote eût été remise en cause. Il lui a fallu déplorer que les prix les plus importants ne soient que de

8 000 francs. D'autres toiles sont parties pour 4 000 francs. Impossible après de pareils résultats de demander encore à Durand-Ruel 15 000 francs comme il a osé le faire pour certaines *Cathédrales*. A la veille de la vente, Julie Manet dresse dans son *Journal* un rapide inventaire de ce qui va être dispersé : « De très jolis chevaux de course de M. Degas, des Corot, un joli paysage de Pissarro, plusieurs de M. Monet, deux qui me paraissent bien : un d'hiver avec des arbres gris sur un ciel orange, un d'été, des arbres et des maisons se reflétant dans l'eau. Nous rencontrons M. Degas, M. Monet vient de partir, nous aurions bien voulu le voir et avoir d'autres nouvelles du dernier fils de sa femme qui en faisant une expérience de chimie a eu les deux yeux brûlés ; quel atroce accident, que de souffrances, heureusement que maintenant il voit clair, c'eût été horrible qu'il reste tout à fait aveugle[9]. » Les Monet obtiendront des prix fort décents. Quant à Jean-Pierre Hoschedé, il ne sera pas aveugle. Monet en informe Durand-Ruel au début du mois d'avril. La promesse faite aux « enfants » – Jean-Pierre, le plus jeune Hoschedé, a dix-neuf ans, Michel, le plus jeune Monet, en a dix-huit – d'une promenade à Rouen une fois le blessé remis, lui interdit de recevoir son marchand à Giverny le jour où il le souhaite. Ce n'est que partie remise : « Vous trouverez bien un moment pour venir me voir, car je vous le dis sans rancune, ce n'est pas sans chagrin et aussi un peu de dépit que je vous ai vu espacer, pour ne pas dire cesser les visites auxquelles vous m'aviez habitué depuis longtemps et qui, cessant, m'ont fait croire à de l'abandon[10]. » Durand-Ruel est loin d'abandonner Monet.

Il l'invite à participer à une exposition de groupe en juin. Monet ne refuse pas, mais il informe Durand-Ruel qu'au cours du même mois de juin Petit lui a aussi proposé une exposition personnelle. Pour être prêt en temps et en heure, Monet ne quitte plus Giverny. Quitte à passer pour fort mal élevé. A Helleu : « J'ai peur qu'en ne venant pas, votre famille me trouve bien sans façon et, si je viens, c'est deux séances que je perds et mes toiles sont perdues[11]. » A Rodin : « Vous devez être surpris de mon silence, moi qui suis un de vos plus sincères admirateurs, et je veux que vous sachiez pourquoi je n'ai pu encore aller admirer votre *Balzac* et protester contre tous ces imbéciles. Je suis retenu ici par un travail forcené, ayant à terminer un tas de choses que je dois exposer d'ici quinze jours chez Petit[12]. » Les combats contre la bêtise, la mauvaise foi et le conformisme doivent-ils toujours être recommencés ?

Curieusement, soutenir Rodin dans l'affaire du *Balzac* qui vient d'éclater, c'est une nouvelle fois se porter à la rescousse de Zola. C'est lui qui, alors président de la Société des Gens de lettres, a convaincu ses collègues en 1891 de confier la statue de Balzac à Rodin après la mort de Chapu. « M. Rodin est de ceux à qui on doit laisser la responsabilité de ce qu'il font. Admettons que la statue ne plaise pas. Personne ne songera à nous accuser. Rodin est un des premiers sculpteurs de notre temps[13]. » Le *Balzac* a enfin été présenté au Salon du Champ-de-Mars. Arsène Alexandre a dû se résigner à rapporter les commentaires qu'il provoque dans la foule : « C'est Balzac ? Allons donc, c'est un bonhomme de neige ! – Il va tomber, il a trop bu. – Non, c'est Balzac sorti de son lit pour recevoir un créancier[14] !... » Le romancier Henri Lavedan a rédigé le 9 mai cette résolution approuvée à l'unanimité : « Le comité de la Société des Gens de lettres a le devoir et le regret de protester contre l'ébauche que M. Rodin expose au Salon et dans laquelle il se refuse à reconnaître la statue de Balzac[15]. »

Le 30 juin, Monet écrit à Rodin : « Enfin j'ai vu votre *Balzac*, et, bien que je fusse certain de voir une belle chose, mon attente a été dépassée, je vous le dis bien sincèrement. Vous pouvez laisser crier, jamais vous n'étiez allé plus loin : c'est absolument beau et grand, c'est superbe et je ne cesse d'y penser[16]. » Réponse émue de Rodin, le 7 juillet : « Vous me rendez heureux avec votre appréciation de *Balzac*. Merci. Votre appréciation est une de celles qui m'étayent fortement, j'ai reçu une bordée, qui est pareille à celle que vous avez eue autrefois quand il était de mode de rire de l'invention que vous aviez eue de mettre de l'air dans les paysages[17]. »

Monet ne précise pas dans sa lettre qu'il s'est associé pour 500 francs à la souscription lancée par un comité de parrainage dont Mallarmé est membre et qui se propose de réunir les 30 000 francs nécessaires à l'achat de la sculpture. Parmi les souscripteurs, Mirbeau, Gide, Daudet, Renoir, Ernest Chausson, Lucien Guitry, Anatole France, Verhaeren... Démuni, Sisley donne 5 francs. Et l'antidreyfusard Cézanne lui-même souscrit, malgré l'ombre de Zola...

Les expositions de Monet ouvrent au moment même où la polémique du *Balzac* bat son plein. Les commentaires politiques au lendemain des élections législatives de mai réduisent d'autant la place laissée à la critique de la peinture de Monet. Rare exception, *Le Gaulois* du 16 juin 1898, consacre un supplément à l'exposition de la galerie Petit. L'anthologie rassemble des articles de Geffroy, d'Alexandre, de Thiébault-Sisson, de Roger Marx et de Roger Milès.

Julie Manet ne visite cette exposition que le 9 juin, une semaine après son ouverture. Scrupuleuse description : « Je vais à l'exposition de M. Monet, bien décidée à ne pas être influencée par ce qu'on m'a dit. Contrairement à l'opinion de plusieurs personnes, je trouve les fleurs belles, je crois voir un des massifs de l'exposition des *Chrysanthèmes*, de ces chrysanthèmes monstres aux tons superbes. Ses *Seine* me paraissent bien tristes, deux à l'eau assez clapotante me paraissent bien, je revois de belles *Cathédrales* dans les tons jaunes, dorés, verts sur ces ciels bleus et deux complètement roses qui me font un peu l'effet d'une glace aux fraises. Plusieurs vues de Pourville sont superbes, entre autres une avec la mer très bleue et des côtes roses, une avec une falaise portant ombre sur la mer et une dont la mer verte écume sur une plage lilas. Evidemment l'aspect général n'est pas du tout amusant ; cela tient peut-être à la monotonie de cette grande salle Petit (quand on s'appelle Petit on fait des choses grandes) où un panneau est tenu par les paysages de Norvège, l'autre par la série des *Seine* grises, le troisième par les *Cathédrales* et le quatrième par les *Mers*. Il y a bien de l'ordre là-dedans[18]. » Le compte rendu s'achève sur ce constat : « Dans la seconde salle on trouve des paysages de M. Monet qui, eux, ne sont pas tristes, des lilas, des mers du Midi et des oliviers superbes[19]. »

Il n'y a sans doute pas davantage de foule dans cette seconde salle de la rue de Sèze qu'il n'y en a rue Laffitte chez Durand-Ruel où ses toiles sont entourées de celles de Renoir, Pissarro et Sisley. Cela n'a pas grande importance. Petit vend. Durand-Ruel vend.

Monet, à Giverny, commence à peindre les nymphéas de son bassin. Le 10 novembre, de mauvaises nouvelles de la santé de son fils Michel l'obligent à partir aussitôt pour Londres. Le 14, il écrit à Durand-Ruel, sur un papier à en-tête du Grosvenor Hotel, que son fils est hors de danger. Il rentre à Giverny. Après avoir revu Charing Cross Bridge, Waterloo Bridge, le Parlement qui longe la Tamise.

Son jardin, son bassin, Londres, la Tamise... Quel motif est le plus pressant ?

1899/1

Quelle terrible chose que la fin de la vie ![1]

Pendant des mois un cancer de la gorge lui a infligé d'intolérables souffrances. Epuisé par ces douleurs, Sisley fait appeler Monet pour un dernier adieu. Le 29 janvier, quelques mois après le décès de sa femme Eugénie, elle-même emportée par un cancer de la langue en 1898, il meurt. « Pauvre ami, pauvres enfants[2]. » Le 3 février, Monet écrit à Geffroy pour lui expliquer que, s'il n'a pu prendre le temps de le voir, c'est qu'il lui a fallu aller à Moret à plusieurs reprises « pour l'enterrement d'abord et pour rester un peu près des pauvres enfants[3]. » Triste, il constate : « Il n'y avait personne aux obsèques[4]. » Parmi les rares amis présents, Pissarro, Renoir. En 1875, Monet a peint des portraits de Jeanne et de Pierre, les enfants d'Alfred et d'Eugénie Sisley. C'est à eux qu'il songe. Les prix atteints par les toiles de leur père sont loin d'avoir jamais été comparables à ceux de Monet. Il ne leur laisse rien... « Pour le moment, je vais m'occuper de faire une vente au profit des enfants ; c'est le plus pressant, ensuite on s'occupera de faire une très belle exposition des meilleures œuvres de Sisley[5]. »

Le 6 février, le malheur frappe de nouveau Monet. A Durand-Ruel, le 7 : « C'est une bien triste nouvelle que je viens vous apprendre. Mme Butler, notre chère Suzanne, est morte hier soir[5]... » Elle n'avait pas trente et un ans. Le cancer l'a emportée. A Geffroy, ce même jour : « Je pensais bien vous voir ces jours-ci et n'avoir à m'occuper que de ce pauvre Sisley. Mais le malheur, qui ne cesse de tomber sur nous, vient de nous frapper bien durement. Notre pauvre Suzanne est morte hier au soir, au moment où sa pauvre mère était subitement malade, prise d'une grave bronchite qu'elle avait attrapée à Moret. En plus Germaine est également malade ; vous voyez dans quelle terrible situation je suis ! Tous ces pauvres malheureux à calmer, à consoler. Quelle terrible chose que la fin de la vie ! Je suis bien malheureux[7]. » Les obsèques de Suzanne ont lieu le 9 à Giverny. Note désolée de Julie Manet au soir de cette journée où elle a accompagné les Monet à l'église, au cimetière : « Ces pauvres gens n'ont que des événements tristes depuis quelque temps[8]. »

Pour conjurer ces malheurs, Monet se consacre immédiatement à la préparation d'une exposition chez Petit qui doit réunir, outre des toiles de Sisley et de lui-même, d'autres de Besnard, de Cazin et de Thaulow.

Elle doit ouvrir le 16 février au public, au lendemain du vernissage. Le 13, à Geffroy qu'il n'a toujours pas pu voir, il ne peut proposer un autre rendez-vous : « Je ne sais pas quand je vous verrai, tant j'ai de choses à faire, m'occuper des miens, des enfants Sisley. J'en ai la tête à l'envers et cette exposition qui tombe juste en pareil moment et dont je n'ai pu m'occuper. C'est tout juste si je sais ce que j'y aurai[9]. »

Ce qu'il y a suffit à Octave Mirbeau pour qu'il lui écrive aussitôt : « Il y avait une foule énorme. On se portait. Votre succès a été complet et unanime. Je ne crois pas que parmi tout ce monde il y eût trois personnes pour le contester[10]. » La presse ne le conteste pas davantage. Quand elle en parle, car, après le *Balzac* de Rodin, après l'affaire Dreyfus et les élections législatives, c'est la mort subite, le 16 février, du président de la République Félix Faure qui occupe toutes les colonnes. Si la presse passe sous silence les circonstances de son décès par respect pour la plus haute charge de l'Etat qu'il assumait, ce qui n'empêche pas Paris de s'amuser de son dernier soupir sans doute très sensuel puisque rendu dans les bras d'une comédienne – on murmure alors le nom de Cécile Sorel, mais à tort, et l'on n'apprendra celui de la demi-mondaine Marguerite Steinheil que des années plus tard –, la réunion des députés et des sénateurs en congrès à Versailles pour l'élection de son successeur Emile Loubet, la préparation et le récit de ses obsèques, font la une de tous les quotidiens.

Un mois plus tard, Durand-Ruel à son tour réunit dans sa galerie des toiles de Monet, Pissarro, Renoir et Sisley. Une salle est consacrée à chacun d'entre eux. Un dernier salon, au fond de la galerie, réunit des œuvres de Corot. La presse ne se prive donc pas de reconnaître en lui leur « père à tous ». Cette paternité ne l'empêche pas de considérer que cette exposition soit une apothéose de l'impressionnisme quand bien même certains ne se privent pas d'affirmer que si Corot a peint des tableaux, ces impressionnistes n'ont jamais fait que des études... Ces reproches éculés ne troublent pas Monet.

Dès la mi-mars, il fait tout ce qu'il peut pour rassembler le plus grand nombre d'œuvres possible pour la vente au profit des enfants de Sisley.

L'exposition de celles-ci doit avoir lieu les 29 et 30 avril et la vente le lendemain 1er mai dans la même galerie Petit. Monet demande à Durand-Ruel de s'assurer que Degas veuille bien s'associer « à cette bonne action ». Il lui demande les adresses de Guillaumin, de Zandomeneghi comme il demande à Geffroy celle de Carrière. Le 23 mars, il peut écrire à Julie Manet : « J'ai naturellement le concours de tous ceux qui ont pris part à toutes nos expositions des débuts et j'ai pensé que si votre mère était là, elle aurait été heureuse de s'associer à cette bonne action et, si vous trouvez que vous pouvez disposer d'une de ses toiles, ne serait-ce pas comme un hommage qui vous associerait elle et vous à cette bonne œuvre[11] ? » La réponse positive de Julie Manet ne tarde pas. De la même manière Martial Caillebotte donne un tableau de son frère Gustave. Le 10, Monet peut écrire à Petit : « Les artistes auxquels j'écris répondent tous à mon appel, même ces sculpteurs comme Rodin et Bartholomé. Cézanne lui-même m'a de suite répondu qu'il donnerait[12]. » La réponse de Pissarro a été l'une des premières : « Comptez sur moi pour la participation à la vente de notre regretté ami Sisley, quand vous viendrez nous verrons ensemble quels tableaux je pourrais offrir, heureux, mon cher ami, de venir en aide aux enfants de notre camarade[13]. »

Il demande à Geffroy comme au critique Arsène Alexandre des préfaces, « l'un s'attachant spécialement à parler de l'artiste et l'autre de l'œuvre[14] » pour le catalogue illustré d'un portrait de Sisley et « trois ou quatre reproductions de ses œuvres[15] ». Dans les derniers jours d'avril, il demande à l'un et à l'autre de publier leur préface, à Alexandre dans *Le Figaro*, à Geffroy dans *Le Journal*, pour que la vente ne passe pas inaperçue à côté de « ventes à sensation[16] », qui plus est « à réclames payées[17] ».

Tout est prêt en temps et en heure.

Le jour même de la vente, le 1er mai, paraît le numéro 241 de *La Plume*. Yvanhoé Rambosson y publie des « causeries d'art » où il rend compte de « la plus intéressante exposition de l'année » qui s'est tenue chez Petit. S'il affirme que Monet s'y est imposé « glorieusement », il rend cet hommage à Sisley : « Quelle belle œuvre sincère et humaine que celle de l'artiste qui vient de mourir aux confins des luttes et aux abords du triomphe ! Sisley a vu la nature avec de tels yeux d'amour qu'il en a compris l'incessante révolution et la grandeur sans bornes. »

Au soir de la vente, Monet peut être comblé. Les prix atteints par les œuvres des uns et des autres ont été fort décents. Les enfants de Sisley ne seront pas dans la gêne.

Le surlendemain, Monet lui-même donne des ordres d'achat à Georges Petit pour l'une de ces « ventes à sensation », celle qui disperse la collection du comte Doria : « Vous pouvez acheter pour moi, en dehors du Cézanne, le Corot n° 77 jusqu'à 5 000 francs ou, à défaut, le 66 jusqu'à 7 000 francs. Si je puis avoir le Cézanne et les deux Corot pour

15 000 francs, faites pour le mieux[18]...» Le Cézanne, *Neige fondante (étude de la forêt de Fontainebleau)*, lui est adjugé pour 6 750 francs.

Au mois de juin, une nouvelle vente concerne au premier chef les impressionnistes, celle de Victor Chocquet. Lui-même est décédé en 1891 et c'est la mort de sa veuve, Caroline, dont Renoir a peint plusieurs portraits, qui provoque la dispersion de la collection de celui qui a été, dès 1874, le plus fidèle soutien de l'impressionnisme.

Julie Manet ne peut que vouloir visiter l'exposition qui précède la vente. 29 juin 1899 : « Un délicieux portrait de Chocquet peint par Renoir montre l'être fin qu'il devait être. Il possédait de très jolis Cézanne ; des natures mortes surtout, une me plaît ; puis un Daumier, des Delacroix étonnants, *Ovide chez les Scythes*, esquisse merveilleuse, puis *La Bataille de Taillebourg*, celle de Nancy puis des quantités d'autres toiles, de ravissantes petites esquisses, des aquarelles magnifiques et des dessins aussi. De mon oncle Edouard, *Monet peignant dans son bateau*, si réel, une rue, des fleurs très belles. De maman, une petite femme en blanc coiffée d'un léger bonnet se regardant dans un petit miroir à main ; elle est assise sur un canapé également blanc et se détache sur un rideau de mousseline blanche au travers duquel passe la lumière qui se joue de façon délicieuse sur toute cette symphonie de blanc et le contre-jour y crée des gris étonnants. » Conclusion : « Cette collection est l'une des plus jolies que j'ai vues, discrète en même temps que remplie de chefs-d'œuvre[19]. »

Le 1er juillet, elle assiste à la vente : « Les Renoir montent bien, l'un, *La Grenouillère*, jusqu'à 20 000 francs, les Monet aussi, les Cézanne grâce à Vollard, les Manet peu, ce qui étonne, les *Lilas* s'arrêtent à 4 210 francs, *La Marée montante* à 1 451 francs, *Les Paveurs de la rue de Berne* à 15 000 francs, *Monet dans son atelier* à 10 000 francs, la *Branche de pivoine* à 1 550 francs. Les Delacroix se vendent presque rien[20]... » Si l'intervention de Vollard est déterminante pour les prix atteints par les Cézanne, celle de Monet, d'une manière indirecte, ne l'est pas moins. Il a convaincu Isaac de Camondo de se porter acquéreur de *La Maison du pendu* prêtée par Chocquet à l'exposition centennale de 1889. La toile est adjugée 6 200 francs. Quelques temps plus tard, Camondo confiera à Renoir : « ... *La Maison du pendu* de Cézanne ? Eh bien, oui, là, j'ai acheté un tableau qui n'est pas accepté par tout le monde ! Mais je suis couvert : j'ai une lettre autographe de Claude Monet, qui me donne sa parole d'honneur que cette toile est destinée à devenir célèbre. Si, un jour, vous venez chez moi, je vous ferai voir cette lettre. Je la conserve dans une petite pochette clouée derrière la toile, à la disposition des malintentionnés qui voudraient me chercher des poux dans la tête avec ma *Maison du pendu*[21]. »

1899/2

Mais vous ne verrez peut-être pas le jardin dans toute sa beauté[1]

En dépit des expositions et des ventes qui lui imposent de brefs séjours à Paris, Monet fait tout ce qu'il peut pour rester à Giverny, pour y demeurer auprès d'Alice. Julie Manet l'a rencontrée à la veille de la vente au profit des enfants de Sisley « dans un état nerveux maladif[2] ». Cet état ne cesse pas d'être le sien.

Tous les moyens sont bons pour la distraire. Sans doute Monet lui demande-t-il ses conseils, son avis, pour la mise en place de ses tableaux dans son atelier, son nouvel atelier. Il est « établi dans une ancienne petite ferme dont Monet avait fait l'acquisition à l'entrée même de la maison[3] ». Au premier étage, une salle carrée que deux baies inondent de lumière. L'une, au nord, donne sur la route d'en haut. L'autre, au midi, donne sur le jardin, les serres, et, au loin, les collines qui dominent la Seine. Ce changement est un prétexte pour lancer des invitations. A Geffroy, le 10 mai : « Ne pourriez-vous venir un de ces jours ? Cela serait chic à vous et vous verrez ma nouvelle installation d'atelier, par contre beaucoup de toiles de toutes les époques[3]. » La préparation des déjeuners auxquels elle est, scrupuleuse maîtresse de maison, très attentive, les instructions à donner à la cuisinière, les conversations avec les invités dans la salle à manger jaune, rien n'est indifférent de ce qui peut l'empêcher de penser toujours à la mort de sa fille. Geffroy visite le nouvel atelier. Brève description : « Auprès d'une vaste volière où il y a des perruches qui volent et des tortues qui déambulent autour des feuilles de salade », cet atelier « contient, ou contenait les œuvres anciennes, telles que *Le Déjeuner sur l'herbe*, les *Femmes au jardin*, et une sélection des œuvres de Monet à toutes les époques[5] ».

Il n'y voit pas alors de nouvelles toiles. Ce n'est enfin qu'après la vente Chocquet que Monet peut recommencer à travailler. A Geffroy encore, il écrit le 5 juillet : « Je vous réitère ma prière de venir passer une journée à Giverny. Vous m'y trouverez en plein travail. Ça n'a pas été tout seul, n'ayant pas travaillé depuis dix-huit mois. Je n'y étais plus du tout et il m'a fallu avoir bien de la volonté pour continuer, car je ne faisais que des cochonneries. Enfin, je ne lâche pas et commence un peu à m'y retrouver[6]. »

Le jardin, le bassin aux nymphéas et le pont japonais sont les motifs de ces « cochonneries ». A ce motif correspondent de nouveaux formats de toiles. Monet dédaigne ces formats dits « figure » pour des toiles presque carrées. En quelques semaines, Monet peint une vingtaine de toiles d'où le ciel est congédié. La moitié d'entre elles sont dédiées à ce pont dont une estampe d'Hiroshige peut-être a tenu lieu de modèle, à moins qu'il ne doive sa forme d'arc tendu au-dessus du bassin aux lignes du pont Ryogokk gravé par Utagawa Kuniyoshi… A la fin du mois de juillet, Monet doit s'excuser auprès de l'un de ses correspondants d'avoir tant tardé à lui répondre : « […] mais quand je travaille, j'oublie tout le reste[7]. »

Il est probable que pendant l'été, Monet peste contre le temps. Il devrait pleuvoir. Il ne pleut pas. Le 31 août, à Alexandre qui se propose de lui rendre visite, Monet précise : « Je suis ici jusqu'au 14 septembre, car, contrairement à mes habitudes, je vais m'absenter avant l'hiver. Donc si vous voulez venir, il faut vous hâter, mais vous ne verrez peut-être pas le jardin dans toute sa beauté ; l'extrême sécheresse que nous avons eue lui ayant fait bien du tort[8]. »

Le départ de Michel Monet, âgé de vingt et un ans, de la maison familiale est la première raison du prochain voyage de son père Claude qui emmène Alice. Il est, d'une part, impossible de la laisser seule à Giverny et, d'autre part, Michel a laissé entendre qu'il serait heureux de retrouver sa « chère maman » à Londres. Il s'y est installé au 92, Bromsfield Road. Claude et Alice Monet descendent quant à eux au Savoy Hotel. Des fenêtres de cet hôtel qui se dresse sur Victoria Embankment, des fenêtres de la suite au sixième étage, Monet peut soit se tourner vers l'aval, vers Waterloo Bridge aux piles trapues qui semble souligner une rive hérissée de cheminées d'usines, soit se tourner vers l'amont, vers la barre du pont de Charing Cross et, au-delà, les tours de Westminster, de Big Ben…

Ne pas être seul devant ces motifs comme il a toujours voulu l'être depuis des années, comme il l'a été, ne contrarie pas le travail qu'il entreprend. Le 17 octobre, il avertit Durand-Ruel : « Voilà un mois que je suis ici, j'ai essayé de faire quelques vues de la Tamise. Je crois que vous serez bien aise de le savoir[9]. » Faute de pouvoir venir lui-même à Giverny, Durand-Ruel envoie immédiatement son fils Charles. Celui-ci s'empresse de réserver des toiles consacrées au bassin des nymphéas comme celles rapportées de Londres. Dès le lendemain de cette visite, Monet dresse l'inventaire : « De la série du *Bassin aux nymphéas*, il y en a 7 dont : 5 à 6 500 francs, 1 à 7 000, 1 à 6 000. Ces 7 toiles, vous les aurez sûrement. Puis les *Tamise*. 11 sont marquées sur lesquelles je crois pouvoir vous en assurer au moins 5 ou 6 avant mon départ pour Londres. Pour les autres, je ferai de mon mieux, vous le savez. Celles que je ne pourrai parfaire ici, je les compléterai sur place à Londres. Ces 11 toiles sont comme convenu à 6 000 francs, l'une dans l'autre. Il ne me reste plus qu'à recevoir les reproches de vos confrères qui seront furieux de ne plus trouver grand-chose[10]. »

6 000, 7 000 francs... Monet se garde d'exigences comparables à celles qu'il a pu avoir avec les *Cathédrales*. Mais pourquoi aurait-il cette prétention ? Ses livres de comptes l'assurent qu'en cette année 1899 il aura gagné plus de 220 000 francs. (A la fin de l'année, la somme exacte s'élève à 227 400 francs.)

Le 4 décembre, M. et Mme Monet, descendus comme d'habitude au Terminus Hôtel voisin de la gare Saint-Lazare, prennent rendez-vous avec Nadar. Deux semaines plus tard, enchanté de son portrait et de celui de sa femme, Monet lui demande de nouvelles épreuves. Et d'ajouter dans sa lettre : « Je n'oublie pas ma promesse de vous envoyer un petit souvenir, mais étant fort occupé en ce moment, je vous demande de patienter un peu[11]. » Nadar peut patienter... Encore qu'il aurait peut-être aimé n'avoir pas à patienter. Après tout, c'est chez lui qu'en 1874 est né l'impressionnisme, dans les salons qu'il avait alors prêtés. Vingt-cinq ans plus tard, la réponse à la générosité qui a été celle de Nadar peut bien être un « petit souvenir ».

Le 15 décembre, Monet s'inquiète auprès de Geffroy à propos d'une lettre envoyée à Clemenceau. Il lui disait son intention de lui offrir *Bloc de rochers de la Creuse* « à titre d'admiration réciproque ». Monet l'admire pour ce qu'il vient de faire encore « en faveur du droit et de la vérité[12] ». Clemenceau aurait-il mal interprété sa pensée ? Monet fait livrer la toile. Réponse immédiate de Clemenceau : « Bien cher ami, Justement je n'avais pas répondu à votre affectueuse lettre parce que je ne savais que vous dire au sujet de ce merveilleux "Bloc" dont il vous plaît de m'écraser. Vos bonnes paroles étaient pour moi la plus belle récompense, car j'ai pu juger que l'homme était chez vous à la hauteur de l'artiste, et ce n'est pas peu dire. Je voulais que vous sachiez combien vous m'avez donné de joie. Je voulais vous embrasser et vous dire une fois de plus que je vous aime. Mais ce diable de "Bloc" était entre nous et me barrait le passage. Je ne pouvais pas refuser par crainte de vous faire de la peine. Je ne pouvais pas accepter parce que c'est un présent de trop haut prix. Et voilà maintenant que, sans ma permission, vous me bombardez de ce merveilleux caillou de lumière. Je demeure stupide et ne sais plus que dire. Vous taillez des morceaux de l'azur pour les jeter à la tête des gens. Il n'y aurait rien de si bête que de vous dire merci. On ne remercie pas le rayon de soleil[13]. »

La presse rappelle en cette fin d'année 1899 que, très logiquement, le XX⁰ siècle ne doit commencer qu'en 1901. Mais si 1900 qui doit être l'année d'une nouvelle Exposition universelle, si 1900 qui doit voir l'inauguration de la première ligne du métropolitain parisien entre la porte Maillot et Vincennes, si 1900 donc n'est pas la première année du XX⁰ siècle, c'est à n'y rien comprendre !

1900

Depuis deux mois que sans cesser, je regarde cette Tamise, c'est à n'y pas croire[1]

L'exaspération inaugure l'année. Sous prétexte d'Exposition universelle, une exposition d'art français, centennale ou décennale peut-être, doit prouver au monde sa suprématie. Et l'État, dont les commissions, les Salons et autres administrations se sont acharnés à entraver leur reconnaissance pendant un quart de siècle, prétend exposer les impressionnistes ! Un comble ! Informé d'un tel projet, Monet adresse le 9 janvier une mise au point à Roger Marx, dont il croit qu'avec Léonce Bénédicte il est mandaté pour l'organiser, afin de mettre les choses au point : « N'ayant aucune raison de participer à une exposition officielle, je suis absolument décidé à refuser mon consentement. Vous le savez aussi bien que nous, nous avons trop vécu en dehors de toute officialité pour nous prêter à cela, ce n'est pas notre place[2]. »

Dans les jours qui suivent, Monet confirme sa décision à Durand-

Ruel. Il sait trop bien que l'Etat, faute de pouvoir obtenir des prêts des artistes eux-mêmes, ne manquerait pas de se retourner vers leurs marchands et, par leur intermédiaire, vers les amateurs. « Je serais bien aise de savoir ce que Renoir vous a répondu au sujet de l'Exposition universelle, j'espère qu'il est du même avis que moi. Pissarro, avec qui je suis en correspondance, est dans les mêmes idées et j'ai pour ma part informé M. Roger Marx que j'étais personnellement décidé à m'opposer à toute participation à cette exposition. En effet, si l'administration avait eu le réel plaisir de nous voir prendre part à cette exposition, elle devrait avant tout nous consulter, puis nous offrir une vraie salle où nous aurions pu exposer un certain nombre de nos œuvres. Cela n'étant pas, nous n'avons, à mon sens, qu'à nous abstenir, et je compte bien sur vous pour me mettre au courant de ce que vous savez ou apprenez[3]. » On sait à quoi s'en tenir : « Nous savons, n'est-ce pas, ce que sont ces expositions où nous ne serons que tolérés, par conséquent pas montrés[4]. » Il est donc hors de question de céder. Et que l'on ne lui en parle plus. Durand-Ruel qui s'est engagé à tenir Monet informé des rebondissements de l'affaire, s'il doit y en avoir, ne peut lui écrire avant la mi-février. Mais l'administration s'acharne et Monet réagit : « Nous ne pouvons pas avoir l'air d'être mis au rancart ou d'être exposés à côté de zoulous ou de nègres quelconques. Le Palais de glace est-il si bon que cela, j'en doute. Il faudrait donc que vous puissiez savoir au juste ce que l'on nous offre, à la condition, bien entendu, que nous serions libres d'organiser notre exposition à notre guise. Ensuite, je voudrais savoir l'opinion de Renoir et Pissarro. Mettez-moi donc au courant et je vous dirai alors si oui ou non j'accepte. La question de l'emplacement est importante, et à première vue le Palais de glace me paraît médiocre[5]. » La réponse est datée du 17 février. Depuis une semaine, Monet est à Londres. Il est au Savoy Hotel comme l'année précédente. Il a d'autres soucis : « Moi qui pensais si bien ne plus entendre parler de cette satanée exposition. J'ai eu bien du mal à m'installer et à me remettre au travail avec le temps épouvantable qu'il fait depuis mon arrivée, et puis voilà qu'il me faut y repenser et avoir ce cauchemar dans l'esprit[6]. » Si Durand-Ruel ne comprend pas qu'il exige qu'on lui fiche la paix, qu'il veut qu'on le laisse travailler... Les informations quant au lieu proposé par l'administration, critère décisif pour Monet, et si elle en propose un, attendront son retour à Giverny...

L'arrivée et l'installation au Savoy Hotel n'ont pas été faciles. La chambre 641, réservée, était bel et bien prête. Mais, la veille, cette même chambre a été réquisitionnée par la princesse Louise, fille de la reine Victoria. Cette princesse a en effet elle-même présidé au choix des chambres mises par les hôtels de Londres gracieusement à la disposition des officiers blessés de la guerre des Boers. Le directeur de l'hôtel est intervenu lui-même auprès du peintre français pour lui expliquer qu'il serait inconvenant de contester le choix d'une princesse alors que Lord Roberts, commandant en chef du corps expéditionnaire britannique, s'apprête à lancer une contre-offensive en Afrique du Sud contre ce Kruger, président du Transvaal, qui a déclaré la guerre à l'Empire le 12 octobre 1899.

Bon gré, mal gré, Monet avait accepté la chambre correspondante à l'étage inférieur en dépit d'une vue moins plongeante. Et il lui avait fallu attendre une journée pour que les caisses contenant les toiles commencées l'année précédente soient enfin montées dans sa chambre. Une journée de perdue, alors que la brume était là, qu'il y avait le même éclairage, « le tout de plus en plus admirable[7] ». Enfin, le 11 février, tout est prêt. La chambre 541, démeublée, lui tient lieu d'atelier. Il couche dans la chambre 542. Les vues sur les ponts de Waterloo et de Charing Cross sont les mêmes. « Je serai peut-être mieux encore au cinquième[8]. »

Le 12 février, Monet obtient, grâce à une lettre d'introduction d'un ami médecin qui lui a fait découvrir le lieu, du directeur du St. Thomas Hospital de pouvoir peindre depuis son établissement. De l'autre côté de la Tamise s'élève le Parlement. « Je n'ai pas de chambre proprement dite, mais une immense salle de réception où je laisserai mes affaires, car il me faudra peindre en plein air, ou du moins sur une terrasse couverte[9]. » Dès le lendemain, il y travaille. A Alice : « A 5 heures, par un superbe soleil couchant, dans la brume, je faisais mes débuts à l'hôpital. Si tu voyais comme c'est beau et que je t'aurais voulue près de moi à cette terrasse ; il paraît qu'il faisait froid, je ne m'en suis pas aperçu étant dans l'enthousiasme du travail et du *nouveau*, mais que ce sera difficile[10] ! » Monet pareil à lui-même, Monet emporté par l'ardeur provoquée par un motif neuf, Monet conscient des tracas qui l'attendent. Une chose change : « Je n'étais pas plutôt installé à peindre que le trésorier de l'hôpital est venu me prier de descendre prendre le thé chez lui, mais ce qu'il ne soupçonnait pas, c'est que je ne pouvais quitter ma toile : je le lui ai fait comprendre, pas en bon anglais, mais par gestes dans l'ardeur du commencement. Dix minutes après, ce brave monsieur m'apportait lui-même ma tasse de thé avec tartines et gâteaux ; ce qui m'a, du reste, fait du bien[11]. » On n'interrompt pas Monet au travail.

Il lui faut, malgré tout, admettre que Geffroy et Clemenceau annoncent leur visite pour la fin du mois de février. Ils comptent passer deux jours à Londres. Avant leur arrivée, Monet ne cesse pas de travailler. « Ma vie est habituellement calme et régulière, travaillant tout le jour, déjeunant et dînant presque toujours en bas au grill-room. Le reste du temps est pour la correspondance et pour étaler mes toiles que je regarde jusqu'au moment de me coucher[12]. » Il prend le temps de décrire à Alice l'ambiance singulière de la ville qu'il entr'aperçoit entre l'hôtel et l'hôpital : « C'est extraordinaire de voir Londres en ce moment : on ne voit que des volontaires tout de neuf habillés, ce sont tous des jeunes gens du monde qui s'équipent et s'arment à leurs frais ; chaque jour il en part, et chaque soir les restaurants en sont remplis : on les fête, on les acclame, les pauvres bougres qui vont se faire tuer ou mourir de fatigue, mais c'est maintenant le grand chic de s'engager, c'est tout à fait smart[13]. »

L'arrivée de Geffroy et de Clemenceau, parce qu'ils savent trop bien que l'on ne saurait distraire Monet de son travail, ne change rien à ses habitudes : « Il est entendu du reste que je ne dois les voir qu'aux repas et à la fin du jour[14]. » Les inquiétudes de Monet sont celles qu'il n'a pas cessé de rabâcher à Alice : « Ce matin, au petit jour, il y eut un brouillard extraordinaire, tout à fait jaune ; j'en ai fait une impression pas mal, je crois : c'est toujours beau du reste, mais si changeant : aussi ai-je commencé beaucoup de toiles du pont de Waterloo et du Parlement ; j'ai aussi repris plusieurs toiles du premier voyage, des moins bonnes. C'est du reste ici que je travaille le plus jusqu'à présent, n'allant à l'hôpital qu'à 4 heures du soir. Hélas ! le brouillard ne veut pas se dissiper et j'ai peur de perdre ma matinée[15]. » Le temps, le temps toujours, le temps qui n'est jamais ce qu'il devrait être. Que Geffroy et Clemenceau se soient montrés « naturellement très emballés[16] » de ce qu'il fait ne lui a sans doute pas été indifférent, d'autant qu'il est sur le point d'être débordé : « J'ai fort à faire. Songe que j'ai 44 toiles en train et que parfois je m'y perds[17]. »

Un mois après son arrivée à Londres, Monet prend le risque de faire un aveu à Alice : « Je n'ai pas à te dire que je travaille comme un enragé et c'est bien le terme, tu le sais, et si ce n'était mes sorties et les dîners en ville, du reste assez fréquents, j'en serai abruti, ne pouvant m'empêcher de regarder mes toiles et d'y penser sans cesse. Oui, les dîners me font du bien et me reposent l'esprit[18]. » Ces soirées auxquelles on ne saurait se rendre qu'en habit, ces sorties et ces dîners ne peuvent être, au regard d'Alice, que des écarts de conduite. D'autant plus regrettables que Monet n'est pas indifférent aux toilettes des dames – « c'est toujours on ne peut plus élégant[19] ». Alice peut-elle légitimement lui reprocher d'avoir accepté les invitations à Dover Street de Mme Mary Hunter qui a eu la délicatesse de lui faire livrer « tant de magnifiques fleurs, tulipes, narcisses » au soir de son arrivée que sa chambre est devenue « un vrai jardin »[20] ? C'est à son ami Charles Hunter qu'il doit d'avoir rencontré le docteur Payne qui lui a ouvert les portes du St. Thomas Hospital. Pouvait-il refuser à Sargent un dîner « dans un grand club de Pall Mall[21] » ? Pouvait-il ne pas répondre aux invitations de George Moore dont Manet peignit le portrait à la Nouvelle Athènes alors qu'il n'avait pas trente ans ? Pouvait-il ne pas aller voir les *Minstrels* à St. James avec Geffroy et Clemenceau ? Pouvait-il décliner l'invitation de François Depeaux, après l'avoir rabroué à l'hôpital où il l'avait dérangé et où il avait eu l'impudence de fouiller dans sa caisse pour en sortir des toiles, alors que ce même malotru a invité son fils Michel, au Pays de Galles, à Swansea, où il est propriétaire d'une mine ? Qui sait si Michel, ce fils dont le sort l'inquiète, ne pourrait y trouver un emploi ? Laquelle de ces soirées n'était pas un devoir ? Comment Alice pourrait-elle ne pas admettre ces moments de détente ? Ne lui a-t-il pas écrit : « C'est un rude métier que je fais là, et les jours grandissant, cela me fait onze heures de travail par jour. Heureusement que les nuits me remettent d'aplomb et que je dors comme un sabot, et à 6 heures je suis levé[22]. »

Jusqu'à la fin du mois de mars, rien ne change. Monet enrage à cause de bourrasques de neige qui dissipent un brouillard délicieux, d'averses, d'un brouillard terrible, d'un temps variable comme jamais, d'un grand vent... Et, en dépit de cette inconstance du climat, il peint. « Tu vois que ce n'est pas l'ardeur qui me manque puisque j'ai quelque chose comme 65 toiles couvertes de couleurs et qu'il m'en faudrait plus, ce pays n'étant pas ordinaire ; aussi vais-je recommander des toiles[23]. »

A la fin du mois de mars, vient le temps de les emballer : « Songe que je vais rapporter huit caisses pleines, soit 80 toiles, n'est-ce pas effrayant ? Et si au début j'avais eu le bon esprit de toujours commencer au fur et à mesure que les effets changeaient, je serais plus avancé et, au lieu de cela, j'ai barboté, transformé des toiles qui m'ont donné du mal et ne sont à cause de cela que des ébauches. Il faut dire que ce climat est si particulier que j'ai vu de beaux effets depuis deux mois que, sans cesser, je regarde cette Tamise, c'est à n'y pas croire, et, en somme, avec du temps et énormément de toiles préparées, tous ces effets se retrouvent selon la saison[24]. »

Monet n'a plus guère le temps que de faire part à Alice de dernières plaintes : « Ma vie n'a cessé d'être une suite d'ardeur et d'enthousiasmes suivis de déceptions : j'avais cette fois espéré d'être plus heureux, et c'est le contraire[25]. » Un soupir encore avant de quitter Londres pour Giverny : « Quelle malédiction d'être si sensible, si peu maître de soi[26]... »

1900/2

C'eût été si chic de rester tous vierges de récompenses[1]

De retour à Giverny, Monet informe Durand-Ruel de ce que le mois et demi passé à Londres n'aura pas été vain : « J'ai dû quitter forcément mes travaux à Londres, d'abord parce que l'atmosphère et la lumière étaient par trop changées, mais aussi parce que j'étais vraiment las et à bout de forces, aussi serai-je obligé de refaire un autre séjour à Londres pour mener à bien tout ce que j'ai entrepris. Je ne suis pas autrement mécontent de ce que j'ai fait, mais ce ne sont que des commencements[2]. »

De Londres, il avait fallu rassurer Alice parce que son gendre Théodore Butler allait embarquer pour l'Europe avec ses enfants, les enfants de Suzanne, il avait fallu lui assurer que, pour le *Touraine*, l'Atlantique serait une bonace... Il avait fallu intervenir auprès de Durand-Ruel pour qu'il accepte de présenter à New York une exposition de Butler – et rien n'avait été vendu... Il avait fallu envoyer de l'argent à Jacques Hoschedé, installé à Saint-Servan où il continue de trouver plus facile de « taper » son beau-père... Sa nonchalance n'est au bout du compte pas si différente de celle de Michel, son propre fils, qui, à Londres encore, avait préféré patiner sur la glace que de se faire son interprète auprès du directeur du St. Thomas Hospital...

De retour à Giverny, il doit s'atteler à ce projet d'exposition auquel il n'est plus question d'échapper. A Roger Marx, le 21 avril : « Puisque Pissarro le premier a cédé à votre désir, et après Renoir et moi, et que j'apprends par M. Durand que nous aurons une salle à nous, il faut donc faire pour le mieux et avoir un très bon choix[3]. » Ce choix est d'autant plus urgent que M. Emile Loubet doit inaugurer cette exposition le mardi 1er mai au tout début de l'après-midi.

L'Exposition universelle a été inaugurée le 14 avril. La vigueur de la *Marche solennelle* de Massenet qui a entraîné le pas du président de la République n'a pas suffi à cacher tous les retards, conséquences d'une grève des ouvriers du bâtiment qui a suspendu tous les travaux pendant des semaines. Les expositions sont présentées, pour la rétrospective, dans le Petit-Palais, pour la centennale et pour la décennale dans le Grand-Palais. Celui-ci, selon Armand Lanoux, est une « ahurissante ferraille d'un palais qui tient de Babylone, de la halle des Machines, de Sainte-Sophie, de Saint-Lazare et de la charcuterie ornementale[4] ! ». Dans *La Gazette des Beaux-Arts*, M. André Michel, conservateur au Louvre, assure que l'on a laissé aux impressionnistes « une belle place à la Centennale – et, quoique je voie que quelques-uns la trouvent insuffisante, ils n'ont vraiment pas lieu de se plaindre[5] ».

Ils ne s'en plaindront pas. Ils savent que les foules préfèrent admirer la tour Eiffel désormais illuminée d'ampoules multicolores par la Fée Electricité... se précipiter vers la Grande Roue dont l'axe est à 75 mètres de haut et dont le diamètre est de 93 mètres, ce qui lui permet d'élever vers le ciel 1600 passagers terrorisés... Ils savent que les foules iront se perdre au son des tyroliennes dans le Village suisse, au fond du Champ-de-Mars... iront applaudir Loïe Fuller ou Lucien Guitry, qui triomphe dans le rôle de Flambeau de *L'Aiglon* d'Edmond Rostand, ou *Louise*, de Charpentier, à l'affiche de l'Opéra-Comique, ou encore s'émerveilleront devant les projections des frères Lumière dans la galerie des Machines... Ils savent que rares, très rares sont ceux qui viendront regarder leurs peintures. Quelle importance, les amateurs ont-ils jamais été nombreux ?

Les salles 16 et 17, au premier étage du Grand-Palais, sont prêtes pour le 1er mai. Dans la première, treize toiles de Manet et des toiles de Baille sont entourées d'œuvres d'Eva Gonzales, Fantin-Latour, Legros... Dans la seconde, parmi des œuvres de Renoir, Pissarro, Sisley, Berthe Morisot et Degas, quatorze toiles de Monet sont accrochées. Certains regrettent que les impressionnistes n'aient pas pris le parti de Rodin qui a rassemblé dans son propre pavillon non loin de la place de l'Alma, sur le Cours-la-Reine rebaptisé rue de Paris, des œuvres de toute sa carrière. Arsène Alexandre a demandé à Monet de lui donner un texte pour le catalogue Rodin. Il a refusé : « J'ai la plus grande admiration pour le talent de Rodin. Il est unique dans notre temps et parmi les plus grands de toutes les époques. Il sait ce que je pense de lui et vous aussi sans doute ; mais à mon grand regret je ne puis satisfaire votre désir pour plusieurs raisons : d'abord parce que je ne sais pas écrire, ce n'est pas mon métier, et qu'un artiste de la valeur de Rodin n'a pas besoin du certificat de ses confrères pour avoir le succès qu'il mérite et qu'il aura[6]. » Après une nouvelle vaine demande, Arsène Alexandre doit se résigner à ne publier que ce bref billet : « Ce que je tiens à vous dire, c'est ma grande admiration pour cette homme unique en ce temps et grand parmi les plus grands. L'exposition de son œuvre sera un événement. Le succès en est certain et sera la consécration définitive du bel artiste[7]. »

La consécration définitive des impressionnistes est entérinée d'une tout autre manière le jour même de l'inauguration. Devant l'entrée de leurs salles, alors qu'approche le président de la République, M. Léon Gérôme, secrétaire perpétuel de l'Académie des Beaux-Arts, écarte les bras : « Arrêtez, Monsieur le Président, c'est ici le déshonneur de la France ! » Si Gérôme a lancé cette apostrophe au président de la République, si on l'a répétée à Monet, sans doute ne provoque-t-elle qu'un sourire consterné[8].

A Giverny, Monet se retire comme on se retire dans un ermitage. A la fin du mois de mai, il invite Geffroy : « Je vous plains d'être obligé de tant trimer à l'Exposition ; c'est si beau à la campagne, je voulais vous écrire pour que vous veniez voir le jardin si beau en ce moment : ça vaut le voyage et dans quinze jours au plus, ce sera passé. Je travaille avec de plus en plus d'ardeur[9]. » Il invite de même Clemenceau : « J'attends toujours votre visite promise. C'est le vrai moment, vous verrez un jardin splendide mais il faut vous hâter. Voulez-vous venir soit dimanche, soit lundi ? Plus tard tout sera défleuri[10]. » Plus tard, Monet referme les portes de l'ermitage. Rien ne l'arrache à Giverny : ni le mariage de Julie Manet avec Ernest Rouart, fils d'Henri Rouart, le plus proche ami de Degas – « Je maudis le peintre qui me prive du bonheur de vous voir en mariée, vous suppliant de m'excuser et de croire néanmoins à ma sincère affection[11] » –, ni l'inauguration de l'exposition Rodin – « Hélas ! je suis retenu ici par un travail que je ne puis quitter de quelques jours, sous peine de perdre tout ce que j'ai fait[12] ».

Le 21 août, Monet explique à Durand-Ruel son silence des dernières semaines par un accident survenu lors d'un jeu avec les enfants. Son œil a été atteint. Il confie encore à Geffroy : « Je n'ai par conséquent pas bougé et j'ignore l'Exposition ; je n'ai fait qu'une courte sortie pour aller en automobile à Honfleur voir Mirbeau. A part cela, je reste et deviens de plus en plus casanier, jouissant des belles choses que j'ai sous les yeux, mais aussi me faisant bien de la bile à ne rien faire[13]. »

Une autre chose le préoccupe et il s'en ouvre au même ami Geffroy : « Vous êtes sans doute au courant de la décoration de Renoir ; moi j'en suis très attristé et Renoir le sent si bien qu'il m'écrit comme pour s'en excuser, le pauvre homme, et n'est-ce pas, en effet, bien triste de voir un homme de son talent, après avoir lutté tant d'années et être si vaillamment sorti de cette lutte malgré l'administration, accepter la décoration à l'âge de soixante ans ! Quelle triste chose que l'être humain ! C'eût été si chic de rester tous vierges de récompenses, mais qui sait ? Je serai peut-être le seul dans ce cas, à moins que je devienne tout à fait gâteux[14]. »

Le 20 août, Renoir lui a écrit : « Mon cher ami, Je me suis laissé décorer, crois bien que je ne t'en fais pas part pour me dire si j'ai tort ou raison. Mais bien pour que ce bout de ruban ne se mette pas en travers de notre vieille amitié. Dis-moi donc des sottises, les mots les plus désagréables, cela me sera égal, mais pas de blague, que j'aie fait une sottise ou non, je tiens à ton amitié. Tant qu'aux autres je m'en fiche. A toi, Renoir[15]. »

Le jour même où Monet fait part de sa tristesse et de son dépit à Geffroy, le 23 août, Renoir écrit de nouveau à Monet : « Je m'aperçois aujourd'hui et même avant que je t'ai écrit une lettre stupide. J'étais souffrant, nerveux, tiraillé, on ne devrait jamais écrire dans ces moments-là. Je me demande un peu ce que cela peut te faire que je sois décoré ou non. Tu as, toi, une ligne de conduite admirable, moi je n'ai jamais pu arriver à savoir la veille ce que je ferai le lendemain. Tu dois bien me connaître mieux que moi, puisque je te connais mieux que toi très probablement... N'en parlons plus, et vive l'amour[16]. »

Et vive l'amitié ! Il est évident que ce n'est pas un ruban rouge qui pourrait remettre en cause de si longues années d'amitié... L'incident est clos. Au moins Monet peut-il être certain que Degas ne succombera pas à cet honneur. Souvenir d'Henri de Régnier : « Mallarmé m'a raconté qu'il avait été chargé, un jour, de la part de son ami Roujon, alors secrétaire des Beaux-Arts, d'aller annoncer à Degas que le ministre se proposait de le nommer chevalier de la Légion d'honneur et d'obtenir son acquiescement à cette nomination. A cette nouvelle, Degas était entré dans une violente colère et avait formulé son refus en de tels termes que, me disait Mallarmé, "j'ai cru qu'il allait me battre". Degas en voulut longtemps à Mallarmé de s'être prêté à cette démarche. Pour un peu il lui eût répété la phrase qu'il adressa à un de ses confrères dont il croyait avoir à se plaindre : "Rien ne pouvait, Monsieur, plus aigrement nous désunir"[17]. »

Remis de sa blessure à l'œil et de la peur qu'elle a provoquée, Monet reprend le travail. Les toiles rapportée de Londres... Les ponts de Waterloo, de Charing Cross, le Parlement...

Désormais, Monet éconduit ces journalistes qui le harcèlent de questions, de demandes d'explications, de justifications. Comment faire comprendre à ces critiques que l'on peut penser avec un pinceau, ou plutôt que le pinceau pense, et que cette pensée qui devient une évidence crève les yeux et n'a que faire des mots, des démonstrations, des preuves, des CQFD ? Ces journalistes, qui plus est, ne se satisfont pas d'idées et de théories, ils en arrivent à vous demander insidieusement qui vous êtes... « J'ai horreur de cette façon de mettre les gens sur la sellette et j'ai pris le parti de toujours répondre négativement à l'avenir. On abuse vraiment et je crois que cela n'intéresse personne[18]. » Qu'on se le tienne pour dit, Monet n'a rien à dire de lui-même. Pour preuve la réponse qu'il fait à un autre journaliste, François Thiébault-Sisson, qui prépare un article pour l'exposition qui doit ouvrir ses portes du 22 novembre au 15 décembre chez Durand-Ruel. Celle-ci doit réunir une vingtaine de vues du pont japonais et du bassin de Giverny. Monet semble tomber des nues. A Durand-Ruel, le 17 novembre : « C'est une importante exposition que vous voulez faire. J'avais compris que c'était seulement la série des *Bassins* avec un petit nombre d'autres toiles[19]. » A Thiébault-Sisson il envoie ces informations laconiques, datées du 19 novembre : « En dehors de ma naissance (14 novembre 1840 à Paris), je ne vois guère ce que je puis vous donner comme renseignements, si ce n'est que dès ma plus tendre enfance, j'avais déjà la passion du dessin, que, rebelle à tout enseignement, je n'ai jamais suivi de cours ni été dans un atelier. Que très jeune j'ai eu le bonheur de rencontrer le peintre Boudin qui m'a ouvert les yeux et donné l'amour de la nature. Qu'enfin j'exposai pour la première fois aux Salons de 63 et 66 où j'ai été remarqué des artistes ; qu'à partir de ce moment j'ai toujours été refusé par suite de mes tendances, et que ce n'est qu'à force d'énergie et de volonté que j'ai pu arriver, mais aussi grâce à l'appui matériel de quelques amateurs courageux et surtout grâce à M. Durand-Ruel[20]. »

Cet hommage et cette reconnaissance avouée n'interdisent pas à Monet de laisser éclater une nouvelle colère lorsque Durand-Ruel l'accuse d'avoir traité le marchand Rosenberg en amateur et de lui avoir consenti des prix plus bas que ceux qu'il accepte de lui faire. Explication rageuse de Monet : « Bref, et cela n'a pas été si bref que cela, à force d'insistance, j'ai fini par lui vendre deux toiles à 8 000 et une à 9 000 francs, ce qui est un prix très supérieur aux prix des autres marchands. Voilà la vérité et si M. Rosenberg se vante d'avoir acheté les *Bassins* 7 000, il a certainement altéré la vérité. J'écris du reste à ce monsieur ce que je pense et, bien qu'il soit dans son droit d'exiger que je lui livre ces trois tableaux, je lui demande d'annuler cette affaire, n'aimant pas que l'on se moque de moi[21]. » Durand-Ruel n'est guère convaincu par les explications de Monet qui enrage encore : « J'ai le droit de dire que tous ces potins, toutes ces histoires de prix m'assomment absolument. Je ne peux cependant pas m'engager à ne rien vendre chez moi, lorsque l'occasion que je ne cherche pas se présente, d'autant qu'il est assez naturel que je sois flatté lorsque quelqu'un demande à me connaître et à me rendre visite et je ne puis, pour être agréable à plusieurs marchands, fermer ma porte aux personnes qui viennent jusqu'ici. Certes, je regrette ce qui vient de se passer, mais quant à en être coupable, je ne l'admets pas. Pouvais-je supposer que vous demandiez 15 000 francs de toiles que je vous ai vendues 6 500 francs à vous comme à M. Petit, sans quoi j'eusse été bien simple d'en vendre une semblable 10 000[22]. » Monet qui se défend comme un gamin surpris avec un index dans un pot de confiture fait le choix de l'attaque et du dédain : « Mais peut-être qu'une fois encore un syndicat va se former et m'imposera ses conditions comme lors des *Cathédrales*. Dans ce cas, j'en serai quitte pour rester paisiblement à travailler dans mon coin en cherchant à progresser[23]. »

Et, soudain soupçonneux, il dissuade deux de ces marchands d'adhérer à un tel syndicat, les frères Bernheim-Jeune : « L'affaire de l'automobile aurait pu peut-être se faire en échange d'une toile, mais étant resté à Paris hier, je me suis laissé tenter par une machine de 8 chevaux, dernier modèle de Panhard, qui me sera livré demain. Si vous m'aviez primitivement offert la vôtre pour une toile, je me serais sans doute décidé de suite, mais vous n'aurez sans doute pas de peine à la placer à ce prix[24]. » La lettre est datée du 29 décembre. Monet s'apprête à entrer dans le XXe siècle en automobile.

1901

Non, il n'y a pas de pays plus extraordinaire
pour un peintre[1]

Il semblerait qu'il ne puisse en être autrement. Une arrivée à Londres se doit d'être épicée de contrariétés. Le 24 janvier, au Savoy Hotel, la chambre réservée est parfaitement prête et aucune princesse ne l'a réquisitionnée pour qu'on y prodigue des soins à un officier blessé ou que celui-ci achève sa convalescence avant de repartir pour l'Afrique du Sud où les Britanniques subissent bien des revers. Si les chambres 541 et 542 sont donc à sa disposition, en revanche les caisses expédiées en temps et en heure n'y sont pas. Le jour même de son arrivée, Sargent, dont Monet ne peut oublier qu'il a peint un portrait de lui au travail dans son bateau-atelier à Argenteuil, Sargent, dont la vie n'est que peinture et mondanités, l'entraîne visiter plusieurs expositions, « entre autres celle où Durand a envoyé des toiles de Renoir, Sisley, Pissarro et moi et, comme je le pensais bien, c'est d'un effet piteux. C'est bien mal nous faire connaître dans ce pays et je compte bien le dire à Durand[2] ». Si Durand-Ruel ne perd rien pour attendre, au moins Monet voit-il des couleurs. Elles sont rares dans la ville noire. « Londres est en effet lugubre, tout le monde est en noir ; Sargent en deuil avec crêpe comme tous du reste ; nous avons déjeuné ce matin dans un nouveau grill-room dans Piccadilly et c'était extraordinaire comme cela, il n'y avait que du noir dans une salle toute blanche[3]. » La reine d'Angleterre et impératrice des Indes Victoria vient, à quatre-vingt-deux ans, de mourir le 22 janvier. Son fils, Edouard VII, monte sur le trône à soixante ans.

Le samedi 2 février ont lieu les obsèques de la reine et impératrice. Sargent lui a fait réserver une place à une fenêtre pour voir passer le cortège. Dès 9 heures, Monet se présente à la maison que lui a indiquée Sargent avec le mot de présentation qu'il lui a remis. « Bref, le maître et la maîtresse de maison, tout à fait charmants, m'ont de suite présenté aux personnes parlant français, et fait très bien placer. J'ai rencontré la sœur de Mlle Maxse, l'amie de Clemenceau, et aussi un grand écrivain américain, vivant tout à fait en Angleterre, parlant admirablement français et qui a été tout à fait charmant avec moi, m'expliquant tout, me montrant toutes les personnalités de la Cour, etc. (il s'appelle Henry James). Sargent dit que c'est le plus grand écrivain anglais. Butler le connaît-il ? On a attendu jusqu'à près de midi, et comme il faisait froid, on faisait passer du bouillon. Il y avait bien cent personnes dans la maison, placées à tous les étages et j'ai eu la chance d'être au premier ainsi que Sargent arrivé après dix heures. Enfin, je suis très content d'avoir vu cela, car c'était un spectacle unique, avec cela un temps superbe, un léger brouillard avec demi-soleil et comme fond St. James's Park. Mais quelle foule ! Et c'eût été beau d'en faire une pochade. Dans tout ce noir de la foule, ces cavaliers en manteau rouge, ces casques, enfin cette quantité d'uniformes de tous les pays ! Mais, sauf le recueillement de tous au passage du corbillard, que cela ressemblait peu à un enterrement ! D'abord pas de crêpe, pas de noir, toutes les maisons ornées d'étoffes mauves, le corbillard, un affût de canon traîné par de magnifiques chevaux café au lait, couverts d'or et d'étoffes de couleur. Puis enfin, le roi et Guillaume, qui m'a paru un peu maigrelet, qui m'a stupéfait : je m'attendais à lui voir une belle allure. Quant au roi, épatant, à cheval et de grande tournure. Cela, du reste, était superbe. Quel luxe d'or et de couleurs ! Et les voitures de gala donc, les attelages ! J'en avais presque mal aux yeux[4]. »

Monet a-t-il jamais su que, dans le *New York Tribune*, ce Henry James « tout à fait charmant » écrivit en 1876 : « Les doctrines "impressionnistes" me frappent comme étant incompatibles, d'un point de vue artistique, avec l'existence même d'un talent de premier ordre[5]. »

Ni cette ancienne certitude de James, ni le « presque mal aux yeux » n'entravent l'ardeur de Monet qui se remet au travail dès le lendemain : « Que de choses merveilleuses, mais ne durant pas cinq minutes, c'est à rendre fou. Non, il n'y a pas de pays plus extraordinaire pour un peintre[6]. » L'expérience des précédents séjours à Londres est loin d'être vaine. Elle le conduit à prendre des dispositions qu'il expose à Alice : « Depuis que je suis ici, en dehors des pastels, je ne travaille qu'au pont de Waterloo, une dizaine de toiles. De cette manière, j'ai un moins grand nombre de toiles à surveiller et ça va mieux, mais je serai bien content lorsque j'en aurai quelques-unes d'à peu près à point. C'est si difficile[7]. »

Les remises en cause et les doutes sont les mêmes toujours... A Alice, jour après jour : « Que sortira-t-il de tant de peine et de recherches ? C'est le temps qui en décidera[8]... » « Personne ne saura jamais le mal que je me suis donné pour arriver à si peu de chose ; et puis, il faut bien le dire, travailler à deux endroits est mauvais. Il m'arrive souvent d'interrompre une toile qu'en une heure je pourrais compléter parce qu'il est l'heure de l'hôpital. Cela m'est arrivé souvent déjà ; enfin, je ne me décourage pas[9]. » Il se décourage si peu qu'il lui vient l'envie de peindre Leicester Square la nuit, la façade de l'Empire Theatre qui étincelle dans le brouillard. Le 2 mars, il y peint dans « une petite pièce grande comme la main où sont les bouteilles de champagne, liqueur, etc. et où il y a à perpétuité une sorte de sommelier inspecteur[10] ». Il a été conduit dans ce lieu où il ne sera « vu de personne » par un « horrible cabot »[11] membre de ce club, le Green Room, qui n'est fréquenté « que par des officiers et des cabotins[12] ». Il s'en contrefiche, il a « une vue superbe[13] ». Mais il n'y peint que trois toiles...

S'il ne revient pas dans cette « sale boîte[14] », c'est parce que, tout à coup, les lettres d'Alice enrayent son ardeur.

Déjà, le 19 février, il a fallu lui écrire : « Je sais que tu as des tas de raisons, mais enfin n'as-tu pas aussi quelques joies, était-ce seulement celle qui n'est plus qui savait t'aimer et ne sommes-nous donc si peu de chose nous, et notre affection n'est donc rien pour toi ? Allons, ma chérie, je t'en supplie, secoue-toi et ne te laisse pas aller à de telles idées noires, autrement tu deviendras tout à fait malade[15]. » Il peut lui écrire encore le 5 mars : « Certes la vie a de tristes moments, mais si on se laisse ainsi aller, on est perdu. C'est au contraire dans ces moments-là qu'il faut réagir et avoir son sang-froid. C'est facile à dire, vas-tu dire, c'est vrai, mais il le faut[16]. » Ces exhortations d'un bon sens désemparé restent vaines. L'impuissance déconcerte Monet : « Je sens ton état nerveux et ton découragement et cela m'ôte tout courage aussi[17]. » Pour la première fois, en face de la crise que traverse Alice, la peinture lui semble futile.

Monet est si troublé que, quelques jours à peine plus tard, il doit s'excuser auprès de Mme Hunter de ne pouvoir assister à un dîner. Jambes douloureuses, étourdissements, fièvre, frissons à ne pouvoir se réchauffer. Il consulte. Il ne s'agit que de fatigue et de rhumatismes causés par des courants d'air. Il garde la chambre. « Je ne souffre nullement mais n'ai de goût à rien et me fatigue pour rien[18]. » Nouvelle consultation le 14. Il suffit de prendre quelques précautions et d'avoir un peu de patience. Le lendemain, il est invité à sortir un quart d'heure dans le jardin de l'hôtel. Alice s'inquiète de ses toiles. Quelles toiles ? « Je suis là avec mes pensées, toutes ces préoccupations ; tu me parles toujours de mes toiles, mais c'est une affaire finie, je n'y pense pas et ne veux plus y penser. Je n'ai qu'une idée, revenir, et qu'une crainte, n'être pas assez

prudent et que cela tarde[19]. » Une semaine plus tard, rien n'a changé :
« Le docteur m'a fait espérer que je pourrai partir à la fin de la semaine
qui vient mais, comme il est très prudent, j'ai un peu peur qu'il ne me
dise cela que pour me faire patienter, mais j'en ai cependant l'espoir
puisqu'il me trouve bien mieux et que je le sens moi-même. Quant à la
peinture, à mes toiles, non, il ne faut pas m'en parler quoi que tu en
penses[20]. » Monet ne sort de l'hôtel que le 29 mars enfin. Il lui reste,
épuisé après trois semaines d'une maladie qui aurait été une pleurésie, à
rentrer à Giverny.

Comme il se doit, il avertit Durand-Ruel de son retour. Ce n'est qu'à
son retour à Paris, puisque lui-même doit partir pour Londres, qu'il
pourra venir vérifier à Giverny qu'il ne rapporte rien de terminé. Ce qui
ne veut pas dire que ce qu'il rapporte soit honteux. Une semaine plus
tard, il invite Geffroy à lui rendre visite : « Je [serai] aussi enchanté de
vous montrer quantité d'études, pochades, essais de toute sorte que j'ai
rapportés, et d'avoir votre avis[21]. »

Un souci inédit occupe Monet. La Panhard a été livrée pendant son
absence. Il convient de trouver un « parfait chauffeur mécanicien,
homme sérieux, sobre et de toute sécurité ». Le premier, « tout en étant
très habile dans son métier, avait le tort grave d'être un peu trop vif et
batailleur ; il a presque assommé un individu et les gendarmes le poursuivent. Ce n'était pas ce qu'il me fallait[22] ». Par chance, il est occupé
par cette recherche dans un temps où il ne peut rien faire encore à
Giverny où le temps n'est guère beau, où les pommiers tardent à fleurir
et où il en arrive à se demander si même il aura des iris. « Je suis à
l'affût, tout prêt à me mettre à la besogne[23]. »

Dans son jardin, devant son bassin ? Peut-être... Monet est déterminé
à entreprendre dans ce jardin de nouveaux travaux. L'achat d'une prairie, de l'autre côté du Ru, le petit bras de l'Epte, à Mme veuve Rouzé
pour 1200 francs par acte notarié signé chez maître Grimpard à
Vernon, est une parfaite occasion. Ce terrain qui s'étire sur près de
175 mètres et dont la plus grande largeur est de 35 mètres, permet une
nouvelle distribution des espaces. Et donc l'agrandissement du bassin.
Il n'est pas question bien évidemment de commencer de tels travaux au
moment de la floraison la plus intense. Arsène Alexandre, reçu à
Giverny, rapporte le 9 août dans Le Figaro qu'il vient de voir le peintre
travailler « dans ce jardin, grisant ses yeux et son imagination des reflets
qui se jouent, insaisissables, sur cette marqueterie de grandes fleurs épa-
nouies et de métaux en fusion. Tantôt, et le plus souvent, c'est dans un

grand atelier planté au milieu du marais fleuri, comme une tente et comme un observatoire[24] ».

Au cours de l'été, au début de l'automne encore, Monet découvre que l'automobile est un nouveau moyen de peindre. Au moins pour se rendre sur le motif. Vétheuil est le motif auquel il revient alors. Il y a vingt ans qu'il a quitté Vétheuil. C'est dans le cimetière voisin de l'église de Vétheuil que repose Camille... Mme de Chambry, qu'il a sans doute rencontrée plus de vingt ans plus tôt, l'accueille, le laisse peindre depuis l'une des fenêtres du premier étage de sa maison de Lavacourt. Monet peint le village resserré autour de son église dont le clocher s'élève devant la courbe d'une colline, les reflets dans la Seine, dans la lumière d'un soleil qui décline, une péniche qui glisse sur le fleuve... Près de quinze toiles presque carrées d'un peu moins d'un mètre de côté. Effet de soleil, effet rose, effet gris...

Le 19 octobre, il informe Durand-Ruel : « J'ai entrepris une série de *Vues de Vétheuil* que je pensais pouvoir faire rapidement et qui m'a pris tout l'été de sorte que toutes les autres choses sont restées en route[25]. » Le marchand n'en est sans doute pas surpris. En juillet, Monet l'a prévenu qu'il ne pouvait continuer de peindre à l'atelier en raison de la chaleur, et, en août, il l'a averti de ce que « la grande allée n'étant pas encore à son point de floraison complète », il lui faudrait attendre. Pourquoi donc ne pas peindre Vétheuil ?

Les escapades en automobile, jour après jour, distraient Alice. Souvenirs de Jean-Pierre Hoschedé, chauffeur de la famille : « Délicieuses promenades de chaque jour qui m'ont laissé d'heureux souvenirs parce que ce sont les derniers de ma mère accompagnant Monet à son travail. [...] Monet était alors en plein succès et semblait lui-même jouir, non seulement de celui-ci, mais également et pleinement de l'aisance définitive lui permettant de réaliser toutes ses fantaisies en sa maison et ses jardins. Seule, ma mère, restée inconsolable de la mort de sa fille Suzanne, bien qu'usant d'une volonté incroyable pour masquer sa douleur de tous les instants, n'était pas à l'unisson. Pauvre maman[26]... »

Jouir d'une « aisance définitive » n'interdit pas de tenir scrupuleusement un carnet de comptes ni d'être soucieux de ses propres intérêts. La vérification de ce carnet conduit Monet à remettre les choses au point avec Paul Durand-Ruel le 24 novembre : « S'il a été entendu que le prix des trois tableaux livrés en avril était de 20 000 francs, il n'y a pas à revenir là-dessus, c'est une affaire entendue. Quant aux derniers tableaux, il y a d'abord erreur de votre part, si je ne me trompe pas :

vous dites que je vous livre neuf tableaux pour 47 500 francs tandis qu'à mon avis, au prix où je vous les compte, cela doit faire 60 500. Vous pourrez facilement vous en rendre compte. Maintenant vous comprendrez que n'ayant pour ainsi dire plus de la série des *Matins* et fort peu de *Marines*, j'en demande plus que lorsque j'en avais des quantités. Je vous les compte au même prix que j'en ai vendu précédemment à vos confrères, bien qu'à ce moment j'en étais moins dépourvu, et puis n'est-il pas juste que me donnant de plus en plus de mal, et produisant moins, je ne profite pas, moi aussi, de la hausse[27] ? » Cette démonstration ne souffre pas la moindre contradiction. Durand-Ruel connaît Monet... « Et vous devez me connaître assez pour savoir que je ne suis pas homme d'argent, n'est-ce pas[28] ? » Comment Durand-Ruel ne l'aurait-il pas appris en trente ans ?

VI

DU PONT JAPONAIS
AU GRAND CANAL

1902-1912

1902

Je vais, j'espère, pouvoir m'occuper de mes toiles, ce ne sera pas trop tôt[14]

A la mi-février 1902, Alice s'est précipitée quelques jours plus tôt au chevet de son fils Jacques terrassé par une fièvre typhoïde. Monet, resté à Giverny, l'informe de sa décision à propos des toiles de Vétheuil dont il vient d'envoyer les dernières attendues par messieurs Bernheim : « Quant à aller à cette exposition Bernheim, cela ne m'intéresse pas du tout. Qu'ils fassent leur commerce, je n'ai pas besoin de m'y mêler[2]. » Un mois plus tôt, l'ouverture d'une exposition de trente-huit de ses toiles dans la galerie Durand-Ruel de New York l'avait laissé pareillement indifférent. M. Paul Durand-Ruel s'était cependant bien gardé de lui demander d'aller aux Etats-Unis...

Si « tout va bien ici », s'il fait à Giverny « du reste un temps superbe, un peu froid cependant puisque cette nuit il a gelé à 11°, ce qui est énorme pour l'époque[3] » – note d'une lettre datée du 16 février –, si les petits sont « toujours bien gentils », et « les grands aussi du reste[4] », Monet a un souci. Et celui-ci lui interdit la moindre absence. « Du reste, sous tous les rapports, ma présence est utile ici, car avec cette gelée persistante malgré des journées splendides, on ne peut rien planter au bassin et bien que les travaux avancent, il y en a encore pour longtemps, j'en ai peur, à être dans le gâchis. Et cela m'agace un peu beaucoup[5]. »

Depuis 1893, il achète régulièrement les livraisons de la *Revue horticole*. Déjà dans sa bibliothèque, les cinq volumes du *Dictionnaire d'horticulture* des MM. Nicholson et Mottet sont voisins des vingt-trois volumes illustrés de plus deux mille planches de *Flore des serres et des jardins de l'Europe*, œuvre monumentale de Louis-Benoît Van Houtte. Monet sait donc très exactement quand il convient de planter quoi. Aussi, quand Alice, après la guérison de son fils, s'impatiente de ce que

351

Monet ne vienne pas la chercher en automobile comme il avait promis de le faire, veut-il mettre les choses au point. À Alice, le jeudi 27 février : « Nous serions bien partis dès aujourd'hui selon ton désir, mais outre que j'ai à faire par-dessus la tête avec ce bassin, il aurait fallu que la voiture soit absolument réglée, ce qui ne peut être après une réparation[6]. » Qu'Alice lui épargne donc reproches et réprimandes : « Ne m'en veux pas de ne t'avoir pas écrit depuis deux jours, mais le jour du voyage à Paris, cela m'a été impossible et, hier, j'ai été pris au bassin par les plantations ainsi qu'aujourd'hui et c'est ce qui m'a fait télégraphier que je pourrais rester absent plus de cinq jours[7]. »

Monet le pressent, Monet le sait, la raison pour laquelle ce bassin requiert son temps et sa présence est essentielle. Ce bassin, ce jardin, ces allées, ces massifs et ces arbres sont désormais pour les années qui viennent le seul motif qui compte. Il le pressent, il le sait parce que, lorsque les travaux sont enfin achevés, lorsque les saisons passent, mois après mois, les nymphéas, les agapanthes, les hémérocalles, les iris jaunes et les mauves, les glycines et les rosiers s'imposent à lui. Il peint dans ce jardin dont il veut qu'il soit incomparable à aucun autre.

Monet travaille.

Monet prend donc le temps dont il a besoin, même si, semaine après semaine, il lui faut prendre en compte les inquiétudes d'Alice, le culte mortuaire qu'elle ne cesse de rendre à sa fille Suzanne, le désarroi que provoque l'amour de Germaine, sa plus jeune fille, pour un avocat, un certain Albert Salerou, rencontré à Cagnes-sur-Mer chez les Deconchy où elle a été reçue en février, la fatigue d'Alice qui n'est « pas bien portante quelques jours[8] » à la fin de septembre et dans les premiers jours d'octobre, le souci des domestiques qu'il faut remplacer... Cependant, rien ne trouble Monet. Il travaille. Et Monet, reclus à Giverny, se tait et se garde d'inviter son marchand à venir voir « cela[9] ».

Le 17 octobre, il pousse un soupir : « Me voici enfin au calme relativement, car le mariage de Germaine approche (le 10 novembre), c'est-à-dire que pour quelques semaines, je vais ne rien faire, hélas[10] ! » D'où cette prière enfin faite à Durand-Ruel : « Je viens vous demander de venir ces jours prochains, soit lundi, mardi ou mercredi, pour déjeuner naturellement ; vous verrez ce que j'ai fait cet été ou du moins ce que je n'ai pu faire[11]. » Dans l'atelier, Durand-Ruel découvre quelques toiles au format presque carré. C'est l'allée principale du jardin, ce sont les reflets d'arbres sur l'étang, le bassin... Ce qu'il vient de faire... À l'écart, les toiles rapportées de Londres. Monet n'y a pas touché. Durand-Ruel ne s'en inquiète pas. Il lui faut être patient et il l'accepte : « Je comprends que vous ne puissiez pas, avec votre nature, vous mettre sérieusement au travail en ce moment, mais cet hiver vous rattraperez aisément le temps perdu[12]. »

Un accident remet en cause la reprise du travail. Monet en prévient aussitôt son marchand. A Durand-Ruel, le 21 novembre : « Mon Michel va aussi bien que possible, il a la cuisse droite cassée, cela lui est arrivé par la faute d'un voiturier qui ne voulait pas lui laisser le passage libre, mais par quelle émotion nous sommes passés ! On était venu nous prévenir que mon fils était blessé, qu'il était dans un hôtel à Vernon et qu'il me fallait venir en toute hâte, sans m'en dire plus, hélas ! de sorte que je craignais la pire des catastrophes. Il nous a fallu le transporter ici, avec quelle peine et dans quelle souffrance ! Enfin, il est là dans l'atelier, bien soigné. On me rassure sur la bonne issue de la blessure, mais je suis néanmoins bien inquiet[13]. »

Les travaux du bassin et les soucis familiaux auront seuls, ou presque, occupé Monet qui n'a pas quitté Giverny sauf pour quelques rares journées passées à Paris. L'Aiglon d'Edmond Rostand l'y a retenu un soir. Le comédien Coquelin l'Aîné, qui a créé le rôle de Cyrano cinq ans plus tôt au théâtre de la Porte-Saint-Martin, lui a fait donner des places. En revanche Monet semble renoncer à assister à une représentation du Pelléas et Mélisande de Claude Debussy. Certains assurent pourtant que sa musique est impressionniste. Peut-être lui a-t-on fait part d'un jugement pareil à celui de Jules Renard qui notait dans son Journal : « C'est de la conversation chantée. J'attends une rime qui ne vient jamais. Et cette succession de notes. C'est le bruit du vent. J'aime mieux le vent[14]. »

Cette soirée au théâtre est l'une des très rares, la seule peut-être, qui l'aura au cours de l'année distrait de ce qu'il vit à Giverny jour après jour, où, au bout du compte, il se sent très seul. Grogner parfois : « Maintenant, on y voit tellement d'artistes, d'étudiants, tellement de peuple que j'ai souvent pensé à en partir[15] », ne change rien à l'affaire.

Le 26 décembre, il écrit à son ami Gustave Geffroy : « J'espère que votre promesse de venir passer une journée avec nous ne sera pas comme les autres toujours ajournées. J'ai tant besoin de me sentir des amitiés, si vous saviez combien je suis triste au fond de moi, mais je ne veux pas m'appesantir sur ce sujet, venez me voir bientôt, n'est-ce pas[16] ? »

L'année s'achève comme si elle avait été une année de retraite. Ses toiles auront été exposées à New York, à Dresde, à Edimbourg, à

Prague, à Bruxelles, au Havre mais cette renommée qui devient internationale semble ne pas le concerner. Peu de toiles auront été peintes... La
mention « Aucunes ventes » – écrite au pluriel comme s'il avait fallu
souligner un accident d'autant plus singulier qu'il ne provoque pas le
moindre souci financier – est portée dans son carnet de comptes. Une
année presque terne qui provoque l'impatience de Monet.

1903

On a si vite perdu une bonne impression[1]

Sombre début d'année. Le 9 janvier, Monet écrit à Rodin pour le
remercier de ses « bons vœux ». Sa brève lettre est une confidence
désespérée : « Hélas ! le travail ne va pas du tout et j'en suis bien
attristé. Le doute et le découragement se sont emparés de moi. J'avais
cru arriver à faire un jour quelque chose de bien, et voilà que je trouve
ce que j'ai fait si peu de chose, et qu'il me faudrait tant progresser que
la force me manque. Je vois tout en noir et tout me dégoûte. Vous voyez
dans que état votre lettre me trouve[1]. »

Tout contrarie Monet. Outre la fracture de Michel, « sujet tout ce
qu'il y a de plus nerveux[2] », il y a cette commission inepte qui a confié à
Constantin Meunier la commande d'une statue de Zola, mort par
asphyxie dans son appartement parisien le 29 septembre 1902. Le
5 octobre, lors de ses obsèques au cimetière Montmartre, Anatole
France n'a pas manqué d'affirmer que « J'accuse » « fut un moment de
la conscience humaine ». Ce « moment » a coûté à Zola son élection à
l'Académie française, comme il a été pour les antidreyfusards une infamie inexpiable. Certains ne manquent pas d'affirmer déjà que c'est leur
haine qui l'a tué... A Théodore Duret, le 15 janvier, il dit son profond
regret « que Rodin ne soit pas chargé du monument de Zola, parce qu'il
s'agissait là d'une question d'art, un hommage d'un grand sculpteur à
un grand homme, et que là la question politique ne devait pas surgir[5] ».

La mort de Zola est aussi celle de l'un des rares auteurs qui aient osé le
soutenir quand la presse publiait des colonnes d'injures, de railleries, de
quolibets. Zola aura tôt fait preuve de son courage. Après tout, *L'Œuvre*
n'aura été qu'une erreur. Les erreurs sont faites pour être pardonnées.

Seule une lettre de Roger Marx, grâce auquel les impressionnistes ont eu une salle particulière lors de l'Exposition universelle de 1900, appelle à la mémoire de Monet le nom d'un autre mort, celui de Bazille, et cause une réelle joie au peintre : « Non seulement je ne vois aucun inconvénient à ce que la famille de mon regretté ami F. Bazille vous communique les lettres que j'ai pu lui adresser lorsque tous deux nous étions jeunes et tout remplis de confiance dans l'avenir, mais je serai heureux de participer en cela à la mémoire de mon ami[5]. » De cet ami aussi généreux que fidèle qu'il a harcelé de lettres pour lui demander encore et encore cinquante francs... C'était avant la guerre de 1870. Désormais, le portefeuille de titres gérés par la succursale de Vernon de la Société générale pour le compte de M. Claude Monet s'élève, un peu plus de trente ans plus tard, à plusieurs centaines de milliers de francs.

En dépit des soucis, des déceptions et de ces souvenirs qui peuvent être un lest, Monet se remet au travail dans son atelier où s'entassent toujours les toiles rapportées de Londres. Durand-Ruel voudrait pouvoir leur consacrer une exposition avant la fin de l'année 1903. Ce devrait être possible... Le 11 mars, Monet le laisse entendre à son marchand : « Je suis en plein travail, et tout à fait à mes *Londres* et, quand j'aurai terminé ceux que je désire exposer, je vous ferai signe pour que cette fois vous puissiez choisir définitivement[6]. »

Pour préparer l'exposition comme il convient, pour montrer aux critiques ces toiles à propos desquelles ils ne manqueront pas d'écrire un article, pour présenter aux amateurs qui auront raté le coche lors des expositions passées – même si celles-ci ont été proposées par Georges Petit –, Durand-Ruel veut pouvoir disposer ne serait-ce que de quelques toiles. Il écrit pour en faire la demande quelques mots à Giverny que l'on fera sans doute suivre à Londres où il soupçonne, en raison de son silence, que Monet est reparti. « Non, je suis pas à Londres si ce n'est par la pensée, travaillant ferme à mes toiles qui me donnent beaucoup de mal[7]... » Cette précision s'accompagne d'un refus : « Je ne peux pas vous envoyer une seule toile de Londres parce que, pour faire le travail que je fais, il m'est indispensable de les avoir toutes sous les yeux, et qu'à vrai dire pas une seule n'est définitivement terminée. Je les mène toutes ensemble ou du moins un certain nombre et je ne sais pas encore combien j'en pourrai exposer, car ce que je fais est du plus délicat. Un jour je suis satisfait et le lendemain je vois tout mauvais, mais enfin, il y en aura toujours quelques-unes de bien[8]. »

Toutes les toiles restent donc à Giverny puisque c'est la condition *sine qua non* pour qu'au bout du compte il y en ait en temps et en heure ne serait-ce que « quelques-unes de bien ». Il reste à Durand-Ruel à espérer que les jours où Monet est « satisfait » l'emportent sur ceux où il voit « tout mauvais ». Il se garde d'interrompre le travail de Monet par une visite à Giverny. Il n'y a pas lieu d'être inquiet, Monet lui a déjà fait part de découragements autrement plus sévères...

Lorsque, presque deux semaines plus tard, Monet reçoit une lettre de Gustave Geffroy qui lui demande une lithographie pour l'un de ses livres, tout a changé. Monet est maintenant au désespoir : « Hélas ! votre lettre me trouve dans un bien mauvais moment. Je suis surmené et en plein découragement, c'en est bien fini de moi. Je me suis engagé à exposer cette année mes *Vues de Londres*. J'y travaille depuis plus d'un mois c'est-à-dire que je les perds et les détruis, et cependant il me faut aller jusqu'au bout quitte à les détruire toutes[9]. » Il est dans ces circonstances bien évidemment inconcevable que Monet envoie le moindre croquis lithographique. Geffroy, mis dans l'embarras par ce refus, insiste, demande qu'à tout le moins Monet veuille bien lui conseiller un artiste vers lequel il pourrait se retourner, s'inquiète de savoir ce qui provoque cette envie destructrice, et veut savoir, malgré tout, quand l'exposition doit s'ouvrir. « Vous me demandez quand aura lieu l'exposition de mes pauvres toiles de Londres. J'ai promis pour les premiers jours de mai, mais j'ai peur que toutes soient détruites d'ici là. Vous me dites tranquillement de les mettre telles quelles dans des cadres et de les montrer ; cela non, ce serait trop bête de convier les gens à voir des essais par trop incomplets. Mon tort a été de vouloir les retoucher : on a si vite perdu une bonne impression, je le regrette bien, car cela me rend malade, car cela prouve mon impuissance. Tandis qu'en les laissant là sans les vendre, on en aurait fait ce qu'on aurait voulu après ma mort. Alors ces essais, ces ébauches pouvaient se montrer ; aujourd'hui je les ai touché *toutes ;* il me faut aller jusqu'au bout coûte que coûte, mais dans quel état d'énervement et de découragement je me trouve, vous ne pouvez l'imaginer[10] ! »

En dépit de son état, Monet reste opiniâtre pendant quelques semaines encore. Le 10 mai, il renonce. La lettre que reçoit Durand-Ruel ne lui laisse pas le moindre espoir : « Mon silence vous a peut-être fait espérer que j'étais plus satisfait et qu'enfin j'allais vous arriver avec mes toiles. Il n'en est malheureusement pas ainsi. Je suis à bout de forces et plus dégoûté que jamais bien que travaillant toujours. [...] Mais pour l'instant le principal est de ne plus m'acharner à ces toiles de Londres auxquelles je ne voudrais même plus penser. N'y pensez donc pas non plus et ne m'en parlez pas et s'il n'y a rien d'autre que vous désiriez avoir, faites-moi savoir de quelle somme je vous suis redevable afin que je vous en rembourse et nous remettrons toute sorte d'affaires à plus tard, si jamais j'arrive à faire quelque chose de bien[11]. »

Un mois plus tard, les toiles rapportées de Londres, les ébauches esquissées à la fenêtre du Savoy Hotel ou sur la terrasse de l'hôpital St. Thomas, comme celles qui ont été reprises dans l'atelier de Giverny, sont écartées, rangées, invisibles. A Durand-Ruel, le 11 juin : « Maintenant que j'ai mis de côté mes toiles de Londres, que l'ordre est remis dans mon atelier, vous pouvez venir voir si vous trouvez quelque chose de votre convenance. Si vous voulez choisir un jour de la semaine prochaine, faite-le-moi savoir à l'avance. Je ne vous propose pas le dimanche parce que nous avons pris l'habitude de sortir ce jour-là en auto. Tâchez de pouvoir venir le plus tôt possible parce que je veux me mettre au travail le plus tôt possible maintenant pour ne plus m'arrêter quelques temps[12]. » A sa belle-fille Germaine Hoschedé, depuis quelques mois Mme Salerou, il fait encore cette confidence deux jours plus tard : « J'ai caché tous mes *Londres*, j'ai détruit pas mal de croûtes, cela m'a fait du bien. Quelques promenades en auto pour m'empêcher de trop penser et je sens l'envie de peindre. Mais, sapristi ! comme je devais être assommant pour les autres et que j'ai donc été malheureux[13] ! »

Les promenades dominicales dans la Panhard conduite désormais par Sylvain Besnard sont une manière de médication, précision qu'il eût été inconvenant de livrer à Durand-Ruel. Que ce chauffeur porte le même nom qu'un peintre, Albert Besnard, qui a obtenu le premier Grand Prix de Rome en 1874, l'année même où a commencé l'histoire de l'impressionnisme chez Nadar, ne doit pas manquer d'amuser Monet. Monet conduit par Besnard ou le refusé des institutions conduit par celui qu'elles ont adoubé, il y a de quoi sourire...

Monet se remet au travail devant le bassin qui a, pour la première fois, par son chatoiement de couleurs et de reflets, l'apparence espérée. Pendant l'été, seule l'insistance de Geffroy, qui revient à la charge pour n'avoir obtenu de lithographie ni de Forain ni de Degas vers lesquels, à la mi-avril, Monet lui avait conseillé de se retourner, le distrait de ce bassin. « Votre lettre me trouve en plein travail, aux prises avec le temps. Bref, en pleine lutte et tout à ce que je fais. Cependant, si demain ou après les éléments m'empêchent de continuer à peindre dehors, je tenterai quelque chose pour vous prouver ma bonne volonté ; mais ne vous leurrez pas trop, car je suis devenu si nerveux qu'il se pourrait que, du premier coup, j'envoie pierre et crayons à tous les diables. Enfin, c'est pour vous prouver mon amitié et, si j'échoue ou que j'aie à profiter du temps qui m'est nécessaire, il ne faudrait pas m'en vouloir[14]. »

En revanche Monet ne peut s'empêcher, récurrente hargne, d'en vouloir au temps qu'il fait jour après jour, de pester contre les averses régulières. Qui plus est, à la fin de l'été, une fois de plus, comme l'année précédente, des événements familiaux viennent à nouveau interrompre le nécessaire rythme régulier du travail face au bassin. Mise au point donnée à Durand-Ruel le 3 novembre : « Notre existence a été du reste assez mouvementée tous ces temps passés par les couches de Mme Salerou et par le mariage très prochain de Jean-Pierre, mon beau-fils[15]. » Ces événements familiaux ne sont pas le seul objet de la lettre : « Comme je ne vous ai pas vu depuis longtemps, il me faut bien vous dire que depuis des mois, comme je l'ai toujours fait du reste, je refuse à tout le monde de vendre aucune de mes *Vues de Londres* et comme cela devient presque une scie, que je sens le mauvais effet de mon refus, je serai bien aise de savoir vos intentions à ce sujet, ne pouvant éternellement dire que ces toiles vous sont promises. Puis, je crains qu'un jour vous ne changiez d'avis pour une raison ou pour l'autre[16]. » Durand-Ruel le confirme à Monet, il veut exposer ces *Vues de Londres*. Et il n'a aucune raison de changer jamais d'avis. Les choses sont claires.

Quelques jours plus tard, une terrible nouvelle parvient à Giverny. Camille Pissarro est mort le 13 novembre à Paris dans son appartement, au 1 du boulevard Morland. Il avait dix ans de plus que Monet.

Berthe Morisot décédée en 1895, Sisley en 1899, Pissarro maintenant... Le temps qui passe, implacable, emporte tour à tour les impressionnistes. Sans doute Durand-Ruel presse-t-il Monet de prouver une nouvelle fois que l'impressionnisme est, lui, loin d'être mort. Monet consent à reprendre ses toiles de Londres. A Durand-Ruel, le 28 décembre : « Je serai bien aise d'avoir votre visite lorsque votre fils sera de retour. D'ici là, j'espère bien m'être remis à mes *Londres*. Quant à l'exposition de Pissarro, jusqu'à nouvel ordre je vais m'en occuper, d'accord en cela avec Mme Pissarro et son fils Lucien et vous tiendrai au courant[17]. »

1904

La presse me comble cette fois avec exagération d'éloges[1]...

Le 10 janvier, dans son hôtel particulier au 65, boulevard de Clichy, s'éteint M. Léon Gérôme, membre de l'Institut, célèbre depuis 1847 – il avait vingt-trois ans alors... Son tableau *Jeunes Grecs faisant battre des coqs* exposé au très officiel Salon lui valut alors cette gloire. A propos d'un *Intérieur grec* exposé encore au Salon trois ans plus tard, le critique Paul Mantz écrivit dans *L'Evénement* : « Ce n'est pas au nom des Maîtres de Venise ou d'Anvers qu'il faut discuter M. Gérôme. C'est le dessin, c'est la beauté qui l'inquiètent et l'inspirent[2]... » L'indéfectible fidélité de M. Gérôme à ces piliers de l'académisme, à un dessin qui ne saurait être qu'héritier d'une longue tradition dont MM. David et Ingres sont les derniers modèles, à une beauté qui ne peut et ne doit essentielle-ment être inspirée que par la Grèce et par Rome, a aussi fait de lui le plus intraitable pourfendeur de l'impressionnisme. L'exaspération et le dégoût que n'auraient pas manqué de provoquer les *Vues de Londres* que reprend Monet lui seront épargnés... Les remises en cause, les doutes et les déconvenues qui l'avaient conduit à écarter et à se cacher ses toiles quelques mois plus tôt semblent conjurés.

Monet travaille sans relâche pour être prêt pour l'exposition que Durand-Ruel entend inaugurer au mois de mai. Cet accord sur la date n'étant plus contesté, reste à s'épargner des malentendus d'ordre finan-cier. Première observation datée du 29 février : « Vous m'obligeriez si vous pouviez m'envoyer 10 000 francs dont je me trouve avoir subite-ment besoin, mais comme voilà pas mal d'avances que vous me faites, je serais bien aise que nous nous entendions une bonne fois au sujet des *Londres*, auxquels je travaille toujours ferme. Si vous les voulez, vous pourriez venir un de ces jours, pas cette semaine, mais la suivante[3]. » Un chèque de Durand-Ruel arrive par retour du courrier. Mais, aux yeux de Monet, la lettre qui l'accompagne est trop imprécise pour qu'il l'endosse aussitôt. D'où, dès le 2 mars, une seconde demande de préci-sion : « J'ai bien reçu votre lettre ainsi que le chèque de 10 000 francs qu'elle contenait et dont je vous remercie, mais je préfère ne le point utiliser avant que le sens de votre lettre me soit plus clairement expli-qué. Je me rends bien compte que les affaires doivent se ressentir des inquiétudes actuelles et c'est justement pour cela que je tiens à ce que nos affaires soient claires. Voilà près de quatre ans que je travaille à ces *Vues de Londres*, depuis ce temps je n'ai cessé d'en refuser la vente à de très belles conditions souvent, si bien qu'il y a peu de temps je vous ai écrit pour vous demander si je devais persister à en refuser la vente ou s'il restait bien entendu que vous étiez toujours décidé à les prendre. Vous m'avez répondu que je n'avais pas à m'inquiéter, m'ayant toujours dit de prendre mon temps jusqu'à ce que je sois pleinement satisfait. Cet arrêt des affaires ne peut qu'être momentané, je l'espère comme vous, et si vous regrettez de n'avoir pu vendre quelques *Londres* avant cette crise, il ne faudrait pas non plus que j'aie à regretter de vous les avoir réservés et alors je ne voudrais pas m'endetter chez vous sans savoir où je vais. Il faut donc que je sois absolument fixé sur vos intentions. J'attends donc un mot avant de me servir de votre chèque[4]. » A son marchand qui espère pouvoir au plus tôt disposer de quelques toiles, Monet oppose une nouvelle fois un refus. Toutes les toiles seront livrées pour l'exposition et aucune plus tôt « car la vue de la série complète aura une bien plus grande importance[5] ». La réponse de Durand-Ruel est aussi prompte que précise. Comme il tient aux *Vues de Londres*, Monet doit considérer que les avances qui lui ont été consenties correspondent strictement à leurs accords et ne sauraient en aucun cas être la cause d'un quelconque endettement. Monet dépose le chèque à la Société générale de Vernon. Et continue la « dernière toilette ».

Ce travail n'est interrompu que par les conseils qu'il donne à Lucien Pissarro pour l'organisation de l'exposition en hommage à son père, pour une éventuelle vente aux enchères de ses toiles. Il lui écrit le 24 février : « L'idée de former un semblant de comité n'est peut-être pas mauvaise, ne serait-ce que pour ne pas laisser supposer que l'exposition n'a pas de but commercial et n'est pas l'œuvre de marchands. Car à part ces raisons, cela ne sert à rien, les comités ne font généralement rien[6]. » Après l'exposition, le 26 avril, de Giverny, il écrit à Julie Pissarro, veuve de Camille : « Je ne puis être plus au courant de l'exposition que ne peuvent l'être vos enfants. Ce qui m'en est revenu ici, c'est qu'elle a eu un très grand succès, qu'il y a eu beaucoup de monde et que l'effet produit a été très grand, ce qui ne peut qu'être très bon pour l'avenir, car en ce moment les affaires sont certainement très mauvaises et si les marchands refusent de vendre, c'est parce qu'ils savent le moment mauvais et les offres sans doute insuffisantes[7]. » C'est à quelques jours de la prochaine ouverture de sa propre exposition que Monet écrit ces lignes. L'état pitoyable du marché, en ce début de XXe siècle, le concerne tout autant que Mme veuve Pissarro qui, depuis des années et des années, court après l'argent.

Deux jours plus tard, le 28 avril, Monet écrit à Durand-Ruel pour des dernières précisons avant le vernissage : « Je viens de vous adresser trois caisses contenant seize toiles. Vous voudrez bien les faire déballer aussitôt arrivées et me retourner aussitôt par grande vitesse en gare de Vernon les trois caisses vides qui me serviront à vous faire un second envoi[8]. » A la lecture de l'une des phrases qui suivent, Durand-Ruel pousse un soupir de soulagement : « Ci-joint le catalogue de ce que je compte exposer : il y aura peut-être quelques manques, mais j'espère que non, bien qu'avant-hier j'aie failli vous écrire que j'y renonçais de nouveau ; mais la nuit est venue et je me suis calmé. Mais il est grand temps que je n'aie plus ces toiles sous les yeux. J'ai, selon votre désir, écrit à Mirbeau qui est enchanté de faire une petite préface[9]. »

Celui-ci vient de lui écrire une préface pour Pissarro, en ouverture du catalogue des soixante-dix-huit toiles, gouaches, dessins et gravures réalisés entre 1864 et 1903, et accrochés avec les conseils de Monet. Cette préface s'ouvrait par une phrase qui ne souffrait pas la moindre objection : « Camille Pissarro a été l'un des plus grands peintres de ce siècle[10]. »

Le catalogue de l'exposition qui ouvre ses portes le 9 mai énumère les toiles présentées auxquelles Monet a attribué les titres. L'un d'entre eux, le numéro 6, sonne comme le manifeste d'une fidélité : *Fumées dans le brouillard (Charing Cross Bridge) Impression*. Peut-être, en cette année 1904, n'est-il pas inutile de rappeler que l'histoire de l'impressionnisme a commencé il y a trente ans... Et Monet aura soixante-quatre ans à la fin de l'année...

Mirbeau, par son texte, fait le choix de mettre en évidence la constance de la quête de Monet et la nouveauté de ces toiles : « Cette exposition comporte exactement trente-six toiles, toutes rapportées de Londres. Un thème unique à ces toiles, unique et pourtant différent : la Tamise. Des fumées et du brouillard ; des formes, des masses architecturales, des perspectives, toute une ville sourde et grondante, dans le brouillard, brouillard elle-même ; la lutte de la lumière, et toutes les phases de cette lutte ; le soleil captif des brumes, ou bien perçant, en rayons décomposés, la profondeur colorée, irradiante, grouillante de l'atmosphère ; le drame multiple, infiniment, changeant et nuancé, sombre et féerique, angoissant, délicieux, fleuri, terrible, des reflets sur les eaux de la Tamise ; du cauchemar, du rêve, du mystère, de l'incendie, de la fournaise, du chaos, des jardins flottants, de l'invisible, de l'irréel, et tout cela, de la nature, cette nature particulière à cette ville prodigieuse, créée pour les peintres et que les peintres, jusqu'à M. Claude Monet, n'ont pas su voir, n'ont pas pu exprimer, dont ils n'ont vu et exprimé que le mince accident pittoresque, l'anecdote étriquée, mais non l'ensemble, mais non l'âme fuligineuse, magnifique et formidable, que voilà devant nous, enfin, réalisée[11]. »

La presse aussitôt rend compte de l'exposition. Surenchère d'éloges. On se précipite rue Laffitte. Un chroniqueur assure : « De deux à cinq heures, équipages, automobiles, vont des Champs-Elysées à la rue Laffitte. Claude Monet fait concurrence au Salon avec lequel il est brouillé[12]. »

Dix jours après l'ouverture, Monet écrit à l'un des fils de son marchand : « J'espère que votre père ainsi que vous êtes satisfaits de l'effet de mon exposition car de ce que j'en entends dire c'est un gros succès, mais je serais bien aise de l'apprendre de vous et savoir au juste ce qu'il en est[13]. » La confirmation de ce succès ne tarde pas. Les ventes le prouvent comme la presse. Le 11 mai, Durand-Ruel a déjà fait l'acquisition de onze toiles dont les prix vont de 8 000 à 11 000 francs. Le 7 juin, aux mêmes prix, il en achète six autres.

Mieux qu'aucun autre article : il est le seul à l'avoir vu travailler à Londres. Et Monet d'ajouter : « La presse me comble cette fois avec exagération d'éloges, car je sais bien ce que je vaux, mieux que qui que ce soit, mais vos compliments à vous, j'y suis sensible et vous remercie de ce bel article ajouté à tant d'autres, et vous sais gré d'avoir rappelé la visite que vous m'aviez faite à Londres avec Clemenceau[14]. »

En 1922, dans ce qui sera la première biographie de Monet dédiée à Georges Clemenceau, Geffroy ne changera rien à ces pages : « Au moment où Claude Monet travaillait aux vues de la Tamise, en 1900, j'allai le voir avec Clemenceau et nous passâmes tous trois quelques jours à courir la ville, les musées, les expositions, les théâtres. Le peintre, toutefois, n'abandonnait pas son travail et lui consacrait les heures nécessaires. Nous le vîmes plusieurs fois installé au balcon de sa chambre qui dominait la Tamise, le pont de Charing Cross à sa droite, le pont de Waterloo à sa gauche. [...] Donc Monet travaillait à ses vues de la Tamise. Il accumulait les touches, comme on peut le voir sur ses toiles ; il les accumulait avec une sûreté prodigieuse, sachant exactement à quels phénomènes de lumière elles correspondaient. De temps en temps, il s'arrêtait. "Le soleil n'y est plus", disait-il. Devant nous, la Tamise roulait ses vagues, presque invisible, dans le brouillard. Un bateau passait comme un fantôme. Les ponts se devinaient dans l'espace, sur lesquels un mouvement presque imperceptible animait la brume opaque : des trains se croisaient sur Charing Cross, des omnibus qui défilaient sur Waterloo, des fumées qui déroulaient de vagues arabesques bientôt évanouies dans l'immensité épaisse et livide. Le spectacle était grandiose, solennel et morne, un abîme d'où venait une rumeur. On aurait cru que tout allait s'évanouir, disparaître dans une obscurité sans couleur. Tout à coup, Claude Monet ressaisissait sa palette et ses brosses. "Le soleil est revenu", disait-il. Il était à ce moment seul à le savoir. Nous avions beau regarder, nous n'apercevions toujours que l'espace ouaté de gris, quelques formes confuses, les ponts comme suspendus dans le vide, les fumées vite effacées, et quelques flots houleux de la Tamise, visibles proche de la berge. Nous nous appliquions alors à mieux voir, à pénétrer ce mystère, et, en effet, nous finissions par distinguer nous ne savions quelle lueur lointaine et mystérieuse, qui semblait faire effort pour pénétrer ce monde immobile. Peu à peu, les choses s'éclairaient d'une lueur, et c'était délicieux de voir, faiblement illuminé par une veilleuse stellaire, ce paysage grandiose qui livrait alors ses secrets[15]. »

A Giverny, la vie a repris. Pendant le printemps qui s'achève après l'exposition, pendant l'été, pendant l'automne, le bassin ne cesse plus d'être son motif. A Durand-Ruel, le 17 juillet : « Je travaille toute la journée et suis rompu quand vient le soir, surtout par cette chaleur, mais enfin je suis assez content de ce que je fais[16]. » Travail régulier sauf, comme il se doit, lors des dimanches réservés à des promenades en Panhard. L'une d'entre elles provoque une convocation du juge de paix de Bonnières : « Monsieur le Juge de Paix, comme il me sera de toute impossibilité de me rendre le 4 juillet à la convocation qui m'a été adressée par M. le Maire de Freneuse, pour m'expliquer sur une contravention qui m'aurait été faite à la date du 13 mai pour excès de vitesse en automobile, je viens vous prier de vouloir bien reporter à quinzaine ladite convocation. Je vous en serai vivement reconnaissant, tenant à m'expliquer personnellement, car je suis tout à fait hostile aux grandes vitesses et depuis quatre ans que je fais de l'automobile, je me glorifiais de n'avoir jamais encouru de contravention, et j'ai à cœur de m'en expliquer devant vous[17]. »

Des balades en automobile, quelques visites de journalistes qui viennent recueillir les propos du peintre célèbre et célébré – « Hormis la peinture et le jardinage, je ne suis bon à rien » –, quelques déjeuners avec des amis interrompent à peine le travail de Monet.

Le 7 octobre, Monet apprend que Durand-Ruel s'apprête à partir pour Madrid. Comment ne s'y retrouveraient-ils pas ? Lui-même doit, en compagnie d'Alice et de Michel, quitter Giverny dès le lendemain. Si, qui plus est, il veut bien avoir l'amabilité de lui envoyer au Grand Hôtel de France, à Bordeaux, cette « carte au 500 000ᵉ par le colonel Prudent, qui s'étend jusqu'à Madrid[18] », carte qui coûte 1,50 franc et que l'on trouve au siège du Touring Club, au 65, avenue de la Grande-Armée, cela lui rendrait un bien grand service. Le 11, le voyage en automobile se termine à Biarritz. Les réparations nécessaires imposent de prendre le train jusqu'à Madrid où l'on arrive enfin le 14 octobre. La carte n'aura guère servi...

Confidence faite vingt ans plus tard : « Dans un seul musée, j'ai eu l'impression joyeuse de la peinture fraîche, de la peinture vive, chaude encore de la main créatrice : à Madrid. Le Prado ! quel musée ! Le plus beau de ceux que je connais[19] ! » Il verse des larmes devant les toiles de Vélasquez. « Que voulez-vous, c'était plus fort que moi[20] ! » La lumière de Tolède lui évoque celle de l'Algérie...

La voiture retrouvée à Biarritz a été réparée. Malgré cela, si elle repart, elle ne roule jusqu'à Giverny qu'à la vitesse maximale de 30 kilomètres à l'heure... Le 12 novembre, Monet se soucie de savoir si Durand-Ruel s'est remis de la fatigue qu'a occasionnée ce voyage en Espagne. Il l'invite : « Si, comme je le souhaite, vous avez recouvré votre vaillance habituelle et que, sans vous fatiguer, vous puissiez venir un de ces jours à Giverny, j'en serais très heureux, désireux de causer avec vous au sujet de la possibilité d'une exposition à Londres de mes *Vues de la Tamise*[21]. »

Dès la fin du mois de juillet, un tel projet a en effet été envisagé. Mais Monet s'est montré réticent. Une pareille exposition, ce sont des dépenses, du temps perdu à ne pas peindre, au bout du compte un « cassement de tête[22] ». Le 20 novembre, Durand-Ruel passe la journée à Giverny. Parmi les nombreux sujets de conversation, le premier d'entre eux a trait à cette exposition londonienne. Monet semble convaincu par les arguments de son marchand. Ce qui ne l'empêche pas de préciser noir sur blanc quelques points décisifs : « Je crois bien que je vais me décider à faire une exposition spéciale de mes *Vues sur la Tamise* à Londres. Des amis me le demandent à nouveau. Je pars donc pour voir où et quand je pourrai la faire et vous tiendrai au courant dès que j'aurai pris une décision. Je suis du reste persuadé qu'une exposition spéciale des *Londres* aura plus de chances de succès que d'en montrer quelques-unes seulement parmi d'autres toiles. Je vous demande donc, dans le cas très probable où je me déciderai, de ne pas exposer de *Londres* à votre galerie, ces deux expositions devant se compléter l'une par l'autre, celle que je compte faire devant avoir lieu en avril ou en mai. L'important est de les bien soigner toutes les deux, et comme je vous l'ai déjà dit, n'hésitez pas à montrer vos meilleures choses et rien que des toiles du groupe, c'est un grand point également[23]. »

Le 7 décembre, pour préparer cette exposition au mieux, Monet est à Londres. Et il s'y retrouve contrarié : « Naturellement, j'ai trouvé ici une longue lettre de Durand qui prétend avoir déjà annoncé d'exposer des *Tamise* et, par conséquent, n'est pas disposé à n'en pas montrer, ne fût-ce, dit-il, que trois. Tout cela n'a d'autre but que faire croire et dire qu'il a les meilleures et que mon exposition sera le rebut qu'il n'en a pas voulu[24]. » Le lendemain, part pour Paris une lettre de mise au point destinée à Durand-Ruel : « Je vous avoue franchement que je suis surpris que, prenant cette décision d'exposer mes *Londres* ici, vous vous mettiez presque contre moi et refusiez au contraire de m'y aider en me prêtant deux ou trois toiles, ne pouvant admettre que ce soit parce qu'un ou deux journalistes savent que vous comptiez en montrer vous-même, étant donné surtout que l'exposition que vous allez ouvrir comportera bien d'autres attractions. Je m'étonne de cette rigueur et veux espérer qu'à la réflexion vous reconnaîtrez que ce que je vous demande est chose possible. » Cela doit l'être pour une seule et unique raison : « Je persiste à croire qu'après la bonne exposition que vous pouvez faire vous-même, je pourrai de nouveau, comme artiste, ouvrir une exposition d'un certain nombre de *Vues de la Tamise*, mais non d'une quantité énorme comme vous le supposez. Et cela sans doute deux ou trois mois après vous. Ecrivez-moi donc un mot à Giverny et puis je vous verrai à Paris. Recevez les meilleurs compliments de votre tout dévoué, Claude Monet[25]. » « Tout dévoué » sans doute. Ce qui n'exclut pas d'être très exaspéré et très intraitable.

1905-1906

Bref, je me sers de blanc d'argent, jaune cadmium, vermillon, garance foncé, bleu de cobalt, vert émeraude, et c'est tout[1]

Dans les salles des Grafton Galleries, Paul Durand-Ruel expose ses *Pictures by Boudin, Manet, Pissarro, Cézanne, Monet, Renoir, Degas, Morisot, Sisley*. Plus de trois cents toiles. Dont cinquante-cinq de Monet. Celui-ci est très curieux de savoir « l'impression qu'elle paraît faire sur le public anglais[2] ». Disposer d'une telle information l'intéresse d'autant plus qu'il a décidé de faire une exposition de ses *Vues de la Tamise* chez Dowdeswell « d'ici deux ou trois mois[3] ». Lucien Pissarro s'empresse de lui répondre. L'essentiel d'une première réponse datée du 22 janvier ne concerne ni la peinture ni le marché de l'art londonien. Lettre du jardinier Claude Monet : « Mon cher Lucien, merci de tes bonnes lignes et de l'envoi du catalogue. J'espère que les toiles de ton père qui sont exposées y trouvent le succès qu'elles méritent. Ci-joint les graines demandées ; c'est une plante qui est très longue à venir, au début surtout de la végétation et qui, une fois en pleine terre, pousse vigoureusement. Pour la réussite, il faut semer des petits pots, deux ou trois graines. Une fois germées, n'en laisser qu'une et, lorsque la plante a deux ou trois feuilles, mettre en pleine terre en dépotant avec beaucoup de soin, la plante étant très délicate au début de sa végétation. J'oubliais qu'il est utile que le semis en pot soit fait sous châssis ou alors à très bonne exposition, mais ce dernier cas serait douteux[4]. » Il n'y a pas que le sort du semis en pot qui soit « douteux ». A Lucien, le 31 janvier : « Comme tu le dis, je ne pense pas que ce soit un succès de vente en Angleterre, mais c'est un bon point pour Durand d'avoir enfin fait une exposition digne de l'Ecole. Je ne suis pas encore décidé sur la date de mon exposition. Ce sera ou en avril ou à la fin de mai. Je suis en correspondance à ce sujet avec les Dowdeswell et prendrai une décision d'ici peu[5]. » Le projet reste « douteux ». Ne serait-ce qu'en ce qui concerne les dates.

Il le devient d'autant plus que, bientôt, en dépit des nombreux articles qui assurent le succès de l'exposition des Grafton Galleries, une cabale le vise plus qu'aucun autre peintre. Le 6 février, Durand-Ruel avertit Monet : « Il y a bien des opposants, et à Londres nous avons contre nous bien des artistes et presque tous les marchands. Ils sont venus pour rire et se moquer, mais rira bien qui rira le dernier[6]. » Sir William Rothenstein, M. Alexander et M. Harrison commencent, à propos des *Cathédrales*, à faire courir le bruit que Monet ne les aurait peintes que d'après des photographies, peut-être même de banales cartes postales. Monet admet que ce M. Lawrence A. Harrison a été chargé par Sargent de faire faire pour lui une petite photographie du Parlement de Londres. Monet l'a reçue. Elle ne lui a servi à rien. « Mais cela ne signifie pas grand-chose et que mes *Cathédrales*, mes *Londres* et autres toiles soient faites d'après nature ou non, cela ne regarde personne et ça n'a aucune importance. Je connais tant de peintres qui peignent d'après nature et ne font que des choses horribles[7]. »

Que l'on vende ou que l'on ne vende pas ses toiles, que l'on insinue qu'elles auraient été peintes de telle ou telle manière, laisse Monet indifférent. Ce qui l'atteint dans ces « petites machinations[8] », c'est la déception qu'il éprouve à l'égard de ce M. Harrison pour lequel il était « porté à avoir de la sympathie[9] ». Plus graves, les questions qu'il doit se résigner à se poser à propos de Sargent. Demande faite à Durand-Ruel le 13 février : « Je serais bien aise aussi de savoir si Sargent est venu plusieurs fois à votre exposition et si votre fils ne l'a pas trouvé légèrement hostile lui-même car il m'a écrit dans des termes si singuliers à l'égard de plusieurs de nous que j'en suis à me demander s'il ne voit pas notre succès d'un cœur jaloux[10]. » Amère question que Monet aurait préféré n'avoir pas à poser. Il renonce à devoir affronter cette jalousie. A Lucien, le 2 mars : « J'ai renoncé pour le moment à exposer mes *Vues de la Tamise*. Je n'étais pas prêt et comme je ne puis rien faire de bon à date fixe, j'ai préféré en prévenir M. Dowdeswell, mais ce n'est que partie remise, si l'on peut appeler cela une partie que faire une exposition. Enfin, quand je serai absolument prêt, je la ferai[11]. » Le futur employé a des allures de conditionnel... Le 8 mars, il confirme à Durand-Ruel l'abandon de son projet : « Je suis bien aise du succès que vous me confirmez et dont je me doutais d'après le ton des journaux anglais. C'est une excellente chose que d'avoir porté un coup si décisif à Londres, et je vous en félicite. J'ai cru devoir ajourner mon exposition, n'étant pas assez prêt et ne voulant pas me presser, ce qui est toujours mauvais pour moi, mais je ne suis nullement découragé, loin de là[12]. »

Et les mois passent.

Le rythme régulier de la vie à Giverny n'est troublé, de loin en loin et à peine – il est hors de question de ne pas être ponctuellement à table à onze heures et demie –, que par des visites. Et parce qu'il faut répondre aux sollicitations comme aux questions que provoque la célébrité. Durand-Ruel lui fait part d'une question qu'on lui a posée. Réponse agacée : « Quant aux couleurs que j'emploie, est-ce si intéressant que cela ? Je ne le pense pas attendu que l'on peut faire plus lumineux et mieux avec une tout autre palette. Le grand point est de savoir se servir des couleurs, dont le choix n'est en somme qu'affaire d'habitude. Bref, je me sers de blanc d'argent, jaune cadmium, vermillon, garance foncé, bleu de cobalt, vert émeraude, et c'est tout[13]. » Le directeur d'une revue est éconduit. Qu'il aille ailleurs chercher des réponses : « Je n'ai aucun goût pour ce genre de question et trouve qu'un peintre a mieux à faire que d'écrire[14]. »

Et les mois passent. On se promène régulièrement en automobile. On va jusque sur la côte normande. On va même assister à une course d'automobiles, à un rallye à Mantes. On organise les visites des uns et des autres. « Vous ne m'avez pas dit si vous comptiez venir en auto ou par le train, vous serez bien aimable de le faire savoir pour que je puisse vous faire chercher à la gare de Vernon[15]. » Joseph Durand-Ruel accompagne l'un des clients de la galerie. Amical reproche de Monet : « Je viens de recevoir votre dépêche, c'est donc entendu pour vendredi mais, comme vous dites devoir arriver vers 2 h, je me demande si vous devez arriver à Vernon à 2h1/2 ou bien si, par discrétion, vous n'y déjeuneriez pas en arrivant plus tôt, ce dont je vous blâmerais[16]. » A son père Paul Durand-Ruel, Monet continue d'expédier des *Londres*. Puisqu'il a des amateurs, puisque l'exposition chez Dowdeswell est abandonnée. « J'ai dix de vos *Londres* à vous envoyer sur les quatorze, je n'ai qu'à attendre que signatures et retouches soient bien sèches pour vous en faire l'expédition[17]. » Quelques jours plus tard, le 26 octobre, Monet confirme une nouvelle expédition : « Je viens de vous faire expédier deux caisses contenant 6 *Ponts de Waterloo* – 4 *Ponts de Charing Cross* – 3 *Parlements*. C'est un *Pont de Waterloo* qui me reste à vous livrer, il m'est utile de l'avoir pour en faire un autre avec fumée, comme vous me l'avez demandé. J'y travaille du reste[18]. » Singulière phrase... Monet l'incorruptible aurait-il donc accepté de peindre un *Pont de Waterloo avec fumée* pour complaire à un amateur, client de Durand-Ruel ? A la fin de l'année, tout est en ordre. « Giverny, le 17 décembre, Cher monsieur Durand, je vous ai adressé ce matin une caisse contenant six tableaux dont un que vous m'aviez confié (*Le Pont de Waterloo avec fumée*), un autre *Waterloo* que je restais vous devoir sur la précédente affaire de 150 000 francs et enfin un *Vétheuil* à 12 000 francs. J'espère que vous en serez satisfait et vous prie de me faire retourner la caisse vide[19]. »

Et les mois passent. En avril 1906, à Gustave Geffroy qui lui a demandé d'accepter de participer à une exposition à Tokyo – « avec l'admiration que j'ai pour l'art japonais, je me demande s'il y a vraiment utilité de montrer là-bas mes pauvres tentatives[20] » –, à Geffroy qui lui demande un service sans oser préciser de quoi il s'agit, il fait cette manière d'aveu : « Voilà bien longtemps que je n'ai plus travaillé, et vous savez le mal que j'ai à m'y remettre une fois arrêté. Ces trois derniers voyages à Paris m'ont encore désorienté ; m'absenter encore est peut-être funeste pour moi. Voyons, Geffroy, vous pouvez bien en toute franchise m'écrire en deux mots ce que vous désirez de moi. Vous n'avez pas à vous gêner. Je ne vois du reste que deux choses que vous puissiez me demander : soit de venir ici passer quelques temps. Vous m'en aviez du reste touché deux mots, mais cela est impossible pour beaucoup de raisons. Nous sommes vieux, ma femme et moi, habitués à notre vie, puis c'est à chaque instant des parents de l'un ou de l'autre de nos enfants qui viennent ici[21]. »

Monet « désorienté »... Monet « vieux »... Et, en mai, Monet ému par une lettre que lui adresse un conservateur de la Bremer Kunsthalle : « Voici les renseignements que vous me demandez. Le portrait qui a été acheté pour le musée de Brême a été fait à Paris en 1866 et exposé au Salon de la même année. C'est bien Mme Monet, ma première femme, qui m'a servi de modèle et, bien que je n'aie pas eu l'intention d'en faire absolument un portrait, mais seulement une figure de Parisienne de cette époque, la ressemblance est complète. Cette toile était surtout connue sous le nom de la *Femme à la robe verte*. Je l'ai vendue en 1888 au prix de 800 francs à Arsène Houssaye, l'ancien directeur de la Comédie-Française qui, à cette époque, était attaché aux Beaux-Arts en qualité d'inspecteur des Musées nationaux. Il l'avait acquise pour lui-même avec l'intention d'en faire don plus tard au musée du Luxembourg (car à cette époque tout le monde ou peu s'en faut était contre moi). Mais il est mort avant le revirement public, et son fils Henri Houssaye, membre de l'Académie française, s'est empressé de se débarrasser de cette toile pour un prix dérisoire. Depuis les choses ont changé, et ce même tableau était admiré de beaucoup. Voilà tout ce que je puis vous dire, si ce n'est que je suis très heureux de le savoir dans votre musée et j'en suis très flatté[22]. »

Si ses œuvres commencent d'entrer dans des musées, lui-même fait des achats pour sa propre collection. Le 13 juin 1906, il demande à Durand-Ruel de « faire remettre à Vollard la somme de 2 500 francs que j'ai oublié de lui adresser en paiement d'un Cézanne[23] ».

Enfin, l'été s'achève. « Quel merveilleux été nous avons eu, et aussi quelle joie ça a été pour le travail. Au premier changement de temps je m'arrêterai forcément et viendrai probablement à Paris[24]. » Il y retrouve Lucien Pissarro. Sa mère, en août, a demandé à Monet de bien vouloir, pour la publication d'un texte, intervenir pour lui auprès d'Anatole France. Monet ne le connaît pas assez pour que Lucien puisse se recommander de lui. Par chance, Lucien Guitry, qui dirige le théâtre de la Renaissance depuis juillet 1902, vient d'y monter une pièce de France, *Au petit bonheur*. Monet, comme il l'a promis, est intervenu auprès de Guitry. Guitry a parlé à France. En vain. En février, Jules Renard a noté dans son *Journal* : « La pièce de France ne fait pas beaucoup de bruit. On ne relève pas le rideau[25]... » Cet échec théâtral aura, plus qu'un important travail entamé à propos de Jeanne d'Arc qui lui tient lieu d'excuse, empêché France de lever le petit doigt... « Nous avions fait tout ce que nous pouvions, Guitry et moi[26]. » Désolé de n'avoir pu lui obtenir le soutien de France, Monet aide Lucien Pissarro d'une autre manière : « Je t'envoie un chèque de la somme demandée dont tu voudras bien m'adresser un reçu. Je suis heureux de pouvoir te rendre ce service, bien que cela me gêne assez en ce moment. Enfin si cela peut te tirer d'affaire, c'est bien[27]. » Le chèque est donc accompagné de cet avertissement : « Inutile de te recommander de penser au remboursement de cette somme dès que tu en auras la possibilité. J'ai de grosses charges et tu n'es pas le premier auquel j'ai rendu service[28]. »

A la fin de ce même mois d'octobre, arrive à Giverny une terrible nouvelle. Le 23, dans son appartement de la rue Boulegon, à Aix-en-Provence, Cézanne est mort. Il était né en 1839, le 19 janvier. Lui, Monet, est né en 1840, le 14 novembre. La mort... Celle de Cézanne, parce qu'elle est celle d'un peintre qui s'est confronté à la nature avec une détermination acharnée qui ressemble à la sienne, l'oblige, plus que celle d'aucun autre « impressionniste », à admettre que l'échéance le concerne...

A son retour d'Aix-en-Provence où il a assisté aux obsèques de Cézanne, Monet recommence à peindre. Et commence à trier. « Vers 1906, je fis visiter son atelier à une amie ; elle fut séduite par une certaine toile et insista beaucoup pour l'acheter, mais il lui répondit qu'il ne pouvait s'en séparer avant d'avoir terminé la série – n'étant pas sûr qu'elle était d'une qualité suffisante. Un an ou deux passèrent, il vint à l'improviste et mentionna au hasard de la conversation qu'il avait brûlé plus de trente toiles ce matin-là. Je lui demandai si celle de Mrs Blank figurait parmi elles ; il en convint : "Je dois veiller à ma réputation artistique tant que je peux encore le faire, me dit-il. Après ma mort, personne ne détruira plus aucune de mes œuvres, pas même les mauvaises"[29]. »

1907

Ce sont toujours des tâtonnements et des recherches, mais je crois qu'il y a du mieux[1]

Régulièrement désormais, il faut faire face à des sollicitations qui viennent de fort loin, dont on ne sait si elles doivent aboutir à des déceptions ou à des satisfactions... En novembre 1906, Monet a reçu la visite d'une Américaine qui a semblé décidée alors à faire l'acquisition de l'une de ses toiles et d'une autre de Pissarro pour le musée de Boston. Deux mois plus tard, Monet désolé ne peut qu'écrire à Lucien Pissarro : « Je viens de recevoir la réponse de Boston au sujet du tableau de ton père qu'une dame américaine avait le désir et l'espérance de faire acheter par le musée de Boston ; elle est négative pour le Pissarro comme pour le Monet. Je le regrette beaucoup pour toi[2]. »

Déceptions d'un côté, satisfaction d'un autre. Etienne Moreau-Nélaton vient de faire don de sa collection au musée des Arts décoratifs. En accord avec son fils et ses deux filles, ce normalien de la même promotion que Bergson et Jaurès est, comme Rouart, devenu peintre. Etienne Moreau, qui ne s'est pas privé d'adjoindre à son nom celui de Nélaton, Auguste Nélaton, chirurgien de Napoléon Ier dont il est le petit-fils par sa mère, a plusieurs fois exposé, chez Petit, chez Durand-Ruel et au Salon de la Nationale des Beaux-Arts. Veuf – sa femme et sa mère ont été parmi les victimes de l'incendie du Bazar de la Charité en 1897 –, il vient de publier le catalogue des gravures et lithographies de Manet. Collectionneur de l'école de 1830 et des impressionnistes, il a donc offert sa collection qui compte, parmi des Jongkind, Manet, Pissarro, Fantin-Latour, Sisley, Morisot..., dix toiles de Monet. Moreau-Nélaton a sans doute choisi de le faire au musée des Arts décortifs parce qu'il pouvait être assuré que l'Union centrale des Arts décoratifs n'aurait pas pour accepter des toiles impressionnistes la gêne réticente si ce n'est offusquée qui a été celle du musée du Luxembourg devant le legs Caillebotte. La visite que fait Monet au musée où les œuvres sont exposées depuis le début de l'année provoque son impatience. L'*Olympia* de Manet est toujours au musée du Luxembourg... Or la règle veut que, dix ans après la mort d'un artiste, ses œuvres passent au Louvre. Manet est mort en 1883. Il aurait dû entrer au Louvre en 1903. Quatre ans plus tard, il n'y est toujours pas ! Inadmissible !

Le 8 février, il écrit à Clemenceau désormais président du Conseil : « Je vous ai télégraphié ce matin pour vous exprimer ma joie, mais je tiens à ce que vous sachiez toute ma reconnaissance pour ce que vous venez de faire pour Manet. J'avais bien compris l'autre jour que vous prendriez à cœur, non seulement pour moi mais aussi pour tous les souscripteurs dont j'étais le représentant et qui n'avaient dès le début que le désir de voir ce tableau figurer au Louvre[3]. » Le même jour, il écrit à leur ami commun Geffroy : « Vous avez vu qu'enfin l'*Olympia* de Manet est au Louvre. Etant à Paris l'autre jour, j'eus l'idée d'aller trouver Clemenceau et de lui dire qu'il était de son devoir de faire cela. Il l'a compris et en trois jours, puisque c'est vendredi que je l'ai vu, la chose a été faite, et combien j'en suis heureux et pour ma satisfaction et pour les donateurs de ce chef-d'œuvre dont j'étais le représentant[4]. »

Cette satisfaction donne à Monet la force nécessaire pour affronter le défi qu'est une nouvelle entreprise dont il ne fait l'aveu à Durand-Ruel que le 21 février : « A vous le dire franchement, j'aurais préféré que vous puissiez venir un peu plus tard parce que j'ai un atelier dans le plus complet désordre et où je ne puis rien remuer ni déranger à cause d'une nature morte que j'ai eu l'idée de peindre et qui me tient depuis près de deux mois[5]. » Dans l'atelier, une table est en place, couverte d'une nappe blanche sur laquelle une serviette blanche a été jetée. A droite de cette serviette, un panier avec quelques œufs. A gauche, une carafe d'eau et un bol de lait. Deux œufs encore, l'un posé sur les plis creusés de la serviette, l'autre sur la nappe même. En 1888, il a peint deux vases de chrysanthèmes... Depuis lors pas le moindre objet posé sur une table pour une nature morte. Rien. Ces vases sont un « accident » au retour d'Antibes, un « accident » avant de commencer à peindre les meules dans les champs de Giverny, avant de partir pour la Creuse. Déjà alors, il n'a pas peint la moindre nature morte depuis plus de trois ans, des pots de tulipes, des prunes et abricots posés sur des feuilles de vigne dans une assiette. Quel « accident » sont ces œufs ? A quel besoin répondent ces deux toiles d'un même format, 73 sur 92 centimètres ? Lui faudrait-il tenir tête aux pommes de Cézanne ou à une nature morte peinte par Manet en 1864, des *Fruits sur une table* qui sont exposés avec les toiles de la collection Moreau-Nélaton ? Quel défi veut-il relever avec cette nappe et cette serviette blanches, ce lait dans un bol, cette transparence de l'eau dans la carafe, ces œufs d'un blanc cassé qui ne peut prétendre être une couleur ? Aurait-il choisi la nature morte, maintenant qu'il se sent « vieux » et qu'il lui faut renoncer à peindre dans le froid des débâcles sur la Seine, des effets de neige sur les meules, des gelées blanches dans les champs, la nature morte lui permettant de satisfaire l'irrépressible besoin qu'il a de peindre en dépit de la mauvaise saison ? Pendant des semaines ces natures mortes l'occupent exclusivement. Elles le conduisent, réaction rare de sa part, à différer des visites. Aux Bernheim : « Je voulais pouvoir vous dire de venir, mais je suis toujours aux prises avec ces natures mortes qui m'intéressent de plus en plus, mais dont j'ai peur de ne pas voir la fin, mais si je m'en tire, je vous ferai signe[6]. » Si Monet protège sa solitude devant ces natures mortes, s'il semble se recueillir, est-ce parce qu'il pressent qu'elles sont, qu'elles ne peuvent être qu'un adieu à ce genre ? Parce qu'il y a les *Nymphéas*. D'où cette précision donnée aux Bernheim : « En dehors de cela, je travaille à mettre au point un certain nombre de *Nymphéas* pour une exposition que j'ai promis de faire en mai chez M. Durand. Je ne cesse donc de travailler[7]. »

Le principe d'une exposition de *Nymphéas* a été arrêté lors de la visite que Durand-Ruel lui a faite à la fin du mois de février. Un mois plus tard, la remise en cause du projet commence à poindre : « Vous serez bien aimable de me faire savoir si vous devez donner suite à votre projet d'aller en Espagne et dans ce cas de me dire à peu près l'époque de votre retour afin que je puisse vous convier à venir voir et nous entendre sur les toiles à exposer et aussi à faire votre choix. Mais cela ne pourrait être que fin avril, car j'ai bien à faire, et je n'avance pas comme je le voudrais. Il y a même, comme toujours, bien des moments où ça ne va pas du tout et où je trouve tout mauvais[8]. »

Une dizaine de jours plus tard, Monet n'a plus de doute. Ce qu'il a pu trouver « mauvais » est « mauvais ». Il ne peut être prêt. A Durand-Ruel, le 8 avril : « Vous n'allez pas être content de moi et je vous prie de m'excuser de manquer de parole, mais je préfère remettre mon exposition à l'année prochaine, elle n'en sera que mieux, je veux au moins l'espérer[9]. » Durand-Ruel le sait. Il n'a pas le choix. Il se risque à rappeler à Monet qu'il a néanmoins déjà vendu des *Nymphéas* à un certain

M. Sutton. Monet écarte l'argument : « Comme vous, je suis désolé de ne pouvoir exposer cette année la série des *Nymphéas* et, si j'ai pris ce parti, c'est parce que ce n'était pas possible. Je suis très difficile pour moi-même, c'est peut-être vrai, mais cela vaut mieux que de montrer des choses qui sont médiocres. Et ce n'est pas parce que je tiens à en exposer beaucoup que je retarde cette exposition, certes non, mais j'en ai vraiment trop peu de satisfaisantes pour déranger le public. C'est tout au plus si j'ai cinq à six toiles possibles et viens du reste d'en détruire au moins trente et cela à ma grande satisfaction[10]. » Hors de question que ce qui a échappé à cet autodafé sorte de l'atelier : « J'ai besoin d'avoir sous les yeux les choses faites, pour les comparer à celles que je vais faire[11]. »

Durand-Ruel n'insiste pas. Il enrage mais il renonce. Et, de loin en loin, Monet l'informe. 13 juin : « Le travail ne marche guère à cause du temps par trop variable qui ne veut pas se mettre au beau[12]. » 19 juin : « Quelle mauvaise saison, deux jours de beau de loin en loin, c'est désespérant[13]. » 20 septembre : « Ici, ça va bien et j'ai travaillé et travaille encore avec ardeur. Dès que les beaux jours vont me forcer à m'arrêter, je vous ferai signe pour voir ce que j'ai fait. Ce sont toujours des tâtonnements et des recherches, mais je crois qu'il y a du mieux[14]. »

Tâtonnements et recherches restent son lot jusqu'à la fin de l'année. Monet ne s'interrompt que pour décrocher les cinq tableaux promis au Salon d'automne pour une exposition rétrospective d'œuvres de Berthe Morisot, que pour envoyer d'autres toiles aux Bernheim pour une exposition de natures mortes... Les *Œufs* n'y sont pas envoyés.

Les deux toiles restent dans l'atelier encombré de *Nymphéas* dont certains sont peints, pour la première fois, sur des toiles carrées tendues sur des châssis de 81 centimètres de côté. Comme si l'espace rectangulaire traditionnel commençait de ne plus s'accorder à l'espace sans horizon ni repère qu'abordent ces toiles.

1908/1

J'en ai détruit... J'en recommence[1]

Le 7 janvier, au théâtre de l'Odéon dirigé par Antoine, le rideau se lève sur *L'Apprentie*, un roman de Gustave Geffroy publié quatre ans plus tôt adapté par l'auteur en une pièce en dix tableaux. Pour cette première, le tout-Paris des arts et des lettres est dans la salle. Comment ne pas assister à la création d'une pièce dont l'auteur est vice-président de l'académie Goncourt ? Monet et sa femme Alice sont dans la salle. Lorsque le rideau retombe sur le dernier tableau, on se presse dans les coulisses pour y féliciter les comédiens et l'auteur. De loge en loge, un mot court jusqu'à Jules Renard, lui-même membre de l'académie Goncourt, qui le note dans son *Journal* : « – C'est mauvais *L'Apprentie*, hein ? – Pourquoi me dites-vous ça à moi ? Ce n'est pas une pièce collective[2]. » Monet n'entend rien. Il est parti dès la fin de la représentation. Le lendemain, dans sa chambre de l'hôtel Terminus, il s'empresse d'écrire quelques mots à son ami Geffroy : « J'aurais bien voulu aller vous dire mon émotion après l'admirable dernier tableau, ma femme aussi aurait été heureuse de vous féliciter, mais nous sommes vieux et la crainte où j'étais aussi de voir ma femme très fatiguée m'a contraint de chercher en hâte une voiture pour la reconduire au plus vite. Nous repartons bien vite chez nous[3]... »

A Giverny où l'argument de la vieillesse écarte les importuns, Monet reprend aussitôt son œuvre. Les *Nymphéas* doivent être prêts pour l'exposition qui doit ouvrir chez Durand-Ruel au mois d'avril. A la fin du mois de janvier le face-à-face avec ses toiles est troublé – à peine – par une singulière invitation. M. Guillaume Dubuffe dont on ne sait plus combien de plafonds officiels il a pu peindre, de la Comédie-Française à la gare de Lyon, en passant par ceux de l'Hôtel de Ville de Paris, de la salle des fêtes de l'Elysée et de la bibliothèque de la Sorbonne, Guillaume Dubuffe, digne héritier de son père Edouard, auteur lui-même des portraits de l'empereur Napoléon III et de l'impératrice Eugénie et héritier de Claude-Marie qui fut l'élève de David, le convie en tant que vice-président du comité de l'Exposition franco-anglaise à participer avec trois toiles à une très officielle exposition qui illustre à sa manière les vertus de l'Entente cordiale conclue en 1904. Monet serait-il à son tour devenu un peintre officiel ? Sa peinture ne troublerait-elle plus personne ? Monet s'en remet à Durand-Ruel. Et continue à travailler. A Rodin le 9 mars : « Je suis surmené de travail pour une exposition importante de nouvelles choses que je dois faire le mois prochain[4]. »

Quelques jours plus tard, Monet invite Durand-Ruel à venir voir ses toiles à Giverny. Si, en raison de la lettre de Dubuffe reçue au début de l'année, Monet a pu croire qu'il était devenu malgré lui un peintre officiel dont l'œuvre ne dérange plus, le trouble qu'éprouve Durand-Ruel dans son atelier doit le rassurer. Sa peinture déconcerte toujours. Et, pour la première fois, elle décontenance le marchand qui l'accompagne depuis près de quarante ans, qui depuis près de quarante ans n'a pas cessé de l'acheter en dépit des faillites de banquiers, des faiblesses du marché, de ses propres dettes. Et Durand-Ruel interdit, troublé, embarrassé devant ces paysages d'eau se surprend sans doute lui-même en disant à Monet son incompréhension. Il redoute de partager celle-ci avec les amateurs. Cette crainte le contraint à ne pouvoir faire les achats fermes envisagés. Durand-Ruel renonce. Il ne peut payer 13, 14 ou 15 000 francs pièce, quinze ou seize de ces toiles...

Quelques jours après sa visite, Monet fait part à Durand-Ruel de sa réflexion : « Je n'ai pas voulu vous écrire au lendemain de votre visite qui n'a pas laissé de me troubler. J'ai mûrement réfléchi depuis et je dois vous avouer que j'hésite beaucoup à faire l'exposition projetée. Du moment que mes nouvelles toiles n'ont pas votre approbation complète, il me paraît difficile que vous en fassiez l'exposition[5]. » Monet ne doute pas de sa peinture. Mais c'est d'exposition et c'est de vente qu'il s'agit : « Vous êtes certainement libre de m'acheter les toiles qui vous conviennent et de me laisser celles que vous ne comprenez pas (pour l'instant du moins), mais j'ai absolument besoin, moi, d'être fixé sur vos intentions au point de vue achat de même que j'aurais besoin d'être également fixé sur celles de MM. Bernheim avant de prendre une décision d'exposer ou non cette nouvelle série, ne voulant pas renouveler les difficiles pourparlers plus ou mois pénibles qui se sont produits lors de l'ouverture de l'exposition des *Vues de la Tamise*[6]. »

Dans les semaines qui suivent, les négociations qui semblent s'engager n'en sont pas. Monet est intraitable. Les conditions sont claires : « C'est-à-dire : choix de 15 ou 16 tableaux à faire par vous (avant l'ouverture) à Giverny lorsque les tableaux seront au point et que je vous demanderai de les venir voir. Je n'entends pas me prêter à un essai sur le public, puisque c'est à vous seul que j'ai affaire et non à lui. Bref, ce que vous voudriez c'est bien un achat ferme, assuré, avec choix éventuel puisque le mot a été dit. Et c'est ce que je ne veux pas, d'autant que vous ne m'avez pas habitué à cette façon d'opérer. La question est donc bien claire et vous n'avez qu'à y répondre par oui ou non[7]. » Monet que sa rouerie trahit – « vous ne m'avez pas habitué à cette façon d'opérer » – est-il certain de préférer le oui au non ?

Quatre jours plus tard, le 7 avril, tout semble résolu : « Mais je ne veux pas faire durer plus longtemps cette correspondance et il reste entendu que vous m'achèterez 16 toiles de ma nouvelle série aux prix que j'ai dits à votre fils, soit 13, 14 et 15 000 francs, payables moitié de suite et le reste au plus tard six mois après, et que vous ferez le choix de ces 16 toiles dans les huit jours qui suivront l'ouverture de l'exposition. Maintenant ne vous pressez pas d'annoncer l'ouverture pour le 29 courant, il se peut que j'aie besoin de quelques jours de plus, je vous le dirai d'ici une douzaine de jours, et dans ce cas ce serait pour le 5 ou 6 mai. Je ne suis pas bien portant, je suis très fatigué, j'ai des vertiges qui me troublent beaucoup et j'y vois de moins en moins clair. Cela va mieux depuis deux jours mais j'ai vu le moment où j'allais être obligé de cesser tout travail[8]. »

Durand-Ruel a conclu un accord avec MM. Bernheim-Jeunes. Les achats que Monet espère seront faits. Il ne saurait donc plus y avoir d'objections financières de la part de Monet. En revanche, les vertiges et les troubles de la vue dont il fait état sont une menace. Durand-Ruel s'attend au pire. A la fin du mois d'avril, ce qu'il redoute lui est confirmé, Monet abandonne : « Oui, j'ai un grand besoin de repos. Ne plus être obsédé de cette pensée d'exposition, penser à autre chose me fera le plus grand bien et peut-être qu'après je verrai les choses d'un meilleur œil[9]. »

Libéré des tracas d'une exposition, Monet ne cesse pas pour autant de travailler. Au mois d'août, il écrit à Geffroy : « Sachez que je suis absorbé par le travail. Ces paysages d'eau et de reflets sont devenus une obsession. C'est au-delà de mes forces de vieillard et je veux cependant arriver à rendre ce que je ressens. J'en ai détruit... J'en recommence... et j'espère que de tant d'efforts, il sortira quelque chose[10]. »

Monet se garde de raconter à son marchand qu'il vient de faire goudronner à ses frais la route qui, à travers Giverny, conduit à sa maison, qu'il a fait transformer la cuisine et que toute la maisonnée a été bouleversée par l'assassinat du beau-frère d'Alice, M. Rémy, marié à sa sœur cadette Cécile, au début du mois de juin. Ces faits ne concernent pas la peinture...

Le bruit de la destruction de toiles court jusqu'aux Etats-Unis. On y affirme que le maître de Giverny aurait lacéré ou brûlé des toiles estimées à 100 000 dollars. Pour être sûr de pouvoir acquérir une de ses toiles, ne faudrait-il pas le convaincre de venir peindre aux Etats-Unis mêmes ? Après tout, des peintres américains viennent bien travailler à Giverny... Journaliste au *Scribner's Magazine*, Walter Pach remet à Monet une invitation en main propre. Monet la décline.

Autre rançon de la gloire, les faux Monet qui circulent. Réponse accablée à Durand-Ruel qui lui fait parvenir deux toiles : « Ce sont deux épouvantables croûtes, et je vous assure que si ce n'était la prière que vous m'avez faite de ne pas effacer la signature, et de vous les retourner telles, je les aurais bel et bien crevées, ce qui était mon droit ; et j'entends bien qu'après le procès que doit faire votre client et le faussaire puni, les deux tableaux soient détruits en présence de témoins ou qu'ils me soient renvoyés[11]. »

Semaine après semaine, Monet se soumet à l'« obsession » que sont ces paysages d'eau, à la discipline régulière qu'elle lui impose. Précision donnée à Lucien Pissarro le 24 août : « Je suis en plein travail (ce qui m'a même empêché de te répondre plus tôt), déjeunant à la hâte et n'étant libre que de 3 à 5 heures. Hors ce moment, je ne vois personne[12]. » Et, le 5 septembre, à Geffroy qui lui annonce son arrivée pour le mercredi suivant, Monet précise encore : « S'il fait beau, je travaille le matin de 7 à 11 h et serai libre à votre arrivée ; après déjeuner, travail de 1 à 3 h, repos jusqu'à 6 h. Mais hélas ! le beau temps est rare cette année[13]. »

Subitement, le 25 septembre, il annonce à Durand-Ruel : « Et voici que je pars pour Venise avec ma femme. Nous sommes invités à y passer quelque temps et, ma foi, voyant le temps se gâter et en somme la saison à peu près finie, je me suis décidé à partir[14]. » Deux jours plus tard, de Giverny, Alice exaspérée écrit à Geffroy : « Voilà (et je m'y attendais) Monet fort triste de s'être engagé à partir ; le beau temps étant revenu, il ne peut se décider à abandonner son bassin et ses fleurs. Depuis hier, j'en entends tellement que, vraiment, cela gâte le plaisir du voyage[15]... »

1908/2

Je suis dans l'admiration de Venise[1]

Le vendredi 2 octobre, Monet envoie un télégramme à sa belle-fille Germaine Salerou : « Bien arrivés hier au soir, sommes ravis, baisers, Monet[2]. » Mary Young Hunter, qui a inspiré ce voyage, dispose sur le Grand Canal, non loin du Ponte dell'Accademia, du Palazzo Barbaro que Mme veuve Daniel Sargent Curtis qui en est propriétaire a mis à sa disposition. Cette veuve est parente du peintre John Singer Sargent, dont Mary Hunter est elle-même une amie proche. C'est par Sargent que Mary Hunter, amateur d'art, a connu Monet, comme elle a rencontré Rodin pour qui elle a posé deux ans plus tôt, au début de 1906.

« Dès notre débarquement, Mme Hunter était là et, de suite, en gondole, nous a fait faire le tour des canaux grands et petits et admirer le soleil couchant sur la place Saint-Marc ; le tout inoubliable. Ici, comme je m'y attendais, c'est le grand luxe, mais simple et facile[3]. » Ce deuxième voyage auprès de Monet enchante Alice. Si en 1904, à Madrid et à Tolède, Monet s'est satisfait d'être un touriste comme tant d'autres, il a l'intention de peindre. Or la découverte de cette ville lui interdit d'y seulement songer... Dès le premier jour, Alice rapporte à sa fille Germaine l'impuissance de Monet dans la première de ces lettres qui composent jour après jour un scrupuleux journal de voyage : « C'est beau – "trop beau pour être peint", dit Monet[4]. »

Le lendemain, l'émerveillement stupéfie Monet de la même manière. Le dimanche 4 octobre, les toiles attendues n'arrivent toujours pas... Mais ce retard ne semble pas troubler Monet. D'une part, précise Alice, « les illuminations de Venise, avec leurs reflets, les gondoles, tout cela est merveilleux[5] », et d'autre part, « ici la liberté est si complète qu'on se croit vraiment chez soi, c'est un réel bonheur. On n'a qu'à se laisser vivre, un vrai farniente. C'est si bon[6]... ». Monet se laisse faire par le charme des canaux, l'intérieur de Saint-Marc, une promenade au Lido...

Enfin, le 7 octobre, au lendemain d'un concert qui a rassemblé au palais l'« élite de la société de Venise » reçue par Mme Hunter « enveloppée de satin, pierreries, dentelles », « Monet part travailler »[7]. En vain. Le ciel, pour la première fois depuis leur arrivée, se charge de nuages. Et le vent se lève. Monet doit rentrer sans avoir rien ébauché seulement.

Inquiétude d'Alice le lendemain : « J'espérais tant en le voyant si impressionné par toutes ces beautés et si emballé ; hélas, tout cela est tombé, et il dit qu'il est "trop vieux pour peindre d'aussi belles choses"[8]. » Le lendemain, tout a changé : « Monet s'est enfin décidé à se mettre au travail, je le dis tout bas ayant toujours peur que ce ne soit pas sérieux, mais cependant, j'ai bon espoir[9]. »

Le 12 octobre, grâce aux nombreuses promenades en gondole des premiers jours, grâce au retour du beau temps, Monet peut enfin aller d'un motif à l'autre. L'emploi du temps se met en place : « Dès 8 h, nous sommes au premier motif – San Giorgio, en face de la place S. Marco ; à 10 h place S. Marco, en face San Giorgio. Après déjeuner, Monet travaille sur les marches du Palazzo Barbaro – puis à 3 h aux gondoles ; nous faisons un tour pour admirer le coucher de soleil et rentrons à 7 h[10]. »

Le départ de Mme Hunter pour Aix-en-Provence – où elle a retardé le début de sa cure afin de rester quelques jours encore avec les Monet et leur offrir, le dimanche, une traversée de la lagune jusqu'à Chioggia à bord d'un bateau à pétrole sur lequel est servi un lunch –, le transfert à l'hôtel Britannia, un peu plus loin que le Palazzo Barbaro, presque en face de la Punta della Dogana, ne changent rien au rythme de la vie quotidienne.

Monet peint. Constat d'Alice : « Chaque jour, il commence de nouvelles toiles avec enthousiasme, tant que le beau temps durera, il ne pensera pas à partir[11]. » Deux jours plus tard, Alice s'inquiète du travail de son mari : « Toujours temps merveilleux et Monet travaille tellement que j'ai peur qu'il ne se fatigue ; mais c'est si admirablement beau qu'il ne peut résister et il ne cesse de répéter qu'il voudrait déjà être à l'année prochaine pour reprendre les motifs. C'est donc bien sûr que nous reviendrons et je m'en fais une grande joie[12]. » Pourquoi douterait-elle de ce retour annoncé ? Monet lui-même dit le 19 octobre à Durand-Ruel son désir de revenir : « Je suis dans l'admiration de Venise [...]. J'y fais quelques toiles à tout hasard, pour en conserver le souvenir mais je compte bien y faire une bonne saison l'an prochain[13]. »

Quelques jours plus tard, alors qu'un froid intense est tombé sur Venise, ce qui a contraint à une longue recherche de chauds tricots dans une ville où « en dehors des mosaïques, perles, verreries, dentelles, antiquités, les magasins sont minables[14] », Monet confirme à Gaston Bernheim qu'il est hors de question de songer à faire la moindre exposition avec ce qu'il rapportera de Venise : « Bien que je sois enthousiasmé de Venise et que j'y aie commencé quelques toiles, je crains bien de ne pouvoir apporter que des commencements qui seront uniquement des souvenirs pour moi, parce que la période de beau temps ici semble achevée. Il pleut sans arrêt depuis deux jours et, si cela se prolonge, ma foi, nous plierons bagage pour revenir à l'automne prochain. Il y a trop à faire pour n'y pas revenir. C'est merveilleux[15]. »

C'est dans la chambre de l'hôtel Britannia où l'on a la veille fait allumer un calorifère, « ce qui, paraît-il, n'arrive qu'en décembre[16] », que Monet écrit cette lettre. Il vient de passer plusieurs heures à bord d'une gondole-atelier. « Toujours ce vent si froid et ce matin, il nous a bien fallu, pour que Monet puisse peindre dehors, prendre la gondole couverte avec sa cabine noire, vrai catafalque, mais au moins on est à l'abri[17]. » Monet se garde sans doute d'évoquer son bateau-atelier d'Argenteuil. C'était il y a plus de trente ans, avant la rencontre de M. Ernest Hoschedé et de son épouse Alice. C'était un temps dont Mme Alice Monet n'aime pas qu'il soit évoqué.

Sur cette gondole, ce dimanche 25 octobre, Monet peint l'un de ses tableaux qui « seront uniquement des souvenirs pour moi[18] ». Des souvenirs... Après tout, les *vedute* peintes par Guardi, Bellotto, Marieschi ou Canaletto n'ont jamais été autre chose que des « souvenirs » aux yeux de ces jeunes aristocrates, en particulier anglais, pour lesquels Venise était une étape essentielle de ce Grand Tour qui parachevait leur éducation en Italie. Dans les années 1770, les *cortegiane* d'une Venise où le Carnaval dure six mois, sont aussi nécessaires à cette éducation que les antiques exhumés du côté de Pompéi et d'Herculanum. Monet n'a pas été à la Galleria dell'Accademia voir une seule *veduta*. Alice qui rapporte le moindre événement ne dit rien d'une telle visite.

Monet peint. Alice ne le quitte pas. Elle est à côté de lui en gondole et ne peut « rien faire ni bouger pendant que Monet peint[19] ». Et les jours passent. Et les semaines passent. Constat d'Alice : « Nous vivons comme deux ermites en notre cher et perpétuel tête-à-tête[20]. » Et, comme il se doit, Monet se décourage, Monet se reprend. Monet répond aux amicales lettres de Mirbeau qui « va doucement[21] », de Geffroy et de Clemenceau qui l'encouragent, à MM. Durand-Ruel et Bernheim auxquels il faut répéter qu'il ne compte rapporter que « quelques essais ou pochades[22] ».

Alice écrit : « Monet redoute le froid, a quelquefois un peu de rhumatisme au bras ou plutôt la fatigue de l'excès de travail et dit alors que son bras va être paralysé ; enfin, tu le connais, tu sais les sauts extrêmes, du beau au laid, du bon au mauvais, et me faut, je t'assure, grande énergie et bonne dose de courage car seule ainsi, c'est pénible[23]... » D'autant plus pénible que Monet remet sans cesse leur départ : « Combien souvent m'a-t-il dit de faire les malles, qu'il ne toucherait plus un pinceau, et une heure après, il travaillait et quelquefois même commençait une autre toile[24]. » Et, jour après jour, rien ne change : « Monet travaille toujours et toujours, le retour est remis à l'éternel demain[25]. » « Depuis une semaine, Monet avait commencé trois nouvelles toiles, cela m'a un peu inquiétée, me disant que le retour ne viendrait plus, mais elles marchent si vite, si bien et sont tellement typiques que j'en suis ravie. Ce sont deux motifs de petits canaux[26]... » « Monet travaille, il travaillait encore à 9 toiles hier. C'est trop, car c'est sans arrêt depuis 8 h du matin jusqu'à

5 h, sauf une heure pour le déjeuner. Hier soir, il était si fatigué que cela me tourmentait : à son âge, il faut plus se ménager, mais il est si heureux[27]. »

Et décembre commence. Et Monet semble ne plus vouloir cesser de peindre. 3 décembre, Alice avoue : « Ce matin, Monet n'a pas voulu que je l'accompagne à S. Giorgio où il fait toujours même en été un froid glacial, un courant d'air mortel et, malgré la fourrure, Monet y a très froid aux pieds et ses pauvres mains sont toutes gercées. Il est temps qu'il s'arrête car aussi il est fatigué ; mais comment devant ce beau ciel renoncer à le peindre encore[28] ?!... » Malgré ce ciel, Monet passe le soir chez Cook acheter les billets du retour.

Reste à écrire, comme la moindre des politesses l'exige, à madame Daniel Sargent Curtis une lettre de château : « Je ne veux pas quitter Venise sans vous renouveler tous mes remerciements car, sans que vous vous en doutiez, c'est bien à vous que je dois d'y être venu. Ça a été un régal d'artiste, une vraie joie pour moi et j'ai tenu à vous le dire[29]. » Reste à faire le bilan de ce qu'aura été ce séjour de deux mois avec le fidèle Geffroy auquel Monet n'a pas pris le temps de répondre chaque fois : « C'est si beau, mais il faut se faire une raison ; bien des choses nous obligent à réintégrer le domicile. Je m'en console à la pensée d'y revenir l'an prochain, car je n'ai pu faire que des essais, des commencements. Mais quel malheur de n'être pas venu ici quand j'étais plus jeune, quand j'avais toutes les audaces ! Enfin... Mais j'ai passé ici des moments délicieux, oubliant presque que je n'étais pas le vieux que je suis[30]. » La hardiesse des peintures de la Scuola Grande di San Rocco, réalisées par un Tintoret alors âgé d'une quarantaine d'années, lui aurait-elle donné un « coup de vieux » ?

Le retour est ponctué d'étapes. Bordighera où les Salerou viennent rejoindre les Monet, bref séjour à Cagnes, chez les Salerou mêmes, un arrêt à Toulon. Le lundi 14 décembre, les Monet sont à Paris. Le 16, il sont de retour à Giverny.

Le surlendemain, les Bernheim, qui ont le prétexte de vouloir au plus tôt remercier Monet d'avoir obtenu pour eux de Clemenceau la Légion d'honneur, fondent sur Giverny avec leurs épouses. Et ils achètent aussitôt les 28 toiles rapportées. Mme Alice Monet jubile : « Le tout fait trois cent mille francs, c'est un voyage qui rapporte[31]. » Il ne reste rien pour Durand-Ruel. Monet n'est au bout du compte pas mécontent du tour qu'il vient de lui jouer. Lettre de justification et de consolation datée du 29 décembre : « Je comptais bien vous écrire pour vous mettre au courant de ce que MM. Bernheim vous ont annoncé. Je pensais bien que cela vous contrarierait, mais que voulez-vous, ces Messieurs devant s'absenter ont tant insisté pour venir voir ce que je rapporterais de Venise que je n'ai pu faire autrement que de les recevoir. Et alors ils ont tant et si bien fait en faisant valoir de si bonnes raisons que j'ai dû céder, mais je veux espérer que vous ne m'en garderez pas rancune parce que autant pour vous que pour moi il est bon et utile que vous ne soyez pas le seul détenteur de mes œuvres et puis aussi parce que j'espère bien n'être pas au bout de mon rouleau et faire encore bien des choses[32]. »

1909

Et le reste fera, je le crois, une exposition peu banale[1]

Les brèves journées d'hiver sont tristes à Giverny. Mme Alice Monet a eu plusieurs violentes crises hépatiques. Monet lui-même a été pris de vertiges. Une visite de l'un des fils de Durand-Ruel venu voir les toiles rapportées de Venise et s'assurer que l'exposition des *Nymphéas* sera bientôt possible, l'arrivée de pintades envoyées au début de l'année par Geffroy, auront été les seules dérogations aux rites quotidiens de Giverny. Tout le monde s'est régalé des pintades. Alice n'y a pas touché. Elle « va bien doucement[2] ». Si Monet va beaucoup mieux, il est toujours hors de question de s'absenter. Une nouvelle crise pourrait survenir quand bien même, prudemment, Alice garde encore la chambre.

Lorsque ce mois de janvier inquiet et prudent s'achève, Monet sait à quoi s'en tenir : « En réponse à la demande de votre fils, je viens vous dire que, cette fois, vous pouvez annoncer sans crainte que l'exposition, si souvent ajournée, aura lieu cette année, en mai. Mais seulement le 5 si vous le voulez bien, jour qui me sera plus commode que le 3. En tout cas vous pouvez absolument compter sur moi, je serai prêt, car mon voyage à Venise a eu cet avantage de me faire voir mes toiles d'un meilleur œil. J'ai mis de côté toutes celles qui ne méritent pas d'être exposées et le reste fera, je le crois, une exposition peu banale. J'allais oublier de ne pas annoncer cette série sous le nom de *"Les Reflets"*, mais comme ceci : *"Les Nymphéas, séries de paysages d'eau"*[3]. »

Cette décision d'exposer permet à Monet de retrouver une sorte de sérénité et une nouvelle ardeur : « Quant à moi, je vais tout à fait bien et plein de confiance et d'ardeur pour me remettre au travail[4]. » Depuis des années, Monet au retour de ses voyages éprouve le besoin de reprendre ses toiles, de les parachever. Or, cette fois, il vend toutes les toiles rapportées de Venise aux Bernheim. Considérerait-il qu'elles sont achevées ? Durand-Ruel s'inquiète. Monet songerait-il à reprendre une fois de plus ces paysages d'eau retenus dans son atelier depuis des années ? Durand-Ruel redoute plus qu'aucune autre cette hypothèse qui est une menace. Si...

Deux semaines plus tard, une nouvelle lettre de Monet datée du 11 février rassure sans doute Durand-Ruel. Le peintre s'est remis au travail et ce travail ne concerne que la préparation de l'exposition. Mise au point minutieuse si ce n'est tatillonne par une nouvelle lettre aux Bernheim : « M. Durand-Ruel ne m'a absolument rien dit qui pourrait laisser supposer un instant qu'il renonçait à votre concours pour l'achat de la série des *Nymphéas*, parce qu'au cours de la conversation il m'a rappelé que c'est d'accord avec vous qu'il s'est engagé à un achat personnel de 16 de ces toiles, ce dont je me réjouis du reste puisque, lors de votre visite pour voir les *Venise*, vous m'avez tout de suite affirmé votre intention de tenir votre engagement avec MM. Durand-Ruel pour les *Nymphéas*. Voilà tout ce que je puis vous dire[5]. »

« Voilà tout ce que je puis vous dire »... La phrase résonne comme une prière : respectez les uns les autres vos engagements, épargnez-moi vos ressentiments parce que vous n'avez pas de *Venise*, parce que vous ne disposez pas en exclusivité de l'ensemble des *Nymphéas*, laissez-moi en paix. Monet travaille. Le 3 mars, Monet rassure Durand-Ruel pour ses *Nymphéas* : « Il y en a 30 de terminés, signés[6]. » Suivent des semaines de silence. Alice se remet lentement.

Le mois d'avril va s'achever. Les toiles sont prêtes. Aux Bernheim, le 20 avril : « La date d'ouverture reste fixée au mercredi 5 mai et je compte arriver à Paris le lundi 3[7]. »

Tout se met en place. Le 29 avril, Monet donne les derniers éléments qu'attend Durand-Ruel pour établir le catalogue : « Voici l'énumération des 48 toiles que je compte exposer. Je ne sais si cela vaut la peine d'en faire l'impression, bien qu'à vrai dire cela serve à bien des gens pour prendre des notes. Le mieux, à mon avis, serait de le faire petit et plié en deux, enfin vous ferez pour le mieux[8]. » Comprendre : ne m'importunez pas avec ce genre de chose...

Monet distingue des séries dans l'ensemble des 48 toiles. Ce sont les années au cours desquelles les toiles ont été peintes qui les déterminent. S'il ne présente qu'une seule toile peinte en 1903, 4 sont de 1904, 8 de 1905, 5 de 1906, 21 de 1907, 9 enfin de 1908.

Le 3 mai, Monet descend à l'hôtel Terminus. Le lendemain, en fin d'après-midi, les 48 toiles ont été accrochées dans les trois salles de la galerie Durand-Ruel de la rue Laffitte. Les dés sont jetés.

Dès le vernissage, la foule se presse dans les salles. Il est loin le temps des ricanements et des injures. La presse n'est que ravissement, hommage, éloge. Tel critique, comme Thiébault-Sisson, veut distinguer cinq temps qui ponctuent le jour, de l'aurore au crépuscule ; tel autre, comme Robert Kemp, distingue le passage des saisons ; tel enfin, comme Fortuny, reconnaît « la splendeur des midis et la poésie des soirs[9] ». L'admiration des uns et des autres s'accorde à celle de Louis de Fourcaud qui écrit dans *Le Gaulois* du 22 mai : « Nous sommes en présence de quelque chose d'inattendu et de désiré, d'intimement poétique et d'absolument réel... cette petite mare, diaprée de corolles, a plus d'horizon que la légendaire mer des Sargasses et plus de mirages que les mots n'en sauraient évoquer. L'harmonie la plus parfaite sort de ce radieux ensemble, plein d'admirable vie et baigné de tendre silence. Nous ne pouvons nous en détacher[10]. »

Face à ce « tendre silence » des *Nymphéas*, tous semblent oublier l'article publié quelques mois plus tôt dans *Le Figaro*, le 20 février, l'affirmation de Filippo Tommaso Marinetti dans son *Manifeste du futurisme* : « Nous déclarons que la splendeur du monde s'est enrichie d'une beauté nouvelle, la beauté de la vitesse. » Personne pour se souvenir que quatre ans plus tôt les peintures de Matisse, Vlaminck, Derain, Camoin, Marquet et Manguin, rassemblées autour de sculptures de Marque dans la salle VII du Salon d'automne, provoquèrent un scandale tel que le président de la République renonça à l'inaugurer : « La candeur de ces bustes surprend au milieu de l'orgie des tons purs : Donatello chez les fauves[11]... » Malgré ces mouvements qui expriment l'avant-garde la plus neuve, pas une voix pour juger Monet « dépassé ».

Reste que tous les visiteurs ne sortent pas de la galerie convaincus. Au soir de son passage rue Laffitte, Jules Renard note le 11 mai 1909 : « Galerie Durand-Ruel. *Les Nymphéas, série de paysages d'eau,* par Claude Monet. Je ne trouve rien à dire. Evidemment, c'est joli, mais je ne peux pourtant pas dire : "C'est joli, surtout dans les cadres ovales." Il y a un abîme entre notre art et celui-là. Un jeune homme assis, d'aspect pauvre, regarde fixement et ferme à moitié les yeux. Je voudrais bien voir ce qu'il voit. C'est de la peinture pour femme. Elles ne peuvent pas la contester. C'est trop joli : la nature ne donne pas ça. Une terrible envie de sortir, comme de revenir de voyage, pour dire : "Je suis allé là"[12]. »

Monet n'aura pas croisé Jules Renard dans les salles. De retour à Giverny depuis plusieurs jours, il a écrit à Durand-Ruel : « Je vous remercie de m'avoir donné des nouvelles de mon exposition, j'espère que cela va bien marcher et que vous serez satisfait, et je vous demande de me tenir un peu au courant[13]. »

Quelques jours plus tard, plus pointilleux que jamais, Monet rappelle à l'ordre son marchand qui tarde à respecter ses engagements : « Donc ce qui a été convenu doit être exécuté, sinon il était inutile de tant discuter l'an passé. Voilà ce que je voulais vous dire et que vous serez le premier à approuver[14]. » Qu'on s'en tienne une bonne fois pour toutes aux accords passés, et qu'à la fin on cesse de l'importuner avec ces mesquines perfidies, ces déloyautés sournoises. Monet, ne peut-on le comprendre enfin, veut qu'on le laisse en paix.

M. Cassirer veut exposer ses paysages d'eau à Berlin ? Que Durand-Ruel s'en occupe avec *ses* toiles. Mme Hunter qui l'a invité à Venise veut que ces mêmes paysages soient montrés à Londres ? Ce n'est pas parce que cette dame « est habituée à ce que ses désirs soient de suite réalisés[15] » qu'elle doit aussitôt être satisfaite, quand bien même sa démarche est « très aimable ». Le 5 juillet enfin, Monet signifie à Durand-Ruel, qui lui demande de recevoir un amateur, que ces dérangements n'ont que trop duré : « Il me faut prendre le parti de ne songer qu'à mon travail[16]. » La fin de non-recevoir est claire. Qu'on ne dérange plus Monet.

Et les mois passent. Monet part avec Alice au début du mois d'août pour Landemer, non loin de La Hague, au nord du Cotentin. « J'ai fui Giverny, dégoûté du mauvais temps, de mon jardin pauvre de fleurs[17]. » Monet retourne à Giverny chercher son matériel et des toiles. De retour à Landemer, il renonce à peindre. « Hélas ! pas de travail », rabâche Alice au dos des cartes postales envoyées aux uns et aux autres. Retour à Giverny. Des maux de tête ne tardent pas à l'affliger.

L'année s'achève. Le 7 décembre, Monet confie à Geffroy : « Ne me gardez pas rancune, je vous en prie, cher ami, cette année 1909 m'a été absolument funeste et vous vous en rendrez compte quand vous saurez que depuis mon retour de Venise, il y a de cela une année, je n'ai rien fait, pas touché un pinceau. Le dérangement de mon exposition des *Nymphéas*, le mauvais temps tout l'été et, le pire, ma santé très troublée ; triste bilan comme vous voyez, sans compter la tristesse et les petites misères qui s'accumulent avec l'âge, soit un découragement général[18]. »

Peut-être, après avoir terminé cette lettre accablée, reprend-il l'article publié quelques mois plus tôt par l'ami Geffroy et relit-il ce passage, ces quelques lignes : « Quand on voit réunis ces paysages d'eau, on a l'impression d'un admirable ensemble décoratif, on rêve de garder cela ainsi, sur des murailles, dans des salles paisibles où des promeneurs viendraient chercher la distraction de la vie sociale, l'apaisement des fatigues, l'amour de la nature éternelle[19]. »

« Ensemble décoratif », « sur des murailles », Geffroy n'emploie pas ces mots par hasard. Monet l'aurait-il tenu au courant de ce qu'il projette ? Le 1er juin, il n'a pas hésité à dire : « J'avais jadis songé à faire aussi une décoration avec ces mêmes *Nymphéas* pour thème, projet que je réaliserai un jour[20]. »

Mais ces mots, « projet que je réaliserai un jour », ont-ils encore un sens ?

1910-1911

Dénouement fatal ce matin quatre heures[1]

Il pleut. Il pleut encore. Il ne cesse pas de pleuvoir. Comme si cette pluie ne suffisait pas à accabler Monet, Alice est de nouveau souffrante. Elle l'est d'autant plus que sa sœur, Mme Rémy, est « absolument condamnée, à moins d'un miracle[2] ». Conclusion désespérée d'une lettre à Geffroy datée du 4 janvier : « Bref, des soucis, des inquiétudes, c'est le lot de tous ceux qui avancent en âge. Je ne pense plus du tout au travail et vois tout en noir[3]. »

Et il pleut encore. La Seine monte. Et l'Epte monte. Le vendredi 21 janvier, *Le Petit Parisien* titre : « Les inondations : c'est un véritable déluge ». *Le Journal* ajoute que la Seine envahit le métropolitain, qu'elle paralyse des usines, qu'elle charrie des cadavres. Deux jours plus tard, le trafic est suspendu à la gare des Invalides et la gare d'Orsay est envahie. Le 25 janvier, dix arrondissements de Paris sont sous les eaux. On ne peut plus téléphoner d'une rive à l'autre de la capitale. L'électricité a dû être coupée dans certains quartiers. Le 28 janvier, *Le Petit Parisien* affirme : « Les plus grandes crues depuis 1658. » La crue est la plus considérable qui se soit produite depuis près de trois siècles. Huit ponts sont barrés. L'Elysée est dans les ténèbres, l'hôpital Boucicault est évacué, une digue se rompt à Gennevilliers.

A Giverny, l'eau est à mi-hauteur de l'allée centrale du jardin, le bassin a disparu sous les eaux. Il est impossible de rejoindre Vernon. Quant à y prendre le train, inutile d'y seulement songer... Qui plus est, par les égouts, par les tunnels du métro, les eaux ont atteint le quartier de la gare Saint-Lazare. Enfin, le dimanche 30 janvier, *Le Petit Parisien* annonce : « La fin du cauchemar : la Seine décroît ».

Le 10 février, les choses s'améliorent. Monet en informe Durand-Ruel : « Nous allons assez bien, mais pas mieux que cela, ma femme surtout, et venons nous aussi d'avoir bien du mal et des inquiétudes avec les inondations et j'ai cru un moment que tout mon pauvre jardin serait perdu, ce qui était pour moi un très gros chagrin. Enfin l'eau se retire petit à petit et, bien que je perde beaucoup de plantes, peut-être le désastre sera moins grand que je craignais. Mais quelle calamité et que de misères[4]. » Monet ne peut imaginer perdre son bassin qui est devenu *le* motif, le seul motif de sa peinture...

C'est la décrue. A Paris, l'Institut rassemble des œuvres pour une vente aux enchères au profit des victimes des inondations. M. Henri Roujon, directeur des Beaux-Arts depuis 1891, secrétaire perpétuel de l'Académie des Beaux-Arts depuis 1903, a fait demander par l'intermédiaire de Durand-Ruel une toile à Monet, lequel ne peut contenir sa colère : « Il me semble que, si l'Académie des Beaux-Arts jadis a jugé à propos de faire appel à mon concours, c'était bien le moins que son représentant M. Roujon s'adresse directement à moi ; je sais que ma peinture et celle de mes amis n'est [*sic*] pas de son goût, mais enfin c'était plus correct et cela ne l'eût pas déshonoré[5]. »

Quinze jours plus tard, Monet repousse à plus tard une visite que Durand-Ruel se propose de faire à Giverny. Si la route directe entre Vernon et Giverny, encore sous les eaux, oblige à un important détour, ce qui suffit à devoir différer cette visite, une autre raison plus grave lui impose de demander à son marchand d'être patient. Lettre inquiète datée du 17 mars : « Je viens vous donner des nouvelles de ma pauvre malade ; elle était très fatiguée depuis des mois et a dû s'aliter voilà de cela quinze jours dans un état de faiblesse extrême, ne pouvant rien prendre, bref, nous donnant toutes les inquiétudes. Elle est un tout petit peu mieux aujourd'hui mais ce sera long et nécessitera de grands soins. Comme vous le pensez, cela n'est pas fait pour me donner des idées de travail, loin de là[6]. »

Désormais, pendant des mois, la correspondance de Monet n'est plus qu'un bulletin de santé. Un jour, il espère. Le lendemain, il doit admettre que le mieux n'est qu'apparent. Alice peut se lever une heure. Il la voit s'affaiblir de jour en jour. Alice est alitée. Les médecins semblent étonnés d'un progrès. L'état est stationnaire. Etc. A Geffroy auquel il n'a pu écrire pendant des mois, le 30 mai : « Depuis le mois de février, j'ai eu ma femme malade, entre la vie et la mort, et c'est miracle qu'elle ne soit pas partie. Une maladie très rare, partant que les plus grands médecins ne parviennent pas à guérir (leucémie myéloïde) et dont ils ignorent la cause. Il n'y a que depuis peu d'années que, grâce à la radiothérapie (rayons X), on est parvenu à éviter la mort, mais on ne peut guérir. C'est atroce, et vous devez penser ce qu'est ma vie depuis cela[7]. »

Le 1er juillet, à Julie Manet-Rouart, Monet peut enfin faire part d'un réel mieux : « Je suis heureux de vous annoncer la continuation du mieux dans l'état de notre chère malade, les forces reviennent chaque jour, pas aussi vite qu'elle le voudrait, mais c'est plus qu'un progrès, c'est une véritable résurrection. Vous pensez si nous sommes heureux[8]. » Au cours du mois d'août, son état est tel que l'on peut se permettre des promenades en automobile. L'espoir renaît. A Geffroy, le 29 octobre : « Sa maladie tend à disparaître[9]. »

Un mois plus tard, tout est remis en cause. L'état d'Alice s'aggrave à nouveau. A Geffroy, le 30 janvier 1911 : « Elle est toujours d'une grande faiblesse, mais commence à reprendre un peu goût à la nourriture. Malgré cela, je n'ose pas trop le dire, car c'est toujours quand on la voit reprendre espoir que ces satanées crises de foie la reprennent et la mettent de nouveau à bas. Elle est si fragile à présent, ce qui fait que je n'ose la quitter même une heure[10]. » Il ne peut la quitter davantage le 9 mars. A Durand-Ruel : « Une nouvelle crise survenue ces jours-ci m'oblige à rester près d'elle. J'espère que cela n'aura pas de suites sérieuses puisque aujourd'hui elle est déjà mieux, mais je n'oserai la quitter une journée[11]. »

En décembre, Geffroy, pour distraire Monet de son inquiétude, lui a proposé d'envoyer à la Savonnerie des toiles de *Nymphéas* dont il lui paraît possible qu'elles puissent être considérées comme les cartons de tapisseries. Enfin, après avoir envoyé des toiles, après avoir repoussé pendant des mois sa venue à la manufacture, Monet consent, à la mi-avril, à venir à Paris voir ce que donnent les premiers essais, et s'il conviendrait d'envoyer peut-être un autre genre de toile de la même série. Quelques jours plus tard, à son retour à Giverny, survient tout à coup une brutale aggravation de l'état de santé d'Alice. A Geffroy, le 7 mai : « Des nouvelles, hélas ! ma chère femme est perdue. Ce n'est plus qu'une question d'heures. Je ne sais ce que je vais devenir, je suis anéanti[12]. » Les médecins ne laissent plus le moindre espoir de rémission, l'agonie d'Alice commence. A Durand-Ruel, le 18 mai : « Ma chère femme est à toute dernière extrémité. Ce n'est plus qu'une question d'heures. C'est vous dire par quelles angoisses je passe surtout depuis quinze jours. Je suis à bout de forces et de courage[13]. »

Le lendemain tout est fini. A Durand-Ruel : « Dénouement fatal ce matin quatre heures[14]. »

Le 22 mai, à 10 heures et demie, dans l'église de Giverny, l'abbé Hervieu commence de dire la messe des morts. *Requiem dona eis Domine...* Au cimetière, le cercueil est descendu dans le caveau où repose déjà Ernest Hoschedé, son premier mari, où repose Suzanne, leur fille. Au-delà de la mort, Alice, née Raingo, rejoint la famille Hoschedé. Parmi les amis qui entourent Monet, Edgar Degas, presque aveugle, venu à Giverny lui présenter ses condoléances.

Au confident qu'est Geffroy, Monet confie le 29 mai : « Malgré tout mon courage, malgré la tendre affection des enfants, je me sens terrassé, anéanti par cette cruelle séparation[15]. » Monet est désormais seul. L'amitié resserre les rangs autour de lui. Les Bernheim viennent déjeuner à Giverny, puis arrivent Geffroy et Clemenceau... Rodin lui fait part de son affection... Renoir vient le retrouver en août. Aux Bernheim, il écrit le 28 août : « Renoir est venu me voir hier, cela m'a fait bien plaisir. Il est toujours aussi vaillant, lui, malgré son triste état, et c'est moi le bien portant qui perds tout courage[16]. » Le plaisir provoqué par cette visite n'a pas entamé la douleur : « Hélas ! je suis de plus en plus anéanti. Le temps passe et je ne puis me faire à ma triste existence. Je n'ai de goût à rien et n'ai même plus le courage d'écrire[17]. »

L'été passe. Les visitent continuent. C'est Mirbeau. Ce sont des invitations comme celles de Julie Manet-Rouart. Monet s'excuse de n'y pouvoir répondre, « enfermé dans sa douleur[18] ». Il arrive que Monet relise d'anciennes lettres d'Alice. Larmes aux yeux, il les brûle. Il lui faut régler la succession. Il lui faut faire face à « toute une série d'ennuis d'intérêt, d'hommes d'affaires[19] » qui augmente encore son chagrin.

En octobre enfin, il semble vouloir recommencer à travailler. A Durand-Ruel, le 10 octobre : « Je commence seulement à me ressaisir un peu et je pense me remettre au travail. Voilà l'hiver et rester inactif par ces journées tristes me serait trop pénible. Je vais donc essayer tout d'abord de terminer quelques *Venise*[20]. » Lors de la visite que lui fait Durand-Ruel quelques jours plus tard, celui-ci lui achète plusieurs toiles. Cet achat est décisif. Monet n'a plus le choix.

Aux Bernheim, le 17 octobre : « Et me voilà bien obligé de reprendre mes pinceaux. Je comptais du reste reprendre quelques *Venise* à votre intention et vais le faire également. Je sais bien, du reste, que je dois prendre sur moi et réagir ; et j'espère que le goût du travail prendra le dessus et sera pour moi la seule consolation possible[21]. »

Monet retourne à son atelier. Mais le travail y est impuissant à conjurer sa tristesse. Aveu fait à Blanche Hoschedé-Monet le 4 décembre : « Moi, la peinture me dégoûte complètement et je vais pour toujours remiser pinceaux et couleurs. Tout ce que j'ai pu faire ces temps-ci a été de gâter complètement plusieurs toiles de Venise qu'il me faut détruire, triste résultat. J'aurais mieux fait de les garder telles, en souvenir des si heureux jours passés avec ma chère Alice[22]. » Monet n'en peut plus. Il le confirme le 29 décembre à Geffroy : « Je m'étais remis au travail et je me croyais sauvé, mais je ne suis plus bon à rien et suis navré de ce que je fais, même de ce que j'ai fait[23]. » Et d'ajouter : « Bref, je suis très malheureux, c'est tout ce que je puis vous dire[24]. »

Malheureux de survivre au peintre qui, il n'en doute pas, est mort le 19 mai 1911.

1912

Il ne me manquait plus que cela[1]

La maison est vide. Si Marthe Butler vit à Giverny avec son mari Théodore, si elle est attentive à Monet, elle reste malgré tout distante. Aînée des filles Hoschedé, elle n'a jamais cessé d'être et de se vouloir une Hoschedé, et sans doute Alice sa mère a-t-elle à ses yeux commis une faute impardonnable quand elle est devenue Mme Monet. Si Jean-Pierre Hoschedé vit lui aussi à Giverny, marié depuis près de dix ans, il n'envisage pas plus que sa sœur Marthe de revenir avec sa femme Geneviève dans la maison où sa mère est décédée. Ni les uns ni les autres ne souhaitent se mettre au service de Monet. Dès les premiers jours de janvier, les autres enfants, les Monet comme les Hoschedé, ont quitté Giverny.

A la fin du mois de janvier, Monet écrit à Durand-Ruel : « Quant à moi, je vis, hélas ! toujours bien tristement : ces jours de fête de fin d'année m'ont été bien pénibles à passer et il m'est résulté un redoublement de tristesse et d'abattement et de complet découragement. Je viens cependant de me dominer et de reprendre à nouveau mes pinceaux que j'avais abandonnés, et j'espère avoir prochainement terminé mes toiles de Venise. A part cela, ma santé est toujours bonne malgré tout[2]. » Il y a presque un an que Monet n'a pas touché un pinceau. Dès le lendemain, il écrit aux Bernheim. Les mots sont presque les mêmes : « Je pense avoir très prochainement terminé mes toiles de Venise, c'est-à-dire celles qui en valaient la peine : donc une exposition pourrait en être faite et je suis heureux de vous en informer car, depuis si longtemps qu'il en est question, j'en étais honteux vis-à-vis de vous. Cependant, je tiens à ce que vous ne vous gêniez pas avec moi, au cas où il ne vous conviendrait plus de donner suite à nos conventions[3]. » Les Bernheim, loin de renoncer à l'exposition, encouragent Monet à reprendre ses toiles, les seules qu'il ait peintes ailleurs qu'à Giverny avec Alice à ses côtés. Des souvenirs pareils à des reliques.

Le 1er avril, Monet annonce aux Bernheim qu'il est presque prêt : « Quand vous serez en possession de la totalité, je viendrai à Paris et nous verrons ensemble les toiles que vous voudrez bien me laisser garder pour moi, comme souvenir de notre séjour à Venise. Je serai spécialement heureux d'avoir un des *Palais Dario*[4]. » Comment Monet pourrait-il douter que ses marchands n'accèdent à tous ses désirs ?

Monet ne doute pas d'eux, il doute de lui-même. Et plus approche la date à laquelle est fixé le vernissage de l'exposition dans les salons de la galerie Bernheim au 15 de la rue Richepanse, plus le désarroi, l'inquiétude et les remises en cause grandissent. Avertissement daté du 8 avril : « Tous ces préparatifs me donnent la frousse et je me demande avec terreur si ces pauvres toiles méritent tous ces soins ; mais il me faut cependant répondre à tout ce que vous me demandez si aimablement. A vrai dire, il n'y a pas de séries parmi ces vues de Venise, mais seulement dif-

férents motifs répétés une, deux ou trois fois. Je vous adresse les titres
de celles que je compte livrer, mais sans pouvoir certifier le nombre de
certaines, n'étant pas certain de les mener à bien[5]. » Dépit et lassitude
datés du 15 avril : « Me voilà bien près de montrer mes *Venise* que
j'aurais tant aimé à revoir sur place, car comme toujours, hélas ! au
moment de les livrer, je suis toujours mécontent, travaillant jusqu'au
dernier moment pour ne pas arriver à grand-chose de bon. Et ce sera un
vrai soulagement quand ils seront tous emballés et que je ne pourrai ni
les voir ni les retoucher[6]. » Puis le remords le gagne : « Je suis très peiné
de vous causer de l'ennui mais il ne m'est pas possible de vous donner
d'autres *Venise*. J'ai beau me raisonner, ceux qui me restent sont trop
mauvais pour être exposés. N'insistez pas, c'est irrévocable. J'ai assez de
bon sens pour me rendre compte si ce que je fais est bon ou mauvais et
c'est absolument mauvais, et ne peux croire que des gens de goût qui s'y
connaissent un tant soit peu, trouvent bien ce que j'ai fait. Il y a trop
longtemps que cela dure, j'en ai assez, je n'ai qu'un regret, c'est de vous
avoir livré les toiles que vous avez et que vous ne voudrez pas me
rendre[7]. »

Le 18 avril, un sursaut balaie tous ses regrets : « Je ne puis vous dire
que je suis revenu sur mon découragement, mais enfin, je veux faire
l'impossible et lutter jusqu'au dernier moment pour vous être agréable
et ne pas vous mettre dans l'embarras. Je vous demande seulement de
bien vouloir m'envoyer votre garçon lundi prochain ou de préférence
mardi, qu'il apporte deux caisses et il emportera ce qui sera possible
sinon le tout. Je reste confus de tant de préparatifs pour si peu de
choses en somme, enfin[8]... » Rechute avouée le 2 mai à Gustave
Geffroy : « Je ne me tire pas de mes *Venise* et suis désespéré car l'exposition est irrévocablement annoncée. J'ai perdu le peu de bien qu'il y
avait dans ces toiles. Je me sens bien un homme foutu[9]. » Gustave
Geffroy s'empresse d'aller revoir les toiles que les Bernheim ont reçues
et d'écrire à Monet pour lui rapporter son sentiment comme pour lui
rapporter les premiers commentaires qu'il a pu entendre. Réponse rési-
gnée de Monet le 6 mai : « Quant aux *Venise*, je voudrais bien en être
aussi satisfait que vous semblez tous l'être. Il y en a quelques-unes de
possibles, mais ce n'est pas cela et je crains que votre amitié vous
aveugle. Enfin j'ai fait ce que j'ai pu[10]. »

Quatre jours plus tard, le 10 mai, c'est à Durand-Ruel parfaitement
conscient de l'importance de l'exposition des toiles vénitiennes chez ses
confrères – et rivaux –, les Bernheim, que Monet répond pour écarter

le projet d'une nouvelle et prochaine exposition consacrée à des *Nymphéas* : « Je suis très touché de votre amicale lettre et serais très heureux de vous voir bien que je doute que vous me décidiez à revenir sur une décision que je n'ai pas prise à la légère, et si depuis si long-temps vous m'avez trouvé mécontent de ce que je fais, c'est que cela était ma pensée. Et plus que jamais aujourd'hui je constate combien le succès immérité qui m'a été fait est factice. J'espère toujours arriver à mieux, mais l'âge, le chagrin ont épuisé mes forces. Je sais fort bien d'avance que vous trouverez mes toiles parfaites. Je sais qu'en les expo-sant elles auront grand succès, mais cela m'est indifférent puisque je les sais mauvaises et que j'en suis certain[11]. » Par retour du courrier arrivent à Giverny des protestations aussi affectueuses qu'indignées des Bernheim comme de Durand-Ruel.

Le vendredi 17 mai Monet vient à Paris faire lui-même l'accrochage dans les salons de la galerie. Les dernières toiles sont arrivées deux jours plus tôt, accompagnées d'une lettre penaude : « Je vous envoie 14 toiles, soit une de plus que je vous avais annoncé, mais me réservant, au moment de les placer, de supprimer celles qui ne me plairont pas en les revoyant chez vous. Il y en a plusieurs d'un peu fraîches, surtout une absolument pas terminée et qui est absolument fraîche. Votre garçon vous l'indiquera. Enfin, tout ceci pour vous prouver à vous et MM. Durand-Ruel tout mon bon vouloir[12]. » La lettre s'achève sur un post-scriptum d'excuses et de mise au point : « Toutes mes excuses de vous avoir tant ennuyé de mes lamentations. Inclus le détail des toiles envoyées et il y en a trois de plus grandes tailles que je viens de faire et que je me permets de compter un peu plus cher : celles marquées C à 14 000 francs et une marquée D à 15 000 francs pour le cas où je me déciderais à les exposer, ce que nous verrons ensemble vendredi[13]. » Il n'y a désormais pas la moindre ambi-guïté. Ces trois toiles « de plus grandes tailles » n'ont pas été peintes sur le motif même mais dans l'atelier de Giverny, d'après ses propres toiles comme d'après sa mémoire...

Le 28 mai 1912, tout est prêt lorsque l'exposition s'ouvre aux ama-teurs conviés. Le catalogue tiré à six cents exemplaires reproduit neuf des vingt-neuf toiles exposées. Il est publié avec une préface d'Octave Mirbeau. Malgré l'impossibilité où il est de pouvoir se servir de sa main droite depuis plusieurs mois à la suite d'une attaque, il a tenu à l'écrire. Sa verve est intacte : « Devant ces toiles où tant de certitude et de jeu-nesse se mêlent, je me souviens d'une parole de Claude Monet : "Venise... Non... je n'irai pas à Venise..." Monet avait raison. [...] Il attendit l'heure où la certitude et la maîtrise aboutissent à de nouveaux pressentiments[14]. » L'attente n'a pas été vaine. Mirbeau peut conclure : « Claude Monet est celui qui regarde avec le plus de confiance et d'obstination. Les académiques de toutes les époques sont des théoriciens. Ils ont de grandes pensées et considèrent l'œil comme une partie honteuse[15]... » Seconde conclusion de Mirbeau : « Les critiques d'art ont le plus souvent affirmé que l'initiateur fut Manet. Or le premier qui s'avisa que la lumière était, ce fut Claude Monet. Lorsque Claude Monet pensa que le soleil lui aussi appartenait au monde visible, Manet se cherchait encore lui-même à travers les musées. Tous les peintres d'aujourd'hui doivent leur palette à Claude Monet. Nul peintre désormais ne pourra s'affranchir des problèmes que Claude Monet a résolus ou posés. L'œuvre de Claude Monet a passé dans le langage de la peinture, comme l'œuvre d'un écrivain de génie passe dans la langue écrite et l'enrichit à jamais. Et il n'est pas question de peinture claire ou de peinture sombre. Le problème de la lumière est plus vaste que celui de l'éclat. Un Rembrandt qui naîtrait demain devrait de la gratitude à Claude Monet[16]. »

Mirbeau n'a pas par hasard terminé sa préface sur cette phrase. Il fréquente les peintres depuis assez longtemps pour savoir que la seule reconnaissance qui vaille est celle des peintres... C'est par le regard que les peintres portent sur les œuvres de leurs prédécesseurs, que les peintres inventent une nouvelle peinture. Parce que l'œuvre qu'ils regardent est un repère qui fascine comme elle est un défi qu'il faut relever. Pour preuve, cette lettre à Paul Signac datée du 5 juin : « Si les injurieuses critiques de la première heure m'ont laissé froid, je reste aussi indifférent aux éloges des imbéciles, des snobs et des trafiquants. L'opinion de quelques-uns dont vous êtes m'est précieuse[17]. »

Né en 1863, Signac a vingt-trois ans de moins que lui. Depuis son installation à Saint-Tropez, il y a quelques années, il a peu à peu renoncé à la technique de la division fondée sur l'emploi de couleurs complémentaires élaborée par Seurat. L'exemple de Monet lui est plus nécessaire : « Mon cher Maître, [...] Toujours un Monet m'a ému. Toujours j'y ai puisé un enseignement et, aux jours de découragement et de doute, un Monet était pour moi un ami et un guide[18]. »

C'est à Giverny qu'il a reçu cette lettre. C'est à Giverny qu'il prend connaissance des articles qui paraissent. Il ne trouve guère le temps de remercier ses amis. Dont l'un des plus proches, le cher Gustave Geffroy, qui donne deux articles, l'un à *La Dépêche*, l'autre à *La Vie*. Il lui fait une confidence qu'il ne saurait faire à nul autre : « Merci de tout cœur de vos deux articles dont je suis fier. Non, je ne suis pas un grand peintre. Grand poète, je ne sais. Je sais seulement que je fais ce que je peux pour rendre ce que j'éprouve devant la nature et que le plus souvent, pour arriver à rendre ce que je ressens, j'en oublie totalement les règles les plus élémentaires de la peinture, s'il en existe toutefois. Bref, je laisse apparaître des fautes pour fixer mes sensations. Il en sera toujours ainsi et c'est cela qui me désespère[19]. »

Malgré ce désespoir, Monet recommence à travailler d'après son bassin, son jardin. Au même Geffroy, il dit son obstination à vouloir peindre. 24 juin : « Je ne bougerai pas pour le moment, m'étant remis au travail[20]. » 1er juillet : « Je vais bien, mais je suis désespéré du temps. Je m'étais remis au travail mais il me faut renoncer à ce que j'avais entrepris. La nature n'est pas à vos ordres et n'attend pas. Il faut la saisir et bien saisir, ce qui n'est pas mon cas aujourd'hui après être resté si longtemps indifférent à tout[21]. » Dans la même lettre, pour la première fois, il dit l'inquiétude que provoque la santé de son fils Jean. Le 6 juillet, il ajoute : « Aujourd'hui, j'en suis tout à fait inquiet. Il vient d'avoir une assez grave attaque (congestion cérébrale). Vous pensez, quel coup pour moi s'il fallait qu'il perde la raison. Notre docteur est allé le voir sur la demande de celui de Beaumont-le-Roger. Bref, une consultation avec un spécialiste doit avoir lieu mardi, mais je ne vis plus et je n'avais pas besoin de ces nouvelles angoisses. Je m'étais remis au travail avec l'espoir d'arriver à quelque chose, mais vous voyez le temps qu'il fait. Il me faudrait cependant, et plus que jamais, me plonger dans le travail, car j'avais raison, malgré mes bons amis, ces *Venise*, c'est lamentable et j'aurais mieux fait de les garder comme un précieux souvenir[22]. »

Ces *Venise* qui ne peuvent prétendre à d'autre qualité que celle de « précieux souvenir » seraient-elles les dernières œuvres de Monet ? A la belle-mère de Jean-Pierre Hoschedé, Monet énumère ce qui lui tient lieu d'excuses pour n'avoir pas répondu plus tôt à l'une de ses lettres, sa paresse à prendre la plume, le souci qu'est la santé de Jean. Et d'ajouter enfin « un besoin de m'absorber dans le travail que je ne peux plus quitter afin de ne pas trop penser à ma tristesse, ce travail que j'ai dû abandonner depuis plusieurs années, hélas ! et qui me laisse aujourd'hui comme un débutant ayant tout à réapprendre[23] ».

Que vingt et une de ses toiles aient été présentées à l'exposition « L'Art moderne » en juin à Paris, rue de la Ville-l'Evêque, que d'autres toiles soient présentes depuis le début du mois de juillet au Jeu de Paume dans les jardins des Tuileries, que des œuvres partent pour Saint-Pétersbourg ou encore pour Francfort, tout cela semble lui être parfaitement indifférent. Les marchands font leur travail.

Quant à lui, « débutant » qui a « tout a réapprendre », la consolation du travail risque elle-même de lui être interdite. Tout à coup, le 23 juillet, tout semble remis en cause. Lettre au confident qu'est Gustave Geffroy datée du 26 juillet : « Il y a trois jours, me mettant au travail, j'ai constaté avec terreur que je ne voyais plus rien de l'œil droit. J'ai tout planté là pour aller bien vite me faire examiner par un spécialiste qui m'a déclaré que j'avais la cataracte et que l'autre œil était légèrement atteint aussi. On a beau me dire que ce n'est pas grave, que j'y verrai comme avant après l'opération, je suis très tourmenté et inquiet. Il ne me manquait plus que cela[24]. »

Quelques jours plus tard, le 5 août, Monet reçoit une invitation des Bernheim. Comment pourrait-il y répondre ? « Toutes espèces d'ennuis et d'inquiétudes me sont survenues coup sur coup. » Et d'énumérer un fils aîné malade, la cataracte, la menace d'une opération et un cyclone : « Mes saules pleureurs dont j'étais si fier, saccagés, ébranchés ; le plus beau entièrement brisé. Bref, un vrai désastre et ça a été un vrai chagrin pour moi. Plus que jamais et malgré ma pauvre vue, j'ai besoin de peindre et de peindre sans cesse[25]. »

Et il ne peut peindre sans cesse. Il y a des visites. Germaine Hoschedé-Salerou et son mari passent quelques semaines d'été à Giverny. Il y a les sollicitations qu'il faut éconduire : « Je n'aime guère à faire parler de ma personne ni à me prêter à ce qui peut passer pour de la réclame[26]. » Il y a cette vue qui baisse et qui l'oblige à dicter de plus en plus souvent les lettres à Marthe...

Au début du mois d'octobre, Clemenceau s'arrête, de retour des eaux, à Giverny sur la route de Bernouville. Il y a des félicitations à envoyer à Renoir qui vient d'être promu officier de la Légion d'honneur. Il y a une commande de carottes très courtes à châssis ou grelot, de pois rapides (Prince Albert) et de fèves Séville à envoyer en temps et en heure à M. Thiebaut, marchand-grainier, 30, place de la Madeleine, à Paris. Et c'est, en décembre, une envie de collectionneur. A Durand-Ruel : « Je tiens à vous confirmer ce que je vous ai dit hier que je serais heureux d'avoir les deux Delacroix dont nous avons causé, le *Portrait de l'artiste* jusqu'à environ 10 000 francs et *Le Coin d'atelier (Le Poêle)* jusqu'à 15 000, soit l'un ou l'autre, mais mieux encore les deux. Peut-être que la personne qui vous a commissionné pour *L'Atelier* consentirait à se retirer en ma faveur. A vous de voir cela et de faire pour le mieux, vous priant de m'informer du résultat. Oui, je serais heureux d'avoir ces deux choses[27]. »

L'année s'achève. Au cours de l'année 1912, MM. Durand-Ruel et Bernheim ont versé à Claude Monet la somme de 369 000 francs. Les revenus du « débutant » Claude Monet sont plus que décents...

VII

LE BASSIN AUX NYMPHÉAS

1913-1926

1913

Ma vie ne regarde personne[1]

A Giverny, la vie semble s'engourdir. Un ennui aigre s'installe. Monet répond aux vœux que lui envoient Durand-Ruel, Geffroy ou encore Sacha Guitry que son père Lucien lui a présenté il y a plus de dix ans. Les souhaits de bonne santé, de succès ou de bonheur sont aussi attentionnés que vains.

A Durand-Ruel, le 30 janvier : « Je suis de plus en plus dégoûté de ce que j'ai fait, j'ai toujours voulu croire que j'arriverais en progressant à me satisfaire et enfin faire quelque chose de bien. Hélas ! il me faut en faire mon deuil de cet espoir, je n'ai plus goût à rien. De ma vue, je n'ose trop rien dire ; par moments, je crois que ça va mieux, et puis après, c'est le contraire[2]. » En dépit de cette inquiétude lancinante, Monet se laisse convaincre par son fils Michel de faire un voyage dans les Alpes suisses avec les enfants Butler. L'art d'être grand-père... A la mi-février, pour quelques jours, il est à Saint-Moritz. Sur chacune des cartes postales qu'il envoie aux Hoschedé-Monet comme à ses amis, il se dit « émerveillé[3] », reprend goût à la vie.

Au lendemain de son retour à Giverny, il s'empresse de faire part à Durand-Ruel de ce qu'il éprouve : « En somme, ce déplacement m'a été tout à fait salutaire et m'a fait le plus grand bien[4]. » Les mots qu'il emploie pour dire à Geffroy son envie sont du même ordre : « Enfin je me semble renaître un peu[5]. »

Renaître ?... Une grippe le rappelle à l'ordre. 17 mars : « Je suis complètement abruti et naturellement suis plutôt disposé à tout voir au noir[6]. » Renaître ?... L'état de Jean s'aggrave. Il parvient à faire dans Giverny même l'achat d'une maison pour lui et Blanche, pour qu'ils

401

puissent être chez eux. Soupir de lassitude : « Que de tristesses nous attendent en vieillissant[7]. »

Commence le temps des consultations. C'est le docteur Valade. Mais il lui faut voir le docteur Morax. Le docteur Vasquez assiste à un autre examen. Les avis concordent. Les diagnostics concluent de la même manière. L'opération est inévitable. 1er juin : « Il me faut donc attendre courageusement le moment fatal de l'opération et de ses tristes conséquences[8]. » Monet ne s'y résout pas. Il obtient une nouvelle consultation auprès du docteur Liebreich. « Il est bien âgé, 93 ans, mais bien étonnant, paraissant en effet être un vrai savant[9]. » Ce qui ne manque pas de rassurer Monet. A la mi-juillet, la mélancolie est à nouveau à l'ordre du jour : « Sans courage, n'ayant goût à rien, je finis mes jours bien tristement, bien portant toutefois, ce qui devrait me permettre de travailler et d'oublier un peu, si ce n'était la tristesse de voir journellement l'état de mon fils s'aggraver de jour en jour. Mes yeux, après m'avoir donné bien de l'inquiétude pendant quelque temps, comme vous le savez, semblent aller mieux. Je n'y vois pas très bien, mais enfin le mal me semble ne pas progresser[10]. » Cet état stationnaire permet de repousser à une date incertaine l'opération.

En août, Monet accepte l'invitation de Sacha Guitry dans la propriété duquel il passe quelques jours. Puis, il est quelques jours encore chez les Bernheim. En septembre, il retourne chez Sacha Guitry et sa compagne Charlotte Lysès. A son retour, il ne peut les remercier aussitôt de leur « toujours bonne hospitalité[11] » à cause d'une crise hépatique. La lettre datée du 21 septembre, qui est une invitation pour un déjeuner, les rassure par cette phrase : « Il n'y paraît plus aujourd'hui, ce n'était que l'abus d'une trop bonne cuisine et peut-être aussi l'excès de rires[12]. »

L'excès de rires... Depuis combien d'années Monet n'a-t-il pas « subi » cet excès ? Peut-être est-ce ce rire qu'il a réappris chez Sacha Guitry qui le provoque à vouloir que la salle à manger de Giverny résonne à nouveau d'appels, de conversations, de rires peut-être... A Geneviève Costadau-Hoschedé, dont deux lettres sont restées sans réponse, Monet explique le 3 octobre : « Depuis mon retour, j'ai été assez dérangé par toute une série d'invités venus ici déjeuner, les Guitry d'abord, puis les Bernheim, les Durand-Ruel, et j'ai dû aller à Paris voir mon ami Renoir avant son départ[13]. »

Ces déjeuners et ces voyages donnent à Monet une nouvelle vigueur. Le 18 novembre, il confie à Durand-Ruel : « Je travaille pas mal un tas de toiles que j'essaye de terminer, ce qui n'est pas toujours facile, mais enfin cela m'intéresse et m'occupe en attendant de pouvoir peindre sur nature[14]. » Le peintre Claude Monet recommence à vivre.

Quant à l'homme, c'est autre chose. Cinglante réponse faite à un indiscret qui l'importune : « Je suis vieux et vis retiré. J'ai horreur de la réclame, des interviews et de tout ce qui y ressemble. L'on peut discuter mes œuvres, mais ma vie ne regarde personne[15]. »

Seule son œuvre lui importe à nouveau. Et, lecteur scrupuleux du *Journal* de Delacroix, peut-être alors médite-t-il sur cette remarque datée du 1er mars 1859 : « Après avoir passé une grande partie de sa vie à accoutumer le public à son génie, il est très difficile à l'artiste de ne pas se répéter, et de renouveler, en quelque sorte, son talent, afin de ne pas tomber à son tour dans ce même inconvénient de la banalité et du lieu commun qui est celui des hommes et des écoles qui vieillissent[16]. »

1914

Bien que j'aie un peu honte de penser à de petites recherches de formes et de couleurs[1]

Dès le premier jour de l'année, Monet doit s'aliter. Les années qui passent seraient-elles aussi implacables pour tous ? Monet s'inquiète. A Joseph Durand-Ruel, le 17 janvier : « Je serais bien heureux d'avoir des nouvelles de votre père, comment il supporte ce temps dur, savoir aussi si Renoir continue à être quand même vaillant. Moi, j'ai bien mal commencé l'année[2]. » La fatigue est si grande qu'il doit, la lettre à peine commencée, s'interrompre, en rester là : « Je dois même avouer que je me vois obligé de m'arrêter, vous priant de me donner des nouvelles que je souhaite bonnes[3]. »

Les santés sont déclinantes, mais c'est toujours moins grave que ce que l'on redoute. Au bout du compte, elles sont pour Durand-Ruel, pour Renoir, pour lui, ce qu'elles doivent être à propos d'hommes qui ont plus de quatre-vingts ans, plus de soixante-dix ans... Il n'y a pas de quoi s'inquiéter outre mesure, d'autant que rien, en ce début d'année 1914, ne semble devoir ébranler l'ordre du monde...

Quand, au début février, Monet peut se relever, à nouveau sortir dans le jardin grâce à l'« admirable soleil[4] », c'est l'inquiétude qui s'impose :

« Mon fils Jean qui semblait aller tout doucement est depuis hier dans un état inquiétant, il est là près de moi dans l'atelier, n'ayant pu être transporté. Quelle tristesse[5] ! » Trois jours plus tard, tout est fini. Jean Monet meurt le 9 février 1914 à 9 heures du soir. A Geffroy le 10 : « Mon pauvre fils décédé hier au soir[6]. »

Que représente pour Monet la mort de ce fils qui aurait eu quarante-sept ans le 8 août 1914 ? Quels souvenirs d'un temps d'audace, de morgue et de manque, convoque cette mort ?

A Geffroy qu'il remercie de ses affectueuses condoléances, Monet confie que sa « pauvre fille si admirablement dévouée et si courageuse[7] » ne le quittera plus, « ce qui sera pour tous deux une consolation[8] ». La présence de Blanche Hoschedé-Monet auprès de son beau-père est indéfectible. Son frère Jean-Pierre Hoschedé confirme : « Dès lors elle ne le quitta plus, étant, suivant le titre que lui donna Clemenceau, "l'ange bleu de Claude Monet"[9]. » Constat de Gustave Geffroy : « On peut dire que Monet a trouvé le courage de survivre et de vivre, et la force de travailler, par la présence de celle qui devint sa fille dévouée, lui gardant sa maison intacte, l'encourageant à reprendre ses outils de peintre, recevant ses amis comme le faisait autrefois sa mère[10]. » Précision de Jean-Pierre Hoschedé : « Ma sœur faisait alors tellement partie de la vie de Monet, à tout instant, que si, et fort rarement d'ailleurs, Monet acceptait une invitation chez des amis, elle était toujours elle aussi invitée. Personne n'eût pu penser ne pas voir Blanche aux côtés de Monet, toujours et partout[11]. »

Ensemble, ils doivent faire face dès le début du mois de mars à une nouvelle épreuve. Michel, le second fils de Monet, doit être opéré. Le 10 mars, ils savent à quoi s'en tenir. Monet, descendu avec Blanche à l'hôtel Terminus, à Paris, peut aussitôt rassurer les Bernheim . « L'opération s'est bien passée, mais il a besoin de repos et de soins pendant quelques jours[12]. » La convalescence de Michel à l'hôtel Terminus même permet de reprendre une vie sociale, d'inviter Gustave Geffroy à déjeuner, de retrouver Charlotte Lysès, de parler avec elle de Sacha Guitry souffrant lui aussi, de parler de rosiers pour leur propriété de Yainville, d'envisager que l'on s'y retrouve pour Pâques. Autant de projets qui imposent, de retour à Giverny, de lui écrire pour qu'elle puisse informer Sacha dans les détails : « Vous voudrez bien lui dire si vous m'autorisez à commander pour vous des rosiers chez Nonin et chez Clark, car le temps passe : je ferai en sorte que ces commandes soient livrées au plus vite et j'irai à Yainville en emportant les plantes que je pense vous donner pour le moment et ferai planter le tout devant. Si cela vous va, je suis à votre disposition afin qu'il y ait un commencement de plantations pour le Vendredi saint[13]. »

A Giverny, il faut éconduire poliment un importun qui voudrait reproduire ses dessins. Un dessin ! Ne sait-on pas enfin que c'est lui demander l'impossible ? « Je suis très embarrassé pour vous répondre comme vous le souhaitez, ne dessinant jamais qu'avec un pinceau et la couleur et ayant toujours refusé à mes meilleurs amis de me livrer à un travail que j'ignore totalement. Il m'est très pénible de vous répondre par un refus, alors que faire ? je possède encore quelques rares croquis de jeunesse bien peu intéressants et peu dignes d'être reproduits[14]. » Malgré tout, Monet invite son correspondant à venir jusqu'à Giverny voir ce dont il dispose. A la fin du mois d'avril, il fait à Geffroy la même invitation à venir le voir. Pour le convaincre de ne plus différer sa venue, il lui réserve une surprise : « Quant à moi, je me porte à merveille et suis obsédé par le désir de peindre... [...] Je compte même entreprendre de grandes choses, dont vous verrez des tentatives anciennes que j'ai retrouvées dans un sous-sol. Clemenceau les a vues et en est épaté. Enfin, vous verrez cela bientôt, j'espère[15]. » Quelles sont ces « grandes choses » que Monet veut entreprendre ? Qu'a-t-il bien pu cacher, se cacher dans une cave ? Qu'a-t-il pu montrer à Clemenceau qui en ait été « épaté » ? Monet ne donne pas la moindre indication, pas le moindre indice. Il travaille.

Ce qui l'empêche de répondre à Fénéon. Il lui écrit le 17 juin : « Je vous demande pardon de n'avoir pas répondu à votre première lettre, mais je suis en pleine fièvre de travail et si absorbé, si las, la journée finie, que je n'ai pas le courage d'écrire[16]. » Ce sont de semblables excuses qu'il doit à Paul Durand-Ruel qui vient de perdre sa fille Jeanne, emportée par un cancer. Il lui écrit le 29 juin : « Je veux toujours vous écrire pour savoir comment vous allez, mais comme vous devez le savoir, je me suis remis au travail et vous savez que quand je m'y mets, je m'y mets sérieusement, si bien que, levé dès 4 heures du matin, je pioche toute le journée et, le soir venu, je suis rompu de fatigue, si bien que j'ai oublié tous mes devoirs, ne pensant qu'au travail que j'ai entrepris[17]. » Conclusion : « Je suis aussi bien que possible, ma vue est bonne enfin. Grâce au travail, la grande consolation, tout va bien[18]. »

En ce 29 juin 1914, l'inquiétante nouvelle n'est pas encore arrivée à Giverny... La veille, à Sarajevo, l'archiduc François-Ferdinand, héritier du trône d'Autriche-Hongrie, et sa femme Sophie, duchesse de

Hohenberg, ont été assassinés par un certain Gavrilo Princip, membre d'un groupe anarchiste et nationaliste, *Mlada Bosna*, Jeune Bosnie. Dans toute l'Europe, les chancelleries s'affairent.

La menace de la guerre se fait jour après jour plus intense. Que veut la Russie, humiliée par la défaite face au Japon lors de la guerre de 1904-1905, ébranlée par la révolution de 1905 ? Que fera l'Allemagne qui s'estime menacée par la Triple Entente franco-anglo-russe qui l'encercle ? Et l'Angleterre qui ne peut admettre ni la puissance de la flotte allemande ni celle de son industrie ? Et la France où le chauvinisme attend depuis des années de venger la défaite de 1870 ? La tension monte. La fatalité de la guerre semble irrésistible. La France peut ne pas la redouter, ne serait-ce qu'en raison de la puissance de ses alliés. Delcassé assure qu'il a vu, de ses propres yeux vu, tous les chemins de fer stratégiques russes et que, si la guerre éclate, en quinze jours les Russes seront à Berlin. Abel Bonnard invite dans *Le Figaro* à embrasser la guerre « dans toute sa sauvage poésie[19] ». Le 23 juillet, l'Autriche-Hongrie lance son ultimatum à la Serbie.

Seul Jaurès se lève contre la guerre. A Lyon-Vaisse, le 25 juillet 1914, son discours est une menace et un espoir encore : « Vous avez vu la guerre des Balkans : elle a laissé dans la terre des champs de bataille, dans les fossés des chemins ou dans les lits des hôpitaux, infectés par le typhus, cent mille hommes sur trois cent mille... Songez à ce que serait le désastre pour l'Europe : ce ne serait plus trois cent mille hommes, mais quatre, cinq, six armées de plusieurs millions d'hommes chacune qui s'affronteraient. Quel massacre, quelles ruines, quelle barbarie ! Voilà pourquoi, quand la nuée d'orage est déjà sur nous, je veux espérer que le crime ne sera pas consommé[20]... » Le 29 juillet, le *Wiener Zeitung* publie ces phrases de l'empereur François-Joseph : « J'ai tout examiné et tout pesé ; c'est la conscience tranquille que je m'engage sur le chemin que m'indique mon devoir[21]. » Le 31 juillet, l'ambassadeur d'Allemagne à Paris, Schœn, informe le ministre des Affaires étrangères René Viviani de ce que son pays est contraint, par la mobilisation de treize corps d'armée russes, de proclamer le *Kriegsgefahrzustand*, l'état de danger de guerre. Le même jour, au Croissant où il est allé déjeuner avec son équipe de *L'Humanité*, Jaurès est tué par Raoul Villain. Le cri retentit dans la rue Montmartre : « Ils ont tué Jaurès ! Ils ont tué Jaurès ! »

Ils ont tué la paix. Le 1er août, l'Allemagne déclare la guerre à la Russie. Le 3 août, l'Allemagne déclare la guerre à la France. Le 4 août, les armées allemandes entrent en Belgique. Sa neutralité violée provoque l'immédiate entrée en guerre de l'Angleterre. Et les troupes allemandes entrent en France, et la première armée de von Kluck avance sans qu'aucune résistance semble pouvoir lui être opposée. Arras est pris. Et Amiens. Et Compiègne.

On s'inquiète à Giverny où l'on n'a plus la moindre nouvelle de personne. Le 6 août, Monet écrit aux Bernheim : « Bref, nous sommes comme perdus ici, ne recevant que peu ou point de lettres. Que c'est donc triste ! Je vous en prie, un mot me donnant des renseignements sur les uns et les autres. Et Renoir ! Les Durand ! Ici la maison se vide, hélas[22] ! »

Jean-Pierre Hoschedé est mobilisé comme le sont aussi les fils de Renoir. Mme Salerou et ses filles se réfugient en Touraine, non loin de Blois, chez une de ses tantes. Et les armées allemandes continuent d'avancer. Lettre à Joseph Durand-Ruel datée du 31 août : « J'espérais voir aujourd'hui MM. Bernheim qui devaient passer et je comptais leur demander s'il n'y aurait pas moyen, en présence de la situation, de transporter chez vous ou chez eux ou bien en un endroit sûr, un certain nombre de mes toiles et spécialement celles de ma collection. N'ayant pas vu ces messieurs, je viens vous demander de les voir s'ils sont à Paris et de voir ensemble ce qu'il serait possible de faire. Peut-être pourriez-vous louer une voiture automobile qui viendrait avec une personne de confiance emporter ce qui serait possible. Naturellement, je reste ici, mais je serais bien aise de sauver ce qui sera possible, en tout cas d'en mettre une partie à l'abri[23]. »

Monet est seul à Giverny. Avec Blanche. Avec Michel qui a été réformé. Si les uhlans doivent entrer dans Giverny, « si ces sauvages doivent me tuer, ce sera au milieu de mes toiles, devant l'œuvre de toute ma vie[24] ».

Le 9 septembre, grâce à une manœuvre de Gallieni sur l'Ourcq, le front de l'armée allemande semble céder, craquer entre Meaux et Châlons-sur-Marne. La 5ᵉ armée de Franchet d'Esperey a mis à découvert le flanc de l'armée de von Kluck, contraint celle de von Bülow comme celle de von Hausen à un recul. Les taxis parisiens, qui viennent d'accomplir une première mission décisive à Nanteuil-le-Haudouin, repartent vers la Marne. Les « deux pattes » Renault – leur moteur à deux cylindres leur vaut ce surnom – y remportent une victoire. Les armées allemandes ne peuvent plus entrer dans Paris. Ni dans Giverny où la collection de Monet reste accrochée...

La guerre s'installe. « Ici nous allons bien malgré tant d'inquiétudes, et jusqu'à présent nous avons de bonnes nouvelles de tous ceux que nous avons sous les armes. Je serais très heureux de recevoir des lettres, ne voyant plus personne si ce n'est de malheureux blessés, car il y en a partout, dans les plus petits villages[25]. » Dans l'ambulance – l'hôpital de 14 lits – ouverte à Giverny dans le Prieuré, propriété depuis 1901 du sculpteur américain MacMonnies, les légumes servis aux blessés sont fournis par Monet. Cette aide n'est pas le seule qu'il apporte aux uns et aux autres. A la fin du mois d'octobre, il envoie 100 francs à Geffroy. Etre un académicien Goncourt n'épargne pas les difficultés financières... « C'est bien peu, mais, comme vous le savez, l'argent est bien rare et non seulement il faut aider et donner pour nos pauvres soldats, mais il est aussi bien des charges autour de soi, quitte à rester soi-même sans le sou à un moment donné[26]. »

En novembre, Geffroy le convie à participer à un déjeuner de l'académie Goncourt, chez Drouant. Monet vient à Paris. Ravi de ce déjeuner avec les académiciens, dès son retour à Giverny Monet s'empresse de confirmer à Geffroy qu'il est prêt à revenir : « Comptez sur moi pour le prochain déjeuner, si je ne suis pas un intrus[27]... » Ce passage de quelques jours à Paris a permis à Monet de revoir les Bernheim, les Durand-Ruel, de leur rappeler qu'avant un prochain départ pour les Etats-Unis il serait bien qu'ils prennent le temps de vérifier ce qu'ils lui doivent « depuis longtemps déjà[28] ». Lorsque commence le mois de décembre, la France, comme l'Europe, est contrainte de s'installer dans la guerre. A son retour à Paris, Clemenceau qui revient de Bordeaux où le gouvernement et le Parlement s'étaient repliés, rend aussitôt visite à Monet. S'en tient-il, humblement, à lui dire ce qu'il vient d'écrire à Geffroy : « Je me suis remis au travail ; c'est encore le meilleur moyen de ne pas trop penser aux tristesses actuelles bien que j'aie un peu honte de penser à de petites recherches de formes et de couleurs pendant que tant de gens souffrent et meurent pour nous[29]. » Est-ce ce jour-là qu'avec l'« accent doucement autoritaire » de sa voix il lui a confié devant ses toiles : « Je n'ai fait que regarder ce que m'a montré l'univers, pour en rendre témoignage par mon pinceau. N'est-ce donc rien ? Votre faute est de vouloir réduire le monde à votre mesure, tandis que, croissant votre connaissance des choses, accrue se trouvera votre connaissance de vous-même. Votre main dans la mienne, et aidons-nous les uns les autres à toujours mieux regarder[30]. »

1915-1916

Alors je poursuis mon idée de *Grandes Décorations*[1]

Une fois de plus, l'année commence mal. Bulletin de santé donné à Paul Durand-Ruel le 15 janvier : « J'ai mal commencé l'année ayant été un peu malade et j'ai même eu peur d'être pris comme l'an dernier à pareille époque[2]. » Le même jour, il répond à Raymond Koechlin qui, historien, professeur, amateur d'art, se soucie de savoir ce que devient ce projet dont Monet l'a entretenu – « Vous me parliez alors d'une grande salle à manger comme entourée d'eau où sur tous les murs les nymphéas flotteraient à hauteur d'œil[3]. » De quoi s'agit-il ? « Je vous aurais déjà répondu sans une indisposition heureusement passée à présent, puisque depuis hier j'ai pu me remettre au travail, ce qui est le seul moyen de ne pas trop penser aux tristesses de l'heure présente. Quoique j'aie parfois comme une honte de me livrer à des recherches d'art pendant que tant des nôtres souffrent et se font tuer pour nous. Il est vrai que se morfondre ne change rien aux choses. Alors je poursuis mon idée de *Grandes Décorations*. C'est une bien grosse chose que j'ai entreprise surtout à mon âge, mais je ne désespère pas d'y arriver si je conserve la santé. Comme vous l'avez deviné, il s'agit bien de ce projet que j'avais eu, il y a longtemps déjà, de l'eau, des nymphéas, des plantes, mais sur une très grande surface[4]. »

Pendant des mois et des mois, Monet décline les invitations qui lui sont faites, diffère les voyages qu'il devrait faire à Paris. La priorité absolue est donnée aux *Grandes Décorations*. Malgré son âge, malgré les doutes qui le taraudent encore, malgré le temps si variable que c'est à en désespérer, malgré les travaux de construction d'un nouvel atelier. Aucun des deux dont il dispose n'est à l'échelle de ce qu'il entreprend. Le travail intense dans lequel Monet s'engage n'est troublé que par le départ à la mi-mars de son fils Michel. Quoique réformé, celui-ci s'est engagé. Il est affecté à un régiment d'infanterie. Si Monet écrit le 10 février aux Bernheim : « Je ne fais pas des merveilles, j'use et gâche beaucoup de couleur, mais cela m'absorbe assez pour ne pas trop penser à cette terrible, épouvantable guerre[5] », après le départ de Michel, son travail ne peut être qu'une « distraction » plus nécessaire encore.

Le travail... Le mot revient sans cesse sous sa plume. 23 février : « Qu'il vous suffise de savoir que je travaille beaucoup, ce qui est encore le seul moyen de ne pas trop penser à tout ce qui se passe[6]. » Ce travail n'est interrompu – à peine – que par une singulière intervention de Sacha Guitry dans la vie réglée de Giverny. Au début du mois de juillet, il tourne l'une des séquences de *Ceux de chez nous* dans le jardin de Monet. Lui-même peint devant la caméra coiffé d'un chapeau de paille. Travail... Travailler... 19 août : « Je vais très bien et travaille énormément, me donnant un mal terrible à cause du temps si variable que nous avons depuis deux mois ; aussi ne réussirai-je pas à faire ce que je voulais du moins cette année. Je parle là comme si j'en avais beaucoup devant moi, ce qui est pure folie, comme d'avoir entrepris un pareil travail à mon âge et de me lancer dans de gigantesques constructions[7]. » 14 septembre : « Pour moi, je suis encore en plein travail, très surmené par des mois de travail ininterrompu ; il est temps que l'été finisse pour me reposer un peu[8]. »

Lorsque l'été s'achève, les travaux de construction du nouvel atelier ne sont pas achevés. Il a fallu détruire quelques baraques vétustes dans une parcelle acquise depuis quelque temps déjà, terrain contigu à la propriété, dans l'angle que dessinent la route dite d'en haut et la rue d'Amsicourt. L'arrêté de la sous-préfecture qui autorise la nouvelle construction date du 5 juillet. Les travaux ont aussitôt commencé. L'entrepreneur de Vernon, M. Lanctuit, a fait aussi vite que possible. Si M. Monet trouve la construction affligeante de laideur, que faire ? Les plantes grimpantes peuvent être un recours pour la cacher... A Geffroy, le 29 septembre : « Je serais venu vous voir si je n'étais retenu ici par la fin des travaux de mon atelier et tous les ennuis et tracas que cela cause[9]... » Un mois plus tard, Monet n'est toujours pas venu à Paris : « J'avais l'espoir de pouvoir venir plus tôt, mais je suis encore retenu ici par les ouvriers et mon installation définitive dans mon nouvel atelier où je vais enfin pouvoir juger de ce que j'ai fait[10]. »

Enfin, à la fin du mois d'octobre, il peut confirmer aux Bernheim qu'il vient de prendre possession de ce nouvel atelier. Description par Jean-Pierre Hoschedé : « Cet atelier magnifique mesure vingt-deux mètres de long sur douze de large. Il comportait naturellement, pour éviter le soleil, un vélum mobile. Un chauffage central fut installé, car Monet travaillait aussi en hiver. Pour tempérer la chaleur d'été, des ventilateurs électriques furent placés dans des ouvertures d'angle, établissant l'aération indispensable. Cet atelier, ainsi aménagé, et avec ce parfait éclairage, permet à Monet d'y peindre avec la pleine lumière du jour venant ni de droite ni de gauche, ni du nord, ni du sud, mais du ciel, tout simplement[11]... » Dans cet atelier où règne une lumière incomparable, Monet met au point une méthode de travail qui s'accorde aux grands formats. Témoignage de Jean-Pierre Hoschedé : « Pour peindre la partie supérieure des toiles, Monet utilisait une plate-forme, sorte de table basse mais spacieuse sur laquelle il montait et pouvait se déplacer aisément pour atteindre le haut des panneaux sans fatigue et sans gêne. En cet atelier géant, pour la première fois – je le répète – Monet peignit un motif de la nature à l'atelier[12]. » Certains visiteurs remarquent un grande feuille maculée de taches. A ceux qui s'inquiètent de savoir ce que c'est, Monet répond qu'il « mettait sur un grand buvard dans son atelier les couleurs qu'il pressait, afin d'éliminer l'huile qu'elles contenaient, avant de s'en servir[13] ».

Monet n'interrompt son travail en novembre 1915 que pour un bref séjour à Paris. Sacha Guitry l'invite à une projection de *Ceux de chez nous*. Pour une nouvelle sortie de son film en 1939, Sacha Guitry enregistre ce commentaire : « Ne vous êtes-vous jamais écrié en pensant au cinéma : "Ah ! Si on avait inventé cela plus tôt !" Moi, je me le suis dit très souvent. Je me suis dit : Quelle émotion nous aurions si, tout à coup, on nous montrait Michel-Ange sculptant son *Moïse*, Léonard de Vinci peignant la *Joconde*, Bossuet prêchant, Jean de La Fontaine écrivant une fable, Racine, Voltaire, Jean-Jacques... Si nous pouvions voir ces visages, les regards de ces hommes, leurs gestes familiers, comme ce serait beau ! [...] Or, en 1914, j'avais réuni ceux qui, dans toutes les branches de l'art, m'avaient semblé incarner le génie français. Et j'avais intitulé ce film : *Ceux de chez nous*, indirecte et modeste réponse à l'odieux manifeste des intellectuels allemands. » Au cours des trois quarts d'heure que dure le film, apparaissent, sur l'écran du théâtre des Variétés, Rodin, Edmond Rostand, Sarah Bernhardt, Camille Saint-Saëns, Mirbeau, Anatole France, Antoine, Lucien Guitry, Renoir, Degas qui marche sur le boulevard de Rochechouart et... Monet. Au cours de son séjour parisien, il retrouve Michel en permission. « Il sera sûrement bien content de voir la binette de son père[14]. » Il se garde de préciser ce dont Sacha Guitry se souvient : « Quand je l'ai cinématographié, il n'a pas cessé un instant d'être furieux[15]... »

A peine de retour à Giverny, Monet se remet aussitôt au travail : « Ça va tout doucement, c'est-à-dire que je travaille à force et je gaspille de la couleur en masse. Heureusement que les jours sont courts, autrement je finirais par ne plus pouvoir payer ce que j'use de couleurs. Enfin, cela fait fuir le temps, on a assez de penser à cette horrible guerre[16]. »

Et, mois après mois, Monet ne veut plus que travailler en dépit de tout. 8 février : « Je suis si pris par mon satané travail qu'aussitôt levé, je file dans mon grand atelier. J'en sors pour déjeuner et cela enfin jusqu'à la fin du jour... le soir c'est la pâture des journaux... et l'on se couche[17]... » 19 avril : « J'ai bien entendu des moments de complet découragement et cela au grand dommage de ceux qui m'entourent, de la pauvre et si dévouée Blanche qui supporte ma mauvaise humeur, car je me sens bien désagréable et surtout injuste quand je songe à tant de malheureux[18]... » 1er mai : « Je continue de travailler à ces fameuses *Décorations* qui me passionnent. Elles sont loin d'être terminées, mais elles ont le mérite de m'occuper l'esprit, ce qui est beaucoup pour l'heure[19]. » Elles ne cessent pas de l'occuper pendant des mois. 12 décembre : « En ce moment je suis lancé dans des transformations de mes grandes toiles et n'en sors pas, et je suis d'une humeur de chien sans compter l'énervement de tout ce qui se passe en ce moment[20]. »

Pendant ces mois de travail sans relâche Monet aura eu le plaisir de vérifier une fois de plus l'indéfectible soutien de Clemenceau, enthousiasmé par « ce formidable travail qui est, à vrai dire, de la folie[21] ». Monet aura regretté d'avoir dû reporter la visite d'un jeune peintre. Celui-ci est né en 1869 et pourrait être son fils. On en parle beaucoup depuis que, avec Camoin, Derain, Marquet, Vlaminck, d'autres encore, cet Henri Matisse passe pour être le chef des « fauves » depuis leur apparition dans la salle VII du Salon d'automne en 1905. Il a alors été « baptisé » par le critique Louis Vauxcelles, comme Louis Leroy avait fait de Monet un « impressionniste » trente ans plus tôt... Et Monet aura reçu cette lettre de l'ami Renoir : « Je suis enchanté de savoir que tu as de grandes décorations, ce sera des chefs-d'œuvre de plus pour l'avenir[22]. » Et d'ajouter, car il prévoit un prochain voyage à Paris : « Ce sera une vraie joie rien que d'y penser de manger la côtelette avec toi, j'en bave d'avance. Continue à bien te porter, c'est ce que je puis souhaiter de mieux pour tous[23]... » Quels encouragements peuvent avoir plus de force que ceux de Renoir ? « Quant à Renoir, il est toujours épatant. [...] Il est admirable tout simplement[24]. » Monet craint de n'être tout simplement pas admirable lorsque l'année s'achève : « J'ai perdu des choses bien venues que j'ai voulues meilleures et qu'il me faut à tout prix retrouver[25]. »

1917-1918

C'est peu de chose, mais c'est la seule manière que j'aie de prendre part à la victoire[1]

Mécontent de son travail, Monet se retire.

Dès le mois de janvier, Gustave Geffroy sait à quoi s'en tenir lorsqu'il reçoit cette lettre : « Je sens que je suis à bout de forces et je ne suis plus bon à rien. Dans ces conditions, vous comprendrez que je n'ai guère le cœur de venir à Paris, à subir les conversations. J'en veux à ceux qui me trouvent du talent, ce qui n'est pas[2]. » Qu'on se le tienne pour dit. Tout est prétexte pour ne pas venir à Paris, le froid, l'irrégularité des trains qui ont des heures de retard. « Attendre par ce temps sur les quais, c'est aller au-devant de la mort[3]. » Tout est contrariété pour Monet. En ce début de l'année 1917, les Bernheim lui annoncent les prix extraordinaires auxquels plusieurs de ses œuvres ont été adjugées aux Etats-Unis, Monet grogne : « J'en suis suffoqué d'autant que je suis dans un état d'esprit à trouver tout ce que je fais absolument mauvais ; en tout cas ces prix sont un peu excessifs à mon avis[4]... » Un peu... Apprendre quelques jours plus tard que les Durand-Ruel ne sont pas étrangers aux résultats de cette vente Sutton ne le rassure pas : « C'est effrayant et j'en suis confus. J'espère au moins que vous n'avez pas acheté pour vous seul à ces prix fantastiques et que vous étiez commissionné[5]. »

Monet reste enfermé à Giverny. « Je reste calfeutré dans mon atelier et travaille toujours[6]. » La mort d'Octave Mirbeau l'oblige à rompre cette retraite. Le 19 février, lors de ses obsèques, Monet, tête nue, laisse couler ses larmes.

A Giverny où il rentre aussitôt, parviennent les demandes de dons de toiles, de pastels ou de dessins vendus au profit de telle ou telle œuvre charitable qui porte secours aux blessés, aux veuves, aux invalides, aux orphelins, aux réfugiés, à toutes les misères et tous les désespoirs que la guerre suscite. Et la guerre, immobile dans la boue des tranchées, terrible, implacable, semble ne pas devoir finir. Monet donne. Faute de donner à Bonnat, président de l'Œuvre des artistes malheureux, il donne au baron de Rothschild dont il soupçonne que sa propre œuvre

413

doit être liée à celle du membre de l'Institut. Il donne à la Fraternité des artistes. A la fin du mois de mars, lorsque enfin il revient à Paris, bougon comme il l'est depuis le début de l'année, il prévient Geffroy : « Je dois revenir à Paris après-demain et j'espère pour la dernière fois, ces allées et venues étant un grand dérangement pour moi[7]. »

Lorsque, quelques jours plus tard, Geffroy croit pouvoir, après tant d'autres, demander à Monet une œuvre, il reçoit cette réponse agacée : « Certes ces malheureux aveugles sont dignes d'intérêt, et je ferai de mon mieux, soit en donnant de l'argent ou une petite chose si j'en puis trouver car à force de donner, je finirai par ne plus rien avoir. Mais, avant de m'engager, je voudrais savoir ce que c'est que cette société de prêt et ce que sera cette vente, comment elle sera faite, car il y en a eu qui ont été désastreuses pour les donateurs, ce qui est très désagréable et ne profite qu'aux marchands[8]. » Quelques mois plus tard, Lucien Pissarro essuie lui aussi un refus : « J'accepte bien volontiers la présidence d'honneur de la société dont tu fais partie, mais, hélas ! et à mon grand regret, il ne m'est pas possible d'envoyer quoi que ce soit en ce moment pour bien des raisons que tu devineras sans peine[9]. » Il n'est pas sûr que Lucien Pissarro devine ou comprenne sans peine...

Au début du mois de mai, Monet semble enfin prêt à reprendre une vie sociale. Il confirme aux Bernheim qu'il est prêt à recevoir pour un déjeuner MM. Matisse et Marquet, qu'il conviendra qu'ils partent par le train de Paris à 8 h 27 ; ce train, qui est désormais le seul, arrive à Mantes à 11 h 14 où sa voiture les attendra. Le soir, ils pourront être de retour à Paris vers 6 heures. Monet n'aurait jamais ces attentions à l'égard de Picasso. Lorsque l'on a pour la première fois prononcé son nom devant lui, il a haussé les épaules : « J'ai vu des reproductions dans des revues. Cela ne me dit... Je ne veux pas voir ça, ça me mettrait en colère[10]. » Monet informe Geffroy de ce qu'il a reçu du ministre du Commerce et de l'Industrie, M. Etienne Clémentel – auquel il n'a pas manqué de demander s'il lui serait possible de lui obtenir de l'essence en dépit des restrictions –, une proposition singulière. « J'ai accepté d'aller à Reims (ou du moins quand les obus n'y tomberont plus) pour y peindre la cathédrale dans l'état où elle se trouve ; cela m'intéresse beaucoup[11]. » A la mi-octobre, Monet, exaspéré par la publication d'un article qui laisse entendre qu'il aurait sollicité cette mission officielle, adresse à Joseph Durand-Ruel une mise au point : « L'article est tout ce qu'il y a de plus idiot, je ne sais pas si son auteur est animé de bonnes intentions, ce qui au reste m'est égal, mais je reste surpris que vous n'ayez pas cru devoir protester contre l'affirmation que j'ai sollicité de peindre la cathédrale de Reims. Vous savez que jamais je n'ai rien sollicité de l'Administration des Beaux-Arts et cela n'est pas pour commencer à mon âge. Cela m'est fort désagréable et je m'étonne que vous l'ayez laissé passer. La vérité est que l'on me l'a offert et que je l'ai accepté à cause de l'intérêt qu'elle comporte[12]. » Le 1er novembre, il accuse réception de la demande qui lui est très officiellement faite par une lettre adressée à M. Albert Dalimier, sous-secrétaire d'Etat aux Beaux-Arts, qui le charge d'« exécuter pour le compte de l'Etat une peinture représentant la cathédrale de Reims[13] ». Très protocolairement, Monet précise : « Je tiens à vous exprimer combien je suis flatté et honoré de cette commande[14]. » Mais cette commande, la seule commande officielle jamais faite à Monet, ne sera jamais une réalité...

Quelle importance ? Monet a autre chose à faire.

En septembre, Monet, épuisé, s'apprête à partir se reposer au bord de la mer. La mort de Degas diffère son départ. La route de la Manche passe par Paris, par l'église Saint-Jean-l'Evangéliste, par le cimetière Montmartre où, le samedi 29 septembre, Edgar Degas est inhumé dans le caveau de sa famille. Lorsque, quelques jours plus tard, il se promène sur les côtes de la Manche, en ce début d'octobre 1917, Monet songe-t-il à ces propos de Degas : « Je vous écris de chez Halévy, à Etretat, où le temps est beau mais plus Monet que mes yeux ne peuvent le supporter[15] » ? Se souvient-il, si Ambroise Vollard lui a répété ces mots, de ce qu'il lui a dit un jour : « Vous savez que si j'étais le gouvernement, j'aurais une brigade de gendarmerie pour surveiller les gens qui font du paysage sur nature... Oh ! Je ne veux la mort de personne, j'accepterais bien encore qu'on mît du petit plomb pour commencer[16] » ? Degas ne s'est pas privé de répéter sa menace à André Gide qui a noté le 4 juillet 1909 dans son *Journal* qu'il a trouvé Degas « vieilli » et « exagérant sa hargne et grattant toujours le même endroit de son cerveau où le prurit se localise toujours plus. Il dit "Ah ! ceux qui travaillent d'après la nature ! quels impudents farceurs. Les peintres paysagistes ! quand j'en rencontre dans la campagne, j'ai toujours envie de les canarder. Pan ! Pan !" (Il lève sa canne, cligne un œil et vise les meubles du salon.) "On devrait avoir un service d'ordre pour ça"[17] ». Sans rancune, cher Degas... Le 21 octobre, au nom de l'admiration que Monet porte à son talent, de leur amitié de jeunesse et de leur lutte commune, Monet écrit au frère de Degas pour lui suggérer d'associer MM. Bernheim-Jeunes à MM. Durand-Ruel pour l'expertise de la vente qui doit avoir lieu. Parce que « eux aussi ont beaucoup fait pour notre groupe. Je crois que l'adjonction de ces messieurs ne pourrait qu'être utile au succès de la vente à tous les points de vue[18] ».

De retour à Giverny à la fin du mois d'octobre, il s'empresse de dire à ses marchands sa détermination. La première lettre est destinée aux Durand-Ruel : « Me voici ici, ravi de mon petit voyage où j'ai revu et revécu tant de souvenirs, tant de labeur. Honfleur, Le Havre, Etretat, Yport, Pourville et Dieppe, cela m'a fait du bien et je vais me remettre avec plus d'ardeur au travail[19]. » La seconde lettre demande aux Bernheim un délai avant de recevoir le critique d'art Félix Fénéon : « Mais oui, me voilà de retour et très satisfait de ce petit voyage où j'ai vu et revu de belles choses qui m'ont évoqué tant de souvenirs. [...] Pour la venue de Fénéon, je vous demande d'attendre un peu, parce qu'en arrivant, il m'a fallu mettre mon atelier en ordre de façon à reprendre mon travail et que j'ai besoin de reprendre de suite bien des choses que je revois avec un œil frais. Bref, donnez-moi 15 jours ou 3 semaines, à ce moment les soirées seront encore plus longues et je n'en aurai que plus de temps à donner à Fénéon puisque vous y tenez tant, bien que, pour ma part, je trouve qu'il soit suffisant de livrer les œuvres au public[20]. »

A la fin du mois de novembre 1917, Monet salue l'arrivée à la présidence du Conseil de son ami Clemenceau : « Et voilà mon vieux Clemenceau au pouvoir. Quelle charge pour lui ! Puisse-t-il faire de la bonne besogne malgré toutes les embûches qui vont lui être créées ! Quelle belle énergie tout de même[21] ! »

Personne n'ignore plus la relation amicale qui lie les deux hommes. Personne n'ignore l'admiration que Clemenceau porte à l'œuvre de Monet. L'intensité de cette relation notoire autorise Monet à demander au ministre Clémentel de bien vouloir lui consentir une dérogation : « Vous allez me trouver bien ennuyeux, mais je vais avoir à vous demander un nouveau service très important puisqu'il s'agit du transport de grands châssis et de toiles que j'ai commandés et que le chemin de fer refuse de prendre comme bagage ainsi qu'en expédition en grande vitesse et j'en suis très pressé ; il faudrait donc que vous puissiez obtenir une autorisation pour cela, je vous en serai bien reconnaissant, mais est-ce possible[22] ? » Ce sera possible... Monet ne saurait se passer de ces toiles, de ces châssis nécessaires à l'entreprise dont rien ne semble pouvoir le distraire.

Une offensive allemande ébranle le front en juin 1918 ? Monet travaille : « Quelle vie angoissante nous vivons tous. Je continue, et j'avoue en avoir un peu de honte, à travailler bien que par moments j'aie envie de tout planter là et j'en suis parfois à me demander ce que je ferais si une nouvelle surprise des ennemis survenait[23]. » Paris est bombardé ? Monet travaille... « Naturellement, je continue à travailler ferme, ce qui ne veut pas dire que je sois satisfait. Hélas, non ! et je crois que je mourrai sans avoir pu arriver à faire quelque chose à mon gré. Je cherche toujours à mieux faire comme le marchand de conserves, mais sans grand résultat, car je cherche l'impossible[24]. »

A tous, il pourrait écrire ces phrases qu'il a adressées aux Bernheim : « Moins que jamais je ne peux distraire un moment de la peinture ; je n'ai plus longtemps à vivre et il me faut consacrer tout mon temps à la peinture avec l'espoir d'arriver à faire quelque chose de bien, à me satisfaire si possible[25]. »

C'est à la fin du mois d'octobre que survient la menace la plus importante à laquelle il ait eu à faire face depuis le début de la guerre. Il en informe aussitôt le ministre du Commerce et de l'Industrie : « Une chose grave m'arrive, mon marchand de couleurs, M. Mulard, 8, rue Pigalle, m'informe que manquant d'huile il ne pourra plus me fournir ; il me demande de m'adresser à vous pour lui en procurer. Est-ce possible ? Oui, j'espère, autrement me voilà obligé de m'arrêter court. » Si la guerre dure encore, les *Grandes Décorations* ne seront jamais achevées... Il faut que la guerre cesse.

Le 11 novembre 1918, dans le wagon de Foch, à Rethondes, l'armistice demandé par l'Allemagne, où Guillaume II vient d'abdiquer l'avant-veille, est signé. Le 12, Monet écrit à Clemenceau : « Je suis à la veille de terminer deux panneaux décoratifs que je veux signer du jour de la victoire et viens vous demander de les offrir à l'Etat, par votre intermédiaire. C'est peu de chose, mais c'est la seule manière que j'aie de prendre part à la victoire. Je désire que ces deux panneaux soient placés au musée des Arts décoratifs et serais heureux qu'ils soient choisis par vous. Je vous admire et vous embrasse de tout mon cœur[26]. »

Le 18 novembre, Clemenceau, devenu le Père la Victoire, déjeune à Giverny. Le 24 novembre, Monet écrit aux Bernheim pour s'excuser d'avoir tardé à leur répondre en raison d'un indisposition, d'une sorte de syncope : « Bref, il n'y paraît plus, mais me voilà décidément arrivé à un âge où il faut s'observer et prendre des précautions, ce qui n'est pas mon fort. J'avais cependant fait une fort belle entrée dans ma 79e année avec cette belle victoire d'abord, le souvenir de bons amis et la visite du grand Clemenceau venu me demander à déjeuner ; c'était son premier jour de congé et c'était pour me venir voir, ce dont je suis très fier. Aussi je ne réponds guère à votre lettre, allez-vous dire. M'y voici et je vous avoue que j'espérais que vous alliez renoncer à votre projet, ce dont en moi-même j'étais fort content, n'aimant guère être mis en évidence et, sans fausse modestie, ne m'en croyant pas digne, loin de là. J'ai fait comme peintre ce que j'ai pu et cela me semble assez. Je ne veux pas être compté aux grands maîtres du passé, et ma peinture appartient à la critique : cela est suffisant. Vous savez toute la sympathie que j'ai pour M. Fénéon, c'est vous dire que je serais très heureux de le recevoir et de causer avec lui, mais lui dicter mes souvenirs, non, je m'y refuse et, en somme, cela importe peu[27]. »

1919

Je ne bouge plus de mon jardin[1]

L'eau monte. Jour après jour, l'inondation enfle. Il est à craindre qu'elle soit aussi grave que celle de 1910. Constat du 10 janvier : « Voilà que nous sommes cernés par l'eau et que, pour aller à Vernon, il faut faire de grands détours. A part cela, cela va à peu près, je n'ai pas été très bien tous ces temps derniers, mais ça va mieux et je travaille toujours ferme sans pour cela arriver à faire ce que je voudrais et je n'y arriverai jamais, je le crains[2]. » Malgré ce découragement, Monet peint... Le 13 janvier, il remet à un employé des Bernheim venu en voiture à Giverny huit tableaux, dont deux leur sont destinés alors que les six autres doivent être remis aux Durand-Ruel. Les *Saules pleureurs* sont cédés pour 20 000 francs chacun ainsi que les deux *Coin de bassin aux nymphéas*. Les marchands de Monet doivent l'admettre, ses prix augmentent. Ce qui ne les trouble ni ne les gêne outre mesure parce que, au lendemain de la guerre, les amateurs ne manquent pas, et, peut-être parce que, l'inflation menaçant, ceux-ci préfèrent acheter avant que les prix grimpent encore... Post-scriptum de la lettre où Monet donne ces prix qui ne sauraient être contestés : « Nous voilà entourés d'eau et ne pouvant aller à Vernon qu'en faisant un grand détour par la côte, toute la route d'en bas est sous l'eau, mon bassin aussi ; il ne fait qu'un avec la Seine. C'est très beau, mais bien gênant et très triste ; on n'avait pas besoin de cela[3]. »

Les jours passent sans que rien ne dissipe cette tristesse, quand bien même les eaux de la Seine ne tardent pas à se retirer. Informé à la fin du mois de ce que les Bernheim viennent d'exposer de nouvelles toiles, Monet s'agace de n'avoir pas été prévenu. Les Bernheim auraient pu s'attendre à une colère... La lassitude le retient d'éclater comme il l'aurait fait quelques années plus tôt...

Les mauvaises nouvelles qu'il a de Renoir l'accablent plus que tout. Aux Bernheim, le 5 mars : « Combien je le plains et l'admire de surmonter sa souffrance pour peindre quand même : cela est admirable. Moi, je suis bien portant, mais je n'en suis pas plus vaillant ; c'est le plus complet découragement et le dégoût et puis, tout en étant solide, je sens bien que tout se détraque en moi, la vue et le reste, et que je ne puis plus aboutir à rien de bon[4]. » Josse Bernheim s'empresse de le réconforter : « Vous êtes si vaillant encore, que tant de jeunes envieraient votre belle santé et vous vous laissez envahir par de sombres pensées ! Mon cher Maître, je crois que vous vous isolez un peu trop et qu'un séjour d'une huitaine à Paris, au milieu de vos amis qui vous aiment tant, dissiperait vos petits ennuis[5]. » Le conseil est sans effet. Monet reste à Giverny. Comme s'il prenait congé du monde. Comme s'il voulait que personne ne soit témoin de ces troubles de sa vue qui s'aggravent. Monet s'enferme à Giverny. Lucien Pissarro prévient de son arrivée ? « Je serai enchanté de te voir, mais je ne vois pas la possibilité que tu puisses venir et retourner par chemin de fer vu la rareté des trains. Bref, si tu veux venir un jour pour déjeuner, tu devras prendre le premier train du matin et l'on te reconduirait en auto après déjeuner, étant très occupé l'après-midi[6]. » Peut-on éconduire de manière plus élégante ? « Très occupé l'après-midi », Monet travaille.

Pour ne rien arranger, c'est la débandade dans la maison de Giverny. A la fin du mois de juin commencent les « ennuis domestiques » : « Tous mes jardiniers qui étaient chez moi depuis vingt ans m'ont quitté et c'est un désarroi complet pour moi et surtout par ce temps de sécheresse. J'ai cru un instant que j'allais abandonner le jardin et Giverny[7]. » En octobre surviennent de nouvelles difficultés : « Nous sommes dans un véritable pétrin sans cuisinier, sans femme de chambre, enfin absolument sans personnel et ne pouvant parvenir à en trouver qui consentirait à rester toute l'année à la campagne, qui n'est pas drôle du tout[8]. » L'énumération des jardiniers, d'un cuisinier, d'une femme de chambre, du personnel encore – sans que soit précisé le rôle de « bonnes » sans doute – suffit à dire ce qu'est le train de vie de Giverny...

Ces tracas n'ont pas empêché Monet de travailler encore et encore pendant l'été à une série de paysages qui le repose de ses *Décorations*. Mais à la mi-octobre la passion s'éteint. « Le changement de temps m'a obligé de suspendre tout à fait mes travaux en plein air, ce qui vaut mieux du reste, n'étant plus capable de rien faire de bon[9]. »

Monet n'en dit rien, mais les troubles de sa vue s'aggravent semaine après semaine malgré le parasol à l'ombre duquel il travaille. Clemenceau lui conseille avec sa force de conviction de se faire opérer. Il ne s'agit au bout du compte que d'une opération de la cataracte... Mais Monet a peur. Au lendemain d'une visite qu'il vient de lui faire, il écrit à son ami : « J'ai mûrement réfléchi à ce que vous m'avez dit hier, ce qui m'a prouvé l'amitié que vous me portiez, mais que voulez-vous ? j'ai grand peur qu'une opération ne me soit fatale, que l'œil malade une fois supprimé, ce soit le tour de l'autre. Alors j'aime mieux jouir de ma mauvaise vue, renoncer à peindre s'il le faut, mais au moins voir un peu ce que j'aime, le ciel, l'eau et les arbres, sans compter ceux qui m'entourent[10]. »

Ceux qui l'entourent... ceux qui l'ont entouré... Une semaine plus tard, le 19 novembre, Gustave Geffroy lui apprend la mort du poète Maurice Rollinat. Comment ne pas se souvenir des jours passés auprès de lui en 1889 dans la Creuse, comment ne pas « revivre les belles heures passées près de cet homme délicieux et si malheureux, et quelle triste fin hélas[11] ! ». Sa propre fin n'est guère moins triste. Aveu accablé et sans illusion ni espoir : « C'est une détresse complète. De nouveau ma vue s'altère et il me faudra renoncer à peindre et devoir laisser en route tant de travaux commencés et que je ne pourrai mener à bien. Quelle triste fin pour moi, et pourtant, tout cet été, j'ai travaillé avec une belle ardeur, mais il faut bien constater que cette belle ardeur cachait l'impuissance. Je ne bouge plus de mon jardin et il y aura bientôt trois ans que je n'ai été à Paris et je ne crois pas que j'y vienne jamais[12]. »

Dans ces circonstances, la proposition que lui fait le marchand Maurice Joyant d'une grande exposition lui paraît incongrue. S'il n'en repousse pas aussitôt le principe, il n'en voit pas davantage la nécessité ni même peut-être la possibilité : « C'est une chose grave qu'une exposition à mon âge et, bien que mes amis me poussent à la faire, je suis très hésitant et puis, s'il s'agit de choses importantes du moins par la dimension, que je me demande si c'est chose possible[13]...» En parler à Giverny n'engage à rien...

En cette fin d'année, une terrible nouvelle atteint Monet : la mort de Renoir le 3 décembre. «La mort de Renoir est pour moi un coup pénible. Avec lui disparaît une partie de ma vie, les luttes et les enthousiasmes de la jeunesse. C'est bien dur. Et me voilà le survivant de ce groupe[14].» Il n'est pas sûr que la lettre émue que lui adresse Pierre Renoir, l'un des fils du peintre, apaise sa peine : «La consolation que nous pouvons avoir est qu'il est mort sans souffrance, emporté en deux jours par une congestion pulmonaire dont il allait se tirer quand le cœur s'est arrêté. Ses derniers moments ont été agités ; il a parlé beaucoup dans un délire semi-conscient, mais aux questions directes qu'on lui posait, il répondait qu'il se sentait bien puis il s'est assoupi et une heure après environ, la respiration s'est arrêtée[15]. »

En cette fin d'année 1919, il n'y a donc plus qu'un seul impressionniste, Claude Monet...

1920

Ma vue s'en va chaque jour[1]

«Tout mon pauvre jardin est sous l'eau et j'appréhende bien les dégâts[2].» Si dégâts il y a – il y eut – en janvier, les jardiniers entrés à son service en sont venus à bout dès la décrue de la Seine. Le 23 février, Monet met les choses au point avec les Bernheim : «Ce que je deviens, vous le devinez bien : je travaille et non sans difficulté car ma vue s'en va chaque jour et puis je m'occupe énormément de mon jardin : cela m'est une joie et, par les beaux jours que nous avons eus, je jubile et admire la nature ; avec cela, on n'a pas le temps de s'ennuyer, et puis la santé est toujours bonne, ce qui est beaucoup à mon âge[2].» Dans la même lettre, il fait part de la surprise que provoquent des ventes aux enchères qui viennent d'avoir lieu aux Etats-Unis et dont les résultats le laissent indifférent. «Pour ce qui est des prix atteints à la vente de New York, cela me laisse froid, je vous l'avoue, cela ne fait que prouver l'imbécillité du public, puisqu'il y a peu de temps on pouvait avoir les mêmes toiles à des prix moins élevés[3].» Quoi ? ses toiles valent si cher désormais ? Il s'en excuse auprès d'un collectionneur japonais : « Et c'est surtout le prix dont je suis même tout honteux et qui vous paraîtra trop élevé, je le crains ; prix en dessous duquel je ne puis rien céder. Toiles de 80 centimètres à 1 mètre, environ 25 000 francs. Je les vendais jadis 500 et 100 francs au plus. Je vous le dis encore, j'en ai honte un peu[5]. » Un peu...

Monet semble découvrir depuis le début de l'année la gloire qui est la sienne... Celle-ci, en raison de ce qu'elle exige de lui, tour à tour l'irrite, le déconcerte, le comble, l'émeut, l'oblige à des mises au point.

Que se passe-t-il pour que même certains de ses plus anciens amis éprouvent tout à coup le besoin d'obtenir certaines informations ? Le 20 janvier, il écrit à Gustave Geffroy : « Ma vue s'en va chaque jour et je sens très bien que c'en est fini avec l'espoir que j'ai toujours eu d'arriver à faire mieux. C'est très triste d'en être là ; c'est vous dire le peu d'intérêt que je vois à répondre à vos demandes. Mes œuvres appartiennent au public, et l'on en peut dire ce que l'on voudra ; j'ai fait ce que j'ai pu, mais me prêter à ces questionnaires, je m'y refuse, n'y voyant aucun intérêt[6]. » La réponse de Monet est peut-être d'autant plus une fin de non-recevoir que son ami, leur ami, Clemenceau, qui est le Tigre, qui est le Père la Victoire, vient d'être écarté pour d'infâmes raisons politicardes de la présidence de la République. Pendant ce dimanche 17 janvier où le Congrès réuni à Versailles élit Paul Deschanel, Clemenceau déjeune à Giverny...

Quel intérêt peuvent bien avoir ses réponses qui ne concernent que sa vie ? Ses œuvres, ses seules œuvres ne suffisent-elles donc pas ? Avec Raymond Koechlin, en revanche, il s'agit de peinture, il ne s'agit que de peinture avec cet homme devenu président des Amis du Louvre et qui vient de favoriser l'achat de l'une de ses toiles : « Vous avez pris la peine de me féliciter de cette petite exposition chez les Bernheim. Je vous en remercie. Les éloges venant de vous me sont précieux. Mais je veux aussi vous exprimer tous mes remerciements de la part que, vous et les membres des Amis du Louvre, vous avez prise pour l'achat des *Femmes cueillant des fleurs*[7]. » (Pourquoi Monet donne-t-il donc ce titre aux *Femmes au jardin* ?)

La gloire...

Monet bougonne : « Ici tout va bien, santé et travail, je ne me plains que d'une chose, c'est des visites trop fréquentes d'acheteurs qui me dérangent et m'ennuient souvent[8]. » Et il y a toujours, encore et encore, les sollicitations des journalistes, les entretiens que l'on a acceptés, le regret que l'on éprouve d'avoir trop vite trop parlé. Arsène Alexandre doit écrire un livre qui lui sera consacré ? Geffroy veut écrire le sien ? Qu'ils écrivent ! Monet met les documents nécessaires à leur disposition... Qu'on le laisse en paix ! Mais comment ne pas répondre à Geffroy pour, une nouvelle fois, reconnaître ce qu'il doit à Boudin, pour lui dire ce qu'a été presque soixante ans plus tôt sa pratique de l'aquarelle : « A l'époque je considérais l'aquarelle comme un moyen excellent et rapide pour rendre cette "instantanéité" de la lumière. Clemenceau a emporté un jour une de mes aquarelles d'Algérie et j'ai pu voir dans sa maison vendéenne cette œuvre de jeunesse qui représentait la vieille porte espagnole de la casbah d'Oran. Clemenceau a de moi également deux aquarelles, *Les Nymphéas* que vous pourrez voir chez lui ainsi qu'une autre aquarelle représentant sa maison de Saint-Vincent-sur-Jard. J'aime bien cette technique de l'aquarelle et regrette de ne pas m'y être adonné plus souvent[9]. » Ces informations très précises ne l'empêchent pas d'écrire, le 5 septembre 1924 : « L'aquarelle qui m'a été présentée n'est pas de moi. Je n'ai jamais fait d'aquarelles[10]. »

L'été passe. Les bruits qui commencent de courir dans Paris à propos du don de Monet à l'Etat risquent, s'ils continuent, de tout compromettre. Arsène Alexandre est chargé par le ministère des Beaux-Arts de vérifier auprès de Monet les conditions de la donation, la nature et les dimensions des œuvres qui doivent en être l'objet. Il provoque une rencontre à Giverny le lundi 27 septembre. Y sont présents M. Paul Léon, directeur des Beaux-Arts, et M. Raymond Koechlin dont Monet a souhaité la présence. Le dimanche 3 octobre, c'est, en compagnie de ses amis Deconchy, Louis Bonnier que Monet reçoit. En entrant dans l'atelier, ils vivent la même surprise que tous ceux qui les ont précédés : « A l'intérieur, ce n'est qu'une pièce immense avec un plafond vitré et, là, nous nous trouvons placés devant un étrange spectacle artistique : une douzaine de toiles posées à terre, en cercle, les unes à côté des autres, toutes longues d'environ deux mètres et hautes d'un mètre vingt ; un panorama fait d'eau et de nénuphars, de lumière et de ciel. Dans cet infini, l'eau et le ciel n'ont ni commencement ni fin. Nous semblons assister à une des premières heures de la naissance du monde. C'est mystérieux, poétique, délicieusement irréel ; la sensation est étrange : c'est un malaise et un plaisir de se voir entouré d'eau de tous côtés sans en être touché[11]. » Sans doute les uns et les autres sont-ils surpris de découvrir les palettes « exceptionnellement propres, comme neuves. Une seule est couverte de couleurs par petits tas espacés : du cobalt, du bleu outremer, du violet, du vermillon, de l'ocre, de l'orange, du vert foncé, un autre vert pas très clair, du jaune d'ocre, et enfin du jaune d'outremer. Au milieu, des montagnes de blanc, des sommets neigeux[12] ». Dès le 28 septembre, Paul Léon a demandé à l'architecte Louis Bonnier de trouver un lieu où la donation de Monet pourrait trouver place, ou, si cela s'avère nécessaire, de concevoir et de construire l'espace qui recevrait les *Décorations*. Louis Bonnier a été l'architecte du salon de l'Art nouveau et à l'origine du décret du 13 août 1902 qui a permis une révision fondamentale des règlements de la construction dans Paris depuis Haussmann, ce qui a permis la construction d'immeubles Art nouveau, celle aussi du théâtre des Champs-Elysées, qui est loin d'avoir fait l'unanimité. Personne, quand bien même il est jalousé, quand bien même il irrite, ne remet en cause son sens du service public, sa droiture. Sa compétence devrait combler l'attente de Monet. Il se met aussitôt au travail. Une salle elliptique n'est pas sans poser des problèmes techniques. Une autre circulaire serait concevable sans pour autant aller à l'encontre de la conception de l'espace imaginé par Monet. Le 28 novembre, les projets présentés en présence du ministre de l'Instruction publique et des Beaux-Arts, M. André Honnorat, de Léon et de Koechlin, sont écartés par Monet.

En quelques jours, à compter de la parution d'un article à la une du *Petit Parisien*, les lecteurs de tous les quotidiens sont informés du don fait par Monet. Si certains de ces articles l'irritent, il tient à remercier Arsène Alexandre dont le papier est paru dans *Le Figaro* du 21 octobre : « Votre article est très beau et je vous prie de croire à mes sincères remerciements, mais vous mettez ma modestie à une bien cruelle épreuve. J'ai été tellement déçu ces jours derniers par certains articles choquants par leurs racontars inutiles et déplacés que le vôtre, venu après, montre que, chez vous, la question d'art prime tout et je vous en sais gré[13]. »

Dans l'atelier-salon, le dimanche 14 novembre, sont fêtés les quatre-vingts ans de Monet. M. Georges Leygues, président du Conseil, a quelques jours plus tôt laissé entendre qu'il pourrait aller à Giverny à cette occasion. Une telle présence le confirmerait, Monet est bien devenu un artiste officiel. Thiébault-Sisson veut pouvoir rendre compte d'une pareille visite dans *Le Temps*. Mais Monet ne veut pas de Leygues. Il lui signifie qu'il ne serait pas bienvenu à Giverny et, au cas où celui-ci voudrait gagner les Bernheim à sa cause, Monet leur écrit : « Il m'a tellement agacé pendant son séjour à Giverny que j'en suis arrivé à le redouter et c'est pourquoi je l'ai prié de s'abstenir de venir ici le 14[14]. » Le président du Conseil renonce à venir. Monet se réserve pour quelques intimes. Parmi eux, le duc de Trévise qui déclame les vers qu'il a composés en l'honneur de son célèbre ami.

Si le président du Conseil n'est pas venu, en revanche, à l'occasion de cet anniversaire, l'Académie des Beaux-Arts, par les voix de MM. Le Sidaner, Henri Martin et Ernest Laurent, l'invite à se présenter et l'assure de son immédiate élection à l'Institut. Monet membre de l'Académie des Beaux-Arts ! C'est à ses membres qu'il doit les années les plus difficiles de sa vie... Comment accepterait-il de porter le costume aux broderies vertes, jaunes, bleues, lui qui a regretté que Renoir ait accepté la Légion d'honneur ? Monet, membre de l'Institut ? Non, merci, messieurs, non, merci. Un fauteuil sous la Coupole n'est pas une condition *sine qua non* de la gloire.

Sans doute est-il plus touché de lire dans son courrier l'admiration du comédien Lucien Guitry : « Très cher & admirable Claude Monet, [...] nous parlons sans cesse Sacha et moi du grand homme que vous êtes & de ce qu'on vous doit[15] », ou bien ces remerciements de l'architecte Frantz Jourdain : « Je vous dois les meilleurs jours de ma vie, et en regardant cette toile si pleine de puissance et de jeunesse que vous nous avez envoyée, j'ai retrouvé éternellement vivante l'admiration de ma jeunesse pour le plus grand peintre de ma génération[16] », par cet aveu de l'écrivain Camille Mauclair : « Il y a plus de trente ans que je vous admire[17]. » Peut-être Monet est-il plus touché par ces hommages que par l'honneur que l'Académie prétend lui faire...

Mais tout cela a-t-il la moindre importance ?

Le 16 novembre, deux jours après l'anniversaire de ses quatre-vingts ans donc, Monet rend compte de ce moment par cette phrase laconique : « Journée familiale bien passée, bonne santé et reprise du travail dès le lendemain[18]. »

1921

Je tiens que ce que je donne à l'Etat soit présenté comme je l'entends[1]

En ces premiers jours de janvier 1921, la lassitude de Monet ressemble au désespoir. A l'un, le 13 janvier, il confie : « Je suis devenu un vieillard, bien portant encore, mais ma pauvre vue s'en va et cela me désespère et m'attriste beaucoup[2]. » A un autre, quatre jours plus tard, il écrit encore : « Tout m'est égal aujourd'hui et la peinture me dégoûte, j'entends la mienne parce que je n'en puis guère faire à présent à cause de ma vue qui décline de jour en jour. Je cherche à mener à bien ces *Décorations*, mais sans y parvenir. J'en ai fait don à l'Etat, mais cela me cause plus d'ennuis que cela ne vaut. Enfin, c'est le déclin, j'en ai assez[3]. »

Si le don fait à l'Etat des *Décorations* lui cause bien des « ennuis », l'achat confirmé des *Femmes au jardin* n'est pas qu'une joie... Le 2 février, date donnée par Monet pour l'enlèvement de sa toile, il ne peut s'empêcher d'écrire au directeur des Beaux-Arts Paul Léon : « Je viens d'assister au bon placement dans le camion que vous avez envoyé du tableau (*Femmes cueillant des fleurs*). Je pense qu'il arrivera bien à Paris et je tiens à vous exprimer tous mes remerciements de l'honneur qui m'est fait par cette acquisition de l'Etat. Ce n'est pas sans un peu de regret que je vois partir de chez moi cette toile qui me rappelle tant de souvenirs, mais je suis heureux de sa destination. M. Alexandre m'a fait part de votre désir de solder le prix convenu, soit 200 000 francs, en plusieurs échéances. Je vous serais très obligé de bien vouloir m'en fixer les dates, cela pour la bonne régularité[4]. » Avec l'Etat, quand bien même celui-ci vous fait un honneur – et peut-être parce qu'il a pleinement conscience de vous faire un honneur –, l'on n'est jamais assez précis ni prudent... La très officielle commande d'une toile représentant la cathédrale de Reims n'est-elle pas demeurée lettre morte ? La lettre que le peintre Ernest Laurent lui adresse le 8 février, par laquelle il informe Monet qu'il a « revu au Louvre le beau tableau des jeunes femmes dans le jardin, il a fait grande impression sur les membres du Conseil des Musées et le résultat que nous souhaitions a été obtenu à la quasi-unanimité[5] », est sans doute charmante, mais elle n'est pas officielle... Qui plus est, cette « quasi-unanimité » dont il est fait état, suffit sans doute à Monet pour comprendre qu'en dépit du temps qui est passé depuis que cette toile a été peinte, depuis que ce tableau a été refusé au Salon de 1867, il ne fait toujours pas... l'unanimité. Ce qui n'est peut-être pas plus mal... Sa peinture la fera-t-elle jamais ? Après tout, lorsque Marc Elder, fondateur de la Société des Amis du musée des Beaux-Arts de Nantes, lui rend compte de ce qu'a été l'inauguration du musée où sont présentés deux pastels que Monet a offerts, il précise qu'avec Manet il était à la place d'honneur : « Nous avons été vertement discuté – on est en province ! – mais en somme l'opinion a été favorablement remuée, c'est l'essentiel[6]. » Il faut attendre. Il faut être patient... Ne serait-ce qu'avec ce même tableau des *Femmes au jardin*, il lui faut attendre, alors qu'il a quitté Giverny le 22 février, le 11 décembre pour que (enfin ? ou enfin !) M. Léonce Bénédicte qui dirige le musée du Luxembourg l'informe qu'il l'a fait rentoiler et encadrer et qu'il désire l'exposer « très prochainement à l'admiration du public[7] ».

Avec les *Décorations*, l'engagement de l'Etat est d'une autre importance. Et les choses semblent mal engagées. Il est indispensable de ne pas laisser place au moindre malentendu. Lettre au directeur des Beaux-Arts Paul Léon : « Cher Monsieur, je viens de recevoir le nouveau projet de M. Bonnier, et j'avoue être quelque peu déçu par la forme trop régulière de la salle qui, ainsi prévue, devient un véritable cirque et j'ai bien peur que cela ne soit pas d'un très bon effet. M. Bonnier me dit qu'il est impossible d'arriver autrement à une diminution de dépenses. Je ne vois donc qu'un seul moyen d'y arriver, car je tiens que ce que je donne à l'Etat soit présenté comme je l'entends et je me permets de vous rappeler que j'en ai fait une condition formelle[8]. » Il devront donc, lui-même et l'Etat, se résigner à ce que ne soient assemblés que dix, ou peut-être même seulement huit panneaux, plutôt que douze...

Les semaines passent. On renonce à construire un bâtiment dans le jardin de l'hôtel de Biron que longe le boulevard des Invalides... On se demande si le Jeu de Paume, dans les jardins des Tuileries, du côté de la place de la Concorde... Clemenceau suit pas à pas les démarches. A la suite de la visite du ministre de l'Instruction publique et des Beaux-Arts, Léon Bérard, venu déjeuner à Giverny avec son chef de cabinet, Paul Léon, et Gustave Geffroy, Clemenceau lui écrit le 31 mars à Paris : « Je suis allé ce matin visiter le Jeu de Paume avec Paul Léon, Geffroy, Bonnier. Bonne lumière qu'on peut accroître à volonté en perçant le plafond. Largeur peut-être insuffisante, 11m. Nous nous sommes reportés à l'Orangerie (bord de l'eau), 13,50 m, cela me paraît très bien. On refera le plafond disposé comme vous direz. Cela coûtera plus cher que le Jeu de Paume, mais Paul Léon en fait son affaire. Je vous conseille de toper là. Auparavant il faudrait que vous vinssiez à Paris pour voir de vos yeux. Dites quand. Je serai là avec les autres[9]. »

Monet vient à Paris. Monet visite. Monet semble consentir. Monet rentre chez lui : « Je suis rentré dans mon cher Giverny, ravi de ma journée à Paris, de m'y être trouvé avec de bons amis et les yeux remplis de ce que j'ai revu au Louvre : cela m'a été une joie[10]. » Est-ce ce jour-là que Clemenceau s'arrête avec Monet devant *L'Enterrement à Ornans* de Courbet ? Clemenceau rapporte ce dialogue : « Eh bien, moi, si après tout ce que nous venons de voir, on me permettait d'emporter une toile, c'est celle-ci que je choisirais. – Et moi, répondit-il tout d'un trait, ce serait *L'Embarquement pour Cythère*[11]. » Depuis combien d'années cette toile de Watteau est-elle essentielle pour Monet ?

Monet a posé à Paris les questions qu'il juge essentielles. Les réponses tardent. Il est donc indispensable de mettre une nouvelle fois les choses au point : « Songez que voilà sept mois qui viennent de passer en pourparlers et, s'il en faut autant pour décider ce qu'il faut faire à l'Orangerie, plus un an et demi pour son exécution, où cela nous mène. Je tiens donc à vous dire et de toute nécessité, de fixer au plus tôt ce qu'il y aura à faire et c'est seulement à ce moment que je m'engage à signer un acte de donation. Car si je venais à mourir avant cela, cette donation serait nulle et non avenue[12]. » Une semaine passe. Et Paul Léon reçoit une nouvelle lettre datée du 25 avril : « Comme vous devez le penser, j'ai mûrement réfléchi à la nouvelle combinaison de l'Orangerie et je me vois avec bien des regrets dans l'obligation de renoncer à cette donation que j'étais si heureux de faire à l'Etat. Pensez que, si j'ai poursuivi ce grand travail, c'est avec l'idée d'une salle spéciale où chacun des différents motifs devait être montré cintré. Vous devez vous rappeler du reste que, dès le début, j'en fis une condition formelle. Aujourd'hui, avec l'Orangerie, étant donné le peu de largeur de la salle, il me faudrait exposer ces différents motifs absolument droit, par conséquent dénaturer ce que j'ai voulu faire. Je sais bien qu'il est des raisons majeures qui vous empêchent d'agir comme vous le voudriez, c'est pourquoi je me vois dans la nécessité d'y renoncer[13]. »

Cette décision est loin de rester inaperçue... *L'Excelsior*, sous la plume de Marcel Pays, rapporte les propos de Gustave Geffroy qui laisse entendre que les *Nymphéas* devraient bientôt trouver un espace digne d'eux. Le renoncement de Monet est passé sous silence. Geffroy veut espérer que la lecture de ses propos ramènera Monet à la raison. Clemenceau, lui, enrage. C'est à lui au bout du compte que, le 12 novembre 1918, au lendemain de la victoire, a été fait ce don, et, au-delà de lui, c'est à la France. Comment Monet pourrait-il se dédire ? Comment pourrait-il ne pas respecter sa parole, manquer à sa parole ?

Un lettre de Monet à Léon du 19 mai amorce cependant la reprise du dialogue. Pourquoi se priver d'un intermédiaire ? Arsène Alexandre semble à Monet devoir être le plus sûr. Il lui écrit le 1er juin : « Si les Beaux-Arts peuvent élargir de trois à quatre mètres la partie de l'Orangerie qui me serait destinée, je m'engage à donner et même davantage que ce que j'ai promis en faisant deux salles. Je crois que je ne puis dire mieux[14]. »

Ces remises en cause, ces énervements, ces rebondissements, quelques moments de faiblesse encore en mai ou le retour de Butler en juin n'interrompent pas l'ardeur avec laquelle Monet travaille mois après mois. A la mi-mars, il écrit : « Je suis en plein travail[15] », à la mi-juin : « Malgré ma mauvaise vue, je me suis remis passionnément au travail. Je ne sais ce que cela donnera, mais je suis plein d'ardeur[16]. » Il n'hésite pas à confier au même Alexandre quelques semaines plus tard : « Mais pour le moment je travaille, je me débats avec la nature, mais combien je me sens vieux et maladroit, mais de plus en plus ardent de mieux faire[17]. » A la fin du mois de septembre, il rend compte à Geffroy de ce qu'aura été l'été : « J'ai passé un été de travail comme jamais, ne pensant, ne vivant que pour cela. Je crois avoir fait des progrès, mais je peux me tromper et seulement croire que j'ai fait ces progrès, car ma vue faiblit de jour en jour[18]. » Et de préciser encore à Joseph Durand-Ruel : « J'ai beaucoup travaillé cet été, peut-être bien, peut-être mal, je n'en sais plus rien[19]. »

En octobre, il prend quelques jours de repos dans la maison de Clemenceau. Au retour, entre Saint-Vincent-sur-Jard et Giverny, la route a été une école buissonnière. Monet a tenu à passer par la côte normande. Le peintre Jacques-Emile Blanche l'a aperçu « à Dieppe, vieilli, mais bien beau, descendant d'une voiture puissante, enveloppé d'une somptueuse fourrure. C'était en novembre, un jour de tempête. J'appris qu'il avait désiré contempler une fois encore cette rade qu'il avait si souvent peinte calme, ensoleillée, balnéaire. Il s'assit sur la digue, par un aigre vent d'ouest qui échevelait sa longue barbe blanche, y mêlait l'écume des vagues. Des nuages sinistres, à l'occident, s'étendaient comme un suaire sur la falaise de Varengeville, l'église et son cimetière marin ; le phare d'Ailly commençait à les zébrer de ses éclairs. Monet remonta dans sa torpédo, l'équipage démarra dans un plaintif mugissement de klaxon[20] ».

Comment, enfin rentré à Giverny, ne ferait-il pas au moins le récit de son séjour chez Clemenceau à leur ami commun Geffroy ? « Il y avait longtemps que je le lui avais promis. J'y étais avec Blanche et mon fils ; notre ami toujours vaillant, étincelant d'esprit, était content de m'avoir dans son pays et il m'en a fait voir toutes les beautés. Je conserve de ce court séjour un souvenir inoubliable[21]. » Il promet que lors d'une prochaine rencontre, il ne manquera pas de lui dire ce qui a pu rendre ce voyage inoubliable. Inutile de le préciser à Geffroy, les conversations ont souvent évoqué les *Décorations*. Les choses sont désormais claires. Aussi peut-il écrire à Clemenceau pour lui préciser noir sur blanc sa position : « J'accepte la salle de l'Orangerie si, toutefois, l'administration des Beaux-Arts s'engage à y faire les travaux que je juge indispensables. En vue de cette hypothèse, j'ai réduit plusieurs motifs des *Décorations* et je crois être arrivé à une combinaison de placement qui donnerait un heureux résultat en conservant la forme ovale que j'ai toujours voulue. Au lieu de 12 panneaux que j'avais donnés, j'en donnerai 18. Il est vrai que le nombre ne change rien à l'affaire, mais seulement la qualité, et je ne sais plus moi-même que penser de ce travail. L'essentiel est qu'il soit bien présenté et j'estime qu'après mûre réflexion, je crois être arrivé à un plan à peu près de ce que je souhaite : une première dont vous avez pu juger l'effet hier, et une deuxième dont le clou serait le fond en quatre panneaux des *Trois Saules* avec, en vis-à-vis, le *Reflet d'arbres* et, de chaque côté, un panneau de six mètres. Si l'administration accepte cette proposition et s'engage à faire les travaux nécessaires, c'est une affaire conclue[22]. »

Le 8 novembre, nouvelle réunion à Giverny. On déjeune. On passe dans l'atelier. Monet y a disposé les toiles ordonnancées comme il l'entend. On est entre gens de bonne compagnie. On se comprend. Les ambiguïtés sont levées. Les malentendus sont écartés. Enfin !

Seul l'architecte, M. Bonnier, s'obstine à ne pas vouloir comprendre. « Tout est bien, sauf entente avec l'architecte dont le plan ne me va pas. Je l'ai convié à venir dimanche pour me donner des précisions indispensables, sans quoi ça ne pourrait pas aller du tout[23]... » Cet agacement du 23 novembre devient le 8 décembre de l'exaspération : « Pour ce qui est de l'Orangerie, j'ai peur que l'architecte ne se trouve en présence de difficultés et qu'il ne songe qu'à faire le moins de dépenses ; cependant il faut bien qu'une bonne fois pour toutes l'on dise franchement si le don que je fais mérite ou non qu'on fasse le nécessaire pour que mes *Décorations* soient présentées comme je le veux[24]... » Bonnier serait-il devenu intolérable à Monet ? Paul Léon l'écarte. Camille Lefèvre est nommé à sa place. Clemenceau en informe aussitôt Monet. Tout va pour le mieux. « Je suis tout à fait bien. J'ai pu quitter ma chambre hier et aujourd'hui me remettre au travail. Alors la vie est belle[25]. »

En cette fin d'année 1921, peut-être un soir Blanche lit-elle à Monet ce quatrain d'un poème d'Henri de Régnier publié dans son recueil *Vestigia Flammæ* que vient d'éditer le Mercure de France :

> *Car le temps, ni l'effort, ni la gloire, ni l'âge*
> *Ni son vaste labeur n'a lassé votre main,*
> *Et pour vous, ô Monet, le plus beau paysage*
> *Sera toujours celui que vous peindrez demain*[20].

1922

Ce que je fais sur la terre ? Eh bien ! je peins[1]

Clemenceau bouillonne ! Son ami Monet ne va pas (déjà !) se brouiller avec le nouvel architecte chargé de concevoir l'espace destiné aux *Décorations* ! De Saint-Vincent-sur-Jard, il écrit à Monet le 5 janvier 1922 : « Si le nouvel architecte vous a convaincu qu'il n'y avait pas moyen d'enlever les poutres, il faut bien que je me rallie à votre opinion. Alors que faut-il faire ? Cette partie de la démonstration ne peut rester en l'air. Il faut conclure. Que propose cet homme excellent ? Vous voulez de la belle lumière et vous avez raison. Peut-il vous en donner, oui ou non ? S'il ne le peut pas, qu'il aille au Diable. S'il le peut, que propose-t-il ? Là-dessus vous êtes muet. Avez-vous une idée, oui ou non ? Si vous n'en avez pas, qu'est-ce que vous faites sur la terre[2] ? » La réponse est immédiate : « Ce que je fais sur la terre ? Eh bien ! je peins[3]... »

Que pourrait-il faire d'autre ? Il précise à l'ami Geffroy le 7 mars : « Dès qu'il va faire un peu meilleur temps et que la température me chassera de mon grand atelier, je vous demanderai de venir déjeuner, mais jusque-là je veux consacrer tout mon temps au travail, car après qui sait si je ne serai pas tout à fait aveugle[4]. »

Cette peur de devenir aveugle, et donc de ne pas voir les *Grandes Décorations* achevées, provoque une nervosité inédite. Les tergiversations des Beaux-Arts qui sont, Monet en est convaincu, « débordés, sans le sou, et ne cherchant qu'à gagner du temps », lui sont d'autant plus intolérables. Si, en effet, M. le directeur des Beaux-Arts, M. Paul Léon, veut « gagner du temps », lui, Claude Monet, ne veut plus « perdre de temps ».

M. Paul Léon annule une visite à Giverny ? Tout est perdu. Monet envoie une dépêche ulcérée à Clemenceau. Qui se garde de répondre aussitôt. Sa réponse désabusée date du 13 mars. Finalement, Clemenceau lui répond : « En recevant votre dépêche, je me suis simplement dit : "Bon, en s'asseyant il se sera enfoncé un clou dans la fesse." Et votre lettre m'apprend que c'est à peu près ce qui est arrivé. » Pour en finir avec l'incident, Clemenceau donne deux conseils. Le premier tient de l'ordonnance : « Un peu d'arnica moral, une cigarette, et brosse en main dans le grand atelier de gloire. » Le second, du bricolage : « P.S. : Otez les clous des chaises avant de vous asseoir dessus. »

Dans les semaines qui suivent, Clemenceau relance les Beaux-Arts comme il apaise Giverny. Et, enfin, le 12 avril, devant maître Gaston Henri Baudrez, notaire à Vernon (Eure), MM. « Claude Monet, artiste peintre, demeurant à Giverny, et Paul Léon, devant les témoins que sont MM. Laurel, maire de Giverny, et Burthe, notaire à Paris, conviennent du transfert à l'Etat de la pleine propriété de ses œuvres personnelles ci-après désignées formant un ensemble de dix-neuf panneaux dit "Série des Nymphéas"[5] ». Clemenceau pousse un soupir de soulagement : « J'ai été bien heureux de la bonne nouvelle, car il était temps d'en finir[6]. »

Dix-neuf panneaux... On est loin des deux offerts le 12 novembre 1918... D'une manière étrange, ces dix-neuf panneaux mentionnés dans l'acte de donation ne correspondent ni aux vingt évoqués avec l'architecte Lefèvre, ni aux vingt-deux mentionnés dans une autre lettre de Monet, ni même encore aux dix-huit prévus dans un brouillon de l'acte officiel... Ces variations n'ont qu'une cause : l'incertitude de Monet, au cours de l'élaboration de ces *Décorations*. Elles ont pris forme jour après jour dans l'atelier et, jour après jour, Monet qui entre dans l'atelier ne peut s'empêcher de reprendre, de se demander si...

« Il était temps d'en finir... » écrit Clemenceau. Rien n'est fini. Clemenceau ne tarde pas à devoir l'admettre.

Il se rend le 7 mai à Giverny. Dans l'atelier, Monet doit lui faire cet aveu : « Tout l'hiver j'ai fermé ma porte à tous. Je sentais que sans cela chaque jour diminuait et je voulais profiter du peu de ma vue pour mener à bien certaines des mes *Décorations*. Et j'ai eu grand tort. Car finalement, il m'a bien fallu constater que je les abîmais, que je n'étais plus capable de rien faire de beau. Et j'ai détruit plusieurs de mes panneaux. Aujourd'hui je suis presque aveugle et je dois renoncer à tout travail. C'est dur, mais c'est ainsi : triste fin malgré ma belle santé[7]. » Clemenceau sait à quoi s'en tenir. Il lui faut désormais convaincre

Monet de se faire opérer. Mais tous les prétextes sont bons à Monet pour tergiverser encore, pour repousser l'intervention, pour se lamenter : « Bref, je suis très malheureux. C'est une saison perdue et, à mon âge, la dernière. A part cela, santé excellente. Il me reste à espérer un bel automne, et je ne puis songer à bouger d'ici. Mon dernier déplacement sera pour faire le placement de mes toiles à l'Orangerie ou peut-être à venir me faire opérer[8]. »

Peut-être...

Le 8 septembre, enfin, Monet entre dans le cabinet du docteur Charles Coutela, au 19 de la rue La Boétie, cet ophtalmologiste dont Clemenceau lui a parlé mille fois, dont il a vanté la maîtrise. Monet rend compte de la visite le lendemain : « Résultat : un œil absolument perdu. Opération nécessaire et même inévitable dans un temps peu lointain. En attendant un traitement qui pourrait rendre l'autre œil meilleur en me permettant de peindre. Cela dit, j'ai voulu me rendre compte des travaux de l'Orangerie. Pas un ouvrier. Silence absolu. Seul un petit tas de plâtras à la porte[9]... » Clemenceau ne peut que s'attendre au pire. Le « petit tas de plâtras » risque de provoquer une nouvelle colère de Monet quand bien même le décret d'acceptation des *Décorations* a été signé le 14 juin par le ministre de l'Instruction publique et des Beaux-Arts, Léon Bérard, et le président de la République, Alexandre Millerand. Quant au traitement, s'il réussit, il pourrait être le plus justifié des prétextes pour repousser encore et encore l'intervention chirurgicale...

Dans l'immédiat, Clemenceau s'en tient à cet encouragement : « Merci de votre lettre qui a dû vous coûter un si grand effort. Il fallait en venir à cette décision du médecin. Une fois opéré, je ne serais pas surpris qu'en fermant le bon œil, ou en ne l'ouvrant qu'à demi vous puissiez encore peindre comme auparavant. Il y a de grandes ressources dans l'impossible[10]. »

Mais en quelques jours, le traitement prescrit par Coutela a des résultats prodigieux : « Je tiens à vous dire, dès aujourd'hui, l'effet produit par les gouttes que vous m'avez ordonnées pour mon œil gauche. C'est tout simplement merveilleux. Je vois comme je n'ai pas vu depuis bien longtemps, aussi combien j'ai de regrets de ne pas vous avoir consulté plus tôt. Cela m'eût permis de peindre des choses possibles au lieu de croûtes que je me suis acharné à faire sans y voir que du brouillard. Je vois tout dans mon jardin. Je jouis de tous les tons. Un seul point : c'est que l'œil droit est encore plus voilé. Puis-je continuer ce traitement afin de faire ce que j'ai de plus pressant[11] ? »

Ce qu'il y a de plus pressant doit attendre. Comme l'opération doit être différée. Monet tombe malade au début du mois de novembre. Alors la peur qui l'a déterminé à tout faire pour que l'opération soit ajournée se mue en impatience. Le 18 décembre, il écrit à Clemenceau : « Je n'ai qu'un désir, qu'elle ait lieu le plus tôt possible, sans doute vers le 8 ou le 10 janvier, car je n'y vois plus guère[12]... »

En cette fin d'année, la peur passe chez Clemenceau. Si le traitement a suffi à Monet pour qu'il ne voie plus dans ces *Décorations* que des « croûtes », qu'en sera-t-il lorsqu'il aura été opéré ? Il pourrait les juger indignes de l'Orangerie. Et le « petit tas de plâtras » pourrait alors prendre une tout autre dimension...

1923

Avec je ne sais quels verres, je me croyais sauvé, mais hélas ![1]

Enfin, le 10 janvier, le docteur Coutela, à la clinique Ambroise-Paré de Neuilly, opère Monet. Malgré l'anxiété du patient, anxiété qui provoque des nausées, des vomissements, tout se passe au mieux. Monet ne doute pas – et, dès le 18, il l'écrit à Paul Léon – qu'après la deuxième phase de l'opération qui doit, après l'iridectomie, permettre l'extraction de la cataracte même, il puisse « mettre en place les panneaux[2] » donnés à l'Etat. Le 31 janvier, Coutela opère à nouveau. Il impose à son patient une immobilité de trois jours. En vain. Lors de la nuit qui suit l'intervention, Monet se lève à plusieurs reprises et tente d'arracher les bandages qui protègent son œil droit... Il assure Blanche, restée à son chevet, qu'il préfère être aveugle plutôt que contraint à l'immobilité. Sa nervosité oblige Coutela à le retenir à la clinique pendant huit jours parce que cette crise, au soir de l'intervention, a retardé la guérison. Clemenceau, scrupuleusement tenu informé de chaque épisode par Coutela même, est auprès de Monet lorsque, le 17 février, le médecin autorise une sortie de la clinique pour aller visiter le chantier de l'Orangerie avec Paul Léon.

Ce jour-là, l'évolution de l'état de la vue de Monet, l'intensité de l'amitié de Clemenceau et les étapes qui doivent conduire à la mise en place des *Nymphéas* à l'Orangerie se nouent inextricablement pour des mois et des mois. Et cela pour le meilleur comme, parfois, pour le pire...

A Paul Léon, le 6 mars : « Je suis heureux de vous annoncer que je vais mieux et espère me remettre incessamment au travail[3]. » Ce qui ne l'empêche pas d'écrire quelques jours plus tard pour dire à Clemenceau qu'il redoute d'être, de devoir être, irrévocablement aveugle. « Avec quel plaisir j'ai revu votre bonne écriture du temps où vous aviez trois yeux. Comment voulez-vous que je discute sérieusement la question de savoir si vous êtes aveugle comme Homère ou simplement fou comme nos médecins[4]. »

Fou ou pas, Coutela a tout fait pour que Monet recouvre la vue au plus vite. Ni l'opération ni les lunettes conçues spécialement pour lui ne semblent le permettre. Monet n'en peut plus. Au printemps, il dicte à Blanche cette lettre au docteur Coutela : « Je suis absolument découragé et, bien que je lise sans efforts de 15 à 20 pages chaque jour, dehors et de loin je n'y vois plus rien avec ou sans lunettes. Et depuis deux jours les points noirs m'obsèdent. Songez que voilà six mois de la première opération, cinq que j'ai quitté la clinique et bientôt quatre que je porte les lunettes, ce qui est loin des quatre à cinq semaines pour m'habituer à ma nouvelle vision ! Six mois que j'aurais pu si bien employer si vous m'aviez dit la vérité. J'aurais pu terminer les *Décorations* que je dois livrer au mois d'avril et que je suis certain maintenant de ne pouvoir finir comme je le voudrais. C'est là mon grand chagrin et me fait regretter cette fatale opération. Pardonnez-moi de vous parler si franchement et laissez-moi vous dire que c'est criminel de m'avoir mis dans cette situation[5]. »

« Criminel », Coutela, de retour d'un voyage au Maroc qui n'a pas manqué d'exaspérer l'impatience de Monet, décide d'une troisième intervention. Elle a lieu le 18 juillet. Coutela, confidentiellement, au médecin qu'a été Clemenceau, fait part de ses doutes, de son inquiétude. Mais, dès sa première visite à Giverny le 27 juillet, Coutela peut soupirer d'aise parce qu'il peut enfin voir la membranule largement sectionnée : « Donc tout est pour le mieux, la fenêtre est encore occupée par un caillot qui va se résorber[6]. »

Aux Bernheim qu'il informe de ce qu'ils peuvent faire chercher des toiles à Giverny – toiles aux « prix variables selon importance et qualité soit de 30, 35, 40 et même 50 000[7] » –, Monet ne peut s'empêcher de dire qu'il trouve « que c'est bien long[8] », et qu'il a hâte de pouvoir, à la fin du mois d'août, disposer de « verres sauveurs[9] ». Impatience de

Monet qui lui vaut cette sentence de Clemenceau : « L'énergie, ô mon fils, est dans la continuité de la volonté et la patience obstinée est la moitié décisive de la force[10]. » Le Tigre sait de quoi il parle...

Monet ne s'habitue pas sans mal à ces lunettes. D'où une rafale de lettres et de dépêches à Coutela comme à Clemenceau. Lors d'une visite à Giverny, Coutela découvre que « les premiers jours, ce très excellent homme se refusait à mettre ses lunettes, disant qu'il n'y voyait pas[11] »... Quand il les porte, tout va pour le mieux. Le médecin lui fait lire une lettre de Clemenceau. Le test est d'autant plus probant que, Coutela n'hésite pas à le préciser : « Vous ne m'en voudrez pas de vous avouer que votre écriture est petite et parfois difficile à lire[12]. » Les verres s'imposent donc. Las... A Clemenceau, le 27 août : « Après la visite chez Coutela si encourageant, j'attendais anxieusement les fameux verres nouveaux qui ne sont arrivés que ce matin même. Mais quelle déception ! Après avoir si bien lu chez Coutela avec je ne sais quels verres, je me croyais sauvé, mais hélas ! pas plus de loin que de près, je ne peux voir avec ces lunettes. Ce ne sont que déformations des êtres et des choses, à tel point qu'il me serait impossible de faire deux pas sans m'exposer à une chute certaine. J'ai de suite télégraphié à Coutela, croyant à une erreur car je ne puis comprendre comment j'ai pu lire couramment chez lui et ne rien voir ici. Vous aurez beau dire, c'est décourageant[13]. » Clemenceau rassure. Coutela conseille. Clemenceau rassure encore : « Un peu de patience, petit bébé[14]... »

Le « petit bébé » est loin d'être tranquillisé et satisfait : « De la visite de Coutela, il ressort qu'il ne voit, du moins pour le moment, qu'une seule chose, la déformation des lignes et des distances, ce qui certainement s'améliorera, tandis que moi, je souffre surtout de la décomposition des couleurs, dont lui paraît se soucier peu[15]... » Coutela met les choses au point. Si Monet « a besoin de plus de vision que pour la vie banale », les lunettes dont il dispose doivent permettre une « vision parfaite des "touches" à la distance à laquelle il se met habituellement et la coloration en jaune doit disparaître »[16]. Monet, à la surprise du médecin, envisage que l'autre œil, le gauche, soit opéré au plus tôt. Coutela, interdit, préfère immédiatement informer Clemenceau de la décision qui a failli s'imposer à lui : « Personnellement, M. Monet m'a fait passer par de telles transes que j'étais décidé à passer la main pour ce deuxième œil[17]... » Mais Monet est Monet... Et Monet lui-même sait qu'il peut être difficile. Une lettre de Clemenceau, qui mieux que quiconque sait ce qu'il en est, s'achève par ces mots : « Je vous embrasse de tout cœur et l'ange aussi, elle en a vu de dures depuis quelque temps[18]. » L'ange qu'est Blanche sait que ce « quelque temps » n'est pas terminé...

A la mi-septembre, Monet attend le retour de Coutela. « Jusque-là, je continuerai de voir non de trente-six couleurs, mais seulement de deux, le jaune et le bleu, et cela en toute confiance puisque, en somme, j'y vois[19]. » Clemenceau n'a pas besoin du moindre point sur un quelconque « i » pour comprendre que Monet enrage de ne pas voir comme il veut, comme il doit voir. Il lui écrit : « Tout homme, en venant au monde, a le droit d'empocher au cours de son existence un certain nombre de coups de pied au... derrière. Il faut croire que vous n'avez pas encore eu votre compte puisque vous vous donnez tant de peine pour vous attribuer quelques suppléments. Ce que je vous ai dit dans ma dépêche et confirmé par ma lettre se vérifie exactement. Coutela a eu le tort de ne pas vous faire lui-même l'essai. Mais c'est jeune et ça peut voyager. Vous, après avoir déclaré que vous n'y verriez plus jamais, vous déclarez maintenant que vous aimeriez mieux ne pas voir que de voir comme vous voyez maintenant. Il n'y a donc plus de place à Charenton[20] ? » Conclusion mille fois répétée : « Donc du calme, mon doux frère enragé[21]. »

Rebondissement le 22 septembre. Monet ne veut plus se faire opérer. Clemenceau ne sait plus à quels arguments avoir recours... Pourquoi ne pas risquer les plus absurdes ? « Ma vieille tête de bois, je vais vous dire un grand secret. Moi aussi, j'ai des panneaux dans la tête et je vais probablement mourir sans en avoir fait un seul comme je le voudrais. Aussi n'est-ce pas par amitié que je vous parle. Oh non ! c'est pour m'encourager. Enfoncez-vous ce clou dans votre caboche et tenez-vous droit, s'il vous plaît[22]. »

Cette injonction n'empêche pas Monet de demander au peintre Albert Besnard s'il ne connaîtrait pas un peintre qui aurait été lui-même opéré de la cataracte et qui, à la suite de l'opération, aurait revu les couleurs comme auparavant. Sans ce témoignage qui sera décisif, Monet refuse qu'on le touche encore...

La nervosité de Monet est loin de s'apaiser. Les Bernheim osent se plaindre des prix que Monet a pu leur demander, arguent que lorsqu'ils achètent un *Nymphéas* 40 000 et le revendent 80 000, les frais et les taxes nouvelles ne leur laissent que 16 000 francs de bénéfice, ils se permettent de rappeler que pour atteindre les prix qui sont désormais les siens, il a fallu des années de soutien obstiné de leur part, et que si le Japon est devenu un marché essentiel pour ses toiles, c'est parce que depuis dix ans, par des photographies et des éditions, ils ont « aidé au mouvement[23] » ; Monet ne leur répond pas. Ou plutôt, il leur répond par ce bulletin de santé : « Vous m'avez bien désolé. Si je vous ai fait attendre une réponse, c'est que ça ne va pas encore comme je voudrais et que je suis très énervé. Si je vois assez pour lire et pour écrire, il n'en est pas de même pour voir les couleurs ; la nature et plus encore mes toiles me paraissent affreuses. Et voilà qu'on me parle d'opérer mon autre œil. Une consultation à ce sujet doit avoir lieu d'ici quelques jours. Alors vous devinez l'état nerveux où je me trouve[24]. » Qu'on cesse de le tourmenter ! Quel malin plaisir peuvent bien prendre les uns et les autres à le contrarier sans cesse, tous y compris Clemenceau qui ne se laisse pas faire : « Si je vous ai tourmenté, c'est que mon amitié m'en faisait un devoir. J'ai pris pour moi le rôle le plus déplaisant. Il fallait bien vous aimer pour cela[25]. » Monet n'a que faire d'être aimé, il veut voir !

Finalement, les lunettes aux verres colorés semblent au bout du compte être efficaces. Les visites à Giverny reprennent. Désormais, quand il en est besoin, Michel va chercher les uns et les autres à la gare de Vernon au volant d'une Voisin. Lorsque, le 20 octobre, les Durand-Ruel viennent déjeuner à Giverny, Monet vient de se remettre au travail. Clémentel, ancien ministre devenu sénateur du Puy-de-Dôme, reçoit une lettre datée du 7 novembre : « Sachez que j'ai repris mes pinceaux, que je travaille et que je veux terminer mes *Décorations* pour la date fixée[26]. » Monet referme les portes de Giverny « ayant repris le travail et ayant à rattraper tant de temps perdu[27] ». Encouragement du fidèle Clemenceau : « Comme j'ai été heureux, cher ami, d'apprendre que vous étiez au travail ! Il ne pouvait pas y avoir de meilleure nouvelle. Allez-y, vieux frère, sans regarder à droite ni à gauche et poursuivez votre chemin[28]. »

1924-1925

C'est une vraie résurrection[1]

Monet s'acharne. 26 janvier 1924 : « Je suis pris par le travail et aux prises avec de grandes difficultés, car si j'y vois assez bien pour écrire, il n'en est pas encore de même pour peindre. Le vision d'un peintre est difficile à retrouver, mais je passe par des moments terribles et suis souvent découragé. Enfin, je fais de mon mieux, travaillant quand même, ne sortant plus, ne voyant personne pour le moment[2]. »

Cette retraite ne l'empêche pas de recevoir de singuliers échos de sa gloire... L'un de ses amis lui apprend que, dans une exposition, l'une de ses toiles a été présentée renversée, à l'envers. Commentaire désabusé de Monet : « C'est plutôt comique, mais pas la première fois[3]... » Quant au tableau qu'il a offert à la Société des Amis du musée des Beaux-Arts de Nantes, en dépit de la volonté de Marc Elder qui la préside, en dépit de l'avis favorable du conservateur du musée dont la personnalité a séduit Clemenceau, la commission de surveillance du susdit musée, horrifiée par l'audace de ces *Nymphéas à Giverny* de 1917, n'en admet pas la présentation[4]. Monet ne fait pas le moindre commentaire. Il lui suffit de constater que ce que ses amis disent être la gloire n'empêche pas que l'on accroche ses toiles à l'envers, n'empêche pas qu'on les repousse, les refoule dans des réserves...

Monet travaille. 13 février, aux Bernheim : « Je travaille à force, car le moment approche où il va falloir livrer mes panneaux à l'Etat, grosse affaire pour moi, comme vous pensez, et je fais tous mes efforts pour être prêt[5]. » Et, malgré ces efforts, Monet doute, Monet s'inquiète, Monet croit devenir fou. Il ne sera jamais prêt en avril. Une nouvelle fois, Clemenceau arrive à la rescousse, tance, apaise : « Mon pauvre vieux maboul, je crois vraiment que je vous aime mieux quand vous êtes stupide. Malgré le plaisir de vous aimer, je voudrais que ce ne fût pas trop souvent[6]. »

Lorsque le mois d'avril arrive, mois tant redouté parce qu'il est celui de la remise de ses toiles, Monet n'en peut plus. Lettre accablée au docteur Coutela : « Depuis des mois, je travaille avec acharnement, sans arriver à rien de bon. Je détruis tout ce qui était passable. Est-ce l'âge ? Est-ce la vision défectueuse ? L'un et l'autre certainement, mais surtout la vision. Vous m'avez rendu la vue du noir sur blanc, soit lire et écrire, et cela je ne saurais vous en être assez reconnaissant, mais la vision du peintre, que je suis, bernique, elle est bien perdue comme j'en étais certain et vous n'y êtes pour rien. Je vous dis cela confidentiellement. Je le cache autant que possible mais je suis terriblement attristé et découragé. La vie est pour moi une torture[7]. »

Monet se passerait bien alors d'un autre sujet d'inquiétude. Le 1er septembre 1923, la terre a tremblé au Japon. Terrible séisme. Les villes de Yokohama, de Kanagawa, de Shizuoka et de Tokyo ont été ravagées. L'effondrement de plus d'un demi-million de maisons, la panique et les incendies impossibles à maîtriser, ont fait des dizaines de milliers de morts, près de cent cinquante mille affirment aussitôt les journaux, sans doute quatre cent mille selon d'autres rapports publiés plusieurs mois après le désastre. Le marchand Georges Petit organise une exposition dans sa galerie au profit des victimes de ce tremblement de terre de Kantó. Gustave Geffroy écrit la préface du catalogue de l'exposition préparée par Léonce Bénédicte. Il y rend hommage aux peintures de Monet. Parmi les toiles de la collection Matzukata dont Bénédicte a conseillé l'acquisition, deux grands *Nymphéas* sont montrés chez Petit. Colère de Monet : « Figurez-vous que ce Bénédicte ne m'a rien dit de cette exposition, qu'il a fait cela sans même me consulter comme si je n'étais plus. C'est d'un mufle[8] ! » Monet demande à Clemenceau de sermonner comme il convient ce monsieur qui oublie ses devoirs. La leçon donnée par un ancien président du Conseil au directeur du musée du Luxembourg est d'autant plus terrible qu'elle passe par la voie hiérarchique, en l'occurrence par Paul Léon, directeur des Beaux-Arts, qui intime à Bénédicte l'ordre de retirer l'une de ces toiles qui ne peut que « faire un tort très grave aux panneaux de l'Orangerie[9] ».

Monet ne cesse d'y travailler. Clemenceau à Monet, le 7 mai : « J'espère bien que vous continuez de barbouiller vos toiles. J'irai quelque jour confronter mon opinion avec la vôtre au risque de me faire malmener[10]. » A la fin de ce même mois, un nouvel espoir entre en scène. Si le peintre Albert Besnard a renoncé à trouver un miraculé de la cataracte, le peintre André Barbier ne doute pas que les verres Zeiss, mis au point à Iéna, soient en mesure de faire des miracles. L'attente de ces verres repousse la livraison des *Décorations*. Qui sait si ces verres ne vont pas lui révéler des erreurs qu'il faut corriger ? Au retour d'une visite à Giverny, Paul Valéry prend quelques notes dans ses *Carnets* : « Puis quand il a revu – il a retrouvé un tableau fait avant et qui est une cacophonie de tons[11]. » Combien de fois Clemenceau, qui est présent, a-t-il entendu cette expression, « cacophonie de tons » ?

Monet ne cesse pas de travailler. Et il ne cesse pas de maugréer. D'autant que Barbier a suggéré des consultations du docteur Mawas, plus au fait des vertus des verres Zeiss, plus informé donc que le docteur Coutela... Il se pourrait qu'à cause de lui il ait perdu du temps. Le 7 juillet, Monet, courtoisement, écarte Coutela : « Les derniers verres non teintés que vous m'avez donnés n'ont pas donné de bons résultats et j'ai dû renoncer. Sur ces entrefaites, je dois vous le dire, mon ami

Barbier a fait la connaissance du docteur Mawas qui, paraît-il, s'occupe spécialement d'optique et serait le seul à pouvoir répondre au formulaire de la maison Zeiss. Lequel docteur, qui entre parenthèses est votre ami, a offert de venir jusqu'ici afin de prendre toutes les mesures nécessaires pour avoir ces verres merveilleux. Vous voilà au courant[12]... »

Monet n'en doute plus, ce qu'il a fait ces derniers temps est inadmissible. Clemenceau s'en amuse : « Malgré le style geignard, si commun chez les vieilles gens, j'ai été bien content de recevoir votre lettre. Je ne vous aurais pas écrit le premier, parce que je suis d'avis qu'il faut vous laisser tranquille lorsque vous travaillez. Et cela ne se comprend que trop bien, étant donné l'intensité de l'effort nécessaire[13]. » Pourquoi s'étonner ? « Comme depuis quarante ans vous n'avez fait que des "cochonneries", cela ne vous change pas. Quelques-unes de plus ou de moins, le diable s'y reconnaîtra peut-être. Le hasard fera peut-être aussi que vous rencontrerez quelques bons coups de brosse sans y penser. Continuez donc à hurler puisque c'est ce qu'il vous faut pour peindre[14]. » Il reste à Clemenceau à livrer à son ami une information inédite : « Savez-vous ce qui m'arrive ? Un éditeur américain m'offre un million de francs pour mes mémoires. J'ai accepté à la seule condition que c'est vous qui les écririez. Au moins, pendant ce temps-là, je pourrai faire votre peinture[15]. » Monet ne peut en douter, Clemenceau est devenu maboul. « Si je suis maboul, ce qui ne m'étonnerait pas, vous êtes, vous, en rupture de Charenton[16]. » Dialogue de fous...

Le surlendemain, le 5 août, les lunettes élaborées par le docteur Mawas arrivent à Giverny, « parfaites[17] ». Monet redécouvre ses tableaux. Ils sont mauvais. Comment ces toiles n'auraient-elles pas provoqué ses doutes ? Clemenceau lui-même n'en a-t-il pas eu ? « Non, mon vieux Chambardeur, je n'ai eu et n'aurai jamais de doutes sur vos tableaux. [...] Je ne suis inquiet ni de vos panneaux ni de vous-même. Vous avez fait jusqu'ici d'assez bonne peinture. Pourquoi ne continueriez-vous pas ? Vous mourrez brosse en main et si après votre mort, on vous plaçait devant une toile blanche, vous y feriez encore des taches de couleur[18]. » Si donc il n'a pas eu de doute, il n'a pas non plus à demander l'autorisation de porter un jugement : « Mais il ne faut pas croire que nous ayons besoin de votre permission pour juger[19]. » Que Monet s'y résigne... Et qu'il accepte encore ce conseil : « Mon vieux, continuez de vous mettre en colère toutes les cinq minutes, parce que cela vous remue le sang, mais dès que vous serez redevenu vous-même, ne vous couvrez plus de ridicule en ayant l'air d'être mécontent[20]. »

En dépit de ce conseil, un mois plus tard, Monet est plus désespéré encore. Plus grave, il semble tout à coup remettre en cause son don à l'Etat. Il ne saurait les donner telles qu'elles sont pour qu'elles soient marouflées, mises en place à l'Orangerie. Ne devrait-il pas renoncer si... La réponse de Clemenceau est grave : « Sur votre demande un contrat est intervenu entre vous et la France où l'Etat a tenu ses engagements. Vous avez demandé l'ajournement des vôtres et, avec mon intervention, vous l'avez obtenu. Moi j'ai été de bonne foi, et je ne voudrais pas que vous me fissiez passer pour un complaisant qui a desservi l'art et la France pour se plier aux lubies de son ami. Non seulement vous avez mis l'Etat dans l'obligation de faire d'importantes dépenses, mais vous les avez provoquées et même sanctionnées de votre approbation sur place. Il faut donc aboutir artistiquement et honorablement car il n'y a pas de si dans les engagements que vous avez pris[21]. »

Monet se le tient pour dit. Et il recommence à travailler avec plus d'acharnement encore. 17 octobre : « Je ne sais si je fais bien ou mal, cela est mon affaire à moi seul[22]. » Demande de Clemenceau, question narquoise posée le 29 novembre : « Faites-vous toujours de la peinture ? C'est un art qui n'adoucit pas toujours le caractère[23]. » Monet peint avec d'autant plus d'ardeur que, paire après paire, les lunettes qui lui sont livrées par le docteur Mawas, le comblent. 8 décembre : « En somme, je suis très content du verre blanc[24]. » Confirmation au peintre Barbier le lendemain : « Les nouvelles lunettes reçues me donnent un résultat très appréciable et surtout au point de vue des couleurs, et cela avec des verres blancs, ce qui n'était pas obtenu jusqu'ici[25]. »

Parce qu'il voit comme il n'a pas vu depuis des mois, Monet, atterré, désespéré, découragé, est convaincu que parachever ses *Décorations* est au-dessus de ses forces. Il renonce. Et il écrit directement à Paul Léon pour lui annoncer qu'il est dans l'impossibilité de donner ses *Décorations* à l'Etat comme il s'y est engagé. Clemenceau est alors averti par Léon désemparé. Que faire ? Clemenceau envoie aussitôt une lettre outragée et grave à Monet : « Si vieux, si entamé qu'il soit, un homme, artiste ou non, n'a pas le droit de manquer à sa parole d'honneur – surtout quand c'est à la France que cette parole fut donnée[26]. » La lettre se termine sur le ton blessé de la rupture et de la sommation : « Vous m'avez écrit en Vendée : "Quoi qu'il arrive, ma parole sera tenue." J'en étais là de vos promesses. Je ne m'en laisserai pas déloger. Si je vous aimais, c'est que je m'étais donné au *vous* que je vous voyais être. Si vous n'êtes plus ce *vous*, je resterai l'admirateur de votre peinture, mais mon amitié n'aura plus rien à faire avec ce nouveau *vous*. Je suis vieux, moi aussi, et j'ai reçu des coups qui, à mes yeux, ne m'ont pas diminué. Mon ambition pour vous était que vous en puissiez dire autant[27]. »

Le coup porte. Dans les jours qui suivent, Monet, triste, piteux, écrit au peintre Bonnard : « J'ai mal commencé l'année, crise de complet découragement, le moment approchant où il va falloir livrer ces panneaux. Cela m'obsède, et je maudis l'idée que j'ai eue de les donner à l'Etat. Et je vais être obligé de les donner dans un état déplorable qui me rend bien triste. Je fais tous mes efforts pour me ressaisir un peu, mais sans espoir[28]. » Blanche, comme nulle autre, mesure combien les lettres implacables de Clemenceau bouleversent son beau-père, combien la rupture de leur amitié est une souffrance, combien il se reproche d'avoir pu provoquer cette déception. Elle écrit au Tigre. Il n'est pas certain qu'elle prévienne Monet de sa démarche. Le dimanche 22 mars, Clemenceau vient déjeuner à Giverny. Silence pudique de deux hommes aux cheveux blancs qui se serrent les mains, qui s'étreignent, dans les bras l'un de l'autre.

Les choses rentrent dans l'ordre. Clemenceau rassure Léon. Il aura les *Décorations*...

Et la vie quotidienne reprend son cours. En février, Monet peut envoyer un chèque de 7 514,95 francs à Durand-Ruel en remboursement d'une avance faite pour l'achat d'actions du Telegraph and Telephone... En avril, il apprend la mort du vieil ami John Singer Sargent survenue à Londres dans la nuit du 14 au 15, en mai. Il remercie Barbier de l'envoi d'un remède... Et parfois, sans doute encore, Monet détruit-il certaines de ses œuvres... Le peintre Jacques-Emile Blanche rapporte : « Paul Valéry, lui faisant visite l'an dernier, le surprit qui livrait aux flammes les études qu'il ne voulait point laisser derrière lui. Agé de quatre-vingt-cinq ans, après avoir subi l'opération de la cataracte, il y voyait assez encore pour se livrer à une terrible hécatombe. »

Mais, à nouveau, Monet est à bout : « Je sens si bien que c'est fini pour moi de peindre, je commence même (non sans une grande tristesse) à n'y plus penser, c'est bien fini[29]. » Cette résignation est loin d'être de la sérénité. Il avoue aux Durand-Ruel : « Toutes mes excuses de vous avoir empêchés de venir dimanche passé. J'étais dans la tristesse et le découragement[30]. » Il s'excuse auprès de Geffroy : « Certes oui, je serais heureux de vous voir, car, à mon âge, sait-on jamais si l'on se reverra. J'ai été navré de vous avoir envoyé mon télégramme, j'avais déjà une visite à recevoir ce même dimanche et (cela je puis vous le dire à vous) j'étais dans un état de découragement [...] que je ne voulais voir personne et j'ai télégraphié à mes autres visiteurs de ne pas venir[31]. »

Bientôt, comme un brouillard, tristesse et découragement se dissipent. Monet travaille à nouveau « avec une joie sans pareille[32] » : « Ma vue s'est totalement améliorée. Je travaille comme jamais, suis content de ce que je fais et, si les nouveaux verres sont encore meilleurs, alors je ne demande qu'à vivre jusqu'à cent ans[33]. » Il informe le 27 juillet le docteur Coutela, auprès duquel il s'est inquiété quelques mois plus tôt de ce qu'il ne lui garde pas « rancune d'avoir été obligé de recevoir M. Mawas[34] », du bonheur qui est le sien depuis peu : « Enfin j'ai retrouvé ma vraie vision, et cela presque d'un seul coup[35]. »

Bientôt inquiet du silence de Clemenceau, Monet se risque à lui demander s'il bouderait ? « Faut-il que vous soyez bourrique pour oser écrire que je vous boude[36]. » Au cours de ce même mois d'août, Monet reçoit une carte de Geffroy écrite à Kervillaouen : « Ce qui n'a pas changé, c'est votre mer, c'est votre côte sauvage, à jamais fixées par votre génie pictural – et ce qui n'a pas changé non plus, c'est ma tendre amitié scellée ici en 1886[37]... » Il ne peut l'en remercier que le 11 septembre. Il est heureux alors de pouvoir lui écrire : « Je me porte très bien. J'ai passé tout l'été à travailler avec ardeur et une joie nouvelle. Je n'ai malheureusement pas été favorisé par le temps et je n'ai pu mener à bien les nombreuses toiles entreprises, bien que, par n'importe quel temps, j'aille au travail quitte à être mouillé. Voilà l'automne et l'hiver s'annonce. Alors, je vais me remettre à ma *Décoration* afin de la livrer enfin[38]. » Un mois plus tard, rien n'a changé : « Pris par le travail, j'oublie tout, tant je suis heureux d'avoir enfin retrouvé la vision des couleurs. C'est une vraie résurrection[39]. »

Au bout du compte, entre la première opération qui a eu lieu le 10 janvier 1923 et sa « résurrection » annoncée aux Bernheim le 6 octobre 1925, presque trois années seront passées. Mais, en cette fin de l'année 1925, le sort des *Décorations* est enfin assuré. Monet le sait : s'il en est ainsi, c'est à Clemenceau qu'il le doit.

1926

Je sais ce que je suis et surtout ce que je ne suis pas[1]

En ce début d'année, Monet se sent « très patraque[2] ». Il a des douleurs intercostales. Serait-ce la goutte ? Les douleurs s'apaisent. Dans le grand atelier des *Décorations*, Monet risque quelques retouches encore. Il contemple les toiles. C'est fait. C'est fini. Clemenceau pousse un soupir de soulagement. « J'ai été bien content de savoir que la première expédition s'attendait plus que la peinture à sécher[3]. » Il n'y a plus de doutes à avoir, la mise en place des toiles dans l'Orangerie des Tuileries sera ce que Clemenceau attendait, « un couronnement de Monet par Monet ».

Gustave Geffroy ne pourra y assister. Le dimanche 4 avril, Clemenceau qui vient déjeuner à Giverny, apporte la nouvelle de son décès survenu le matin même. Malgré la nouvelle, malgré la fatigue qui interdit la promenade dans le jardin après le déjeuner, malgré l'angoisse qu'éprouve Monet à l'idée d'être séparé de ses panneaux, Clemenceau parvient à le faire rire. Pour remercier Barbier, invité à Giverny le mois suivant, de la part qu'il a prise à sa « résurrection », Monet lui offre trois pastels. Il lui demande de ne plus à l'avenir lui « témoigner cette admiration exagérée ». Et d'affirmer : « Je sais ce que je suis et surtout ce que je ne suis pas. » Ou ce qu'il n'est plus…

Il ne tolère plus les visites prolongées. S'il paraît à l'un vert pour son âge, à l'autre encore robuste, il ne parvient pas à se défaire d'un rhume, d'une trachéite qui l'épuise. Un document que lui a laissé l'un de ses visiteurs lui impose une mise au point dictée à Blanche : « Si la traduction de la lettre de Sargent est exacte, je ne puis l'approuver d'abord parce que Sargent me fait plus grand que je ne suis, que j'ai toujours eu horreur des théories, enfin que je n'ai que le mérite d'avoir peint directement devant la nature en cherchant à rendre mes impressions devant les effets les plus fugitifs, et je reste désolé d'avoir été la cause du nom donné à un groupe dont la plupart n'avaient rien d'impressionnistes[4]. » S'il refuse d'écrire l'histoire comme il s'est refusé à la moindre théorie, au moins espère-t-il que ceux qui auront à l'écrire évitent les contresens.

Pendant des semaines, les portes de la maison restent fermées. Le 3 juin, Clemenceau lui écrit : « Ma pensée s'envole vers vous et je vous vois dans un Niagara d'arcs-en-ciel, cherchant querelle au soleil[5]. » La réalité est tout autre. Monet ne peut recevoir. Il ne sort plus. Il ne mange presque plus. Le 10 juillet, pour donner le change peut-être, Monet déjeune, sort pour une promenade dans le jardin. Le samedi 17 suivant, Monet renonce à la promenade... Les nouvelles données quelque temps plus tard à Clemenceau ne sont pas les meilleures. De Vendée, il lui répond : « Mon pauvre vieux crustacé, vous me faites l'effet d'un vieux crabe qui s'est laissé prendre une patte, comme il leur arrive tout le temps, et qui trouve qu'elle est longue à repousser. » Le « vieux crustacé » est affecté d'une maladie pulmonaire incurable, révélée par un examen médical pratiqué dans le cabinet du docteur Rebière, à Bonnières, où l'on a repéré une lésion et un engorgement du poumon gauche. A la fin de l'été, on est sans illusion à Giverny. La sclérose pulmonaire dont il est atteint ne peut qu'être fatale. Monet semble pourtant se remettre, et, en dépit des rechutes et des reprises de la douleur, il envisage de grands changements dans ses ateliers, comme des améliorations du jardin. Cela l'amuse peut-être d'imaginer plus de voitures qui ralentissent en passant devant la maison, plus de curieux qui tendent le cou pour essayer de le voir...

Rentré à Paris à la fin de l'été, Clemenceau revient régulièrement déjeuner à Giverny. Ils parlent ensemble de bulbes de lis du Japon, de semences qui ne manqueront pas de colorer le jardin dès mai prochain. A quoi bon parler de peinture encore ? En a-t-il parlé avec Roussel et Vuillard, venus déjeuner à la fin du mois de juin ? En parle-t-il avec Bonnard qui lui rend visite en novembre ?

Dans les jours qui suivent une visite de Clemenceau à la fin de ce mois de novembre, Monet doit s'aliter. Pendant plusieurs jours, plus la moindre nouvelle. Blanche et Michel doivent faire face aux crises qui accablent Monet.

Alors que, le 1er décembre, Clemenceau écrit à Blanche qu'il attend une invitation de Monet pour venir, Blanche elle-même envoie une dépêche. Monet ne se nourrit plus. Seules des piqûres semblent conjurer la douleur.

Le 2, Clemenceau est à Giverny. Le soir même, accablé, il rentre à Paris. Sans illusion.

Il lui faut, le dimanche 5 au matin, reprendre la route de Giverny. Dans la maison silencieuse, Blanche, Michel, Jean-Pierre Hoschedé et sa famille accueillent Clemenceau. Il monte au premier étage et s'assied au chevet du vieux peintre. La respiration de Monet tout à coup semble être plus pénible. Clemenceau serre la main de son ami, lui demande s'il souffre. « Non[6] », répond Monet dans un souffle.

A midi, Monet s'éteint.

Trois jours plus tard, le 8 décembre, malgré le souhait de Monet d'avoir des obsèques familiales, il y a foule dans la rue devant la maison. Clemenceau qui arrive vers 10 heures un quart est exaspéré par cette cohue importune. Il l'est encore lorsque, dans la maison, il découvre le cercueil couvert d'un drap noir. Clemenceau l'arrache. « Non ! pas de noir pour Monet[7] ! » Des yeux, il cherche dans la pièce. Et fait étendre sur la bière « une cretonne ancienne aux couleurs des pervenches, des myosotis et des hortensias, une cretonne aux teintes amorties[8] ».

Le cortège sort de la maison, descend l'allée centrale du jardin et, sur le chemin du Roy, tourne vers la droite. Le maire marche devant le corbillard. L'écharpe bleu, blanc, rouge qu'il porte est la seule tache de couleur avec celle de la cretonne. Derrière le corbillard –, voiture à bras peinte en noir que tirent et poussent quatre hommes en costumes sombres –, marchent les hommes. Puis viennent les belles-filles de Monet dont les chapeaux sont drapés dans des crêpes noirs. Suivent les femmes... Le cortège passe devant l'église. Il monte vers le cimetière. Au passage du corbillard, les hommes se découvrent, les femmes inclinent la tête. Certains se signent.

Clemenceau, les yeux baignés de larmes, doit s'arrêter. Il refuse de monter dans sa voiture. Il refuse qu'on le soutienne lorsqu'il arrive devant la tombe marquée déjà des noms d'Ernest Hoschedé, de Suzanne Hoschedé, d'Alice...

Il n'y a ni fleurs, ni couronnes, ni discours.

Le cercueil est descendu dans la tombe. Un bruit sourd résonne dans le caveau. On remonte les cordes.

C'est fini.

Épilogue

« Et le diable m'emporte si, en arrivant au paradis, je ne vous trouve pas un pinceau à la main[1]. » Peut-être, en ce 16 mai 1927, dans les salles de l'Orangerie ouverte pour lui seul à la veille de l'inauguration officielle, Clemenceau se souvient-il d'avoir écrit ces mots à Monet cinq ans plus tôt... Que peint Monet au paradis ?

Le lendemain, ni M. Edouard Herriot, ministre de l'Instruction publique et des Beaux-Arts, ni aucun des membres de l'Académie des Beaux-Arts qui l'accompagnent ne se posent la question... Aucun d'entre eux ne peut prétendre avoir connu Monet comme Clemenceau le connut. Aucun d'entre eux pour se souvenir des colères du peintre, furieux de ce que l'on ait pu planter des poteaux télégraphiques au long de la route de Giverny à Limetz, les planter sans vergogne dans l'un de ses motifs[2] ! Aucun d'entre eux pour se souvenir que, le dimanche, il lui arriva de jouer au tennis dans une prairie qui tenait lieu de court, plus tard de jouer aux cartes, au trente et un en particulier, mais qu'il jouait plus volontiers encore au jeu de dames[3]. Personne parmi eux pour savoir qu'il aimait à faire le « trou normand » et que « de même tous les jours, après le café servi à l'atelier, Monet prenait un verre norvégien d'eau-de-vie de prune faite avec les fruits du jardin[4] ».

Les années passent. Si Clemenceau a pu croire en ce 16 mai 1927 que ses interventions obstinées sont parvenues à rendre à son ami l'hommage qui lui était dû, à lui assurer la gloire, il lui aura vite fallu déchanter. Dès 1928, les *Décorations* sont reléguées, oubliées dans l'indifférence... Constat désolé de Clemenceau : « Au pan coupé de la terrasse des Tuileries, une petite planche grise, un peu plus grande que le fond de mon chapeau, fait mine d'apprendre au public qu'il y a quelque chose là[5]. » Bientôt la direction et l'administration du musée de l'Orangerie ne seront plus dérangées par les remarques désobligeantes et agacées de Clemenceau, après sa mort en 1929. Ce qui leur permet de pendre des tapisseries flamandes devant les *Décorations* en 1935... Un an plus tard, Michel Monet redoute le pire lorsqu'il apprend qu'une exposition de Rubens doit être présentée à l'Orangerie. Indécente inquiétude. Pour avoir présenté en 1931 une rétrospective qui a rassemblé 128 œuvres, l'Orangerie n'a-t-elle pas fait tout ce qu'elle devait faire ? Michel Monet aurait-il été déçu de trouver dans le catalogue un texte de Paul Jamot, conservateur en chef du musée du Louvre, qui présentait l'œuvre de Monet sur un ton fade, neutre, si ce n'est ennuyé, résigné, qui comprenait ô combien qu'une nouvelle génération de peintres se détourne de l'œuvre du « patriarche muet de la peinture[6] » ?

Les années passent. Bientôt, il n'y a plus personne pour se souvenir de ces chemises de batiste à jabot dont les poignets plissés lui couvraient les mains à la manière de mitaines, chemises devenues une sorte de signe particulier... Bientôt, on aura oublié de même ses pantalons fermés à la cheville par des boutons, les chapeaux de paille portés l'été, les feutres qui remplacèrent les bérets, les bottes faites sur mesure qui remplacèrent les sabots[7]...

Comme s'effacent ces souvenirs, le silence se fait plus intense dans les pièces de la maison de Giverny, dans les ateliers. Dans cette maison où ils continuent de vivre, Michel Monet et Blanche Hoschedé-Monet se rappellent peut-être parfois, dans la salle à manger, que là, à cette place, Caillebotte a pris place. Ce jour-là, il était venu par la Seine sur son petit yacht *Le Casse-Museau*[8]... Et reviennent à la mémoire les noms de ceux qui déjeunèrent autour de cette table, Renoir, un habitué quand il séjourna à La Roche-Guyon en 1885 et 1886, Pissarro, Mary Cassatt, Berthe Morisot, Sargent, Anquetin qui venait en voisin quand il allait chez ses parents à Eragny, voisin comme Deconchy qui habitait à Gasny, et Octave Mirbeau et Gustave Geffroy, Stéphane Mallarmé, les Rouart, Sacha Guitry et sa première femme Charlotte Lysès que Monet aimait bien... Et l'un ou l'autre de se souvenir de Paul Valéry, du peintre Eugène Carrière, du compositeur Chabrier, de la chanteuse Namara qui chanta dans l'atelier des *Nymphéas*... Et de citer encore Roussel, Vuillard, Paul Signac, qui habita un temps aux Andelys... Déjà ils oublient des noms, confondent les dates... Quel jour, en bougonnant, Monet a-t-il rappelé à l'ordre le peintre André Barbier qui venait de l'appeler « maître » : « Je ne suis pas un maître, je suis Monet[9] » ? Et de se demander tout à coup à l'automne de quelle année toute la famille a dormi dans la nouvelle serre où le chauffage venait d'être installé. Monet avait voulu assurer une nuit de garde pour vérifier sa bonne marche. Toute la famille avait finalement bivouaqué en compagnie des gloxinias[10].

Ni Michel ni Blanche n'accompagnent plus le cortège des invités de Monet qui montait vers sa chambre pour leur montrer sa collection, « un Corot, quatre Jongkind, trois Delacroix, un Fantin-Latour, un Degas, deux Caillebotte, trois Pissarro, un Sisley, douze Cézanne, dont *Le Nègre*, neuf Renoir, dont le *Portrait de Monet lisant* et celui de *Madame Monet* et aussi *La Casbah* [...], cinq Berthe Morisot, dont la *Jeune Fille à la levrette*, une aquarelle de Chéret et deux de Signac, un pastel de Vuillard, deux bronzes de Rodin[11] ». La fille de Berthe Morisot, Julie Manet, au lendemain d'une visite à Giverny, a, le 30 octobre 1893, dressé un autre inventaire : « Dans cette chambre beaucoup de tableaux sont accrochés, entre autres : *Isabelle se peignant, Gabrielle à la jatte, Cocotte avec un chapeau*, un pastel de maman, un pastel de l'oncle Edouard, une femme nue et très jolie de M. Renoir, des Pissarro, etc.[12] » Lilla Cabot Perry, voisine de Monet, a remarqué d'autres œuvres : « [...] des œuvres de Renoir, un tableau très expressif de Camille Pissarro représentant trois paysannes et datant de sa période pointilliste, une charmante colline parsemée de belles maisons, par Cézanne[13]... » Quelques années plus tard, le marchand Ambroise Vollard s'est émerveillé de tout ce qu'il y découvrait : « Comme j'observais que, des tableaux d'une qualité si rare, on n'en voyait pas souvent de pareils chez les amateurs les plus réputés : "Et pourtant, me répondit Monet, je ne prends que ce que l'on veut bien me laisser ! La plupart des toiles que vous voyez là traînaient à l'étalage des marchands. En quelque sorte, je les ai achetées pour protester contre l'indifférence du public"[14]. »

L'indifférence du public... Monet a particulièrement bien su ce qu'elle pouvait être. Il s'est gardé d'évoquer, au-delà de cette indifférence, les sarcasmes, les injures, le mépris. Dans les dernières années de sa vie, devant Jacques-Emile Blanche, Monet a enragé : « C'est une honte, les prix qu'atteignent les toiles modernes. Il n'est barbouilleur qui n'ait un journal, une revue à sa dévotion. Chacun discute et prétend comprendre, comme s'il le fallait, alors qu'il suffit d'aimer. » Commentaire lapidaire de Blanche : « Ceci, propos de sage, mais de vieillard[15]. »

Il suffit d'aimer... Sans la foi, sans l'acharnement, sans les risques pris par ses marchands pendant près de trente ans, comment les « amateurs » auraient-ils appris à aimer sa peinture ? Entre l'apparition de la photographie qui est le premier coup de boutoir donné, un an avant la naissance de Monet, dans les certitudes des « arts d'imitation », et sa mort en 1926, tout a plus changé dans le monde de l'art qu'entre l'édition du premier traité de peinture jamais publié en Europe, le *De Pictura* de Leon-Battista Alberti en 1435, et l'invention de Daguerre en 1839.

Sous le Second Empire encore, le Salon était le seul moyen pour un jeune artiste de se faire connaître. Avant la Première Guerre mondiale déjà, et dès 1883, le Salon s'est décliné au pluriel avec le Salon des artistes français, la Triennale, celui de la Société nationale des Beaux-Arts, celui de la Société des artistes indépendants, le Salon d'automne... Et, dans les mêmes années, avec le rôle que s'attribuent les galeries, aucun de ces Salons n'est plus décisif. Aucun d'entre eux n'est plus en mesure d'assurer à un peintre une carrière.

Et Monet en a, tôt, parfaitement pris conscience. Le Salon qui l'a accepté a permis que certains distinguent son talent. Le Salon qui l'a refusé lui a conféré la place d'un « chef d'école ». Qu'il ait gêné parce qu'il y a été admis, qu'il ait irrité parce qu'il en a été exclu, ne pouvait lui permettre de prétendre être l'un de ces artistes auxquels les commissions des Beaux-Arts pouvaient passer des commandes, l'un de ces artistes dont on pouvait sans indécence suggérer le nom pour un portrait dans les salons du faubourg Saint-Germain... Comment, dans la société française, corsetée de préceptes, de principes et de poncifs, de la seconde moitié du XIXe siècle, faire fi des conventions et bousculer les convenances aurait-il pu permettre à Monet de faire une carrière ? Monet qui n'a pas été apprivoisé par un maître à son arrivée à Paris, Monet dont les impressions passèrent pour des improvisations bâclées, Monet, veuf dont on sait qu'il a fait le choix de vivre avec une femme mariée, en dépit de ces « bonnes mœurs » avec lesquelles on ne saurait transiger, ne pouvait prétendre gagner sa vie avec sa peinture dans la société sûre de ses valeurs de la IIIe République. Paul Durand-Ruel ne pouvait pas ne pas le savoir. Menacé de devoir déposer son bilan, il osa faire le pari des Etats-Unis. Il voulut croire qu'il saurait persuader les Yankees vainqueurs de la guerre civile – la guerre de Sécession s'est achevée le 9 avril 1865 – que la peinture nouvelle qu'il leur apportait s'accordait au pays neuf qu'ils commençaient de bâtir. Les dollars rapportés n'ont pas tardé à convaincre Monet d'abord réticent. Sans ces dollars, l'impressionnisme se serait épuisé, désolante débâcle de faillites en dettes et en saisies...

Sans, et avant qui que ce soit d'autre, Paul Durand-Ruel[16], sans, plus tard, ses fils Joseph[17], Georges[18] et Charles[19], sans encore Alexandre Bernheim[20] et ses fils, Josse[21] et Gaston[22], Monet n'aurait pas eu les moyens de devenir Monet.

Les Goncourt n'ont sans doute pas été les seuls à s'impatienter de la prétention de pareils marchands à imposer leur loi au monde de l'art, à prétendre à un rang honorable dans la société. Note de dépit et de mépris tirée de leur *Journal* à la date du lundi 13 juin 1892 : « Un curieux habitacle d'un marchand de tableaux au XIXᵉ siècle, c'est celui de Durand-Ruel. Un immense appartement rue de Rome, tout rempli de tableaux de Renoir, de Monet, de Degas, etc., avec une chambre à coucher ayant au chevet du lit un crucifix, et une salle à manger où une table est dressée pour dix-huit personnes et où chaque convive a devant lui une flûte de Pan de six verres à boire. Geffroy me dit que c'est ainsi tous les jours qu'est mis le couvert de la peinture impressionniste[23]. »

A la fin de sa vie, Renoir confie : « Voyez-vous, l'hôtel Drouot, c'est le baromètre de l'art. Lorsque les œuvres, dans une vente, atteignent des prix élevés, c'est la preuve que l'artiste a conquis l'opinion publique[24]. » A la même époque, Octave Mirbeau constate dans *Le Petit Journal* daté du 30 mars 1910 : « Dans une vente récente, trois pêches et un compotier, de Paul Cézanne, s'adjugent dix-neuf mille francs, tandis qu'un grand tableau de M. Dagnan-Bouveret, membre de l'Institut, atteint péniblement le prix de douze cents francs. Des Renoir, des Monet, des Van Gogh, se payent quarante mille francs, et un Carolus Duran, devant quoi, au Salon, s'arrêtèrent les foules extasiées, tombe à trois cents francs, et encore parce qu'il avait un cadre qui en valait bien six cents[25]. » Octave Mirbeau se garde de préciser que, seul parmi les peintres qu'il nomme, Monet aura eu l'aplomb de ne pas s'en remettre à un seul de ces marchands grâce auxquels la cote des impressionnistes a fini par largement dépasser celle des peintres « officiels ». Sa fidélité à Durand-Ruel ne l'a pas empêché d'exposer chez Georges Petit, de vendre à Théo Van Gogh chez Boussod et Valadon, à Maurice Joyant qui lui a succédé en 1890, de réserver tous ses *Venise* aux frères Bernheim... Sans doute aura-t-il été le premier à ne pas se priver de ce que leurs rivalités pouvaient lui rapporter.

Et, comme aucun autre peintre ne l'avait fait encore, Monet aura créé un motif exclusif, incomparable, unique : son jardin, son bassin aux nymphéas de Giverny. En 1883, il fit l'acquisition de la parcelle qui allait lui permettre de creuser un bassin ; en 1895, il mettait en place le pont japonais ; en 1901, il faisait l'acquisition d'un terrain voisin pour tripler la surface du bassin ; en 1910, il en modifiait encore les contours... Cézanne, dont Monet ne doutait pas que c'était à ses paysages qu'il devait se mesurer, Cézanne affirmait avoir besoin de savoir comment la Sainte-Victoire s'enracinait, quelles étaient ses assises géologiques. Monet, lui, entre les revues de botanique et les conseils des horticulteurs, se souciait saison après saison de ses berberis, rhododendrons, iris, seringats, ancolies, lupins, asters, aconites, ipomées, épilobes, heliopsis, dahlias...

Au bout du compte, depuis *Impression soleil levant* exposé en 1874 aux *Grandes Décorations* achevées quelques mois avant sa mort en 1926, l'eau n'aura pas cessé d'être son motif... Et Monet n'aura pas cessé de peindre des impressions.

Dans *Le Siècle* daté du 29 avril 1874, le critique Castagnary écrivit à propos des peintres de cette « nouvelle école de peinture [qui] venait de naître » : « Les vues communes qui les réunissent en groupe et en font une force collective au sein de notre époque désagrégée, c'est le parti pris de ne pas chercher le rendu, de s'arrêter à un certain aspect général. L'impression une fois saisie et fixée, ils déclarent leur rôle terminé. » D'où cette conclusion : « Si l'on tient à les caractériser d'un mot qui les explique, il faudra forger le terme nouveau *d'impressionnistes*. Ils sont impressionnistes en ce sens qu'ils rendent non le paysage, mais la sensation produite par le paysage. Le mot même est passé dans leur langue : ce n'est pas *paysage*, c'est *impression* que s'appelle au catalogue le *Soleil levant* de M. Monet[26]. » Un demi-siècle plus tard, dans *La Revue de Paris* de février 1927, Jacques-Emile Blanche rapporte qu'une Américaine de passage à Paris l'assura qu'en Amérique l'on était en mesure de distinguer plus nettement les grands hommes européens. Lorsqu'il lui demanda de citer le nom d'un peintre, elle n'hésita pas : « Claude Monet ! fit-elle, l'inventeur de l'impressionnisme[27]. » Entre-temps, dans le premier livre consacré à la peinture impressionniste publié en 1878, Théodore Duret affirma : « Si le mot impressionniste a été trouvé bon et définitivement accepté pour désigner un groupe de peintres, ce sont certainement les particularités de la peinture de Claude Monet qui l'ont d'abord suggéré. Monet est l'Impressionniste par excellence[28]. » Et, dans une lettre adressée à Pissarro en 1879, Cézanne avoua ce raccourci : « J'ai dit Monet pour dire : impressionnistes[29]. »

Dans *La Revue contemporaine* d'avril 1886, le critique Paul Adam revint sur l'histoire de ce néologisme. Il rappela donc qu'en 1874 une toile de Claude Monet désignée par le titre *Impression* « dérouta les critiques et faillit troubler le mijotement de leurs sirupeuses élucubrations ». Il fallait donc en conclure que lui-même et ses adeptes « étaient des impressionnistes et *rien d'autre chose*. Le nom demeura. Par hasard il se trouva exact. Car, différente des autres écoles dont l'art surajoute à la sensation perçue les données toujours incertaines de l'expérience, celle-ci veut reproduire le phénomène pur, l'apparence subjective des choses. C'est une école d'abstraction ».

L'expression est loin d'être indifférente. Certains peintres ne tardèrent pas à se rendre compte que cette école pouvait être déterminante, décisive. Dans un article publié à Berlin en 1913, Wassily Kandinsky rapporta l'expérience qu'avait été pour lui, quelques années plus tôt, la découverte d'une *Meule* de Monet : « Et soudain, pour la première fois, je voyais un tableau... Je sentais confusément que l'objet faisait défaut au tableau... Tout ceci était encore confus pour moi, et je fus incapable de tirer les conclusions élémentaires de cette expérience. Mais ce qui m'était parfaitement clair, c'était la puissance insoupçonnée de la palette qui m'avait jusque-là été cachée et qui allait au-delà de mes rêves. La peinture en reçut une force et un éclat fabuleux. Mais inconsciemment aussi, l'objet en tant qu'élément indispensable du tableau en fut discrédité[30]. »

Singulière généalogie des peintres... Ces phrases de Kandinsky, qui sont une manière de reconnaissance de dette, résonnent comme l'écho de celle écrite par Monet à Boudin le 22 août 1892 : « Je n'ai pas oublié que c'est vous qui, le premier, m'avez appris à voir et à comprendre[31]. »

Notes

Les références des lettres citées renvoient à l'ouvrage *Bibliographie et Catalogue raisonné*, édition Wildenstein, Lausanne, 4 tomes.

Préface

1. *Verve*, vol. VII, n° 27-28, p. 68.
2. Lettre W 891a.
3. Lettre W 1078.
4. Lettre W 1843.
5. Clemenceau, Georges, *Claude Monet*, Perrin, Paris, 2000, p. 34.
6. *Ibid.*, p. 14.
7. Cité in Hoog, Michel, *Les Nymphéas de Claude Monet*, Réunion des Musées nationaux, Paris, 2006, p. 125.

1840-1926

1. Monet, Claude, *Mon histoire*, recueillie par Thiébault-Sisson, *Le Temps*, 26 novembre 1900, Paris, L'Échoppe, 1998.
2. Lettre W 2479, t. IV, p. 413.
3. Lettre W 2390, t. IV, p. 407-408.
4. Lettre W 1073, t. III, p. 258.
5. *Ibid.*
6. Hoschedé, Jean-Pierre, *Claude Monet, ce mal connu, Intimité familiale d'un demi-siècle à Giverny de 1883 à 1926*, Genève, Pierre Cailler Editeur, 1960, t. I, p. 40.
7. Lettre W 2014, t. IV, p. 385.

8. Hoschedé, Jean-Pierre, *Claude Monet, ce mal connu, op. cit.*, t. II, p. 111-112.
9. *Ibid.*
10. *Ibid.*
11. Lettre W 1308, t. III, p. 287.
12. Blanche, Jacques-Emile, *De Gauguin à la Revue nègre*, Paris, Editions Emile-Paul Frères, 1928, p. 25-26.
13. Lettre W 2371, t. IV, p. 407.
14. Lettre W 2399, t. IV, p. 408.
15. Lettre W 2361, t. IV, p. 407.
16. Lettre W 2378, t. IV, p. 407.
17. Lettre W 2455, t. IV, p. 412.
18. Lettre W 2432, t. IV, p. 410.
19. *Ibid.*
20. Lettre W 2408, t. IV, p. 409.
21. *Ibid.*
22. Lettre W 2500, t. IV, p. 415.
23. *Ibid.*
24. Lettre de Durand-Ruel à Pissarro citée in *Correspondance de Camille Pissarro*, par Janine Bailly-Herzberg, Paris, PUF, 1980, t. I, 1865-1889, p. 335, note 3.
25. Lettre W 993, t. III, p. 249.
26. Lettre W 803, t. III, p. 224.
27. Lettre W 8, t. I, p. 420.
28. Lettre W 2443, t. IV, p. 411.

29. Blanche, Jacques-Emile, *De Gauguin à la Revue nègre, op. cit.*, p. 48.
30.

1840

1. Monet, Claude, *Mon histoire, op. cit.*
2. Lettre W 1423, t. III, p. 297.
3. Vollard, Ambroise, *Souvenirs d'un marchand de tableaux*, Paris, Editions Albin Michel/Les Libraires associés, 1957, p. 54.
4. *Ibid.*, p. 52.
5. *Ibid.*
6. *Ibid.*, p. 53.
7. *Ibid.*
8. *Ibid.*, p. 52.
9. *Ibid.*
10. Propos cité in *Dictionnaire des monuments de Paris*, sous la direction de Jean Colson et Marie-Christine Lauroa, Paris, Editions Hervas, 1995, p. 531.
11. Propos cité *in* Goncourt, Edmond et Jules de, *La Lorette*, édition présentée et annotée par Alain Barbier Saint Marie, Tussot, Charente, Du Lérot, éditeur, 2002, p. 20.
12. Proudhon, Pierre-Paul, *Qu'est-ce que la propriété ?*, chapitre premier : « Méthode suivie dans cet ouvrage, Idée d'une révolution. »
13. Bazin, Anaïs, *Le Bourgeois de Paris*, cité in *Paris ou le Livre des cent un*, t. I, publié à Paris chez Ladvocat, 1831.
14. *Ibid.*, p. 17.
15. *Ibid.*
16. *Ibid.*, p. 16.
17. *Ibid.*, p. 14.
18. *Ibid.*, p. 13.
19. *Ibid.*, p. 18.
20. *Ibid.*, p. 26-27.
21. *Ibid.*, p. 22.
22. *Ibid.*
23. *Discours de M. Guizot, ministre des Affaires étrangères, dans la discussion générale du projet de loi relatif aux fortifications de Paris*, Chambre des députés, session de 1840-1841, séance du 25 janvier, Paris, Imprimerie Panckouke, 6 rue des Poitevins, extrait du *Moniteur universel* du 26 janvier 1841.

24. *Ibid., Discours de M. Guizot*, séance du 1er mars 1843.

1845

1. Monet, Claude, *Mon histoire, op. cit.*
2. Bazin, Anaïs, *op. cit.*
3. Cité par Le Doher, Anne-Marie in *L'Etretatais*, n° 2, juin 1983.
4. *Ibid.*
5. Constant de Tours, *Le Voyage d'un petit Parisien à la mer*, album illustré par Jules Després, G. Fraipont, Montader, G. Nottetz, E. Solvel, E. Loewy, etc., Paris, 1898.
6. *Ibid.*

1855

1. Monet, Claude, *Mon histoire, op. cit.*
2. *Ibid.*
3. *Ibid.*
4. Goncourt, Jules et Edmond de, *Manette Salomon* [1867], préface de Michel Crouzet, Paris, Gallimard, « Folio classique », 1996, p. 127.
5. Précisons rapportées in Wildenstein, Daniel, *Monet ou le triomphe de l'impressionnisme*, Cologne, Taschen, 2003, p. 17.
6. Goncourt, Jules et Edmond de, *Manette Salomon, op. cit.*, p. 100.
7. Baudelaire, Charles, *Curiosité esthétique*, p. 265, cité in *A la charge ! La caricature dans tous ses états de 1789 à 2000*, Bertrand Tillier, Paris, Editions de l'Amateur, 2005.
8. Lettre de Paul Lacroix à Nadar, Paris, 27 novembre 1856, Paris, BnF, Mss, Nafr 24 2274, fol. 611, cité in *A la charge ! La caricature dans tous ses états de 1789 à 2000, op. cit.*
9. *Ibid.*
10. Monet, Claude, *Mon histoire, op. cit.*
11. *Ibid.*

1858

1. *Ibid.*
2. 1826-1906.

3. 1835-1875.

4. Monet, Claude, *Mon histoire, op. cit.*

5. 1802-1880.

6. 1722-1851.

7. Baudelaire, Charles, *Le Salon de 1846*, chapitre XV, « Du paysage ».

8. Monet, Claude, *Mon histoire, op. cit.*

9. *Ibid.*

10. Lettre W 2348, t. IV, p. 405.

11. *Journal*, 23 février 1856, cité dans le catalogue *Eugène Boudin*, Honfleur-Grenier à sel-Musée Eugène Boudin, 11 avril-12 juillet 1992, Paris, Anthèse, p. 197.

12. *Ibid.*

13. Journal Cahen cité dans le catalogue *Eugène Boudin, op. cit.*

14. Monet, Claude, *Mon histoire, op. cit.*

15. *Ibid.*

16. *Ibid.*

1859/1

1. *Ibid.*

2. Lettre à Braquaval, 14 octobre 1889 (coll. part.), citée dans le catalogue *Eugène Boudin, op. cit.*, p. 184.

3. *Ibid.*

4. *Ibid.*

5. Précision donnée in *ibid.*, p. 198-199.

6. Cité in *ibid.*, p.199.

7. Hoschedé, Jean-Pierre, *Claude Monet, ce mal connu, op. cit.*, p. 83.

8. Monet, Claude, *Mon histoire, op. cit.*

9. *Ibid.*

1859/2

1. *Ibid.*

2. Privat d'Anglemont, Alexandre, *Paris inconnu*, Paris, Adolphe Delahays, 1875, cité in *La Vie parisienne, Anthologie des mœurs du XIXe siècle*, par Daniel Oster, Jean Goulemot, Paris, Sand/Conti, 1989, p. 47.

3. Gourdon, Edouard, *Les Faucheurs de nuit, Joueurs et Joueuses*, Paris, Librairie nouvelle, A. Bourdilliat et Cie, 1860, cité

in *La Vie parisienne, Anthologie des mœurs du XIXe siècle, op. cit.*, p. 35.

4. Monselet, Charles, *Les Ruines de Paris*, Bruxelles, Meline, Cans et Cie, 1857, cité in *La Vie parisienne, Anthologie des mœurs du XIXe siècle, op. cit.*, p. 139.

5. *Ibid.*

6. Karr, Alphonse, *Dans la lune*, Paris, Calmann-Lévy, 1883, cité in *La Vie parisienne, Anthologie des mœurs du XIXe siècle, op. cit.*, p. 57.

7. Nadar, *Sous l'incendie*, Paris, G. Charpentier, 1882, cité in *La Vie parisienne, Anthologie des mœurs du XIXe siècle, op. cit.*, p. 144.

8. Baudelaire, Charles, *Œuvres complètes*, Paris, Gallimard, « La Pléiade », 1961, p. 1047-1048.

9. *Ibid.*

10. Lettre W 1, t. I, p. 419.

11. Cité *in* Geffroy, Gustave, *Monet, sa vie, son œuvre*, édition présentée et annotée par C. Judrin, Paris, Macula, 1980, p. 19.

12. Banville, Théodore de, *Paris vécu*, Paris, G. Charpentier, 1883, cité in *La Vie parisienne, Anthologie des mœurs du XIXe siècle, op. cit.*, p. 53.

13. *Ibid.*

14. Amédée Achard, *Le Roman du mari*, Paris, Calmann-Lévy, 1879, cité in *La Vie parisienne, Anthologie des mœurs du XIXe siècle, op. cit.*, p. 67.

15. Lettre W 3, t. I, p. 419.

16. Cité *in* Geffroy, Gustave, *Monet, sa vie, son œuvre, op. cit.*

17. Goncourt, Jules et Edmond de, *Journal, mémoires de la vie littéraire*, 18 mai 1857, texte intégral établi et annoté par Robert Licatte, Paris, Robert Laffont, « Bouquins », 1989, t. I, p. 260-261.

1860/1

1. Monet, Claude, *Mon histoire, op. cit.*

2. Lettre W 1, p. 419.

3. *Ibid.*

4. Lettre W 2, p. 419.

5. Lettre W 1, p. 419.

6. *Ibid.*

7. *Ibid.*

8. Voir *Le Musée du Luxembourg en 1874*, catalogue rédigé par Geneviève Lacambre avec la collaboration de Jacqueline de Rohan-Chabot, Paris, Editions des Musées nationaux, 1974.

9. Antoine Oudin, *Curiosités françaises*, Paris, 1640, cité in *Dictionnaire des proverbes, sentences et maximes*, Paris, Larousse, 1986.

10. Lettre W 3, p. 420.

11. Delacroix, *Journal 1822-1863*, introduction et notes par André Joubin (édition revue par Régis Labourdette), Paris, Plon, 1931-1996, p. 754.

12. Lettre W 3, p. 419-420.

13. Monet, Claude, *Mon histoire, op. cit.*

14. Lettre W 3, p. 420.

1860/2

1. Monet, Claude, *Mon histoire, op. cit.*
2. Lettre W 1, p. 419.
3. Lettre W 3, p. 420.
4. Lettre W 2, p. 419.
5. Lettre W 4, p. 420.
6. Lettre W 5, p. 420.
7. Nestor Roqueplan, *Regain, la Vie parisienne*, Paris, Librairie nouvelle, 1854, cité in *La Vie parisienne, Anthologie des mœurs du XIXᵉ siècle, op. cit.*, p. 51.
8. Lettre W 3, p. 420.
9. *Dictionnaire portatif de peinture, sculpture et gravure ; avec un traité pratique des différentes manières de peindre, Dont la Théorie eſt développé dans les Articles qui en font fuſceptibles. Ouvrage utile aux amateurs, aux Eleves & aux Amateurs* par Dom Antoine-Joseph Pernety, Religieus Bénédictin de la Congrégation de Saint Maur, A Paris, Chez Bauche, Libraire, Quai des Augustins, à Sainte Geneviève, & à S. Jean dans le Défert, M. DCC. LVII, Avec approbation & Privilège du Roi, p. XVIJ.
10. Goncourt, Jules et Edmond de, *Journal, op. cit.*, t. I, p. 268.
11. Janin, Jules, cité *in* Rouillé, André, *La Photographie en France, textes et controverses : une anthologie 1816-1871*, Paris, Editions Macula, 1989, p. 51.
12. Anonyme, cité *in* Rouillé, André, *op. cit.*, p. 81.
13. Delécluze, Etienne-Jean, cité *in* Rouillé, André, *op. cit.*, p. 115.
14. Wey, Francis, cité *in* Rouillé, André, *op. cit.*, p. 113-114.
15. Gautier, Théophile, cité *in* Rouillé, André, *op. cit.*, p. 284.
16. Lacan, Ernest, cité *in* Rouillé, André, *op. cit.*, p. 164.
17. Lamartine, Alphonse de, cité *in* Rouillé, André, *op. cit.*, p. 250.
18. Wey, Francis, cité *in* Rouillé, André, *op. cit.*, p. 111.
19. Le Gray, Gustave, cité *in* Rouillé, André, *op. cit.*, p. 98-99.
20. Wey, Francis, cité *in* Rouillé, André, *op. cit.*, p. 116.
21. Nadar, cité *in* Rouillé, André, *op. cit.*, p. 239-240.
22. *Ibid.*
23. *Ibid.*

1861

1. Monet, Claude, *Mon histoire, op. cit.*
2. *Ibid.*

1862/1

1. *Ibid.*
2. Geffroy, Gustave, *Claude Monet, sa vie, son œuvre, op. cit.*, p. 32.
3. Arnyvelde, André, « Chez le peintre de la lumière », *Je sais tout*, 15 janvier 1914.
4. Geffroy, Gustave, *Claude Monet, sa vie, son œuvre, op. cit.*, p. 32.
5. Lettre W 2348, t. IV, p. 405.
6. *Ibid.*
7. Monet, Claude, *Mon histoire, op. cit.*
8. Gimpel, René, *Journal d'un collectionneur, marchand de tableaux*, Paris, 1963, p. 348.
9. Delacroix, *Journal 1822-1863*, dimanche 12 février 1832, *op. cit.*, p. 97.
10. Delacroix, *Journal 1822-1863*, mercredi 14 mars 1832, *op. cit.*, p. 103.

11. Delacroix, *Journal 1822-1863*, samedi 24 mars 1832, *op. cit.*, p. 107.

1862/2

1. Monet, Claude, *Mon histoire, op. cit.*
2. *Ibid.*
3. *Ibid.*
4. Lettre W 3, t. I, p. 420.
5. Lettre à Amand Gautier, 30 octobre 1862, citée *in* Alphant, Marianne, *Claude Monet, une vie dans le paysage*, Paris, Hazan, 1993, p. 147.
6. *Ibid.*, p. 96.
7. Monet, Claude, *Mon histoire, op. cit.*

1863/1

1. *Ibid.*
2. 1829-1890.
3. C'est cette adresse que donne Daniel Wildenstein, *op. cit.*, p. 45 ; en revanche, selon la note 34, p. 35 de Renoir, Pierre-Auguste, *Ecrits, entretiens et lettres sur l'art*, textes réunis, présentés et annotés par Augustin de Butler, Paris, Les éditions de l'Amateur, 2002, l'adresse de l'atelier de Charles Gleyre, la même que celle de l'atelier de Toulmouche, aurait été le 69 de la rue de Vaugirard...
4. Elder, Marc, cité *in* Wildenstein, Daniel, *op. cit.*, p. 43.
5. Monet, Claude, *Mon histoire, op. cit.*
6. Baudelaire, *Œuvres complètes, op. cit.*, p. 833-834.
7. Zola, Emile, « Mon Salon », *L'Evénement*, 1866.
8. Goncourt, Jules et Edmond de, *Journal, op. cit.*, p. 691.
9. Cité *in* Wildenstein, Daniel, *op. cit.*, p. 46.
10. Clément, Charles, *Gleyre*, Paris, 1878, p. 171.
11. Bazille, Frédéric, *Correspondance*, recueillie, présentée et annotée par Didier Vatuone, Montpellier, Les Presses du Languedoc, 1992, p. 43.
12. Du Maurier, George, *Trilby*, 1894, traduit par Thérèse Batbedat, Paris, 1896, cité *in Pour ou contre l'impressionnisme*,

textes de grands écrivains réunis et présentés par Serge Fauchereau, Somogy, 1994, p. 47-48.
13. Gaston Bazille à son fils, lettre du dimanche 11 janvier 1863 *in* Bazille, Frédéric, *Correspondance, op. cit.*, p. 39.
14. Monet, Claude, *Mon histoire, op. cit.*
15. Marcel Pays, *Excelsior* du 26 janvier 1921 cité *in* Geffroy, Gustave, *Claude Monet, sa vie, son œuvre, op. cit.*, p. 36.
16. Renoir, Pierre-Auguste, *Ecrits, entretiens et lettres sur l'art, op. cit.*, p. 19.
17. Bazille, Frédéric, *Correspondance, op. cit.*, p. 64.
18. Monet, Claude, *Mon histoire, op. cit.*

1863/2

1. *Ibid.*
2. Lettre W 4, t. I, p. 420.
3. Bazille, Frédéric, *Correspondance, op. cit.*, p. 50-51.
4. Goncourt, Jules et Edmond de, *Journal, op. cit.*, t. I, p. 1199.
5. Delacroix, *Journal 1822-1863, op. cit.*, p. 744.
6. Corot cité *in* Peter Galassi, *Corot en Italie*, traduit de l'anglais par Jeanne Bouniort, Paris, Gallimard, 1991, p. 60.
7. *Ibid.*
8. *Ibid.*, p. 18.
9. *Ibid.*, p. 11.
10. 1714-1789.
11. Corot cité *in* Peter Galassi, *Corot en Italie, op. cit.*, p. 18.
12. Charles-Nicolas Cochin cité *in* Peter Galassi, *Corot en Italie, op. cit.*, p. 24.
13. Renoir, Pierre-Auguste, *Ecrits, entretiens et lettres sur l'art, op. cit.*, p. 107.
14. Cité par Lemaire, Gérard-Georges *in Histoire du salon de peinture*, Paris, Klincksieck, 2004, p. 170.
15. *Ibid.*
16. Geffroy, Gustave, *Claude Monet, sa vie, son œuvre, op. cit.*, p. 38.
17. « Salon de 1863 », *Le Charivari*,

9 avril 1863, cité *in* Darragon, Eric, *Manet*, Paris, Fayard, 1989, p. 80.

18. Paul de Saint Victor, *La Presse*, 27 avril 1863, cité *in* Darragon, Eric, *op. cit.*, p. 80.

19. Appellations citées par Lemaire, Gérard-Georges, *op. cit.*, p. 167.

20. Cité *in* Darragon, Eric, *op. cit.*, p. 81.

21. *Ibid.*

22. Cité par Lemaire, Gérard-Georges, *op. cit.*, p. 162.

23. *Ibid.*, p. 170.

24. *Ibid.*, p. 171.

1864

1. Monet, lettre à Amand Gautier, 7 mars, 1864, W 7, t. I, p. 420.

2. Bazille, Frédéric, *Correspondance, op. cit.*, p. 69.

3. *Ibid.*

4. *Ibid.*, p. 68-69.

5. *Ibid.*, p. 75.

6. *Ibid.*

7. Gaston Bazille à son fils, lettre du 25 janvier 1864, *ibid.*, p. 76.

8. *Ibid.*, p. 85.

9. *Ibid.*, p. 88.

10. *Ibid.*, p. 91.

11. *Ibid.*

12. Baudelaire, Charles, *Œuvres complètes, op. cit.*, p. 1081-1082.

13. Lettre W 8, t. I, p. 420.

14. *Ibid.*

15. *Ibid.*

16. Lettre W 9, t. I, p. 420-421.

17. Lettre W 11, t. I, p. 421.

18. *Ibid.*

19. Lettre W 13, t. I, p. 421.

20. Lettre W 14, t. I, p. 421.

21. Lettre W I, t. I, p. 422.

1865

1. Lettre W 19, t. I, p. 422.

2. Bazille, Frédéric, *Correspondance, op. cit.*, p. 97.

3. Lettre W 15, t. I, p. 422.

4. Bazille, Frédéric, *Correspondance, op. cit.*, p. 100.

5. *Ibid.*

6. Delacroix, *Journal 1822-1863, op. cit.*, p. 808.

7. Bazille, Frédéric, *Correspondance, op. cit.*, p. 104.

8. *Ibid.*

9. *Ibid.*, p. 107.

10. Lettre W 18, t. I, p. 422.

11. Bazille, Frédéric, *Correspondance, op. cit.*, p. 108.

12. Cité *in* Darragon, Eric, *op. cit.*, p. 109.

13. *Ibid.*, p. 110.

14. *Ibid.*, p. 116.

15. *Ibid.*, p. 117.

16. Elder, Marc, *A Giverny chez Claude Monet*, Paris, 1924, p. 37.

17. Cité *in* Geffroy, Gustave, *Claude Monet, sa vie, son œuvre, op. cit.*, p. 37.

18. *Ibid.*

19. Lettre W 19, t. I, p. 422.

20. *Ibid.*

21. Bazille, Frédéric, *Correspondance, op. cit.*, p. 112.

22. *Ibid.*, p. 113.

23. Lettre W 20, t. I, p. 422.

24. Lettre W 21, t. I, p. 422.

25. Bazille, Frédéric, *Correspondance, op. cit.*, p. 113.

26. *Ibid.*, p. 115.

27. Lettre W 22, t. I, p. 422.

28. Bazille, Frédéric, *Correspondance, op. cit.*, p. 115.

29. *Ibid.*

30. Lettre de Boudin à son frère, Le Havre, 13 novembre 1865, cité *in* Wildenstein, Daniel, *op. cit.*

31. Lettre de Boudin à son frère, Paris, 20 décembre 1865, *ibid.*

32. Lettre de Boudin à son frère, hiver 1865-1866, *ibid.*

33. Lettre W 2556, t. IV, p. 422.

34. Bazille, Frédéric, *Correspondance, op. cit.*, p. 116.

35. *Ibid.*, p. 118.

1866

1. Monet, Claude, *Mon histoire, op. cit.*
2. Lettre W 23, t. I, p. 422.
3. Lettre W 24, t. I, p. 422.
4. Cité *in* Geffroy, Gustave, *Claude Monet, sa vie, son œuvre, op. cit.*, p. 45.
5. Nestor Roqueplan, *Parisien*, Paris, J. Hetzel, 1865, cité *in La Vie parisienne, Anthologie des mœurs du* XIXe *siècle, op. cit.*, p. 248.
6. Lettre W 25, t. I, p. 423.
7. *Ibid.*
8. *Ibid.*
9. *Ibid.*
10. Cité *in* G. Poulain, *Bazille et ses amis*, Paris, 1932, p. 66.
11. Monet, Claude, *Mon histoire, op. cit.*
12. Zola, Emile, *Le Bon Combat, De Courbet aux impressionnistes*, présentation et préface de Gaëtan Picon, édition critique, chronologie, bibliographie et index par Jean-Paul Bouillon, Paris, Hermann, collection « Savoir », 1974, p. 66.
13. *Ibid.*, p. 75-76.
14. Lettre W 26, t. I, p. 423.
15. Cité *in* Geffroy, Gustave, *Claude Monet, sa vie, son œuvre, op. cit.*, p. 46.
16. Voir note 2, p. 477 *in* Geffroy, Gustave, *Claude Monet, sa vie, son œuvre, op. cit.*
17. Lettre W 27, t. I, p. 423.
18. Lettre W 29, t. I, p. 423.
19. A. Dubourg à Boudin, Honfleur, 2 février 1867, *in* Wildenstein, Daniel, *op. cit.*
20. Bazille, Frédéric, *Correspondance, op. cit.* p. 135.

1867/1

1. Monet, Claude, *Mon histoire, op. cit.*
2. *Ibid.*
3. Elder, Marc, *A Giverny chez Claude Monet, op. cit.*, p. 38-39.
4. Bazille, Frédéric, *Correspondance, op. cit.*, p. 137.
5. *Ibid.*
6. Cité par Lemaire, Gérard-Georges, *op. cit.*, p. 76.

7. Aurier, Albert, *Textes critiques 1889-1892, De l'impressionnisme au symbolisme*, préface de Remy de Gourmont, 1893, Paris, Ecole nationale supérieure des Beaux-Arts, 1995, p. 88.
8. *Ibid.*, p. 84.
9. *Ibid.*
10. Huysmans, J.-K., *L'Art moderne (1883), Certains*, Paris, Union générale d'édition, « 10-18 », 1975, p. 125.
11. Mirbeau, Octave, *Le Figaro*, 23 décembre 1887, *in* Mirbeau, Octave, *Des artistes, op. cit.*, p. 60.
12. Mirbeau, Octave, *Echo de Paris*, 25 juillet 1889, *ibid.*, p. 109.
13. Cité par Lemaire, Gérard-Georges, *op. cit.*, p. 194.
14. Bazille, Frédéric, *Correspondance, op. cit.*, p. 140.
15. Monet, Claude, *Mon histoire, op. cit.*

1867/2

1. Lettre W 37, t. I, p. 424.
2. Lettre du père de Monet à Bazille, citée par Wildenstein, Daniel, *op. cit.*
3. Lettre W 84, t. I, p. 448.
4. Lettre W 32, t. I, p. 423.
5. Renoir, Pierre-Auguste, *Ecrits, entretiens et lettres sur l'art, op. cit.*, p. 32.
6. Lettre W 32, t. I, p. 423.
7. Lettre W 33, t. I, p. 424.
8. *Ibid.*
9. *Ibid.*
10. Lettre W 34, t. I, p. 424.
11. *Ibid.*
12. Lettre W 35, t. I, p. 424.
13. Lettre W 36a, t. I, p. 424.
14. Lettre W 36b, t. I, p. 424.
15. *Ibid.*
16. Lettre W 37, t. I, p. 424.
17. Lettre W 38, t. I, p. 424.

1868

1. Lettre W 40, t. I, p. 425.
2. Lettre W 39, t. I, p. 424-425.
3. *Ibid.*

4. Lettre de Bazille à Monet, citée *in* Wildenstein, Daniel, *op. cit.*

5. Léon Billot, cité *in* Wildenstein, Daniel, *op. cit.*, p. 69.

6. Lettre de F. Martin à Boudin, Le Havre, 1er mars 1868, cité *in* Wildenstein, Daniel, *op. cit.*

7. Bazille, Frédéric, *Correspondance, op. cit.*, p. 158.

8. Caricature reproduite *in* Wildenstein, Daniel, *op. cit.*, p. 63.

9. Zola, Emile, cité in *Les Ecrivains devant l'impressionnisme*, textes réunis et présentés par Denys Riout, Paris, Macula, 1989, p. 161-164.

10. Lettre W 40, t. I, p. 425.

11. Cité *in* Geffroy, Gustave, *Claude Monet, sa vie, son œuvre, op. cit.*, p. 53.

12. *Ibid.*

13. Lettre W 41, t. I, p. 425.

14. *Ibid.*

15. *Ibid.*

16. Lettre W 42, t. I, p. 425.

17. *Ibid.*

18. Lettre W 43, t. I, p. 425.

19. Lettre W 44, t. I, p. 425.

20. *Ibid.*

21. *Ibid.*

22. Lettre W 46, t. I, p. 426.

13. *Ibid.*

1869

1. Lettre W 53, t. I, p. 427.

2. Lettre W 48, t. I, p. 426.

3. Bazille, Frédéric, *Correspondance, op. cit.*, p. 119.

4. Lettre W 23, t. I, p. 44.

5. Lettre W 25, t. I, p. 44.

6. Lettre W 49, t. I, p. 426.

7. Renoir, cité *in* Wildenstein, Daniel, *op. cit.*, p. 78.

8. Lettre W 50, t. I, p. 426.

9. Lettre W 51, t. I, p. 426.

10. Lettre W 52, t. I, p. 427.

11. Maupassant, Guy de, *La Femme de Paul*, in *Contes et Nouvelles*, Paris, Gallimard, « La Pléiade », t. I, 1974, p. 292-294.

12. Lettre W 53, t. I, p. 427.

1870/1

1. Monet, Claude, *Mon histoire, op. cit.*

2. Renoir, Pierre-Auguste, *Ecrits, entretiens et lettres sur l'art, op. cit.*, p. 31-32.

3. *Ibid.*

4. Lettre W 54, t. I, p. 427.

5. Monet, Claude, *Mon histoire, op. cit.*

6. Cité *in* François Bernard Michel, *Bazille*, Paris, Grasset, 1992, p. 190.

7. *Ibid.*, p. 188.

8. Bazille, Frédéric, *Correspondance, op. cit.*, p. 182.

9. Fantin-Latour, *in* catalogue *Fantin-Latour*, commissaire Douglas Druick, conservateur à la Galerie nationale du Canada, Michel Hoog, conservateur du musée de l'Orangerie, Paris, Editions de la Réunion des Musées nationaux, 1992, p. 200.

10. Lettre W 28, t. I, p. 44.

11. Cité *in* catalogue *Fantin-Latour, op. cit.*, p. 208.

12. Bazille, Frédéric, *Correspondance, op. cit.*, p. 184.

1870/2

1. Monet, Claude, *Mon histoire, op. cit.*

2. Cité *in* Wildenstein, Daniel, *op. cit.*, p. 84.

3. Lettre W 55, t. I, p. 427.

4. *Ibid.*

5. Lettre W 2587, t. IV, p. 419.

6. Article de Gustave Coquiot publié dans l'*Excelsior* du 28 novembre 1910 cité par Geffroy, Gustave, *Claude Monet, sa vie, son œuvre, op. cit.*

7. Cité *in* Alphant, Marianne, *op. cit.*, p. 203.

8. Cité *in* Assouline, Pierre, *Grâces lui soient rendues*, Paris, Gallimard, « Folio », 2002, p. 117.

9. *Ibid.*, p. 135.

10. Bazille, Frédéric, *Correspondance, op. cit.*, p. 207, note 1.

1871

1. Lettre W 59, t. I, p. 427.
2. *Correspondance de Camille Pissarro*, t. V, 1899-1903, par Janine Bailly-Herzberg, Paris, Editions du Valhermeil, 1991, p. 283.
3. *Ibid.*, p. 337.
4. Lettre W 56, t. I, p. 427.
5. *Ibid.*
6. Lettre W 58, t. I, p. 427.
7. Cité *in* Alphant, Marianne, *op. cit.*, p. 213.
8. Lettre W 59, t. I, p. 428.
9. *Ibid.*
10. *Ibid.*
11. Cité *in* Alphant, Marianne, *op. cit.*, p. 217.
12. Mirbeau, Octave, *La 628-E8*, Paris, Bibliothèque Charpentier, 1921, p. 207-209.
13. Elder, Marc, *A Giverny chez Claude Monet, op. cit.*, p. 63-64.
14. *Ibid.*

1872-1873

1. Lettre W 64, t. I, p. 428.
2. Lettre W 61, t. I, p. 428.
3. *Correspondance de Camille Pissarro*, t. I, 1865-1889, *op. cit.*, p. 70, note 7.
4. Lettre W 61, t. I, p. 428.
5. Touchard-Lafosse, *Histoire de Paris et de ses environs,* Paris, 1850, t. V, p. 136.
6. *Chants et chansons (Poésie et musique)* de Pierre Dupont, Paris, 1853, t. III, p. 67.
7. Maupassant, Guy de, *Mouche*, in *Contes et Nouvelles*, Paris, Gallimard, « La Pléiade », t. II, 1986, p. 1169-1178.
8. Lettre du maire au préfet, 23 juillet 1872, Archives d'Argenteuil, correspondance de la mairie, 1871-1880, 4.D8.
9. Lettre du maire à Maître Panhart, avocat au Conseil d'Etat, 9 février 1878, Archives d'Argenteuil, correspondance de la mairie, 1871-1880, 4.D8.
10. Zola, Emile, *Aux Champs, La banlieue, le bois, la rivière*, La Rochelle, Rumeur des âges, 1994, p. 14.
11. Courbet, Gustave, *Correspondance de Courbet,* texte établi et présenté par Petra Ten-Dœsschatte Chu, Paris, Flammarion, 1996, p. 399.
12. *Correspondance de Camille Pissarro*, t. I, 1865-1889, *op. cit.*, p. 79.

1874/1

1. Guillemot, « Claude Monet », *Revue illustrée*, n° 7, 15 mars 1898, cité in *Centenaire de l'impressionnisme*, Paris, Editions des Musées Nationaux, 1974, p. 153.
2. Aurier, Albert, *Textes critiques 1889-1892, op. cit.*, p. 142.
3. Bazille, Frédéric, *Correspondance, op. cit.*, p. 137.
4. Lettre W 65, t. I, p. 428.
5. Lettre W 76, t. I, p. 429.
6. *Ibid.*
7. Cité in *Centenaire de l'impressionnisme, op. cit.*, p. 256.
8. Burty, Philippe, « Chronique du jour », *La République française*, 16 avril 1874, cité in *Centenaire de l'impressionnisme, op. cit.*, p. 256.
9. Cité in *Centenaire de l'impressionnisme, op. cit.*, p. 256.
10. Cité in *Centenaire de l'impressionnisme, op. cit.*, p. 257.
11. Guillemot, « Claude Monet », *Revue illustrée*, n° 7, 15 mars 1898, cité *in* Gache-Patin, Sylvie, *Impression, impressionnisme*, Paris, Gallimard, 1998, p. 14-15.
12. Cité in *Centenaire de l'impressionnisme, op. cit.*
13. *Ibid.*
14. *Ibid.*
15. *Ibid.*
16. *Ibid.*, p. 269.
17. *Ibid.*
18. *Ibid.*
19. *Ibid.*, p. 263.

1874/2

1. Lettre W 78, t. I, p. 429.
2. Lettre W 77, t. I, p. 429.
3. Lettre W 79, t. I, p. 429.

4. *La République française*, 16 avril 1874, cité in *Centenaire de l'impressionnisme, op. cit.*, p. 256.

5. *La République française*, 27 avril 1874, cité in *Centenaire de l'impressionnisme, op. cit.*, p. 261.

6. 29 avril 1874, cité in *Centenaire de l'impressionnisme, op. cit.*, p. 265.

7. Chesneau, Ernest, « A côté du Salon, le plein air. Exposition du Boulevard des Capucines », paru dans *Paris-Journal*, jeudi 7 mai 1874, cité in *Les Ecrivains devant l'impressionnisme, op. cit.*, p. 64-65.

8. Cité *in* Tucker, Paul Hayes, *Monet, le triomphe de la lumière*, traduit de l'américain par Jean-François Allain, Paris, Flammarion, 1990, p. 120.

9. Zola, Emile, *Aux Champs, La banlieue, le bois, la rivière, op. cit.*, p. 46-47.

10. Vollard, Ambroise, *Souvenirs d'un marchand de tableaux, op. cit.*, p. 112.

1875-1876

1. Lettre W 94, t. I, p. 431.

2. Champfleury, *L'Hôtel des Commissaires-Priseurs*, Paris, E. Dantu, 1867, cité in *La Vie parisienne, Anthologie des mœurs du XIXe siècle, op. cit.*, p. 168-169.

3. Cité in *Centenaire de l'impressionnisme, op. cit.*

4. Burty, Philippe, préface publiée dans le catalogue de la vente du 24 mars 1875 de *Tableaux et aquarelles par Claude Monet, Berthe Morisot, A. Renoir, A. Sisley*. Commissaire-priseur Charles Pillet, expert, Paul Durand-Ruel, cité in *Les Ecrivains devant l'impressionnisme, op. cit.*, p. 48-49.

5. Cité *in* Gustave Geffroy, *Claude Monet, sa vie, son œuvre, op. cit.*, p. 75-76.

6. *Ibid.*, p. 77.

7. Renoir, Pierre-Auguste, *Ecrits, entretiens et lettres sur l'art, op. cit.*, p. 214.

8. *Ibid.*, p. 11.

9. *Ibid.*

10. Cité *in* Geffroy, Gustave, *Monet, sa vie, son œuvre, op. cit.*, p. 71.

11. Cité in *ibid.*, p. 78.

12. *Ibid.*

13. *Ibid.*, p. 78.

14. Renoir, Pierre-Auguste, *Ecrits, entretiens et lettres sur l'art, op. cit.*, p. 18.

15. Cité *in* Monneret, Sophie, *L'Impressionnisme et son époque*, t. III, Paris, Denoël, 1979, p. 91.

16. Cité *in* Gache-Patin, Sylvie, *Impression, impressionnisme, op. cit.*, p. 19-20.

17. *New York Times*, 13 mai 1876, cité in *Pour ou contre l'impressionnisme, op. cit.*, p. 117-118.

18. *Le Soir*, 15 avril 1876, p. 3, cité in *Les Ecrivains devant l'impressionnisme, op. cit.*, p. 141.

19. « Lettres de Paris, deux expositions d'art au mois de mai, Salon de 1876 », *Le Messager de l'Europe*, juin 1876 cité in *Pour ou contre l'impressionnisme, op. cit.*, p. 75.

20. Mallarmé, Stéphane, « The impressionnists and Eduard Manet », *The Art Monthly Review*, Londres, 30 septembre 1876, cité in *Les Ecrivains devant l'impressionnisme, op. cit.*, p. 99.

21. Cité in *ibid.*, p. 117.

22. Lettre W 95, t. I, p. 431.

1877

1. Lettre W 107, t. I, p. 432.

2. Lettre W 108, t. I, p. 432.

3. Lettre W 113, t. I, p. 432.

4. Renoir, Pierre-Auguste, *Ecrits, entretiens et lettres sur l'art, op. cit.*, p. 189.

5. Cité in *Les Ecrivains devant l'impressionnisme, op. cit.*, p. 200.

6. Cité in *ibid.*, p. 167.

7. Cité *in* Wildenstein, Daniel, *op. cit.*, p. 128.

8. Lettre W 110, t. I, p. 432.

1878

1. Lettre W 136, t. I, p. 434.

2. Lettre W 115, t. I, p. 433.

3. Lettre W 177, t. I, p. 433.

4. Lettre W 9, t. I, p. 433.

5. Lettre W 120, t. I, p. 433.

6. Lettre W 121, t. I, p. 433.
7. Lettre W 124, t. I, p. 433.
8. Lettre W 129, t. I, p. 434.
9. Lettre W 133, t. I, p. 434.
10. Duret, Théodore, *Les Peintres impressionnistes, Claude Monet, Sisley, C. Pissarro, Renoir, Berthe Morisot*, Paris, 1878, p. 8.
11. *Ibid.*, p. 12.
12. *Ibid.*, p. 12-13.
13. *Ibid.*, p. 15-16.
14. Gimpel, René, *op. cit.*, p. 178.
15. Duret, Théodore, *op. cit.*, p. 9.
16. Lettre W 136, t. I, p. 134.
17. Lettre W 139, t. I, p. 435.
18. Lettre W 140, t. I, p. 435.

1879

1. Lettre W 148, t. I, p. 437.
2. Lettre W 148, t. I, p. 436.
3. Lettre W 150, t. I, p. 436.
4. Lettre W 154, t. I, p. 436.
5. Lettre W 155, t. I, p. 436.
6. *Correspondance de Camille Pissarro*, t. I, 1865-1889, *op. cit.*, p. 110.
7. Lettre W 156, t. I, p. 436.
8. Renoir, Pierre-Auguste, *Ecrits, entretiens et lettres sur l'art, op. cit.*, p. 10.
9. Cité par Rewald, John, *Histoire de l'impressionnisme*, Paris, Albin Michel, 1955, Paris, Livre de Poche, 1965, t. II, p. 90.
10. Lettre de Gustave Caillebotte à Monet, Paris 1er mai 1879, citée *in* Geffroy, Gustave, *Claude Monet, sa vie, son œuvre, op. cit.*, p. 299-300.
11. *Ibid.*, p. 300.
12. Lettre W 158, t. I, p. 437.
13. Cité *in* Wildenstein, Daniel, *op. cit.*, p. 142.
14. *Correspondance de Camille Pissarro*, t. I, 1865-1889, *op. cit.*, p. 110.
15. Cité *in* Wildenstein, Daniel, *op. cit.*, p. 144.
16. *Ibid.*, p. 142.
17. Arnyvelde, André, « Chez le peintre de la lumière », *Je sais tout*, 15 janvier 1914.
18. Cité *in* Wildenstein, Daniel, *op. cit.*, p. 146.

19. Cité in *Correspondance de Camille Pissarro*, t. I, 1865-1889, *op. cit.*, p. 134.
20. Lettre W 11, t. I, p. 437.
21. Cité *in* Wildenstein, Daniel, *op. cit.*, p. 146.
22. *Ibid.*, p.147.
23. Clemenceau, Georges, *Claude Monet*, Paris, Perrin, 2000, p. 23.
24. Lettre W 163, t. I, p. 437.
25. Lettre W 164, t. I, p. 437.
26. Cité *in* Wildenstein, Daniel, *op. cit.*, p. 150.

1880/1

1. Lettre W 173, t. I, p. 438.
2. Cité *in* Wildenstein, Daniel, *op. cit.*, p. 152.
3. Lettre W 170, t. I, p. 438.
4. *Ibid.*
5. Cité *in* Wildenstein, Daniel, *op. cit.*, p. 155.
6. Cité *in* Alphant, Marianne, *op. cit.*, p. 315.
7. *Ibid.*, p. 316.
8. *Ibid.*, p. 317.
9. Lettre W 172, t. I, p. 438.
10. Lettre W 173, t. I, p. 438.
11. Lettre W 174, t. I, p. 438-439.
12. Huysmans, J.-K., *L'Art moderne, op. cit.*, p. 125.
13. Cité *in* Wildenstein, Daniel, *op. cit.*, p. 160.
14. Zola, Emile, « Le naturalisme au Salon », paru dans la rubrique Beaux-Arts du *Voltaire*, samedi 19 juin 1880, cité in *Les Ecrivains devant l'impressionnisme, op. cit.*, p. 171.
15. *Ibid.*, p. 175-176.

1880/2

1. Lettre W 187, t. I, p. 440.
2. Cité par Monneret, Sophie, *L'Impressionnisme et son époque*, Paris, Denoël, t. II, 1979, p. 131.
3. Lettre W 179, t. I, p. 439.
4. Duret, Théodore, *Claude Monet*, préface au catalogue *Le Peintre Claude Monet* de l'exposition présentée à la gale-

rie de *La Vie moderne*, Paris, G. Charpentier éditeur, 1880, cité in *Les Ecrivains devant l'impressionnisme, op. cit.*, p. 224-229.

5. Cité *in* Wildenstein, Daniel, *op. cit.*, p. 162.

6. *Ibid.*

7. Lettre W 45, t. I, p. 446.

8. Lettre W 203, t. I, p. 441.

9. Lettre W 191, t. I, p. 440.

10. Lettre W 201, t. I, p. 441.

1881

1. Lettre W 219, t. I, p. 443.

2. Lettre W 208, t. I, p. 442.

3. Lettre W 210, t. I, p. 442.

4. Lettre W 125, t. I, p. 443.

5. Lettre W 217, t. I, p. 443.

6. *Ibid.*

7. Lettre W 218, t. I, p. 444.

8. Lettre W 222, t. I, p. 444.

9. Lettre W 227, t. II, p. 213.

1882/1

1. Lettre W 238, t. II, p. 214.

2. Lettre W 233, t. II, p. 213.

3. Lettre W 236, t. II, p. 214.

4. *Ibid.*

5. Lettre W 237, t. II, p. 214.

6. Lettre W 238, t. II, p. 214.

7. *Ibid.*

8. Renoir, Pierre-Auguste, *Ecrits, entretiens et lettres sur l'art, op. cit.*, p. 124.

9. Lettre W 249, t. II, p. 215-216.

10. *Ibid.*

11. *Correspondance de Camille Pissarro*, t. I, 1865-1889, *op. cit.*, p. 154-155.

12. Rouart, D., *Correspondance de Berthe Morisot,* Paris, 1950, p. 103.

13. Chesneau, Ernest, « Groupes sympathiques, Les Peintres impressionnistes », *Paris-Journal*, mardi 7 mars 1882, cité in *Les Ecrivains devant l'impressionnisme, op. cit.*, p. 69.

1882/2

1. Lettre W 240, t. II, p. 214.

2. *Ibid.*

3. *Ibid.*

4. Lettre W 241, t. II, p. 214.

5. *Ibid.*

6. Lettre W 242, t. II, p. 214.

7. Lettre W 243, t. II, p. 215.

8. Lettre W 253, t. II, p. 216.

9. Lettre W 255, t. II, p. 216.

10. Lettre W 255bis, t. II, p. 216.

11. Lettre W 263bis, t. II, p. 217.

12. Lettre W 266, t. II, p. 218.

13. Lettre W 270, t. II, p. 218.

14. Lettre W 245, t. II, p. 215.

15. Lettre W 254, t. II, p. 216.

16. Lettre W 265, t. II, p. 218.

17. Lettre W 264, t. II, p. 218.

18. Lettre W 275, t. II, p. 219.

19. Lettre W 280, t. II, p. 219.

20. Lettre W 282, t. II, p. 219.

21. Lettre W 286, t. II, p. 220.

22. Lettre W 287, t. II, p. 220.

23. *Ibid.*

24. Lettre W 288, t. II, p. 220.

25. Lettre W 290, t. II, p. 220.

26. *Ibid.*

27. Lettre W 294, t. II, p. 221.

28. Lettre W 296, t. II, p. 221.

29. Lettre W 304, t. II, p. 222.

1883/1

1. Lettre W 337, t. II, p. 227.

2. Lettre W 300, t. II, p. 221.

3. Lettre W 310, t. II, p. 223.

4. *Ibid.*

5. Lettre W 312, t. II, p. 223.

6. Lettre W 315, t. II, p. 223.

7. Lettre W 318, t. II, p. 224.

8. Lettre W 321, t. II, p. 224.

9. Lettre W 323, t. II, p. 225.

10. Lettre W 327, t. II, p. 225-226 .

11. Lettre W 330, t. II, p. 226.

12. Lettre W 329, t. II, p. 226.

13. Lettre W 336, t. II, p. 227.

14. Lettre W 337, t. II, p. 227.

15. Lettre W 338, t. II, p. 227.

16. *Correspondance de Camille Pissarro*, t. I, 1865-1889, *op. cit.*, p. 183-184.

17. Cité *in* Wildenstein, Daniel, *op. cit.*, p. 188-189.
18. Cité *in* Geffroy, Gustave, *Monet, sa vie, son œuvre, op. cit.*, p. 166.
19. *Ibid.*, p. 166-167.
20. *Correspondance de Camille Pissarro,* t. I, 1865-1889, *op. cit.*, p. 208.
21. *Ibid.*, note 1, p. 208.

1883/2

1. Lettre W 348, t. II, p. 228.
2. Lettre W 306, t. II, p. 222.
3. Lettre W 307, t. II, p. 222.
4. Lettre W 317, t. II, p. 223.
5. Lettre W 319, t. II, p. 224.
6. Lettre W 324, t. II, p. 225.
7. Lettre W 328, t. II, p. 226.
8. Lettre W 334, t. II, p. 227.
9. Lettre W 335, t. II, p. 227.
10. Lettre W 348, t. II, p. 228.

1883/3

1. Lettre W 354, t. II, p. 229.
2. Le mot est rapporté *in* Hoschedé, Jean-Pierre, *Claude Monet, ce mal connu, op. cit.*, t. I, p. 45.
3. Arthur B. Frost (à Daggy), 19 septembre 1908, avec l'aimable autorisation de Henry M. Reed cité *in* William H. Gerdts, *Giverny, une colonie impressionniste,* Paris, Editions Abbeville, 1993, p. 102.
4. Lettre W 349, t. II, p. 228.
5. Huysmans, J.-K., « L'exposition des Indépendants en 1880 », in *L'Art moderne, op. cit.*, p. 85-123.
6. *Correspondance de Camille Pissarro,* t. I, 1865-1889, *op. cit.*, p. 206.
7. Lettre W 356, t. II, p. 229.
8. *Ibid.*
9. Lettre W 355, t. II, p. 229.
10. Lettre W 357, t. II, p. 229.
11. Lettre W 352, t. II, p. 229.
12. Lettre W 354, t. II, p. 229.
13. Lettre W 358, t. II, p. 229.
14. Lettre W 362, t. II, p. 230.
15. Notes posthumes de Blanche Hoschedé-Monet *in* Hoschedé, Jean-

Pierre, *Claude Monet, ce mal connu, op. cit.*, t. I, p. 160.
16. *Correspondance de Camille Pissarro,* t. I, 1865-1889, *op. cit.*, p. 241.
17. *Ibid.*, p. 535.
18. Lettre W 383, t. II, p. 232.
19. Laforgue, Jules, cité in *Correspondance de Camille Pissarro,* t. I, 1865-1889, *op. cit.*, p. 249-250, note 4.
20. Lettre W 361, t. II, p. 230.
21. Lettre W 386, t. II, p. 232.

1884/1

1. Lettre W 392, t. II, p. 233.
2. Lettre W 388, t. II, p. 232.
3. Lettre W 391, t. II, p. 232.
4. Lettre W 394, t. II, p. 233.
5. Lettre W 395, t. II, p. 234.
6. Lettre W 398, t. II, p. 234.
7. Renoir, Pierre-Auguste, *Ecrits, entretiens et lettres sur l'art, op. cit.*, p. 130.
8. Lettre W 399, t. II, p. 234.
9. Lettre W 402, t. II, p. 235.
10. Lettre W 403, t. II, p. 235.
11. Lettre W 404, t. II, p. 235.
12. Lettre W 405, t. II, p. 236.
13. Lettre W 407, t. II, p. 236.
14. Lettre W 408, t. II, p. 236.
15. Lettre W 413, t. II, p. 236.
16. Lettre W 416, t. II, p. 238.
17. Lettre W 423, t. II, p. 239.
18. Lettre W 424, t. II, p. 240.
19. Lettre W 432, t. II, p. 241.
20. Lettre W 435, t. II, p. 242.
21. Lettre W 438, t. II, p. 243.
22. Lettre W 441, t. II, p. 243.
23. Lettre W 442, t. II, p. 243.
24. Lettre W 444, t. II, p. 244.
25. Lettre W 445, t. II, p. 244.
26. Lettre W 451, t. II, p. 245.
27. Lettre W 454, t. II, p. 245.
28. Lettre W 461, t. II, p. 246-247.
29. Lettre W 462, t. II, p. 247.
30. Lettre W 463, t. II, p. 247.
31. Lettre W 465, t. II, p. 247.
32. Lettre W 468, t. II, p. 248.
33. Lettre W 469, t. II, p. 248.
34. Lettre W 471, t. II, p. 249.
35. Lettre W 472, t. II, p. 249.
36. Lettre W 396, t. II, p. 234.

37. Lettre W 418, t. II, p. 238.
38. Lettre W 396, t. II, p. 234.
39. Lettre W 398, t. II, p. 234.
40. Lettre W 399, t. II, p. 234.
41. Lettre W 401, t. II, p. 235.
42. Lettre W 445, t. II, p. 244.
43. Lettre W 412, t. II, p. 237.
44. Lettre W 401, t. II, p. 235.

1884/2

1. Lettre W 535, t. II, p. 256-257.
2. Lettre W 489, t. II, p. 252.
3. Lettre W 491, t. II, p. 252.
4. *Ibid.*
5. Lettre W 492, t. II, p. 252.
6. *Correspondance de Camille Pissarro,* t. I, 1865-1889, *op. cit.*, p. 299.
7. Lettre W 494, t. II, p. 252.
8. *Ibid.*
9. Lettre W 506, t. II, p. 254.
10. Lettre W 510, t. II, p. 254.
11. Lettre W 513, t. II, p. 254.
12. Lettre W 518, t. II, p. 255.
13. *Correspondance de Camille Pissarro,* t. I, 1865-1889, *op. cit.*, p. 313.
14. Lettre W 521, t. II, p. 255.
15. *Correspondance de Camille Pissarro,* t. I, 1865-1889, *op. cit.*, p. 314.
16. Lettre W 525, t. II, p. 255.
17. Lettre W 526, t. II, p. 255.
18. Lettre W 527, t. II, p. 256.
19. Lettre W 534, t. II, p. 256.
20. Lettre W 535, t. II, p. 256.
21. *Correspondance de Camille Pissarro,* t. I, 1865-1889, *op. cit.*, p. 316, note 1.
22. Lettre W 533, t. II, p. 256.
23. Lettre W 58, t. I, p. 447.
24. Lettre W 530, t. II, p. 256.
25. Lettre W 531, t. II, p. 256.
26. Mirbeau, Octave, *Combats esthétiques,* t. I, *op. cit.*, p. 82-85.
27. *Ibid.*
28. Lettre W 387, t. II, p. 293.

1885

1. Lettre W 578, t. II, p. 260.
2. Renoir, Pierre-Auguste, *Ecrits, entretiens et lettres sur l'art, op. cit.*, p. 130.

3. Lettre W 538, t. II, p. 257.
4. Lettre W 542, t. II, p. 257.
5. Lettre W 547, t. II, p. 258.
6. Lettre W 557, t. II, p. 258.
7. Cité *in* Wildenstein, Daniel, *op. cit.*, p. 207.
8. Lettre W 567, t. II, p. 259.
9. Lettre W 562, t. II, p. 259.
10. Lettre W 566, t. II, p. 259.
11. *Ibid.*
12. Lettre W 578, t. II, p. 260.
13. Lettre W 581, t. II, p. 261.
14. Lettre W 629, t. II, p. 268.
15. *Correspondance de Camille Pissarro,* t. I, 1865-1889, *op. cit.*, p. 352-353.
16. Lettre W 605, t. II, p. 264.
17. Maupassant, *La Vie d'un paysagiste,* paru dans le *Gil Blas,* mardi 28 avril 1886, reproduit in *Au Salon, Chroniques sur la peinture,* Paris, Balland, 1993, p. 134-135.
18. Lettre W 631, t. II, p. 268.
19. Lettre W 605, t. II, p. 264.
20. Cité in *Les Ecrivains devant l'impressionnisme, op. cit.*, p. 363-364.
21. Cité *in* Monneret, Sophie, *L'Impressionnisme et son époque, op. cit.*, t. I, p. 40.
22. Lettre W 611, t. II, p. 265.
23. Lettre W 639, t. II, p. 270.
24. Lettre W 638, t. II, p. 269-270.
25. Lettre W 642, t. II, p. 270-271.

1886/1

1. Lettre W 650, t. II, p. 271.
2. Zola, Emile, *Les Rougon-Macquart,* édition intégrale publiée sous la direction d'Armand Lanoux, études, notes et variantes par Henri Mitterand, Paris, Gallimard, « La Pléiade », 1966, t. IV, p. 1356.
3. *Ibid.*, p. 1353.
4. Lettre W 650, t. II, p. 271.
5. Lettre W 651, t. II, p. 271.
6. Lettre W 652, t. II, p. 271-272.
7. Cité *in* Wildenstein, Daniel, *op. cit.*, p. 217.
8. Lettre W 655, t. II, p. 272.
9. Lettre W 656, t. II, p. 272.

10. Lettre W 658, t. II, p. 272.
11. Lettre W 660, t. II, p. 273.
12. Lettre W 644, t. II, p. 273.
13. Lettre W 671, t. II, p. 274.
14. *Correspondance de Camille Pissarro*, par Janine Bailly-Herzberg, Paris, PUF, 1986, t. II, 1886-1890, p. 44.
15. Cité *in* Rewald, John, *op. cit.*, p. 174.
16. *Ibid.*, p. 175.
17. Lettre W 670, t. II, p. 274.
18. Lettre W 673, t. II, p. 274.
19. *Ibid.*
20. Lettre W 676, t. II, p. 275.
21. Lettre W 677, t. II, p. 275.
22. Cité *in* Wildenstein, Daniel, *op. cit.*, p. 219.
23. Cité in *Les Ecrivains devant l'impressionnisme, op. cit.*, p. 403.
24. *Ibid.*, p. 408.

26. *Ibid.*
27. Lettre W 711, t. II, p. 280.
28. Lettre W 709, t. II, p. 280.
29. Lettre W 711, t. II, p. 280.
30. Lettre W 714, t. II, p. 281.
31. *Ibid.*
32. Lettre W 718, t. II, p. 282.
33. Lettre W 721, t. II, p. 283.
34. Lettre W 727, t. II, p. 284-285.
35. Lettre W 730, t. II, p. 285.
36. Lettre W 733, t. II, p. 286.
37. Lettre W 735, t. II, p. 286.
38. Lettre W 736, t. II, p. 286.
39. Lettre W 740, t. II, p. 287.
40. Lettre W 741, t. II, p. 287.
41. Lettre W 750, t. II, p. 288.
42. Cité *in* Geffroy, Gustave, *Monet, sa vie, son œuvre, op. cit.*, p. 217-218.
43. Lettre W 759, t. II, p. 291.
44. Lettre W 762, t. II, p. 292.

1886/2

1. Lettre W 700, t. II, p. 278-279.
2. Renoir, Pierre-Auguste, *Ecrits, entretiens et lettres sur l'art, op. cit.*, p. 133.
3. *Ibid.*
4. *Ibid.*
5. José Marti cité in *Pour ou contre l'impressionnisme, op. cit.*, p. 177.
6. *Ibid.*, p. 174.
7. Lettre W 684, t. II, p. 275.
8. Lettre W 685, t. II, p. 276.
9. Lettre W 686, t. II, p. 276.
10. Lettre W 687, t. II, p. 276.
11. Lettre W 688, t. II, p. 276.
12. *Ibid.*
13. *Ibid.*
14. *Ibid.*
15. Lettre W 692, t. II, p. 277.
16. Lettre W 690, t. II, p. 277.
17. Lettre W 692, t. II, p. 277.
18. Lettre W 696, t. II, p. 278.
19. Lettre W 699, t. II, p. 278.
20. Lettre W 700, t. II, p. 278-279.
21. *Ibid.*
22. Lettre W 702, t. II, p. 279.
23. Geffroy, Gustave, *Monet, sa vie, son œuvre, op. cit.*, p. 1.
24. Lettre W 705, t. II, p. 279.
25. *Ibid.*

1887

1. Lettre W 784, t. III, p. 222.
2. Lettre W 766, t. II, p. 292.
3. *Correspondance de Camille Pissarro*, t. II, 1886-1890, *op. cit.*, p. 98.
4. *Ibid.*, p. 101.
5. Lettre W 775, t. III, p. 221.
6. *Correspondance de Camille Pissarro*, t. II, 1886-1890, *op. cit.*, p. 138.
7. *Ibid.*, p. 137.
8. Lettre W 777, t. III, p. 222.
9. Lettre W 365.
10. Lettre W 786, t. III, p. 222.
11. Lettre W 440.
12. Lettre W 885.
13. Lettre W 859.
14. Lettre W 1068.
15. Renoir, Pierre-Auguste, *Ecrits, entretiens et lettres sur l'art, op. cit.*, p. 136-137.
16. Lettre W 788, t. III, p. 223.
17. Cité par la note 2, in *Correspondance de Camille Pissarro*, t. II, 1886-1890, *op. cit.*, p. 170.
18. *Ibid.*, note 11, p. 165.
19. Huysmans, J.-K., *Ecrits sur l'art*, édition établie, présentée et annotée par Patrice Locmant, Paris, Bartillat, 2006, p. 336-337.

20. *Correspondance de Camille Pissarro*, t. II, 1886-1890, *op. cit.*, p. 161.
21. *Ibid.*, p. 163.
22. *Ibid.*, p. 167.
23. Cité *in* Tucker, Paul Hayes, *op. cit.*, p. 29.
24. Geffroy, Gustave, *Monet, sa vie, son œuvre, op. cit.*, p. 189.
25. Lettre W 794, t. III, p. 223.
26. Lettre W 795, t. III, p. 223.
27. Lettre W 703, t. II, p. 279.
28. *Ibid.*
29. Lettre W 707, t. II, p. 280.
30. Lettre W 720, t. II, p. 283.
31. Lettre W 734, t. II, p. 286.

1888

1. Lettre W 825, t. III, p. 227.
2. Lettre W 806, t. III, p. 224.
3. Lettre W 812, t. III, p. 225.
4. Lettre W 816, t. III, p. 226.
5. Lettre W 817, t. III, p. 226.
6. *Ibid.*
7. Lettre W 820, t. III, p. 227.
8. Lettre W 818, t. III, p. 226.
9. Lettre W 824, t. III, p. 227.
10. Lettre W 829, t. III, p. 228.
11. Lettre W 825, t. III, p. 227.
12. Lettre W 830, t. III, p. 228.
13. Lettre W 834, t. III, p. 229.
14. Lettre W 840, t. III, p. 230.
15. Lettre W 842, t. III, p. 230.
16. Lettre W 854, t. III, p. 232.
17. Lettre W 883, t. III, p. 237.
18. *Ibid.*
19. Lettre W 872, t. III, p. 235.
20. Lettre W 884, t. III, p. 238.
21. Lettre W 841, t. III, p. 230.
22. Lettre W 843, t. III, p. 230.
23. Lettre W 844, t. III, p. 230.
24. Lettre W 865, t. III, p. 234.
25. Lettre W 868, t. III, p. 234.
26. Van Gogh, Vincent, *Correspondance complète*, traduction de M. Beerblock et J. Rœlandt, Paris, Gallimard-Grasset, 1960, t. III, p. 114.
27. Lettre W 886, t. III, p. 237.
28. *Correspondance de Camille Pissarro*, t. II, 1886-1890, *op. cit.*, p. 241-242.

29. Lettre W 891, t. III, p. 237.
30. Lettre W 907, t. III, p. 239.

1889/1

1. Lettre W 977, t. III, p. 248.
2. Cité *in* Caracalla, Jean-Paul, des Cars, Jean, *La Tour Eiffel*, Paris, Editions Denoël, 1989, p. 116.
3. Lettre W 912, t. III, p. 240.
4. Geffroy, Gustave, *Monet, sa vie, son œuvre, op. cit.*, p. 199.
5. Lettre W 975, t. III, p. 248.
6. Lettre W 976, t. III, p. 248.
7. Lettre W 977, t. III, p. 248.
8. *Ibid.*
9. Lettre W 947, t. III, p. 244.
10. Lettre W 980, t. III, p. 248.

1889/2

1. Lettre W 996, t. III, p. 250.
2. Cité *in* Tucker, Paul Hayes, *op. cit.*, p. 66.
3. Aurier, Albert, *Textes critiques 1889-1892, op. cit.*, p. 132.
4. Goncourt, Edmond et Jules de, *Journal*, t. III, 1887-1896, *op. cit.*, p. 294.
5. Lettre W 949, t. III, p. 244.
6. Citée *in* Geffroy, Gustave, *Monet, sa vie, son œuvre, op. cit*, p. 209.
7. Lettre W 983, t. III, p. 249.
8. Lettre W 970, t. III, p. 247.
9. *Ibid.*
10. Lettre W 982, t. III, p. 248.
11. Lettre W 985, t. III, p. 249.
12. Goncourt, Edmond et Jules de, *Journal*, t. III, 1887-1896, *op. cit.*, p. 282.
13. Lettre W 995, t. III, p. 250.
14. Lettre W 996, t. III, p. 250.
15. Goncourt, Edmond et Jules, *Journal*, t. III, 1887-1896, *op. cit.*, p. 285.
16. *Ibid.*, p. 291.
17. Mirbeau, Octave, *Combats esthétiques*, t. I, *op. cit.*, p. 379.
18. Cité *in* Wildenstein, Daniel, *op. cit.*, p. 253.
19. *Ibid.*
20. Lettre W 999, t. III, p. 250.

21. Mirbeau, Octave, *Des artistes,* *op. cit.*, p. 93.
22. *Ibid.*, p. 97.
23. Cité *in* Wildenstein, Daniel, *op. cit.*, p. 254.
24. Lettre 32, datée 7 juillet 1889, *in* Mirbeau, Octave, *Correspondance avec Claude Monet,* établie, présentée et annotée par Pierre Michel et Jean-François Nizet, Tusson, 1990.
25. Cité *in* Wildenstein, Daniel, *op. cit.*, p. 253.
26. Cité *in* Geffroy, Gustave, *Monet, sa vie, son œuvre, op. cit.*, p. 457-458.

1889/3

1. Lettre W 1000, t. III, p. 250.
2. Lettre 32, datée 7 juillet 1889, *in* Mirbeau, Octave, *Correspondance avec Claude Monet, op. cit.*
3. Mirbeau, Octave, *Des artistes, op. cit.*, p. 74-75.
4. Cité in Darragon, Eric, *op. cit.*, p. 412.
5. *Ibid.*
6. Voir *Millet*, catalogue de l'exposition des Galeries nationales du Grand Palais, 17 octobre 1975-5 janvier 1976, Paris, Editions des Musées nationaux, 1975, p. 106.
7. Lettre W 1000, t. III, p. 250.
8. Goncourt, Edmond et Jules de, *Journal*, t. III, 1887-1896, *op. cit.*, p. 271.
9. Lettre W 1008, t. III, p. 251.
10. *Correspondance de Camille Pissarro*, t. V, 1899-1903, *op. cit.*, p. 407.
11. Zola, Emile, *Correspondance*, sous la direction d'Henri Mitterand, Montréal-Paris, 1978-1982.
12. Lettre W 1009, t. III, p. 251.
13. Lettre W 1007, t. III, p. 250.
14. Lettre W 1016, t. III, p. 251-252.
15. *Ibid.*
16. *Ibid.*
17. Lettre W 1021, t. III, p. 252.
18. Voir Guilleminault, Gilbert, *Le Roman vrai de la III^c et de la IVe République, 1870-1958,* 1re partie, *1870-1918,* Paris, Robert Laffont, « Bouquins », 1991, p. 159-183.

1890/1

1. Lettre W 1024, t. III, p. 253.
2. *Le Figaro*, 21 janvier 1890.
3. Lettre W 1023, t. III, p. 252-253.
4. Lettre W 1024, t. III, p. 253.
5. *La République française*, 20 janvier 1890.
6. *Ibid.*
7. Lettre W 1024, t. III, p. 253.
8. Lettre W 1025, t. III, p. 253.
9. Lettre W 1026, t. III, p. 253.
10. *Le Figaro*, 26 janvier 1890.
11. Cité *in* Geffroy, Gustave, *Monet, sa vie, son œuvre, op. cit.*, p. 228.
12. Lettre W 1032, t. III, p. 254.
13. Cité *in* Geffroy, Gustave, *Monet, sa vie, son œuvre, op. cit.*, p. 234-235.
14. Lettre W 1043, t. III, p. 255.
15. Cité *in* Tucker, Paul Hayes, *op. cit.*, p. 63.
16. Cité *in* Geffroy, Gustave, *Monet, sa vie, son œuvre, op. cit.*, p. 236-237.
17. Cité in *ibid.*, p. 238.
18. *Ibid.*
19. *Ibid.*, p. 240.
20. *Ibid.*, p. 258.
21. Lettre W 1081, t. III, p. 259.
22. Havard, Oscar, « Le Salon de 1890 », *La France illustrée, Journal littéraire, scientifique et religieux*, 17 mai 1890, cité in *Ruptures, de la discontinuité dans la vie artistique,* édition établie par Jean Galard, Paris, Ecole nationale des Beaux-Arts/Louvre, 2002, p. 190-191.

1890/2

1. Lettre W 1064, t. III, p. 257.
2. Lettre W 1063, t. III, p. 257.
3. Lettre W 1064, t. III, p. 257.
4. Lettre W 1065, t. III, p. 257.
5. Morisot Berthe, *Correspondance de Berthe Morisot et de sa famille*, réunie et présentée par Denis Rouart, Paris,1950, p. 154.
6. Lettre W (92), t. II, p. 293.
7. Lettre W 1066, t. III, p. 257.
8. Lettre W 1060, t. III, p. 257.

9. Geffroy, Gustave, *Monet, sa vie, son œuvre, op. cit.*, p. 463-464.
10. Cité *in* Wildenstein, Daniel, *op. cit.*, p. 270.
11. Clemenceau, Georges, *Claude Monet, op. cit.*, p. 100.
12. Lettre W 1067, t. III, p. 258.
13. Lettre W 1069, t. III, p. 258.
14. Lettre W 1074, t. III, p. 258.
15. Lettre W 1076, t. III, p. 258.
16. Clemenceau, Georges, *Claude Monet, op. cit.*, p. 101.
17. Lettre W 1079, t. III, p. 259.
18. Lettre W 1084, t. III, p. 259.
19. Lettre W 1085, t. III, p. 259.

23. Cité *in* Wildenstein, Daniel, *op. cit.*, p. 280.
24. Geffroy, Gustave, *Monet, sa vie, son œuvre, op. cit.*, p. 461-462.
25. Lettre W 1122, t. III, p. 263.
26. Lettre W 1123, t. III, p. 263.
27. Lettre W 1124, t. III, p. 263.
28. Wolff, Albert, « Edouard Manet », *Le Figaro*, 1ᵉʳ mai 1883, cité in *La Promenade du critique influent, anthologie de la critique d'art en France, 1850-1900*, textes réunis par Jean-Paul Bouillon, Nicole Dubreuil-Blondin, Antoinette Ehrard, Constance Naubert-Riser, Paris, Hazan, 1990, p. 260.
29. *Ibid.*, p. 262.

1891

1. Lettre W 1123, t. III, p. 263.
2. Goncourt, Edmond et Jules de, *Journal*, t. III, 1887-1896, *op. cit.*, p. 374.
3. Lettre W 1096, t. III, p. 260.
4. Lettre W 1099, t. III, p. 260.
5. Lettre W 1100, t. III, p. 260.
6. Lettre W 1097, t. III, p. 260.
7. Mirbeau, Octave, *Combats esthétiques*, t. I, *op. cit.*, p. 430.
8. *Ibid.*, p. 431.
9. *Ibid.*, p. 433.
10. Lettre W 1102, t. III, p. 261.
11. Lettre W 1106, t. III, p. 261.
12. *Correspondance de Camille Pissarro*, t. III, 1891-1894, *op. cit.*, p. 55.
13. *Ibid.*, p. 60.
14. Geffroy, Gustave, *Monet, sa vie, son œuvre, op. cit.*, p. 318.
15. *Ibid.*, p. 317.
16. *Correspondance de Camille Pissarro*, t. III, 1891-1894, *op. cit.*, p. 75.
17. Lettre W 1109, t. III, p. 261.
18. Byvanck, W. C., *Un Hollandais à Paris en 1891, Sensations de littérature et d'art*, Paris, 1892, cité *in* Wildenstein, Daniel, *op. cit.*, p. 279.
19. *Correspondance de Camille Pissarro*, t. III, 1891-1894, *op. cit.*, p. 111.
20. Lettre W 1119, t. III, p. 262.
21. Lettre W 1121, t. III, p. 262.
22. Hoschedé, Jean-Pierre, *Claude Monet, ce mal connu, op. cit.*, p. 47.

1892

1. Lettre W 1136, t. III, p. 264.
2. Lettre W 303, t. II, p. 222.
3. Lettre W 1132, t. III, p. 263.
4. Lettre W 1133, t. III, p. 264.
5. Lettre W 1135, t. III, p. 264.
6. *Ibid.*
7. Lettre W 1136, t. III, p. 264.
8. Vollard, Ambroise, *Souvenirs d'un marchand de tableaux, op. cit.*, p. 206.
9. Lettre W 1137, t. III, p. 264.
10. *Ibid.*
11. Lettre W 1137, t. III, p. 264.
12. Lettre W 1138, t. III, p. 264.
13. Lettre W 1139, t. III, p. 264-265.
14. *Ibid.*
15. Lettre W 1140, t. III, p. 265.
16. Lettre W 1143, t. III, p. 265.
17. Lettre W 1144, t. III, p. 265.
18. Lettre W 1145, t. III, p. 266.
19. *Ibid.*
20. Lettre W 1146, t. III, p. 266.
21. Lettre W 1150, t. III, p. 266.
22. Lettre W 1151, t. III, p. 266.
23. Lettre W 1153, t. III, p. 267.
24. Lettre W 1155, t. III, p. 267.
25. Archives Jean-Marie Tougouat, cité *in* Alphant, Marianne, *op. cit.*, p. 522.
26. Archives Claude Monet, correspondance d'artiste, collection M. et Mme Cornebois, Arcurial (catalogue de la vente du mercredi 13 décembre 2006), n° 54, p. 31.

27. Philip Hale à Mr J. Alden Weir, 19 août 1892, Dossier J. Alden Weir, Archives of American Art, Smithsonian Art, Washington, D.C., cité *in* Gerdts, William H., *op. cit.*, p. 125.

28. 20 juillet 1892, *in* Theodore Robinson, *Journaux intimes*, mrs 1892-1896, Frick Art Reference Library, New York, cité *in* Gerdts, William H., *op. cit.*, p. 125.

29. *Ibid.*

30. Lettre W 1164, t. III, p. 268.

31. Lettre W 1167, t. III, p. 268.

1893

1. Lettre W 1183, t. III, p. 270.
2. Lettre W 1174, t. III, p. 269.
3. Lettre W 1175, t. III, p. 269.
4. Lettre W 1178, t. III, p. 269.
5. Lettre W 1179, t. III, p. 270.
6. Lettre W 1181, t. III, p. 270.
7. Lettre W 1182, t. III, p. 270.
8. Lettre W 1183, t. III, p. 270.
9. Lettre W 1186, t. III, p. 270.
10. Lettre W 1187, t. III, p. 271.
11. Lettre W 1196, t. III, p. 272.
12. Lettre W 1212, t. III, p. 274.
13. Lettre W 1220, t. III, p. 275.
14. Lettre W 1221, t. III, p. 275.
15. Lettre W 1219, t. III, p. 274.
16. *Ibid.*

1894

1. Lettre W 1245, t. III, p. 277.
2. Lettre W 1231, t. III, p. 276.
3. Mirbeau, Octave, *Des artistes,* *op. cit.*, p. 170-171.
4. Guitry, Sacha, *Portraits et anecdotes.*
5. Cité *in* Monneret, Sophie, *L'Impressionnisme et son époque*, t. I, *op. cit.*, p. 192.
6. Lettre W 1231, t. III, p. 276.
7. Lettre W 1239, t. III, p. 276.
8. Lettre W 1240, t. III, p. 276.
9. Lettre W 1241, t. III, p. 277.
10. Lettre W 1243, t. III, p. 277.
11. Lettre W 1245, t. III, p. 277.

12. *Ibid.*
13. Lettre W 1251, t. III, p. 277-278.
14. *Ibid.*
15. Lettre W 1250, t. III, p. 277.
16. Lettre W 1253, t. III, p. 278.
17. *Ibid.*
18. Lettre W 1233bis, t. III, p. 276.
19. Lettre W 1238, t. III, p. 276.
20. *Correspondance de Camille Pissarro*, t. III, 1891-1894, *op. cit.*, p. 496.
21. Lettre W 1256, t. III, p. 278.
22. Geffroy, Gustave, *Monet, sa vie, son œuvre, op. cit.*, p. 325-326.
23. *Ibid.*
24. Lettre citée *in* Tucker, Paul Hayes, *op. cit.*, p. 118.
25. Hoschedé, Jean-Pierre, *Claude Monet, ce mal connu, op. cit.*, p. 100.

1895/1

1. Lettre W 1272, t. III, p. 281.
2. Le nom d'Oslo n'est donné à la ville qu'en 1925.
3. Lettre W 1265, t. III, p. 279.
4. *Ibid.*
5. Lettre W 1266, t. III, p. 280.
6. Lettre W 1269, t. III, p. 280.
7. Lettre W 1270, t. III, p. 281.
8. Lettre W 1289, t. III, p. 285.
9. Lettre W 1268, t. III, p. 280.
10. Lettre W 1271, t. III, p. 281.
11. Lettre W 1272, t. III, p. 281.
12. *Ibid.*
13. Lettre W 1275, t. III, p. 282.
14. Lettre W 1276, t. III, p. 282.
15. *Ibid.*
16. Van Gogh, Vincent, *Lettres à Théo*, Paris, Gallimard, « L'Imaginaire », 1988, lettre 463F, p. 354.
17. Lettre W 1277, t. III, p. 282.
18. Lettre W 1282, t. III, p. 283.
19. Lettre W 1279, t. III, p. 283.
20. Lettre W 1266, t. III, p. 280.
21. Lettre W 1272, t. III, p. 281.
22. Lettre W 1290, t. III, p. 285.
23. Lettre W 1270, t. III, p. 281.
24. Lettre W 1284, t. III, p. 284.
25. Lettre W 1292, t. III, p. 285.
26. Lettre W 1291, t. III, p. 285.

1895/2

1. Lettre W 1298, t. III, p. 286.
2. 1847-1935.
3. 1855-1906.
4. Goncourt, Edmond et Jules de, *Journal*, t. III, 1887-1896, *op. cit.*, p. 1007.
5. *Correspondance de Camille Pissarro*, t. III, 1891-1894, *op. cit.*, p. 496-497.
6. *Ibid.*, p. 499.
7. *Correspondance de Camille Pissarro*, t. IV, 1895-1898, *op. cit.*, p. 69.
8. Goncourt, Edmond et Jules de, *Journal*, t. III, 1887-1896, *op. cit.*, p. 1132.
9. *Correspondance de Camille Pissarro*, t. IV, 1895-1898, *op. cit.*, p. 74.
10. *Ibid.*, p. 75.
11. Cité *in* Wildenstein, Daniel, *op. cit.*, p. 309.
12. Cité *in* Pissarro, Joachim, *Les Cathédrales de Rouen, 1892-1894*, traduction de Josie Mely, Arcueil, Anthèse, 1990, p. 28.
13. *Ibid.*
14. *Ibid.*, p. 30.
15. *Ibid.*, p. 31.
16. Cité *in* Geffroy, Gustave, *Monet, sa vie, son œuvre, op. cit.*, p. 344-345.
17. Cité in Pissarro, Joachim, *Les Cathédrales de Rouen, op. cit.*, p. 29.
18. Lettre W 1298, t. III, p. 286.
19. *Georges Clemenceau, à son ami Claude Monet, Correspondance*, Paris, Réunion des Musées nationaux, 1993, p. 71.

1895/3

1. Lettre W 1313, t. III, p. 288.
2. Lettre W 1300, t. III, p. 286.
3. Lettre W 1301, t. III, p. 286.
4. Voir Hoschedé, Jean-Pierre, *Claude Monet, ce mal connu, op. cit.*, p. 48-49.
5. Lettre W 1305, t. III, p. 288.
6. *Ibid.*
7. Lettre W 1315, t. III, p. 288.
8. *Ibid.*
9. Lettre W 1317, t. III, p. 288.
10. Lettre W 1320, t. III, p. 288-289.
11. Lettre W 1321, t. III, p. 289.
12. Cézanne, Paul, *Correspondance*,

recueillie, annotée et préfacée par John Rewald, nouvelle édition révisée et augmentée, Paris, Grasset, 1978, p. 246.
13. Vollard, Ambroise, *op. cit.*, p. 112.

1896

1. Lettre W 1332, t. III, p. 290.
2. Lettre W 1268, t. III, p. 280.
3. Lettre W 1322, t. III, p. 289.
4. Lettre W 1323, t. III, p. 289.
5. Lettre W 1324, t. III, p. 289.
6. Lettre W 1327, t. III, p. 289.
7. Lettre W 1323, t. III, p. 289.
8. Lettre W 1325, t. III, p. 289.
9. Lettre W 1326, t. III, p. 289.
10. Lettre W 1328, t. III, p. 290.
11. Manet, Julie, *Journal (Extraits) 1893-1899*, introduction par Boland Roberts, Rosalind de et Jane Roberts, Paris, Editions Scala, 1987, p. 84.
12. *Ibid.*, p. 85.
13. *Ibid.*, p. 86.
14. *Ibid.*, p. 87.
15. Lettre W 1331, t. III, p. 290.
16. Lettre W 1332, t. III, p. 290.
17. Lettre W 1331, t. III, p. 290.
18. Lettre W 1340, t. III, p. 291.
19. Lettre W 1341, t. III, p. 291.
20. Lettre W 1342, t. III, p. 291.
21. Lettre W 1343, t. III, p. 291.
22. Lettre W 1340, t. III, p. 291.
23. Lettre W 1345, t. III, p. 291.
24. Lettre W 1353, t. III, p. 292.
25. Voir Lemaire, Gérard-Georges, *op. cit.*, p. 227-232.
26. Cité *in* Geffroy, Gustave, *Monet, sa vie, son œuvre, op. cit.*, p. 339.
27. *Ibid.*, p. 464.
28. *Correspondance de Camille Pissarro*, t. IV, 1895-1898, *op. cit.*, p. 223.

1897

1. Lettre W 1387, t. III, p. 295.
2. Ce sont les numéros 92, 312, 350, 495, 549, 726, 843, 1336 et 1344 du catalogue Wildenstein.
3. Lettre W 1358, t. III, p. 292.
4. *Ibid.*

5. Lettre W 1362, t. III, p. 293.
6. *Ibid.*
7. Lettre W 1364, t. III, p. 293.
8. Lettre W 1366, t. III, p. 293.
9. Lettre W 1367, t. III, p. 293.
10. Lettre W 1372, t. III, p. 294.
11. Lettre W 1377, t. III, p. 294.
12. Lettre W 1383, t. III, p. 294.
13. Lettre W 1385, t. III, p. 295.
14. Lettre W 1384, t. III, p. 294.
15. Lettre W 1386, t. III, p. 295.
16. Lettre W 1370, t. III, p. 294.
17. Lettre W 1373, t. III, p. 294.
18. Numéro 438 du catalogue Wildenstein.
19. *Correspondance de Camille Pissarro*, t. IV, 1895-1898, *op. cit.*, p. 334.
20. Voir Bonafoux, Pascal, *Le Musée du Luxembourg*, Milan, Skira, 2005, p. 84-85
21. Lettre W 1390, t. III, p. 295.
22. Lettre W 1395, t. III, p. 295.
23. Lettre W 1397, t. III, p. 296.

1898

1. Lettre W 1403, t. III, p. 296.
2. Lettre W 1399, t. III, p. 296.
3. *Correspondance de Camille Pissarro*, t. IV, 1895-1898, *op. cit.*, p. 435.
4. Lettre W 1401, t. III, p. 296.
5. Lettre W 1403, t. III, p. 296.
6. Lettre W 1402, t. III, p. 296.
7. Lettre W 1404, t. III, p. 296.
8. Manet, Julie, *Journal, op. cit.*, p. 128.
9. *Ibid.*, p. 130.
10. Lettre W 1405, t. III, p. 296.
11. Lettre W 1406, t. III, p. 296.
12. Lettre W 1407, t. III, p. 296.
13. Cité *in* Grunfeld, Frédéric V., *Rodin,* Paris, Fayard, 1988, p. 338-339.
14. *Ibid.*, p. 406.
15. *Ibid.*, p. 410.
16. Lettre W 1411, t. III, p. 297.
17. Cité *in* Geffroy, Gustave, *Monet, sa vie, son œuvre, op. cit.*, p. 359-360.
18. Manet, Julie, *Journal, op. cit.*, p. 132.
19. *Ibid.*, p. 136.

1899/1

1. Lettre W 1437, t. IV, p. 337.
2. Lettre W 1434, t. IV, p. 337.
3. Lettre W 1435, t. IV, p. 337.
4. *Ibid.*
5. *Ibid.*
6. Lettre W 1436, t. IV, p. 337.
7. Lettre W 1437, t. IV, p. 337.
8. Manet, Julie, *Journal, op. cit.*, p. 157-158.
9. Lettre W 1442, t. IV, p. 337.
10. Cité par Wildenstein, Daniel, *op. cit.*, p. 331.
11. Lettre W 1449, t. IV, p. 337.
12. Lettre W 1457, t. IV, p. 338.
13. *Correspondance de Camille Pissarro*, t. V, 1899-1903, *op. cit.*, p. 19.
14. Lettre W 1453, t. IV, p. 338.
15. *Ibid.*
16. Lettre W 1460, t. IV, p. 338.
17. Lettre W 1461, t. IV, p. 338.
18. Lettre W 1463, t. IV, p. 338.
19. Manet, Julie, *Journal, op. cit.*, p. 173.
20. *Ibid.*, p. 174.
21. Cité *in* Bonafoux, Pascal, *Cézanne, portrait,* essai, Paris, Hazan, 1995, p. 215.

1899/2

1. Lettre W 1472, t. IV, p. 339.
2. Manet, Julie, *Journal, op. cit.*, p. 167.
3. Hoschedé, Jean-Pierre, *Claude Monet, ce mal connu, op. cit.*, p. 54-55.
4. Lettre W 1465, t. IV, p. 338.
5. Geffroy, Gustave, *Monet, sa vie, son œuvre, op. cit.*, p. 445.
6. Lettre W 1468, t. IV, p. 339.
7. Lettre W 1470, t. IV, p. 339.
8. Lettre W 1472, t. IV, p. 339.
9. Lettre W 1473, t. IV, p. 339.
10. Lettre W 1474, t. IV, p. 339.
11. Lettre W 1483, t. IV, p. 339.
12. Lettre W 1482, t. IV, p. 339.
13. *Georges Clemenceau, à son ami Claude Monet, Correspondance, op. cit.*, p. 72.

1900/1

1. Lettre W 1543, t. IV, p. 346.
2. Lettre W 1491, t. IV, p. 340.
3. Lettre W 1492, t. IV, p. 340.
4. Lettre W 1493, t. IV, p. 340.
5. Lettre W 1510, t. IV, p. 342.
6. *Ibid.*
7. Lettre W 1503, t. IV, p. 341.
8. *Ibid.*
9. Lettre W 1505, t. IV, p. 341-342.
10. Lettre W 1507, t. IV, p. 342.
11. *Ibid.*
12. Lettre W 1516, t. IV, p. 342.
13. Lettre W 1518, t. IV, p. 343.
14. Lettre W 1519, t. IV, p. 343.
15. *Ibid.*
16. *Ibid.*
17. Lettre W 1521, t. IV, p. 343.
18. Lettre W 1528, t. IV, p. 344.
19. *Ibid.*
20. Lettre W 1503, t. IV, p. 341.
21. Lettre W 1504, t. IV, p. 341.
22. Lettre W 1529, t. IV, p. 344.
23. Lettre W 1532, t. IV, p. 345.
24. Lettre W 1543, t. IV, p. 346.
25. Lettre W 1545, t. IV, p. 346-347.
26. Lettre W 1546, t. IV, p. 347.

1900/2

1. Lettre W 1565, t. IV, p. 348.
2. Lettre W 1549, t. IV, p. 347.
3. Lettre W 1552, t. IV, p. 347.
4. Cité *in* Guilleminault, Gilbert, *Le Roman vrai de la IIIᵉ et de la IVᵉ République, op. cit.*, p. 481.
5. Cité *in* Wildenstein, Daniel, *op. cit.*, p. 349.
6. Lettre W 1551, t. IV, p. 347.
7. Lettre W 1555, t. IV, p. 348.
8. Le mot semble apocryphe... Daniel Wildenstein note : « Nous avons [...] parcouru en vain la presse de l'époque et les ouvrages des auteurs qui ont pu interroger Gérôme. »
9. Lettre W 1557, t. IV, p. 348.
10. Lettre W 1558, t. IV, p. 348.
11. Lettre W 1560, t. IV, p. 348.
12. Lettre W 1561, t. IV, p. 348.
13. Lettre W 1565, t. IV, p. 348.

14. Lettre W 1565, t. IV, p. 348.
15. Renoir, Pierre-Auguste, *Ecrits, entretiens et lettres sur l'art, op. cit.*, p. 147.
16. *Ibid.*, p. 148.
17. Cité in *Pour ou contre l'impressionnisme, op. cit.*, p. 103-104.
18. Lettre W 1571, t. IV, p. 349.
19. Lettre W 1576, t. IV, p. 349.
20. Lettre W 1577, t. IV, p. 349.
21. Lettre W 1580, t. IV, p. 349.
22. Lettre W 1581, t. IV, p. 349.
23. *Ibid.*
24. Lettre W 1582b, t. IV, p. 350.

1901

1. Lettre W 1593, t. IV, p. 351.
2. Lettre W 1588, t. IV, p. 350.
3. Lettre W 1587, t. IV, p. 350.
4. Lettre W 1592, t. IV, p. 351.
5. Cité in *Pour ou contre l'impressionnisme, op. cit.*, p. 117-118.
6. Lettre W 1593, t. IV, p. 351.
7. Lettre W 1595, t. IV, p. 351.
8. Lettre W 1606, t. IV, p. 353.
9. Lettre W 1611, t. IV, p. 355.
10. Lettre W 1610, t. IV, p. 354.
11. *Ibid.*
12. *Ibid.*
13. *Ibid.*
14. *Ibid.*
15. Lettre W 1608a, t. IV, p. 354.
16. Lettre W 1612, t. IV, p. 355.
17. *Ibid.*
18. Lettre W 1619, t. IV, p. 356.
19. Lettre W 1624, t. IV, p. 357.
20. Lettre W 1627, t. IV, p. 357.
21. Lettre W 1632, t. IV, p. 358.
22. Lettre W 1634, t. IV, p. 358.
23. Lettre W 1635, t. IV, p. 358.
24. Cité *in* Wildenstein, Daniel, *op. cit.*, p. 354.
25. Lettre W 1644, t. IV, p. 359.
26. Hoschedé, Jean-Pierre, *Claude Monet, ce mal connu, op. cit.*, p. 126-127.
27. Lettre W 1646, t. IV, p. 359.
28. *Ibid.*

1902

1. Lettre W 1667, t. IV, p. 361.
2. Lettre W 1655, t. IV, p. 360.
3. Lettre W 1654, t. IV, p. 360.
4. Lettre W 1655, t. IV, p. 360.
5. Lettre W 1660, t. IV, p. 361.
6. Lettre W 1664, t. IV, p. 361.
7. *Ibid.*
8. Lettre W 1668, t. IV, p. 362.
9. Lettre W 1667, t. IV, p. 361.
10. Lettre W 1670, t. IV, p. 362.
11. *Ibid.*
12. Cité *in* Wildenstein, Daniel, *op. cit.*, p. 362.
13. Lettre W 1673, t. IV, p. 362.
14. Renard, Jules, *Journal 1887-1910*, texte établi par Léon Guichard et Gilbert Signaux, préface, chronologie, notes et index par Gilbert Sigaux, Paris, Gallimard, « La Pléiade », 1965, p. 751.
15. Seton-Schmidt, Anna, « An afternoon with Claude Monet », *Modern Art* 5, 1er janvier 1897, p. 33 cité *in* Tucker, Paul Hayes, *op. cit.*, p. 35.
16. Lettre W 1679, t. IV, p. 362.

1903

1. Lettre W 1692, t. IV, p. 363.
2. Lettre W 1681, t. IV, p. 363.
3. Lettre W 1683, t. IV, p. 363.
4. Lettre W 1682, t. IV, p. 363.
5. Lettre W 1684, t. IV, p. 363.
6. Lettre W 1689, t. IV, p. 363.
7. Lettre W 1690, t. IV, p. 363.
8. *Ibid.*
9. Lettre W 1691, t. IV, p. 363.
10. Lettre W 1692, t. IV, p. 363.
11. Lettre W 1693, t. IV, p. 363.
12. Lettre W 1694, t. IV, p. 363.
13. Lettre W 1695, t. IV, p. 364.
14. Lettre W 1696, t. IV, p. 364.
15. Lettre W 1699, t. IV, p. 364.
16. *Ibid.*
17. Lettre W 1702, t. IV, p. 365.

1904

1. Lettre W 1732, t. IV, p. 366.
2. Cité in *La Promenade du critique influent, anthologie de la critique d'art en France, 1850-1900, op. cit.*, p. 20.
3. Lettre W 1711, t. IV, p. 364.
4. Lettre W 1712, t. IV, p. 364-365.
5. *Ibid.*
6. Lettre W 1710, t. IV, p. 364.
7. Lettre W 1722, t. IV, p. 365.
8. Lettre W 1723, t. IV, p. 365.
9. *Ibid.*
10. Mirbeau, Octave, *Combats esthétiques*, t. II, *op. cit.*, p. 346.
11. *Ibid.*, p. 344.
12. Cité *in* Wildenstein, Daniel, *op. cit.*, p. 364.
13. Lettre W 1726, t. IV, p. 365.
14. Lettre W 1732, t. IV, p. 366.
15. Geffroy, Gustave, *Monet, sa vie, son œuvre, op. cit.*, p. 389-390.
16. Lettre W 1737, t. IV, p. 366.
17. Lettre W 1736, t. IV, p. 366.
18. Lettre W 1742, t. IV, p. 366-367.
19. Elder, Marc, *op. cit.*, p. 51-54.
20. *Ibid.*, p. 53.
21. Lettre W 1743, t. IV, p. 367.
22. Lettre W 1738, t. IV, p. 366.
23. Lettre W 1748, t. IV, p. 367.
24. Lettre W 1750, t. IV, p. 367.
25. Lettre W 1751, t. IV, p. 367.

1905-1906

1. Lettre W 1780, t. IV, p. 369.
2. Lettre W 1758, t. IV, p. 368.
3. *Ibid.*
4. Lettre W 1759, t. IV, p. 368.
5. Lettre W 1760, t. IV, p. 368.
6. Cité *in* Wildenstein, Daniel, *op. cit.*, p. 370.
7. Lettre W 1764, t. IV, p. 368.
8. Cité *in* Wildenstein, Daniel, *op. cit.*, p. 368.
9. *Ibid.*
10. *Ibid.*
11. Lettre W 1767, t. IV, p. 368.
12. Lettre W 1768, t. IV, p. 368.
13. Lettre W 1780, t. IV, p. 369.
14. Lettre W 1782, t. IV, p. 369.
15. Lettre W 1783b, t. IV, p. 369.
16. Lettre W 1786, t. IV, p. 369.
17. Lettre W 1784, t. IV, p. 369.
18. Lettre W 1787, t. IV, p. 369.

19. Lettre W 1789, t. IV, p. 369.
20. Lettre W 1794, t. IV, p. 370.
21. Lettre W 1800, t. IV, p. 370.
22. Lettre W 1803, t. IV, p. 370.
23. Lettre W 1805, t. IV, p. 370.
24. Lettre W 1811, t. IV, p. 371.
25. Renard, Jules, *Journal 1887-1910,
op. cit.*, p. 1032.
26. Lettre W 1813, t. IV, p. 371.
27. *Ibid.*
28. *Ibid.*
29. Cabot Perry Lilla, « Souvenirs
sur Claude Monet, 1889-1909 », *The
American Magazine of Art*, mars 1927, traduit par Dominique Taffin-Jouhaud, *in*
Gustave Geffroy, *Monet, sa vie, son
œuvre, op. cit.*, p. 458-459.

1907

1. Lettre W 1837, t. IV, p. 372.
2. Lettre W 1820, t. IV, p. 371.
3. Lettre W 1823, t. IV, p. 371.
4. Lettre W 1824, t. IV, p. 371.
5. Lettre W 1826, t. IV, p. 372.
6. Lettre W 1827a, t. IV, p. 372.
7. *Ibid.*
8. Lettre W 1830, t. IV, p. 372.
9. Lettre W 1831, t. IV, p. 372.
10. Lettre W 1832, t. IV, p. 372.
11. *Ibid.*
12. Lettre W 1835, t. IV, p. 372.
13. Lettre W 1836, t. IV, p. 372.
14. Lettre W 1837, t. IV, p. 372.

1908/1

1. Lettre W 1854, t. IV, p. 374.
2. Renard, Jules, *Journal 1887-1910,
op. cit.*, p. 1149.
3. Lettre W 1841, t. IV, p. 373.
4. Lettre W 1843, t. IV, p. 373.
5. Lettre W 1844, t. IV, p. 373.
6. *Ibid.*
7. Lettre W 1847, t. IV, p. 373.
8. Lettre W 1848, t. IV, p. 373.
9. Lettre W 1851, t. IV, p. 373.
10. Lettre W 1854, t. IV, p. 374.
11. Lettre W 1853, t. IV, p. 374.
12. Lettre W 1855, t. IV, p. 374.

13. Lettre W 1857, t. IV, p. 374.
14. Lettre W 1859, t. IV, p. 374.
15. Cité *in* Piguet, Philippe, *Monet et
Venise*, Paris, Herscher, 1986, p. 25.

1908/2

1. Lettre W 1861, t. IV, p. 374.
2. Cité *in* Piguet, Philippe, *op. cit.*,
p. 26.
3. *Ibid.*, p. 27.
4. *Ibid.*
5. *Ibid.*
6. *Ibid.*
7. *Ibid.*, p. 28.
8. *Ibid.*
9. *Ibid.*, p. 29.
10. *Ibid.*, p. 30.
11. *Ibid.*, p. 30-31.
12. *Ibid.*, p. 31.
13. Lettre W 1861, t. IV, p. 374.
14. Cité *in* Piguet, Philippe, *op. cit.*,
p. 34.
15. Lettre W 1863a, t. IV, p. 374.
16. Cité *in* Piguet, Philippe, *op. cit.*,
p. 34.
17. *Ibid.*, p. 35.
18. Lettre W 1864, t. IV, p. 374.
19. Cité *in* Piguet, Philippe, *op. cit.*,
p. 37.
20. *Ibid.*, p. 40.
21. *Ibid.*
22. Lettre W 1864, t. IV, p. 374.
23. Cité *in* Piguet, Philippe, *op. cit.*,
p. 43.
24. *Ibid.*, p. 45.
25. *Ibid.*, p. 46.
26. *Ibid.*, p. 48.
27. *Ibid.*, p. 50.
28. *Ibid.*, p. 51.
29. Lettre W 1870, t. IV, p. 375.
30. Lettre W 1869, t. IV, p. 375.
31. Cité *in* Piguet, Philippe, *op. cit.*,
p. 56.
32. Lettre W 1872, t. IV, p. 375.

1909

1. Lettre W 1875, t. IV, p. 375.
2. Lettre W 1873, t. IV, p. 375.

3. Lettre W 1875, t. IV, p. 375.
4. *Ibid.*
5. Lettre W 1879a, t. IV, p. 375.
6. Lettre W 1880, t. IV, p. 376.
7. Lettre W 1884a, t. IV, p. 376.
8. Lettre W 1887, t. IV, p. 376.
9. Cité *in* Wildenstein, Daniel, *op. cit.*, p. 389.
10. Cité *in* Geffroy, Gustave, *Monet, sa vie, son œuvre, op. cit.*, p. 405.
11. Vauxelles, Louis, *Gil Blas*, 17 octobre 1905.
12. Renard, Jules, *Journal 1887-1910, op. cit.*, p. 1240.
13. Lettre W 1890, t. IV, p. 376.
14. Lettre W 1891, t. IV, p. 376.
15. Lettre W 1896a, t. IV, p. 377.
16. Lettre W 1903, t. IV, p. 377.
17. Lettre W 1904, t. IV, p. 377.
18. Lettre W 1908, t. IV, p. 378.
19. Geffroy, Gustave, *Monet, sa vie, son œuvre, op. cit.*, p. 401.
20. Lettre W 1893, t. IV, p. 377.

1910-1911

1. Lettre W 1965, t. IV, p. 381.
2. Lettre W 1910a, t. IV, p. 378.
3. Lettre W 1911, t. IV, p. 378.
4. Lettre W 1913, t. IV, p. 378.
5. Lettre W 1915, t. IV, p. 378.
6. Lettre W 1916, t. IV, p. 378.
7. Lettre W 1925, t. IV, p. 379.
8. Lettre W 1930, t. IV, p. 379.
9. Lettre W 1941, t. IV, p. 380.
10. Lettre W 1952, t. IV, p. 381.
11. Lettre W 1953, t. IV, p. 381.
12. Lettre W 1962, t. IV, p. 381.
13. Lettre W 1963, t. IV, p. 381.
14. Lettre W 1965, t. IV, p. 381.
15. Lettre W 1968, t. IV, p. 381.
16. Lettre W 1976a, t. IV, p. 382.
17. *Ibid.*
18. Lettre W 1978, t. IV, p. 382.
19. Lettre W 1971, t. IV, p. 382.
20. Lettre W 1982, t. IV, p. 382.
21. Lettre W 1983a, t. IV, p. 382.
22. Lettre W 1989, t. IV, p. 383.
23. Lettre W 1993, t. IV, p. 383.
24. *Ibid.*

1912

1. Lettre W 2023, t. IV, p. 386.
2. Lettre W 1995, t. IV, p. 383.
3. Lettre W 1995a, t. IV, p. 383.
4. Lettre W 2001b, t. IV, p. 384.
5. Lettre W 2001d, t. IV, p. 384.
6. Lettre W 2002, t. IV, p. 384.
7. Lettre W 2003a, t. IV, p. 384.
8. Lettre W 2003b, t. IV, p. 384.
9. Lettre W 2007, t. IV, p. 384.
10. Lettre W 2009, t. IV, p. 385.
11. Lettre W 2010, t. IV, p. 385.
12. Lettre W 2012a, t. IV, p. 385.
13. *Ibid.*
14. Mirbeau, Octave, *Combats esthétiques*, t. II, *op. cit.*, p. 515.
15. *Ibid.*, p. 516.
16. *Ibid.*
17. Lettre W 2014, t. IV, p. 385.
18. Citée *in* Geffroy, Gustave, *Monet, sa vie, son œuvre, op. cit.*, p. 424.
19. Lettre W 2015, t. IV, p. 385.
20. Lettre W 2017, t. IV, p. 385.
21. Lettre W 2018, t. IV, p. 385.
22. Lettre W 2019, t. IV, p. 385.
23. Lettre W 2022, t. IV, p. 385.
24. Lettre W 2023, t. IV, p. 386.
25. Lettre W 2024a, t. IV, p. 386.
26. Lettre W 2025, t. IV, p. 386.
27. Lettre W 2040, t. IV, p. 386.

1913

1. Lettre W 2089, t. IV, p. 389.
2. Lettre W 2050, t. IV, p. 387.
3. Lettres W 2051 et 2052, t. IV, p. 387.
4. Lettre W 2057, t. IV, p. 387.
5. Lettre W 2060, t. IV, p. 387.
6. Lettre W 2061, t. IV, p. 387.
7. Lettre W 2062, t. IV, p. 387.
8. Lettre W 2069, t. IV, p. 388.
9. Lettre W 2072, t. IV, p. 388.
10. Lettre W 2074, t. IV, p. 388.
11. Lettre W 2081, t. IV, p. 388.
12. *Ibid.*
13. Lettre W 2084, t. IV, p. 389.
14. Lettre W 2088, t. IV, p. 389.
15. Lettre W 2089, t. IV, p. 389.

16. Delacroix, *Journal 1822-1863*, *op. cit.*, p. 737.

1914

1. Lettre W 2135, t. IV, p. 391.
2. Lettre W 2094, t. IV, p. 389.
3. *Ibid.*
4. Lettre W 2097, t. IV, p. 389.
5. Lettre W 2098, t. IV, p. 389.
6. Lettre W 2100, t. IV, p. 389.
7. Lettre W 2103, t. IV, p. 389.
8. *Ibid.*
9. Hoschedé, Jean-Pierre, *Claude Monet, ce mal connu, op. cit.*, p. 92.
10. Geffroy, Gustave, *Monet, sa vie, son œuvre, op. cit.*, p. 450.
11. Hoschedé, Jean-Pierre, *Claude Monet, ce mal connu, op. cit.*, p. 92.
12. Lettre W 2110, t. IV, p. 390.
13. Lettre W 2112, t. IV, p. 390.
14. Lettre W 2113, t. IV, p. 390.
15. Lettre W 2116, t. IV, p. 390.
16. Lettre W 2121, t. IV, p. 390.
17. Lettre W 2123, t. IV, p. 390.
18. *Ibid.*
19. Cité *in* Guilleminault, Gilbert, *Le Roman vrai de la IIIᵉ et de la IVᵉ République, op. cit.*, p. 1004.
20. *Ibid.*
21. *Ibid.*
22. Lettre W 2125, t. IV, p. 391.
23. Lettre W 2127, t. IV, p. 391.
24. Lettre W 2128, t. IV, p. 391.
25. Lettre W 2129, t. IV, p. 391.
26. Lettre W 2130, t. IV, p. 391.
27. Lettre W 2133, t. IV, p. 391.
28. Lettre W 2134, t. IV, p. 391.
29. Lettre W 2135, t. IV, p. 391.
30. Clemenceau, Georges, *Claude Monet, op. cit.*, p. 130.

1915-1916

1. Lettre W 2142, t. IV, p. 391-392.
2. Lettre W 2141, t. IV, p. 391.
3. Archives Claude Monet, correspondance d'artiste, collection M. et Mme Cornebois, Arcurial (catalogue de la vente du mercredi 13 décembre 2006), n° 148, p. 82.
4. Lettre W 2142, t. IV, p. 391-392.
5. Lettre W 2145, t. IV, p. 392.
6. Lettre W 2148, t. IV, p. 392.
7. Lettre W 2155, t. IV, p. 392.
8. Lettre W 2156, t. IV, p. 392.
9. Lettre W 2158, t. IV, p. 392.
10. Lettre W 2160, t. IV, p. 392.
11. Hoschedé, Jean-Pierre, *Claude Monet, ce mal connu, op. cit.*, p. 135.
12. *Ibid.*
13. Propos de Gaston Bernheim rapporté *in* Renoir, Pierre-Auguste, *Ecrits, entretiens et lettres sur l'art, op. cit.*, p. 195.
14. Lettre W 2162, t. IV, p. 393.
15. Guitry, Sacha, *Portraits et anecdotes, op. cit.*
16. Lettre W 2165, t. IV, p. 393.
17. Lettre W 2170, t. IV, p. 393.
18. Lettre W 2178, t. IV, p. 393.
19. Lettre W 2180, t. IV, p. 394.
20. Lettre W 2205a, t. IV, p. 395.
21. Lettre W 2200, t. IV, p. 395.
22. Archives Claude Monet, correspondance d'artiste, collection M. et Mme Cornebois, Arcurial (catalogue de la vente du mercredi 13 décembre 2006), n° 277, p. 134.
23. *Ibid.*
24. Lettre W 2206, t. IV, p. 395.
25. Lettre W 2208, t. IV, p. 395.

1917-1918

1. Lettre W 2287, t. IV, p. 401.
2. Lettre W 2210, t. IV, p. 395.
3. Lettre W 2212, t. IV, p. 396.
4. *Ibid.*
5. Lettre W 2213, t. IV, p. 396.
6. Lettre W 2215, t. IV, p. 396.
7. Lettre W 2221, t. IV, p. 396.
8. Lettre W 2226, t. IV, p. 396.
9. Lettre W 2234, t. IV, p. 397.
10. Salomon, Jacques, « Chez Monet avec Vuillard et Roussel », *L'Œil*, n° 197, mai 1971, p. 24.
11. Lettre W 2230, t. IV, p. 397.
12. Lettre W 2243, t. IV, p. 398.
13. Lettre W 2249, t. IV, p. 398.
14. *Ibid.*

15. Degas, *Lettres*, recueillies et annotées par Marcel Guérin, préface de Daniel Halévy, Paris, Grasset, 1945, p. 67.
16. Vollard, Ambroise, *op. cit.*
17. Gide, André, *Journal 1887-1925*, édition établie, présentée et annotée par Eric Marty, Paris, Gallimard, « La Pléiade », 1966, p. 610.
18. Lettre W 2246, t. IV, p. 398.
19. Lettre W 2247, t. IV, p. 398.
20. Lettre W 2248, t. IV, p. 398.
21. Lettre W 2253, t. IV, p. 398.
22. Lettre W 2260, t. IV, p. 399.
23. Lettre W 2275, t. IV, p. 400.
24. Lettre W 2281, t. IV, p. 400.
25. Lettre W 2278, t. IV, p. 400.
26. Lettre W 2287, t. IV, p. 401.
27. Lettre W 2290, t. IV, p. 401.

1919

1. Lettre W 2326, t. IV, p. 403.
2. Lettre W 2396, t. IV, p. 401.
3. Lettre W 2397, t. IV, p. 401.
4. Lettre W 2306, t. IV, p. 402.
5. Archives Claude Monet, correspondance d'artiste, collection M. et Mme Cornebois, Arcurial (catalogue de la vente du mercredi 13 décembre 2006), n° 11, p. 12.
6. Lettre W 2311, t. IV, p. 402.
7. Lettre W 2316, t. IV, p. 402.
8. Lettre W 2319b, t. IV, p. 403.
9. Lettre W 2321, t. IV, p. 403.
10. Lettre W 2324, t. IV, p. 403.
11. Lettre W 2326, t. IV, p. 403.
12. *Ibid.*
13. Lettre W 2327, t. IV, p. 403.
14. Lettre W 2328, t. IV, p. 403.
15. Archives Claude Monet, correspondance d'artiste, collection M. et Mme Cornebois, Arcurial (catalogue de la vente du mercredi 13 décembre 2006), n° 279, p. 135.

1920

1. Lettre W 2336, t. IV, p. 404.
2. Lettre W 2330, t. IV, p. 403.
3. Lettre W 2336, t. IV, p. 404.

4. *Ibid.*
5. Lettre W 2335a, t. IV, p. 404.
6. Lettre W 2332, t. IV, p. 404.
7. Lettre W 2335, t. IV, p. 404.
8. Lettre W 2341, t. IV, p. 404.
9. Lettre W 2348, t. IV, p. 405.
10. Lettre W 2574, t. IV, p. 425.
11. Gimpel, René, *op. cit.*, p. 68.
12. *Ibid.*, p. 89.
13. Lettre W 2378, t. IV, p. 407.
14. Lettre W 2384, t. IV, p. 407.
15. Archives Claude Monet, correspondance d'artiste, collection M. et Mme Cornebois, Arcurial (catalogue de la vente du mercredi 13 décembre 2006), n° 131, p. 76.
16. *Ibid.*, n° 147, p. 82.
17. *Ibid.*, n° 160, p. 86.
18. Lettre W 2385, t. IV, p. 407.

1921

1. Lettre W 2406, t. IV, p. 409.
2. Lettre W 2396, t. IV, p. 408.
3. Lettre W 2398, t. IV, p. 408.
4. Lettre W 2403, t. IV, p. 408.
5. Archives Claude Monet, correspondance d'artiste, collection M. et Mme Cornebois, Arcurial (catalogue de la vente du mercredi 13 décembre 2006), n° 149, p. 82.
6. *Ibid.*, n° 100, p. 63.
7. *Ibid.*, n° 8, p. 11.
8. Lettre W 2406, t. IV, p. 409.
9. *Georges Clemenceau, à son ami Claude Monet, Correspondance, op. cit.*, p. 87.
10. Lettre W 2421, t. IV, p. 410.
11. Clemenceau, Georges, *Claude Monet, op. cit.*, p. 86.
12. Lettre W 2422, t. IV, p. 410.
13. Lettre W 2426, t. IV, p. 410.
14. Lettre W 2437, t. IV, p. 411.
15. Lettre W 2414, t. IV, p. 409.
16. Lettre W 2442, t. IV, p. 411.
17. Lettre W 2446, t. IV, p. 411.
18. Lettre W 2449, t. IV, p. 412.
19. Lettre W 2450, t. IV, p. 412.
20. Blanche, Jacques-Emile *De Gauguin à la Revue nègre, op. cit.*, p. 34-35.
21. Lettre W 2453, t. IV, p. 412.

22. Lettre W 2458, t. IV, p. 412.
23. Lettre W 2468, t. IV, p. 413.
24. Lettre W 2470, t. IV, p. 413.
25. Lettre W 2472, t. IV, p. 413.
26. Cité *in* Geffroy, Gustave, *Monet, sa vie, son œuvre, op. cit.*, p. 432.

1922

1. Lettre W 2477, t. IV, p. 413.
2. *Georges Clemenceau, à son ami Claude Monet, Correspondance, op. cit.*, p. 95.
3. Lettre W 2477, t. IV, p. 413.
4. Lettre W 2488, t. IV, p. 414.
5. Le texte stipule : « La présente donation est faite sous les charges et conditions suivantes qui sont déterminantes et sans lesquelles elle n'aurait pas lieu, lesquelles charges et conditions l'Etat français sera expressément tenu d'exécuter et accomplir, savoir :
1. L'Etat français prendra les panneaux donnés tels qu'ils se trouveront lors de l'époque fixée pour l'entrée en jouissance, sous le numéro trois ci-après et sans garantie du bon ou du mauvais état.
2. Les œuvres données serviront exclusivement à constituer dans le bâtiment de l'Orangerie aux Tuileries un Musée Claude Monet, composé de deux salles qui seront affectées aux panneaux ci-dessus désignés sans adjonction d'aucune autre œuvre de peinture ou de sculpture.
Les neuf premiers panneaux seront placés dans la salle d'entrée, les dix autres dans la seconde salle.
Les œuvres données seront remises à l'Etat dès que seront terminés les travaux d'aménagement de l'Orangerie des Tuileries, nécessaires à leur bonne exposition.
Ces travaux devront être exécutés conformément aux plans dressés le vingt janvier mil neuf cent vingt-deux par Monsieur Lefèvre, architecte, lesquels demeureront ci-annexés.
Tous ces travaux sont à la charge de l'Etat qui s'engage à en assurer l'exécution dans un délai maximum de deux ans à dater de l'acceptation provisoire.

L'aménagement des panneaux donnés ne pourra jamais être modifié sous aucun prétexte.
Les toiles, objet de la présente donation, ne pourront jamais être vernies. »
Le texte complet est reproduit *in* Michel Hoog, *Musée de l'Orangerie, Les Nymphéas de Claude Monet*, Paris, Réunion des Musées nationaux, 2006, p. 125.
6. *Georges Clemenceau, à son ami Claude Monet, Correspondance, op. cit.*, p. 101.
7. Lettre W 2494, t. IV, p. 414.
8. Lettre W 2504a, t. IV, p. 415.
9. Lettre W 2505, t. IV, p. 415.
10. *Georges Clemenceau, à son ami Claude Monet, Correspondance, op. cit.*, p. 110.
11. Lettre W 2649, t. IV, p. 423.
12. Lettre W 2517, t. IV, p. 415.

1923

1. Lettre W 2528, t. IV, p. 416.
2. Lettre W 2521, t. IV, p. 416.
3. Lettre W 2522, t. IV, p. 416.
4. *Georges Clemenceau, à son ami Claude Monet, Correspondance, op. cit.*, p. 116.
5. Lettre W *2656, t. IV, p. 424.
6. Archives Claude Monet, correspondance d'artiste, collection M. et Mme Cornebois, Arcurial (catalogue de la vente du mercredi 13 décembre 2006), n° 53, p. 30.
7. Lettre W 2526, t. IV, p. 416.
8. *Ibid.*
9. *Ibid.*
10. *Georges Clemenceau, à son ami Claude Monet, Correspondance, op. cit.*, p. 123.
11. Archives Claude Monet, correspondance d'artiste, collection M. et Mme Cornebois, Arcurial (catalogue de la vente du mercredi 13 décembre 2006), n° 53, p. 30.
12. *Ibid.*
13. Lettre W 2528, t. IV, p. 416.
14. *Georges Clemenceau, à son ami Claude Monet, Correspondance, op. cit.*, p. 127.

15. Lettre W 2531, t. IV, p. 416.

16. Archives Claude Monet, correspondance d'artiste, collection M. et Mme Cornebois, Arcurial (catalogue de la vente du mercredi 13 décembre 2006), n° 53, p. 31.

17. *Ibid.*

18. *Georges Clemenceau, à son ami Claude Monet, Correspondance, op. cit.,* p. 126.

19. Lettre W 2533, t. IV, p. 416-417.

20. *Georges Clemenceau, à son ami Claude Monet, Correspondance, op. cit.,* p. 126.

21. *Ibid.*

22. *Georges Clemenceau, à son ami Claude Monet, Correspondance, op. cit.,* p. 137.

23. Archives Claude Monet, correspondance d'artiste, collection M. et Mme Cornebois, Arcurial (catalogue de la vente du mercredi 13 décembre 2006), n° 12, p. 12.

24. Lettre W 2538, t. IV, p. 417.

25. *Georges Clemenceau, à son ami Claude Monet, Correspondance, op. cit.,* p. 139.

26. Lettre W 2541, t. IV, p. 417.

27. Lettre W 2543, t. IV, p. 417.

28. *Georges Clemenceau, à son ami Claude Monet, Correspondance, op. cit.,* p. 140.

1924-1925

1. Lettre W 2612, t. IV, p. 421.

2. Lettre W 2547, t. IV, p. 417.

3. Lettre W 2544, t. IV, p. 417.

4. Archives Claude Monet, correspondance d'artiste, collection M. et Mme Cornebois, Arcurial (catalogue de la vente du mercredi 13 décembre 2006), n° 100, p. 62. La toile n'est enfin exposée qu'en 1938.

5. Lettre W 2550, t. IV, p. 418.

6. *Georges Clemenceau, à son ami Claude Monet, Correspondance, op. cit.,* p. 147.

7. Lettre W *2572, t. IV, p. 425.

8. Lettre W 2554, t. IV, p. 418.

9. Cité *in* Wildenstein, Daniel, *op. cit.,* p. 431.

10. *Georges Clemenceau, à son ami Claude Monet, Correspondance, op. cit.,* p. 151.

11. Valéry, Paul, *Cahiers II*, édition établie, présentée et annotée par Judith Robinson, Paris, Gallimard, « La Pléiade », 1974, p. 948.

12. Lettre W *2675, t. IV, p. 425.

13. *Georges Clemenceau, à son ami Claude Monet, Correspondance, op. cit.,* p. 153.

14. *Ibid.*

15. *Ibid.*

16. *Ibid.,* p. 156.

17. Lettre W 2572, t. IV, p. 419.

18. *Georges Clemenceau, à son ami Claude Monet, Correspondance, op. cit.,* p. 157.

19. *Ibid.*

20. *Ibid.*

21. *Ibid.,* p. 158.

22. Lettre W 2580, t. IV, p. 419.

23. *Georges Clemenceau, à son ami Claude Monet, Correspondance, op. cit.,* p. 161.

24. Lettre W 2583, t. IV, p. 419.

25. Lettre W 2584, t. IV, p. 419.

26. *Georges Clemenceau, à son ami Claude Monet, Correspondance, op. cit.,* p. 163.

27. *Ibid.*

28. Lettre W 2590, t. IV, p. 420.

29. Lettre W 2600, t. IV, p. 420.

30. Lettre W 2606, t. IV, p. 420.

31. Lettre W 2607, t. IV, p. 420.

32. Lettre W 2611, t. IV, p. 421.

33. Lettre W 2609, t. IV, p. 420.

34. Lettre W *2677, t. IV, p. 425.

35. Lettre W *2682, t. IV, p. 426.

36. *Georges Clemenceau, à son ami Claude Monet, Correspondance, op. cit.,* p. 169.

37. Archives Claude Monet, correspondance d'artiste, collection M. et Mme Cornebois, Arcurial (catalogue de la vente du mercredi 13 décembre 2006), n° 128, p. 75.

38. Lettre W 2611, t. IV, p. 421.

39. Lettre W 2612, t. IV, p. 421.

1926

1. Lettre W 2624, t. IV, p. 421.
2. Lettre W 2617, t. IV, p. 421.
3. Georges Clemenceau, à son ami Claude Monet, Correspondance, op. cit., p. 172.
4. Lettre W 2626, t. IV, p. 421.
5. Georges Clemenceau, à son ami Claude Monet, Correspondance, op. cit., p. 179.
6. Cité in Wildenstein, Daniel, op. cit., p. 457.
7. Ibid., p. 458.
8. Ibid.

Conclusion

1. Georges Clemenceau, à son ami Claude Monet, Correspondance, op. cit., p. 111.
2. Voir Hoschedé, Jean-Pierre, Claude Monet, ce mal connu. Intimité familiale d'un demi-siècle à Giverny de 1883 à 1926, tome premier, Pierre Cailler Editeur, Genève, 1960, p. 83.
3. Ibid., p. 75 et p. 76.
4. Ibid., p. 82.
5. Clemenceau, Georges, Claude Monet, op. cit., p. 93-94.
6. Jamot, Paul, Claude Monet : exposition rétrospective, musée de l'Orangerie, Paris, 1931, p. 8, 13, 22, 24.
7. Ibid., p. 37-36.
8. Ibid., p. 100.
9. Ibid., p. 14.
10. Lilla Cabot Perry, Souvenirs sur Claude Monet,1889-1909, The American Magazine of Art, mars 1927, traduit par Dominique Taffin-Jouhaud, in Gustave Geffroy, Monet, sa vie, son œuvre, Edition présentée et annotée par C. Judrin, Macula, Paris, 1980, p. 467.
11. Hoschedé, Jean-Pierre, Claude Monet, ce mal connu..., tome premier, op. cit., p. 53.
12. Manet, Julie, Journal (extraits) 1893-1899. Introduction par Rosalind de Boland Roberts et Jane Roberts, Editons Scala, Paris,1987, p. 43.
13. Lilla Cabot Perry, Souvenirs sur Claude Monet,1889-1909, op. cit., p. 465-466.
14. Vollard, Ambroise, Souvenirs d'un marchand de tableaux, Editions Albin Michel/Les Libraires associés, Paris, 1957, p. 112.
15. Blanche, Jacques-Emile De Gauguin à la Revue nègre, Emile-Paul Frères, Paris, 1928, pp. 25-26.
16. 1831-1922.
17. 1862-1928.
18. 1866-1931.
19. 1865-1892.
20. 1833-1915.
21. 1870-1941.
22. 1870-1953.
23. Goncourt, Edmond et Jules de, Journal, mémoires de la vie littéraire, tome III, 1887-1896, Texte intégral établi et annoté par Robert Licatte, « Bouquins », Robert Laffont, Paris, 1989, p. 723.
24. Renoir, Ecrits, entretiens et lettres sur l'art. Textes réunis, présentés et annotés par Augustin de Butler, Les Editions de l'Amateur, Paris, 2002, p. 206.
25. Mirbeau, Octave, Des artistes, préface d'Hubert Juin, Union Générale d'Editions, 10/18, Paris,1986, p. 425.
26. Castagnary J., L'Exposition du boulevard des capucines - Les impressionnistes, Le Siècle, 29 avril 1874, cité in Patin, Sylvie, Impression... impressionnisme, Découvertes texto/Gallimard, Paris, 1998, p. 16-17.
27. Blanche, Jacques-Emile, De Gauguin à la Revue nègre, op. cit., p. 21-22.
28. Duret, Th., Les Peintres impressionnistes, Paris, 1878, cité in Patin, Sylvie, Impression... impressionnisme, op. cit.
29. Cité in Galassi, Peter, Corot en Italie. Traduit de l'anglais par Jeanne Bouniort, Gallimard, Paris, 1991.
30. Kandinsky, Wassily, Rückblicke, Berlin, 1913. Traduction française citée in Regards sur le passé et autres textes, présentés par J.-P. Bouillon, Paris, 1974, p. 96.
31. Lettre W 1162, Tome III, p. 268.

Chronologie

1840	14 novembre : naissance de Claude-Oscar Monet au 45, rue Laffitte, Paris.
Vers 1845	Installation de la famille Monet au Havre.
1856	Etude du dessin auprès de Charles-François Ochard, professeur au collège du Havre. Premières caricatures.
1857	Décès de Louise Justine Monet, née Aubrée, mère du peintre. Rencontre avec Eugène Boudin.
1858	Présentation d'un paysage à l'Exposition municipale organisée par la Société des Amis des arts du Havre.
1859	Premier séjour à Paris.
1860	Rencontre avec Camille Pissarro. Inscription à l'Académie suisse.
1861	Service militaire dans les chasseurs d'Afrique. Algérie.
1862	Convalescence au Havre. Retrouve Boudin. Rencontre Jongkind. Entrée dans l'atelier de Charles Gleyre. Rencontre de Renoir, de Bazille et de Sisley.
1863	Peint à Chailly-en-Bière.
1864	Chez la mère Toutain, à la ferme Saint-Siméon de Honfleur. Séjour dans sa famille à Sainte-Adresse. Suspension de la pension versée par son père. Accueilli par Bazille dans son atelier parisien.
1865	Deux toiles acceptées au Salon.
1866	Camille Léonie Doncieux, modèle de *La Femme à la robe verte*, toile acceptée au Salon, devient la compagne de Monet. Article de Zola. Vit à Ville-d'Avray. Automne à Sainte-Adresse.
1867	Refusé au Salon comme Bazille, Pissarro, Sisley et Renoir. 8 août : naissance de Jean, son premier fils.
1868	Séjourne à Bennecourt, au Havre, à Fécamp, à Etretat. Admis au Salon.
1869	Installation à Saint-Michel, non loin de Bougival. La Grenouillière, motif commun avec Renoir.
1870	28 juin : mariage de Camille Léonie Doncieux et de Claude-Oscar Monet à Paris. Séjour à Trouville. Départ pour Londres. Y retrouve Pissarro, y rencontre Daubigny et le marchand Paul Durand-Ruel.
1871	17 janvier : décès du père de Monet. Voyage au Pays-Bas (Zaandam). Découverte des estampes japonaises. Retour en France. Installation à Argenteuil.
1872	Expose à Rouen.
1873	Utilisation d'un bateau-atelier.

1874	Brefs séjours au Havre.
	15 avril-15 mai : première exposition des « Impressionnistes » dans d'anciens ateliers de Nadar au 35, boulevard des Capucines à Paris. Parmi les toiles de Monet, *Impression, soleil levant.*
1875	Déménagement pour une autre maison dans Argenteuil. 24 mars : à l'hôtel Drouot de Paris, première vente aux enchères publiques d'œuvres impressionnistes.
1876	Deuxième exposition impressionniste à la galerie Durand-Ruel, au 11, rue Le Peletier à Paris. Dix-huit toiles de Monet.
1877	La gare Saint-Lazare, motif de Monet.
	Troisième exposition impressionniste au 6, rue Le Peletier à Paris.
1878	Installation à Paris, 26 rue d'Edimbourg. Naissance du second fils de Monet, Michel. En août, installation avec la famille Hoschedé à Vétheuil.
1879	10 avril-11 mai : quatrième exposition impressionniste au 28, avenue de l'Opéra.
	5 septembre : décès de Camille, sa femme.
1880	Ne participe pas à la cinquième exposition impressionniste, mais en revanche au Salon où seule l'une des deux toiles présentées est admise.
	6 juin : première exposition personnelle dans les locaux de la revue *La Vie moderne.* Séjour à Rouen.
1881	Séjour au Havre et à Fécamp, à Trouville et à Sainte-Adresse. Ne participe pas à la sixième exposition impressionniste.
	Avec ses deux fils, installation à la mi-décembre avec Alice Hoschedé, séparée de son mari, et ses cinq enfants à Poissy.
1882	Participe avec trente-cinq toiles à la septième exposition impressionniste au 251, rue Saint-Honoré, à Paris.
	Séjours à Dieppe, à Pourville et Varengeville.
1883	Séjour au Havre et à Etretat.
	1er mars : exposition personnelle d'une cinquantaine d'œuvres chez Durand-Ruel.
	29 avril : installation à Giverny.
	30 avril : décès de Manet.
1884	Séjour à Bordighera.
1885	Participe à la quatrième Exposition internationale chez Georges Petit.
1886	Participe à l'exposition du Cercle des XX à Bruxelles. Absent de la huitième et dernière exposition impressionniste.
	Séjourne aux Pays-Bas. Puis à Etretat et à Belle-Ile-en-Mer. Y rencontre Gustave Geffroy.
1887	Commence à travailler avec Théo Van Gogh pour la galerie Boussod et Valadon. Participe à la sixième Exposition internationale chez Georges Petit avec 17 toiles.
	Séjourne à Londres.
1888	Séjourne à Antibes, sur la Côte d'Azur. Bref séjour à Londres à la fin de l'année.
1889	Nouvelle participation au Salon des XX à Bruxelles. Séjour dans la Creuse.
	21 juin-21 septembre : expose avec Rodin à la galerie Georges Petit.
	Début de la souscription pour l'achat de l'*Olympia* de Manet.
	Participation à l'Exposition centennale.
1890	Achat de la maison de Giverny.
1891	Travaux dans le jardin pour la mise en place du bassin.
	19 mars : décès d'Ernest Hoschedé.
	Expose 15 toiles des *Meules* chez Durand-Ruel.

1892   Séjours à Rouen pour les *Cathédrales*. Exposition de la série de 15 toiles des *Peupliers* chez Durand-Ruel.
16 juillet : mariage d'Alice Hoschedé et de Claude Monet à Giverny.

1893   Acquisition d'un nouveau terrain qui permet un premier aménagement du jardin d'eau.

1894   2 mars : décès de Caillebotte qui lègue sa collection, dont 8 toiles de Monet, au musée du Luxembourg.

1895   Séjour en Norvège. Exposition des *Cathédrales* de Rouen chez Durand-Ruel.

1896   Entrée du legs Caillebotte au musée du Luxembourg.

1897   Séjour à Pourville. Construction d'un nouvel atelier à Giverny. Mariage de Jean Monet, fils aîné de Claude Monet, avec Blanche Hoschedé, l'une des filles d'Alice Hoschedé.

1898   Exposition personnelle à la galerie Georges Petit. Bref séjour à Londres en novembre.

1899   29 janvier : décès de Sisley. Séjour à Londres. Début du thème des *Nymphéas*.

1900   Séjour à Londres. Participation à l'Exposition centennale. Exposition personnelle de plusieurs *Ponts japonais* et de *Bassins des Nymphéas*.

1901   Troisième séjour à Londres. Achat d'un nouveau terrain qui permet l'agrandissement du bassin.

1902   Voyage en Bretagne. Exposition de paysages de Vétheuil chez Bernheim-Jeune.

1903   13 novembre : décès de Camille Pissarro.

1904   Exposition de 37 toiles de Londres chez Durand-Ruel. Voyage à Madrid et Tolède.

1905   Travaille aux *Nymphéas*.

1906   22 octobre : décès de Paul Cézanne.

1907   Exposition personnelle à la galerie Durand-Ruel de New York.

1908   30 septembre-7 décembre : séjour à Venise avec Alice.

1909   Expositions de *Nymphéas* à la galerie Durand-Ruel.

1910   L'inondation endommage le jardin au début de l'année.

1911   19 mai : décès d'Alice.

1912   29 toiles de Venise présentées à la galerie Bernheim-Jeune. La vue de Monet est troublée par la cataracte.

1913   Exposition de toiles de Venise à la galerie Durand-Ruel de New York.

1914   9 février : décès de Jean Monet. Blanche revient s'installer auprès de son beau-père.

1915   Construction d'un troisième atelier dans le jardin de Giverny.

1916   Travaille aux *Nymphéas*.

1917   17 novembre : décès de Rodin.

1918   Au lendemain de l'armistice, Monet écrit à son ami Clemenceau pour offrir à la France deux de ses toiles.

1919   Exposition à la galerie Bernheim-Jeune.
3 décembre : décès de Renoir.

1920   Aggravation de la vue de Monet ; il refuse d'être opéré.

1921   21 janvier-2 février : exposition rétrospective à la galerie Bernheim-Jeune. Choix de l'Orangerie des Tuileries pour y installer les *Nymphéas*.

1922   5 février : décès de Paul Durand-Ruel.

1923   Opération de la cataracte de l'œil droit.

1924   10 *Nymphéas* exposés à la galerie Durand-Ruel de New York.

1925   La mise au point de verres Zeiss permet à Monet de recouvrer la vue.

1926   5 décembre : décès de Monet.

Bibliographie

Celle-ci ne mentionne que les livres et catalogues qui sont des références fonda-
mentales, parce qu'ils livrent des témoignages et des documents essentiels, indispensables. Les notes des chapitres indiquent d'autres titres – consultés et cités.

ALEXANDRE, Arsène, *Claude Monet*, Paris, 1921.
CLEMENCEAU, Georges, *Claude Monet, les Nymphéas*, Paris, 1928, réédition
Perrin, Paris, 2000.
DURET, Théodore, *Le Peintre Claude Monet*, notice sur son œuvre,
catalogue, galerie, La Vie Moderne, Paris, 1880.
GEFFROY, Gustave, *Monet, sa vie, son temps, son œuvre*, deux volumes, Paris,
1922. Réédition présentée et annotée par C. Judrin, Macula, Paris, 1980.
ELDER, Marc, *A Giverny chez Claude Monet*, Paris, 1924.
HOSCHEDÉ, Jean-Pierre, *Claude Monet cet inconnu*, deux volumes, Genève,
1960.
PIGUET, Philippe, *Monet et Venise*, Paris, 1986.
WILDENSTEIN, Daniel, *Monet, vie et œuvre*, Lausanne-Paris. Tome I, 1974,
tome II et tome III, 1979 ; tome IV, 1985, tome V, 1992. Réédition (sans la
correspondance de Monet) Taschen, Cologne, 1996.
*Archives Claude Monet, correspondance d'artiste – Collection M. et
Mme Cornebois* (catalogue de la vente du mercredi 13 décembre 2006),
Arcurial, Paris, 2006.

Des bibliographies très développées peuvent être consultées dans ces
deux ouvrages récents qui sont des essais plus que des biographies :

ALPHANT, Marianne, *Claude Monet. Une vie dans le paysage*, Hazan, Paris,
1993.
HAYES TUCKER, Paul *Monet, Le Triomphe de la lumière*. Traduit de l'américain
par Jean-François Allain, Flammarion, Paris, 1990.

Généalogie

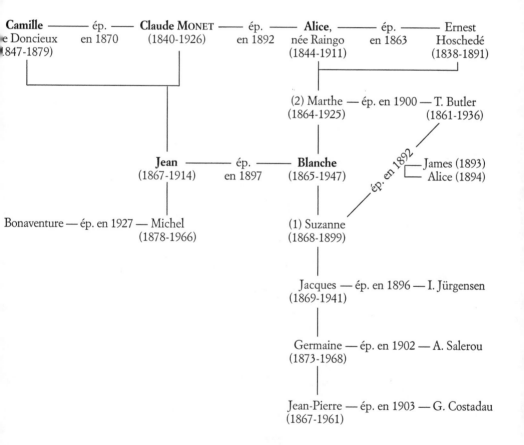

Camille —— ép. —— **Claude MONET** —— ép. —— **Alice,** —— ép. —— Ernest
e Doncieux   en 1870   (1840-1926)   en 1892   née Raingo   en 1863   Hoschedé
847-1879)   (1844-1911)   (1838-1891)

(2) Marthe — ép. en 1900 — T. Butler
(1864-1925)   (1861-1936)

Jean —— ép. —— **Blanche**   _ép. en 1892_ —— James (1893)
(1867-1914)   en 1897   (1865-1947)   — Alice (1894)

Bonaventure — ép. en 1927 — Michel   (1) Suzanne
                            (1878-1966) (1868-1899)

Jacques — ép. en 1896 — I. Jürgensen
(1869-1941)

Germaine — ép. en 1902 — A. Salerou
(1873-1968)

Jean-Pierre — ép. en 1903 — G. Costadau
(1867-1961)

Remerciements

Que Jean-Claude Simoen et Augustin de Butler
soient remerciés d'avoir mis à ma disposition,
pour l'écriture de ce livre,
des documents essentiels et irremplaçables.

Index

Table

La photocomposition de cet ouvrage
a été réalisée par
GRAPHIC HAINAUT
59163 Condé-sur-l'Escaut

Achevé d'imprimer en mars 2007
par **Bussière**
à Saint-Amand-Montrond (Cher)
pour le compte des Éditions Perrin
76, rue Bonaparte
Paris 6ᵉ

N° d'édition : 2398. – N° d'impression : 070897/4.
Dépôt légal : mars 2007.
Imprimé en France